LA TERRE DES MORTS

Né en 1961 à Paris, Jean-Christophe Grangé découvre le monde en devenant journaliste. C'est lors d'un reportage sur les oiseaux migrateurs que naît l'idée de son premier roman, *Le Vol des cigognes*. Son deuxième thriller, *Les Rivières pourpres*, est adapté à l'écran par Mathieu Kassovitz ; le film, comme le roman, connaît un immense succès en France mais aussi dans le reste du monde. Devenue culte, l'œuvre de Grangé est traduite en plus de trente langues... La plupart de ses thrillers ont été adaptés ou sont en cours d'adaptation au cinéma ou à la télévision.

Paru au Livre de Poche :

Le Concile de pierre

Congo Requiem

L'Empire des loups

La Forêt des mânes

Kaïken

La Ligne noire

Lontano

Miserere

Le Passager

Les Rivières pourpres

Le Serment des limbes

Le Vol des cigognes

JEAN-CHRISTOPHE GRANGÉ

La Terre des morts

ROMAN

ALBIN MICHEL

© Éditions Albin Michel, 2018.
ISBN : 978-2-253-25993-0 – 1re publication LGF.

PREMIÈRE PARTIE

1

Le Squonk avait tout pour lui déplaire. Une boîte de strip-tease, soi-disant branchée, située au troisième sous-sol d'un immeuble décrépit du Xe arrondissement. Marches, murs, sol, plafond, tout y était noir. Quand Stéphane Corso, chef du groupe 1 de la Brigade criminelle, avait plongé dans l'escalier, un sourd vrombissement lui avait aussitôt vrillé l'estomac – il avait pensé au métro… Pas du tout : simple effet sonore à la David Lynch, histoire d'achever de vous oppresser.

Après un couloir décoré de photos de pin-up fifties éclairées par une fine rampe de leds, un bar vous accueillait. Derrière le comptoir, les traditionnelles rangées de bouteilles étaient remplacées par des images en noir et blanc de sites industriels vétustes et d'hôtels abandonnés. *No comment.*

Corso avait suivi les autres spectateurs et obliqué à droite pour découvrir une salle en pente aux fauteuils rouges. Il s'était installé dans un coin, voyeur parmi les voyeurs, et avait attendu que les lumières s'éteignent. Il était venu pour flairer le terrain et, de ce point de vue, il était servi.

D'après le programme (une page de plastique noir écrite en blanc, genre radiographie), on en était aux deux tiers du show et Corso se demandait pour la centième fois par quel snobisme bizarre ce genre de prestations ringardes (on avait opté pour la terminologie américaine, on parlait désormais de « new burlesque ») était revenu à la mode.

Il s'était déjà farci Miss Velvet, une brune coiffée à la Louise Brooks et couverte de tatouages, Candy Moon et sa danse des sept voiles, Gypsy La Rose, capable d'ôter ses chaussures en faisant le petit pont. On attendait Mam'zelle Nitouche et Lova Doll… Corso n'avait jamais été attiré par ce type de shows et le physique de ces dames ne l'incitait pas à l'indulgence : plutôt grasses, surmaquillées et grimaçantes, elles se situaient aux antipodes de ce qui l'excitait.

Cette pensée lui rappela Émiliya et les premières conclusions du divorce que son avocate lui avait envoyées dans la journée. C'était la véritable raison de sa mauvaise humeur. En matière juridique, ces conclusions ne marquaient pas la fin de la procédure mais au contraire le début des hostilités. Un torrent d'injures et de mensonges, dictés par Émiliya elle-même, auxquels il allait falloir répondre avec la même virulence.

L'enjeu du combat était leur enfant, Thaddée, petit garçon qui marchait sur ses 10 ans et dont il voulait obtenir la garde principale. Corso ne luttait pas tant pour conserver son fils que pour l'éloigner de sa mère – à ses yeux le mal absolu : une haute fonctionnaire d'origine bulgare, adepte du SM dur. En remuant ces idées, une giclée acide lui inonda la gorge et il se dit que tout ça allait finir en ulcère, en cancer du foie ou, pourquoi pas, en homicide volontaire.

Mam'zelle Nitouche était arrivée. Corso se concentra. Une blonde à peau laiteuse et hanches de mammouth. Elle ne portait déjà plus qu'un boa de plumes, deux étoiles argentées sur les mamelons et un string noir qui avait bien du mal à faire le tour du sujet. Soudain, l'artiste se pencha pour farfouiller dans son derrière. Elle finit par y dénicher une guirlande de Noël qu'elle extirpa en jappant comme un petit chien. Corso n'en croyait pas ses yeux. L'effeuilleuse se mit à tourner sur elle-même telle une toupie géante en équilibre sur ses talons de 12, faisant virevolter son ruban de soie sous les applaudissements enthousiastes des spectateurs.

Il se résolut à envisager enfin la raison de sa présence à 23 heures passées dans ce rade obscur. Douze jours auparavant, le vendredi 17 juin 2016, le cadavre d'une artiste du Squonk, Sophie Sereys, alias Nina Vice, 32 ans, avait été retrouvé aux abords de la déchetterie de la Poterne des Peupliers, près de la place d'Italie. Nue et ligotée avec ses sous-vêtements, la jeune femme avait été défigurée d'une manière horrible : le tueur avait figé son visage sur un cri démesuré en incisant les commissures de ses lèvres jusqu'aux oreilles et en lui enfonçant une pierre au fond de la gorge pour maintenir la bouche largement ouverte.

L'enquête avait été confiée au commandant Patrick Bornek, patron du groupe 3 de la Brigade criminelle. Le flic, qui connaissait son boulot, avait appliqué la méthode standard : photos et prélèvements sur la scène de crime, porte-à-porte, visionnage des bandes de vidéosurveillance, audition des proches, recherche de témoins, etc.

On s'était intéressé en priorité aux clients du Squonk. Bornek s'imaginait faire moisson d'obsédés sexuels et de pervers déglingués. Il en avait été pour ses frais : la clientèle était composée de jeunes branchés, de financiers cokés, d'intellos amateurs de second degré qui trouvaient très chic d'assister à des spectacles d'un autre temps. Par ailleurs, la recherche des pointus et autres violeurs récemment libérés ou dans la ligne de mire de la BRP n'avait rien donné non plus. L'équipe de Bornek avait aussi creusé chez les adeptes du bondage – les liens avec les sous-vêtements rappelant les pratiques BDSM. En vain.

Tous les fichiers criminels informatisés avaient été passés au crible, du TAJ (Traitement des antécédents judiciaires) au Salvac (Système d'analyse des liens de la violence associée au crime), pour n'obtenir à l'arrivée qu'un zéro pointé. On avait également étudié les quelques plaintes impliquant des sous-vêtements. Rien à retenir, sauf si on voulait ouvrir une boutique de lingerie féminine.

L'enquête de voisinage, côté déchetterie et aussi à l'adresse de la victime, rue Marceau à Ivry-sur-Seine, s'était réduite à peau de balle. La nuit du 15 au 16 juin, Sophie Sereys était rentrée chez elle en Uber à 1 heure du matin. Le chauffeur l'avait déposée devant son immeuble et on ne l'avait plus jamais revue. Le lendemain étant son jour de repos, personne au Squonk ne s'était inquiété. Quant à la déchetterie, c'étaient des ouvriers polonais venus déposer leurs gravats qui avaient aperçu le cadavre.

Auparavant, ni les vigiles ni les caméras n'avaient repéré le moindre détail suspect.

On avait dressé le portrait de la victime, fouillé son passé. Sophie se considérait comme une artiste et courait après ses heures travaillées comme n'importe quel intermittent du spectacle. Peu d'amis, pas de boyfriend, aucune famille. Elle était née sous X, ce qui signifiait que personne, même pas les flics, ne pouvait connaître l'identité de ses parents biologiques, et elle avait grandi dans l'est de la France, au gré des foyers et de ses familles d'accueil. Après avoir obtenu un BTS de gestion à Grenoble, elle était montée à Paris en 2008 pour se consacrer à ses vraies passions, la danse et l'effeuillage.

Pas grand-chose non plus du côté de ses employeurs. « Artiste chorégraphique », selon le code APE du Pôle emploi spectacle, l'effeuilleuse ne travaillait que trois jours par semaine au Squonk et multipliait les petits jobs le reste de la semaine. Elle cachetonnait dans des boîtes de province, donnait des prestations privées pour les enterrements de vie de garçon et proposait des cours d'effeuillage pour les enterrements de vie de jeune fille. À croire que le strip-tease était la première et dernière idée des jeunes gens avant le mariage…

Bornek, qui n'était pas contre quelques clichés, avait supposé que Sophie arrondissait ses fins de mois en couchant avec ses admirateurs. Il avait tort. On n'avait pas trouvé l'ombre d'un micheton. Elle préférait les activités sportives et spirituelles : hatha yoga, méditation, marathon, VTT… Ce qui ne l'empêchait pas de croiser chaque mois des centaines de mecs au fil de ses shows ou des pistes cyclables. Autant de suspects anonymes.

Au bout d'une semaine, Corso avait senti le dossier se rapprocher dangereusement. En l'absence de résultat, il arrive chez les flics qu'on change d'équipe, ne serait-ce que pour se donner le sentiment d'avancer. D'autant que dans cette histoire, la pression médiatique culminait. On avait ici tous les ingrédients d'un bon vieux fait divers – du cul, du sang, du mystère…

Bref, Catherine Bompart, patronne de la BC, avait obtenu du parquet une prolongation du délai de flagrance – période où les flics travaillent sans juge ni contrainte –, puis avait convoqué Corso dans son bureau. Stéphane avait renâclé. Bompart l'avait rapidement recadré : il n'avait pas le choix – elle n'était pas simplement sa supérieure hiérarchique mais sa « marraine de cœur », celle qui lui avait évité de finir en taule, comme tous les voyous qu'il arrêtait depuis près de vingt ans.

Le passage de relais datait du matin même. Il s'était enfermé toute la journée avec le dossier – déjà cinq classeurs épais –, puis avait annoncé la nouvelle aux membres de son groupe en fin d'après-midi en leur distribuant un topo qu'il avait lui-même rédigé. Il leur avait ordonné de s'organiser avec les affaires en cours pour pouvoir attaquer dès le lendemain. *Briefing à 9 heures.*

Les lumières de la salle se rallumèrent. Mam'zelle Nitouche avait remballé ses guirlandes et sans doute Lova Doll était-elle passée aussi. Il n'avait rien vu. Maintenant que chacun se levait, il surprenait les mines hilares et satisfaites du public. Encore une fois, mais c'était une sensation familière, il éprouva une bouffée de haine à l'égard de tous ces honnêtes gens.

Il les laissa filer et repéra une porte noire à droite de la scène, le backstage. Il était temps de rendre une petite visite au maître des lieux, Pierre Kaminski.

2

Corso le connaissait de longue date – il l'avait lui-même arrêté en 2009 alors qu'il bossait à la BRP – et se remémora le pedigree du lascar.

Né dans les environs de Chartres en 1966, Pierre Kaminski avait quitté la ferme familiale à 16 ans. D'abord punk à chien, il était devenu jongleur, puis cracheur de feu, avant de s'embarquer pour les États-Unis à 22 ans. Là-bas, il avait fréquenté le milieu du off-Broadway (c'était du moins ce qu'il racontait) avant de revenir en France en 1992 pour monter une boîte de nuit près de la République, Le Charisma. Trois ans plus tard, il était arrêté et condamné pour coups et blessures sur une de ses serveuses. Sursis. Faillite. Disparition.

Plus tard, il était revenu avec une boîte à partouzes près du canal Saint-Martin, Le Chafouin. Affaire florissante avant qu'il ne tombe cette fois pour proxénétisme. Trois ans de placard ferme. Il n'en avait fait que deux. En 2001, le boss renaissait encore de ses cendres et montait Le Shar Pei, un club de strip-tease rue de Ponthieu qui avait marché huit années durant avant de fermer pour « trafic d'êtres humains ». Kaminski avait écopé d'une nouvelle inculpation et avait même été, dans la foulée, soupçonné du meurtre d'une de ses danseuses, retrouvée défigurée dans une poubelle à quelques blocs de l'établissement. Il était sorti blanchi de ces accusations (témoins et plaignants avaient disparu) et s'était évanoui de nouveau. Il faisait bien parce que Corso, qui était convaincu de sa culpabilité, aurait bien réglé l'affaire à sa façon. Finalement, le maquereau était réapparu en 2013 et avait ouvert Le Squonk qui ne désemplissait pas.

Corso atterrit dans un vestiaire dont deux murs étaient occupés par des portants chargés de costumes, le troisième alignant des miroirs-loges bordés d'ampoules. Il régnait ici un joyeux bordel : des produits de maquillage couvraient les tables, des valises à roulettes, des chaussures, des accessoires jonchaient le sol dans un désordre de champ de bataille.

La plupart des Miss avaient encore les fesses à l'air. Dans un coin, une *stage kitten* (l'équivalent des ramasseuses de balles sur un court de tennis sauf qu'il s'agissait ici de soutiens-gorge et de culottes) raccrochait sa moisson sur des cintres. Un danseur de claquettes, noir de peau, rose de costume, revissait les fers de ses chaussures, assis sur un tabouret.

— Kaminski, fit Corso en s'adressant au Black.

Le gars le jaugea d'un coup d'œil. Il ne parut ni surpris ni effrayé par ce nouveau flic : depuis l'assassinat de Nina, les schmidts défilaient ici en rangs serrés.

— Au fond du couloir.

Corso enjamba un hamburger gonflable de la taille d'un pouf, des coiffes à plumes, des corsets satinés, des colliers tahitiens… D'un coup, il éprouva de la tendresse pour ces filles qui créaient leur propre numéro, cousaient leurs frusques et mettaient au point leur chorégraphie. Il songea à sa propre enfance, quand il se déguisait en Indiana Jones ou imitait Bruce Lee devant la glace du dortoir.

Corso entra sans frapper. La première chose qu'il vit fut un régisseur, debout sur une échelle, qui réparait un plafonnier. La deuxième fut Kaminski lui-même, torse nu, pantalon de treillis, les poings sur les hanches, surveillant l'opération comme s'il s'agissait de la construction du pont de la rivière Kwaï.

Sous sa coupe de légionnaire, l'homme arborait un visage sec tout en angles droits. Sa carrure était à l'avenant – muscles au cordeau, affûtés et prêts à l'emploi. Le marchand de cul le plus célèbre de la capitale ressemblait à un para en rupture de conflit.

— Tiens, dit-il en lançant un bref regard à Corso, v'là la volaille.

Corso remarqua qu'il ne portait pas de chaussures et que le sol était tapissé de coco, ce qui pouvait passer pour une imitation de tatami.

— T'as pas l'air surpris de me voir.

— Ces derniers temps, j'ai vu passer ici assez de flics pour m'en farcir le croupion jusqu'à la gueule.

Corso fit mine de sourire.

— Je suis venu te poser quelques questions.

Sans crier gare, Kaminski se mit en position *zenkutsu dachi*, jambe avant fléchie, jambe arrière tendue, poings serrés en garde.

— Ça vous a pas suffi de me foutre en garde à vue ?

Le premier réflexe de Bornek avait été d'arrêter Kaminski, rapport à ses antécédents. Encore une

18

erreur. Le commissaire avait dû le libérer quelques heures plus tard après vérification de son alibi.

Kaminski pivota en direction du régisseur et lui balança un *mawashi geri* (« coup de pied circulaire ») qu'il arrêta à quelques millimètres des jambes. Le technicien semblait avoir l'habitude car il ne broncha pas.

— Vous êtes venus ici une dizaine de fois, reprit le taulier. Vous avez interrogé mes danseuses, convoqué mon personnel, emmerdé mes clients. Mon nom et celui de ma boîte sont traînés dans la merde depuis une semaine. Pas bon pour le commerce tout ça.

— Tu parles. Depuis le meurtre de Nina, tu fais salle comble. Rien ne vaut le goût du sang pour attirer le chaland.

L'autre ouvrit ses bras en signe d'alléluia.

— Tu m'as enfin trouvé un mobile !

— Parlons sérieusement… d'homme à homme.

Le proxo éclata de rire.

— Ho, Corso, comment tu m'parles, là ? On n'a pas été aux putes ensemble. Notre dernier contact, si j'me rappelle bien, c'est quand tu m'as envoyé au ballon en 2009.

Corso ne releva pas – de la provocation de voyou standard.

— Je voudrais que tu me fasses un portrait de Nina… humain, intime. Tu étais proche d'elle, non ?

Kaminski se remit en position *zenkutsu dachi*.

— La distance raisonnable entre un patron et sa salariée.

Corso songea à la serveuse à laquelle il avait déboîté la mâchoire et à la danseuse retrouvée rue Jean-Mermoz, sans visage.

— Vous ne couchiez pas ensemble ?

— Nina ne couchait avec personne.

— Elle carburait à quoi ?

Kaminski pivota puis lança un *yoko geri* (« coup de pied latéral ») juste à la hauteur des genoux de l'ouvrier toujours aux prises avec sa rampe lumineuse.

— Ce qu'elle aimait par-dessus tout, c'était se balader à poil sur les plages de sable blanc.

Il l'avait lu dans le dossier : Sophie Sereys était naturiste. Même pas une petite culotte pour séparer sa vie privée de sa vie d'artiste.

— Pas de drogue, d'alcool ?

— Je parle pas français ? Nina était aussi pure qu'une source thermale.

— Pas de passes avec les clients ?

En inspirant profondément, le proxo se plaça en position *shiko dachi*, de face, jambes fléchies, pieds à 45 degrés, mains sur les genoux – la position des lutteurs de sumo. Pour un quinquagénaire, il tenait une forme olympique.

— Cherche pas la merde, Corso. Nina était une fille sans tache, le cœur sur la main. Elle respirait la gentillesse. Rien que sa présence dans le métier, ça nous rachetait tous un peu. Y a trois jours, c'était son enterrement. Nina, elle avait pas de famille, eh ben j'ai jamais vu autant de monde dans un cimetière. Que des amis, des collègues, des admirateurs…

Corso aurait bien aimé assister à ces funérailles, histoire de prendre lui-même la température.

— Et une pro avec ça ! continua le karatéka. Une des meilleures en France. Elle écrivait elle-même ses scénarios, inventait des postures, des expressions, des petits détails… Putain de Dieu, je lui prédisais un avenir de star. La nouvelle Dita von Teese !

Kaminski exagérait. Sur Internet, Corso n'avait vu qu'une jolie blonde au curieux physique d'actrice de cinéma muet et aux chorégraphies simplistes.

Nouvelle garde. Double pas, pas croisés. *Okuri ashi*.

— Une chic fille qu'a simplement fait la mauvaise rencontre.

— Peut-être ici, chez toi.

— Tu perds ton temps, Corso. Y a pas plus sain que ma boîte et son public. La perversité, on la trouve chez les coincés de la bite. C'est la morale qui crée le mal, pas l'inverse. T'en sais quelque chose, non ?

Corso déglutit, éprouvant la désagréable sensation d'être mis à nu. Il avait toujours brouillé les pistes : raide comme un janséniste, il s'habillait comme un fan de Nirvana à près de quarante balais ; voyou dans l'âme, il était devenu flic ; chrétien autoproclamé, il ne foutait jamais les pieds, ou presque, à l'église. Quant au sexe, il n'aimait que les vierges éthérées mais c'était pour mieux les souiller. Qui voulait-il tromper ? Lui-même ?

— Et du côté de tes potes ? reprit-il. T'as pas gardé des contacts avec des taulards ? des adeptes de l'amour vache ?

Kaminski enchaîna un *ura mawashi geri*, avec le revers du pied, et un *tsumasaki geri*, orteils tendus. Corso avait pratiqué le karaté et il devait admettre que la technique du proxo était sans faille. Le régisseur, lui, commençait à trembler des genoux.

— Tu te trompes encore, *maricón*. Le tueur que tu cherches a pas fait de taule et porte pas une pancarte marquée « tueur en série ». C'est un mec normal, lisse, sans histoires.

Corso était d'accord. La violence intérieure qui submergeait l'assassin quand il passait à l'acte était sans doute proportionnelle au calme qu'il affichait en surface.

— Et tes filles, comment elles ont réagi ?

— À ton avis ? On a dû créer une cellule psychologique.

Corso faillit éclater de rire.

— Mais elles ont déjà repris le boulot, enchaîna l'autre. Par solidarité. Elles pensent que c'est la meilleure chose à faire en mémoire de Nina.

— *Show must go on...*

Enfin, l'ouvrier brancha les derniers fils et remit en place le plafonnier. La connexion alluma les yeux rouges d'un squelette qui trônait dans un coin de la pièce et qui devait servir de sparring-partner à Kaminski.

Assez traîné ici. Il s'était tapé un spectacle affligeant et avait perdu son temps avec un taré karatéka. Le maquereau puait la sueur et la connerie mais pas la peur, et encore moins la démence organisée que révélait le meurtre de Nina Vice. En réalité, Corso avait une conviction : le tueur n'appartenait pas au cercle du Squonk. Sinon, Bornek l'aurait identifié. Ils avaient affaire à un attaquant *extérieur*.

Alors que le régisseur descendait de son escabeau, Kaminski s'inclina pour effectuer un salut en bonne et due forme. Le technicien hocha brièvement la tête, empoigna sa boîte à outils et déguerpit.

— Corso, tout le monde sait que t'es un bon flic, murmura le marlou en sortant un morceau de shit, des feuilles à rouler, des cigarettes. Trouve-moi le salopard qui a fait ça au lieu de me faire chier à pas d'heure.

— Tu lui réserves ton *mawashi geri* ?

Kaminski passa sa langue sur le papier à rouler et lui fit un clin d'œil :

— Peut-être que je le garde pour toi…

Corso avait été ceinture noire deuxième dan mais c'était dans sa jeunesse et il lui semblait aujourd'hui qu'il s'agissait de la jeunesse d'un autre. Face à Kaminski, il n'aurait pas tenu deux minutes.

— J'te prends quand tu veux, répliqua-t-il pourtant, histoire de rester dans la note.

Kaminski acheva de concocter son joint, l'alluma puis décocha un nouveau *yoko geri* en direction du visage du flic. Corso, qui n'avait pas vu venir le coup, sentit le tranchant du pied lui frôler le menton.

Il déglutit encore, à sec, et essaya de sourire.

— File-moi une taffe.

3

Corso habitait un deux-pièces rue Cassini, dans un immeuble des années 60, dont le loyer avait été revu à la baisse en raison de sa vue imprenable : le mur aveugle de l'hôpital Cochin. L'appartement n'était pas terrible mais le flic aimait ce quartier qui semblait, après le boulevard Arago, s'ouvrir et prendre ses aises jusqu'au parc Montsouris. L'avenue René-Coty surtout, avec ses airs de rambla, ses platanes, ses ateliers d'artistes, lui faisait chaud au cœur.

Le flic balança blouson et holster sur son canapé et se dirigea vers le comptoir qui faisait office de cuisine. Il ouvrit le réfrigérateur et n'y vit que l'image figée de sa vie de célibataire. Produits périmés, conserves à demi ouvertes, restes de *take-away*...

Il prit une bière et s'assit sur le convertible qui, avec son bureau, constituait son seul mobilier. Après sa séparation d'avec Émiliya, il avait trouvé ce refuge et n'avait pas cherché à l'aménager, sauf la pièce réservée à Thaddée qu'il avait décorée avec attention. Pour le reste, ce côté provisoire lui plaisait – il lui rappelait son statut de paria, d'exilé perpétuel.

Né tout en bas de la pile, à la lettre X, comme Nina Vice, squatteur de foyers et de familles d'accueil durant son enfance, puis chien errant de sa propre adolescence, Corso n'avait jamais su se fixer ni s'adapter. Voleur, drogué, asocial, il avait été sauvé in extremis par Catherine Bompart, qui l'avait pris sous son aile et lui avait permis de réussir la seule chose dont il était fier (avec son fils) : sa carrière de flic.

Mais malgré ses états de service, son casier vierge et sa raideur extrême qui passait pour de l'intégrité, la mauvaise herbe était là, au fond de son cœur. Fonctionnaire, marié, payant ses impôts, il avait tenté dans les années 2000 de s'acheter une conduite mais le naturel était revenu au galop. En quelques années, il s'était retrouvé séparé, marginal chez les flics, nomade au sein de sa propre vie… Un gitan de terrain vague.

Quelques goulées de bière suffirent pour lui faire remonter l'estomac dans la gorge. Il se précipita dans les toilettes et vomit ses dernières heures – alcool, joint et cellulite des effeuilleuses. Pour un flic, Corso avait un handicap : il ne supportait pas la nuit. Ni ses horaires, ni sa faune. Ce qui faisait rêver le bourgeois et fantasmer les intellos n'était pour lui qu'un fleuve de connerie et de vices incarnés par une meute d'abrutis paresseux. Un univers faussement mythique, un monde de petits trafics, d'heures perdues à boire des coups, à pérorer et à baiser. La vanité absolue.

Passé minuit, il éprouvait une irrépressible envie de dormir, sentait les courbatures lui briser les jambes et la nausée lui tordre les boyaux. Il aurait dû plutôt être militaire, réveillé au son du clairon, ou prof de gym, à rattraper le soleil de bon matin, au pas de course.

Quand il releva la tête de la lunette des chiottes, il se sentait mieux. Il se passa de l'eau sur le visage, se brossa les dents, puis alla s'installer à son bureau. Finalement, il n'avait plus sommeil. Face à son ordinateur, il avait le choix entre deux cauchemars bien distincts : le dossier d'enquête de Bornek (il en avait fait scanner toutes les pièces) ou les premières conclusions de son instance de divorce. Il préférait encore l'horreur du premier aux mensonges du second.

Il commença par les images de la scène de dépose : le cadavre paraissait très pâle dans la lumière sourde du jour pluvieux. Sa posture était particulière : mains ligotées dans le dos, jambes repliées en position fœtale, tête rejetée en arrière dans une cambrure presque impossible. L'assassin avait attaché les poignets et les chevilles de la victime avec sa petite culotte. Ensuite, il l'avait étranglée avec son soutien-gorge – la première réflexion de Corso, plutôt absurde, avait été de s'étonner de l'extrême résistance de ces sous-vêtements de marque Princesse tam-tam.

À première vue, un viol commis par une brute qui avait pris ce qu'il avait sous la main pour immobiliser sa victime et la tuer. En réalité, les choses étaient plus compliquées. D'abord, la femme n'avait pas été violée : aucune lésion de ce côté, ni la moindre trace de sperme. Ensuite, l'assassin avait relié le soutien-

26

gorge-garrot à la culotte dans le dos de la femme en utilisant des nœuds d'expert. Tout portait à croire qu'il l'avait ensuite balafrée et que c'était la victime elle-même qui s'était étranglée en se contorsionnant de douleur.

Les blessures au visage étaient atroces : avec son arme – couteau, cutter, en tout cas une lame très fine –, le tueur avait tranché les joues jusqu'à ouvrir la bouche jusqu'aux oreilles. Ensuite, il avait enfoncé profondément dans la gorge une pierre afin de maintenir la mâchoire ouverte. Le résultat était un cri noir et disproportionné, à la Edvard Munch. Un détail parachevait l'horreur : les vaisseaux capillaires des paupières et du blanc des yeux avaient éclaté par surpression – le regard était uniformément rouge.

Considérant ces clichés, Corso n'éprouvait rien. Comme la plupart des flics, sa capacité à s'indigner face à la violence humaine avait décliné au fil des années. Il se disait simplement qu'ils avaient affaire à un monstre de première catégorie, à la fois minutieux quand il s'agissait de planifier son meurtre et totalement déjanté quand il lâchait la bride à sa cruauté.

Corso feuilleta d'autres PV. Bornek avait fait le job : rien à redire. Il ne voyait pas ce qu'il pouvait ajouter. Peut-être que le tueur connaissait Nina, peut-être qu'il ne la connaissait pas. Peut-être l'avait-il rencontrée vingt ans auparavant, peut-être seulement la veille de sa mort… Quelque part dans le temps et l'espace, il avait croisé sa route et il n'y avait aucun moyen de remonter jusqu'à ce regard meurtrier, cette présence de l'ombre.

2 heures du matin. Toujours pas sommeil. Il alla se chercher une nouvelle bière et se décida à affronter le pire : d'un clic, il ouvrit les conclusions envoyées par l'avocate et fit défiler la liste de ses défauts, de ses méfaits, de ses manquements. Tout y passait : alcoolisme, violences conjugales, absentéisme, harcèlement moral... La seule chose qu'Émiliya n'avait pas encore osée – mais il comptait sur elle en cas de besoin – était l'accusation d'attouchements sur leur fils.

Tout ça était tellement gros qu'on ne pouvait y croire – et il espérait que les juges ne tomberaient pas dans le panneau. Plus insidieuse était la manière dont Émiliya et son avocate parvenaient à transformer le moindre trait de son caractère, qualités comprises, en point négatif. Il était assidu au boulot ? C'était un père absent. Il s'occupait des devoirs de son fils, veillait à ce qu'il travaille son piano ? C'était un tyran, exigeant et autoritaire. Il s'efforçait de consacrer du temps à ses loisirs ? C'était pour l'éloigner de sa mère...

Quand les lignes à l'écran commencèrent à se troubler pour devenir des fils électriques prêts à s'enflammer, il ferma le document en se retenant de balancer son ordinateur contre le mur.

Il fallait qu'il trouve un moyen de libérer sa rage. Une seule idée lui vint : il appela Lambert, commandant du groupe 2 de la BS – les Stups.

— Lambert ? Corso.

— Ça va, ma couille ? ricana l'autre. Je croyais qu'à la BC, on se couchait à 22 heures.

— Vous avez quelque chose cette nuit ?

— Qu'est-ce que ça peut t'foutre ? T'es d'la police ?

— Je déconne pas.

Le flic eut un petit rire acide.

— Une petite perquise au cul de l'écureuil.

— Du chaud ?

— Les frères Zaraoui, mon frère. Trois ans qu'on attend ça. Selon notre source, une unité de production flambant neuve avec labo, presse hydraulique et go fast tout beau, tout chaud.

— Combien ?

— Cent kilos de résine, autant de beuh et un bon paquet de coke pas encore transformée.

Corso eut un sifflement admiratif. Il espérait une petite manœuvre pour se faire frissonner : on était tout à coup sur une opération d'envergure.

— Où ?

— Picasso.

La cité Pablo-Picasso à Nanterre était sur la top liste des QSN (quartiers sensibles de non-droit). Le niveau 1 en matière de menace et d'insécurité.

— Je tape avec vous.

— Holà mon frère, c'est les Stups ici, pas la fête des Loges.

— Je peux vous être utile. J'ai grandi là-bas.

— Pas de vantardise. En quel honneur tu débou-lerais ?

— Faut que je passe mes nerfs sur quelque chose.

— On n'est pas un défouloir.

— Non, vraiment.

Lambert parut soudain intéressé :

— Des problèmes avec ta hiérarchie ?

— Avec mon ex. J'ai reçu les premières conclusions de son avocate pour notre divorce.

Le flic gloussa comme un dindon se faisant la voix :

— C'est ce que j'appelle un cas de force majeure. *Be my guest.*

4

Il n'existait pas à proprement parler de cité Pablo-Picasso. Ce qu'on appelait ainsi était un ensemble immobilier situé avenue Pablo-Picasso, à Nanterre. Les tours, imaginées par l'architecte Émile Aillaud, hautes et circulaires, arboraient sur leurs façades des motifs colorés qui évoquaient des nuages et des fenêtres en forme de gouttes d'eau. Un beau rêve d'architecte qui s'était transformé en pur cauchemar de misère et de délinquance.

Corso y avait passé son adolescence et se souvenait du moindre détail du décor : dans les parties communes, les portes étaient de couleur vive et les parois couvertes de crépis bigarrés. Dans les appartements, les murs étaient ronds et le sol couvert d'une moquette qui évoquait un gazon coupé très ras. Il y avait là beaucoup d'espace, beaucoup d'utopie, que les habitants s'étaient empressés de vandaliser, de souiller, de détruire. *Qu'importe le flacon, pourvu qu'on ait l'ivresse.*

Depuis le boulevard circulaire de la Défense, il vit les tours se dessiner sur fond indigo. 3 h 45. Il était dans les temps. Lambert lui avait précisé qu'ils taperaient à 4 heures pile – les Stups avaient obtenu du juge des libertés et de la détention (JLD) l'autorisation d'effectuer une perquise nocturne.

Il sortit du boulevard circulaire et franchit un réseau d'immeubles d'affaires, verre, acier et lignes épurées, qui n'existait pas du temps de sa jeunesse. Au premier rond-point, il vit que les festivités avaient déjà commencé. Des éclairs de gyrophares suçaient la base des tours. Des détonations éclataient dans la nuit. Des voitures de police le doublaient à pleine vitesse en faisant hurler leurs pneus.

Corso plaça son gyro sur le toit et brancha sa radio. L'appel explosa dans un tonnerre de crachouillis :

— *TN5 à toutes les patrouilles, un flic au sol. TN5 à toutes les patrouilles, je répète : un flic au sol !*

Lambert n'avait pu avancer l'heure de l'opération. S'étaient-ils déjà fait repérer par les choufs, les guetteurs des cités ? Le groupe était-il tombé dans un piège ? Il suffisait d'un rien pour que le flag change de camp.

Corso fut obligé de piler au deuxième rond-point, bloqué par des fourgons garés en quinconce. Tout ce qui portait un uniforme à Nanterre semblait s'être donné rendez-vous ici. À vue de nez, Corso repéra les mecs de la BAC, les gars de la SDPJ 92, les flics en uniforme des offices centraux et commissariats qui pullulaient dans le coin (ironiquement, une annexe du ministère de l'Intérieur se trouvait rue des Trois-Fontanot, à quelques centaines de mètres de là).

Il se parqua sur un trottoir et bondit hors de sa voiture. Coffre. Gilet balistique. Sig Sauer SP 2022. Il remonta l'avenue arme au poing, le long des voitures stationnées, essayant de piger ce qui se passait. La zone d'affrontement se concentrait au pied de la deuxième tour Aillaud en partant du rond-point. Précisément celle qu'il avait habitée.

Au premier planton qu'il croisa, Corso montra son badge en criant :

— Qu'est-ce qui se passe ici ?

— Brigadier Ménard. Commissariat de Nanterre.

— Je t'ai posé une question : qu'est-ce qui se passe ?

— Seulement deux escouades. On en attend trois autres.

Corso se demanda si le gars se foutait de sa gueule ou s'il avait fumé, puis il comprit. Il s'approcha encore et lui hurla dans l'oreille :

— Retire-moi ces putains de bouchons !

Le flicard sursauta puis ôta ses oreillettes antibruit.

— Excusez-moi, bredouilla-t-il, je… j'les avais oubliées. (Le gars tremblait des pieds à la tête, tenant son artillerie d'une main frémissante.) Vous… vous disiez ?

— Qu'est-ce-qui-se-passe-ici ?

— On sait pas. Ça tire depuis dix minutes…

Corso continua à gravir l'avenue à petites foulées, les deux mains vissées sur son calibre. Il discernait maintenant plusieurs éléments éclaboussés par les rampes à leds. Sur sa droite, en contrebas de la tour, derrière les dunes de pavés qui tiennent lieu d'espaces verts dans ce quartier, deux flics en gilet pare-balles tiraient au fusil à pompe.

À gauche, de l'autre côté de l'avenue, un cordon de sécurité maintenait les éventuels curieux à distance, mais personne ne s'était risqué près de la zone de combat.

Plissant les yeux, Corso repéra plusieurs flics à l'abri derrière les voitures. Il vit aussi une grosse femme portant voile et djellaba, debout parmi les combattants, qui hurlait sous les réverbères :

— 'Iibni ! 'Iibni ! 'Ayn hu ? 'Ayn hu ?

Il connaissait assez de mots arabes pour saisir le message : « Mon fils ! Mon fils ! Où est-il ? Où est-il ? » À genoux devant elle, un flic de la BAC cagoulé agrippait sa robe pour l'obliger à se baisser.

Corso s'avança encore du côté des tours et dépassa plusieurs flics en armes qui tiraient au jugé. Les balles sifflaient dans l'air comme les derniers feux de Bengale d'une fête délétère. En toile de fond, les interférences des radios en rajoutaient dans le chaos.

Alors qu'il se mettait à couvert derrière des conteneurs de poubelles, il tomba sur un cadavre. Son visage avait été emporté par une rafale. Une mare de sang engluait les roulettes des bennes et les sacs-poubelle posés par terre. Corso lui-même, un genou au sol, venait de s'en foutre partout. *'Iibni ! 'Iibni ! 'Ayn hu ? 'Ayn hu ?* Sans doute le fameux fils.

Il gravit la dune de pavés qui le séparait du champ de bataille. D'abord, il ne vit rien, sinon des éclairs qui déchiraient la nuit. Puis il discerna les écailles du gigantesque serpent qui décorait le parvis. Alors seulement il découvrit un tableau sidérant. Au-dessus des bancs publics, un homme était pendu à un réverbère – sa tête dessinait un angle droit avec l'axe du lampadaire.

Lambert et ses hommes étaient planqués sous le porche ovale de l'immeuble et tiraient à tour de rôle. Entièrement vêtus de noir, engoncés dans leurs gilets pare-balles, leur seule touche de couleur était leur brassard rouge. Un bandeau de deuil pour des funérailles pourpres.

Corso courut les rejoindre. Avant même de les saluer, il remarqua qu'ils tenaient tous des fusils d'assaut semi-automatiques HK G36 chargés de munitions de 5,56 millimètres, le calibre standard de l'Otan.

Balançant un coup d'œil par-dessus son épaule, Lambert éclata d'un rire sous haute tension.

— T'as pu te libérer ? Tu vas en avoir pour ton pognon.

5

— Le pendu, c'est qui ? demanda Corso en essayant de regarder par-dessus les épaules des flics.

— Notre indic. Ce con s'est fait alpaguer après nous avoir filé le tuyau. Il a dû nous balancer. Résultat, c'est nous qu'on attendait...

Dans l'ombre du hall, Corso distinguait mieux ses collègues. Lambert était un grand mec livide à la tignasse couleur de foin et aux sourcils décolorés. Une peau vérolée et des dents pourries complétaient le tableau. Ses adjoints faisaient la paire : l'un portait des tatouages de *mareros* du cou jusqu'aux tempes, l'autre arborait un « sourire tunisien », cicatrice qui s'étirait de la commissure des lèvres à son oreille, souvenir de dealers qu'il avait mis au trou.

— V'là le topo, annonça Lambert. Derrière le serpent, y a les frères Zaraoui et leurs complices qui nous tirent dessus. Derrière eux, aux abords d'la tour qu'tu vois au fond, y a les potes du pendu qui mitraillent de leur côté. De temps en temps, les premiers se souviennent des seconds et leur envoient quelques bastos avant de décharger à nouveau sur nous. D'autres fois, ce sont ceux du fond qui se rappellent qu'il y a des flics dans le coup et nous expédient quelques rafales. Un vrai *threesome*.

L'hilarité de Lambert avait une résonance désespérée. Cette nuit, encore une fois, il y aurait des morts, des blessés, et pas un pet de lapin en faveur d'une quelconque juste cause.

— J'ai entendu la radio, reprit Corso. On a un gars au sol ?

— Blessure superficielle. En revanche, les Zaraoui ont perdu un gars et un autre est salement touché. Avec un peu de chance, y a un ou deux autres macchabs derrière le serpent.

— Le plan, c'est quoi ?

— Y a pas de plan. On attend les hommes du GIR qui vont lancer l'assaut et disperser tout le monde. Si on rentre chez nous entiers, on pourra remercier sainte Rita.

— Et le labo ?

— On l'a dans l'os. Pendant que tout l'monde défouraille, d'autres sont en train d'évacuer la marchandise sous le parvis. C'est précisément l'entrée du parking que les salopards défendent. Quand les renforts arriveront, tout aura disparu.

Une idée traversa l'esprit de Corso :

— Y a un autre passage.

— Quoi ?

— Les caves communiquent avec le parking.

— Tu t'goures. On a les plans, elles sont au rez-de-chaussée.

— J'te dis que j'ai vécu ici. Par les conduits de ventilation, on peut accéder au plafond du parking.

L'œil de Lambert s'alluma, mi-fièvre, mi-démence.

37

— Les caves ont été transformées en mosquée, répliqua-t-il. On peut plus y accéder que par l'extérieur.

— Tes gars nous couvrent. La porte coupe-feu est à dix mètres devant nous en longeant le mur.

Lambert actionna la sécurité de son HK G36 et hurla :

— Vous avez entendu, les gars ? Ce soir, on arrose gratis !

Les flics se mirent en position. Au signal de leur chef, ils commencèrent à tirer pendant que Lambert et Corso suivaient la façade de la tour. En scrutant la gueule du serpent émergeant de la dalle du parvis, avec ses larges écailles de pierre, Corso remercia Dieu d'être flic, d'avoir cette vie hors normes galvanisée par la mort elle-même.

Lambert s'arrêta. Ils allaient bientôt se retrouver à découvert. Nouveau signal : ils couvrirent les quelques mètres les séparant de la porte coupe-feu. Des mosaïques partirent en éclats, des balles les cherchaient dans l'obscurité. D'un coup de pied, Lambert fit sauter l'ouverture de la mosquée-cave. Ils plongèrent à l'intérieur et allumèrent leurs torches électriques. Personne.

Jadis, ce local était une remise pour les deux-roues. Corso y avait passé d'innombrables après-midi à bricoler des mobs. Maintenant, dans le rayon des lampes, apparaissaient des tapis, le mihrab de bois indiquant la direction de La Mecque, les versets coraniques et les noms divins encadrés au mur.

Corso mit quelques secondes à retrouver ses repères et à s'orienter.

— Par là !

Ils traversèrent l'espace à l'oblique, vers la gauche, et dénichèrent le local de chaufferie. Corso attaqua la porte à coups de pompes mais eut moins de chance que Lambert – le cadenas tenait bon. Le flic des Stups le poussa et tira un coup de feu dans la boucle d'acier qui sauta avec la violence d'une douille. *Tirer dans une mosquée : le sacrilège devenait profanation.*

Ils accédèrent à un réduit où s'alignaient boutons, manettes et fusibles. Au-dessus d'eux, à deux mètres du sol, une grille latérale protégeait le conduit de ventilation. En calant ses pieds sur le tableau de bord, Lambert réussit à se hisser à la bonne hauteur et à dévisser le châssis avec son couteau, un *puukko* finlandais que le flic aimait exhiber au resto quand ils déjeunaient tous ensemble.

La grille dégringola et Lambert se glissa avec son fusil dans le conduit tapissé de laine de verre. Corso le suivit, l'angoisse au ventre. Il n'avait jamais pris ce passage – il n'était même pas sûr que ce boyau mène au parking. Au bout de quelques mètres, les ténèbres devinrent étouffantes. Couvert de sueur, Corso comptait mentalement la distance parcourue et il estima qu'ils devaient être à mi-chemin.

Soudain, Lambert hurla. Corso réalisa que la chaleur avait changé de nature : elle était devenue mordante, acérée, comme une bête réveillée dans son repaire.

— Recule ! Ils ont foutu le feu !

Corso enclencha la marche arrière, poussant sur ses coudes, essayant d'imprimer le même mouvement à ses genoux. Fumée, fibres et scories lui bloquaient la gorge. La laine de verre en brûlant allait les envelopper d'un manteau de feu.

— Recule ! Putain ! RECULE !

Paniqué, Lambert poussait des pieds et Corso s'en prenait plein la poire tout en essayant de ramper en arrière. Enfin, s'agitant comme un ver à bois dans un trou, il sentit le vide sous ses semelles. Il poussa encore et dégringola dans le réduit qui n'était plus qu'un bloc de vapeurs toxiques. Aussitôt, Lambert lui tomba dessus, bottes à bouts ferrés en avant. Les deux hommes se retrouvèrent en position 69, toussant, crachant, éructant.

— Ouvre la porte ! haleta Lambert. On va crever !

Du talon, Corso poussa la paroi et ils purent, à quatre pattes, se traîner dehors. Recroquevillés, aveuglés, crachant des fragments de laine, ils happèrent des goulées d'air comme des noyés retrouvant in extremis la surface.

Lambert se remit debout et attrapa Corso par le blouson.

— Faut se tirer. On va cramer dans ce bordel !

Corso jeta machinalement un regard vers le réduit. Pas l'ombre d'une flamme. Le flic attendit un instant et comprit la vérité : la laine de verre était ignifugée et la fumée du boyau ne provenait que de la bombe incendiaire à l'autre bout.

— Et alors ? demanda Lambert, après que Corso lui eut expliqué sa déduction.

— On y retourne. Ces cons-là pensent qu'on a brûlé ou qu'on s'est barrés. On est bons pour le flag !

Lambert, plié en deux, les mains en appui sur les genoux, toussait encore.

— J'avais oublié que t'étais un malade…

Corso se hissait déjà dans le conduit. Il suffisait de retenir sa respiration, de ramper à nouveau à l'aveugle et de jaillir à l'autre bout. Les dealers penseraient avoir affaire à des morts-vivants et se rendraient sans résistance. C'est du moins ce qu'il se répétait en avançant, yeux fermés et poumons comprimés. Tout ce qu'il distinguait, c'étaient le bruit des godasses de Lambert contre la laine de verre carbonisée et l'acier galvanisé des parois – Monsieur Stups avait enquillé derrière lui.

Bientôt, il put apercevoir l'orifice du conduit. Les trafiquants avaient dévissé la grille pour balancer leur bombe. Le plafond du parking, avec ses néons cradingues, était bien là.

Corso progressa encore et obtint une vue en plongée sur l'opération : un type portait un bloc de résine de cannabis gros comme un carton de déménagement. Deux autres poussaient une machine à pression hydraulique. Un quatrième coltinait des bidons de dix litres d'un quelconque transformateur chimique.

Les yeux remplis de larmes, les poumons saturés de dioxyde de carbone, Corso évaluait leurs chances, à lui et à Lambert, de neutraliser les lascars. Point fort : les salopards avaient les mains prises. Point faible : sortir de ce trou, à deux mètres du sol, prendrait plusieurs secondes, de quoi leur laisser le temps de dégainer.

— Putain, mais avance ! murmura Lambert qui suffoquait derrière.

Corso glissa son calibre dans sa ceinture, agrippa les rebords extérieurs du boyau et s'éjecta tant bien que mal. Tête la première, il se laissa glisser le long du mur alors que ses jambes suivaient le mouvement. Résultat, il se cassa la gueule sur le capot d'une bagnole, perdant dans sa chute son calibre.

Il roula sur le sol, se précipita sur son arme, à quatre pattes, et braqua au jugé les dealers qui, comme il l'avait prévu, avaient perdu quelques secondes à digérer leur surprise.

— On bouge plus ! hurla-t-il.

Le premier voyou, au milieu du parking, se figea, sans lâcher son bloc de cannabis. Les deux autres se tenaient près d'un monospace Mercedes dont le hayon était ouvert, la presse hydraulique posée au sol. Le dernier laissa tomber ses bidons de plastique.

Tout se passa en même temps, Corso vit l'un des gaillards près du Classe V plonger sa main à l'arrière du véhicule, le porteur de bidons partir en courant, l'homme-cannabis reculer, tandis que Lambert et son fusil se fracassaient dans son dos sur la bagnole qui lui avait déjà servi de tremplin.

Corso tira en direction du duo le plus dangereux, touchant celui qui fouillait dans le monospace, puis il visa le bloc de cannabis de l'autre, qui fut propulsé en arrière par la force d'impact – Corso savait ce qu'il faisait : depuis 2012, les flics utilisaient de nouvelles munitions à pointes creuses qui s'écrasaient dans leur cible sans la transpercer.

Tout s'arrêta. Le blessé avait basculé à l'intérieur du Mercedes. Son complice avait levé machinalement les mains. Le porteur de cannabis, le cul par terre, était coincé contre une voiture par son stock de défonce brune. Le dernier larron avait disparu.

Braquant toujours les trafiquants, Corso cria à l'attention de Lambert :

— Fous-leur les bracelets !

Pas de réponse. L'air demeurait sous tension, le tableau lui piquait les yeux en mille signaux d'alerte. Lambert s'était-il assommé en tombant ? Il lui lança un bref regard et vit le flic, un genou au sol, aux prises avec un voyou à capuche sorti de nulle part. Le trafiquant tentait de retourner le fusil de Lambert contre lui. Ses deux mains serraient celles du flic, afin de le forcer à se tirer dessus. Le Capuchon avait déjà le doigt sur la détente. Corso bondit de deux pas sur le côté pour trouver un angle où la balle ne risquerait pas de traverser la tête du salopard et de tuer son collègue, nouvelles munitions ou pas.

Quand il fut en place, il vit le doigt bouger, la gueule tordue par l'effort de Lambert – et tira. La balle vint se loger au fond du crâne du tueur, faisant exploser os et cervelle. Corso se précipita, si vite qu'il put voir la fumée de son tir s'échapper de la bouche du dealer à terre.

Lambert se ressaisit aussitôt et braqua son HK G36 vers les deux autres, qui – *miracolo* – étaient restés immobiles. Corso recula de quelques pas et s'appuya contre une voiture, les jambes tremblantes. Lambert passait déjà les pinces aux deux connards.

Mû par un dernier pressentiment, Corso s'approcha du Classe V. Il n'avait rien perdu de ses talents de tireur : sa balle avait emporté la moitié du ventre du trafiquant, brûlant les chairs et meurtrissant des organes vitaux. Il éprouva un haut-le-cœur à l'idée de son palmarès de la soirée.

Lambert lui envoya une bourrade dans le dos.

— Encore deux cons qu'ont sauvé la vie d'ton ex !

6

9 heures, briefing au 36.

Corso avait dormi de 5 à 8, tout habillé, puis s'était douché, rasé, habillé, en s'efforçant de ne pas repenser au carnage de la veille.

Ils avaient convenu avec Lambert d'oublier sa présence sur les lieux. Le chef de groupe assumerait l'opération – son succès, ses cadavres (l'un d'eux était Mehdi Zaraoui en personne) –, Corso retournant à ses enquêtes et à sa paperasse. Les forces d'intervention étaient finalement venues à bout des tireurs du serpent. Seuls les potes du pendu avaient réussi à s'enfuir. Bilan : un labo clandestin démantelé, une poignée de trafiquants arrêtés, trois morts et deux blessés chez les méchants, dont un des chefs de la bande, un blessé chez les flics. Du prestige pour Lambert. Une catharsis, si on voulait, pour Corso.

Tuer deux hommes en une nuit – ses sixième et septième en dix-huit années de service –, ce n'était pas rien. D'ordinaire, pour digérer un tel traumatisme, il suivait un rituel : il filait à Saint-Jacques-du-Haut-Pas, la première église qu'il avait découverte à Paris quand il s'était enfin libéré de sa banlieue, et il implorait le pardon de Dieu.

Bien que flic, bien que conscient de l'omniprésence du mal en tout homme, il ne démordait pas de sa vision optimiste du cosmos, incluant une cinquième force fondamentale : l'amour. Voilà pourquoi, dans le silence de la paroisse chargée d'encens, il se livrait à un auto-exorcisme après que le sang eut coulé. À force de prières et d'implorations, il essayait d'étouffer les démons qui l'habitaient, lui, et qui, une fois encore, s'étaient réveillés…

Ce matin-là, pas le temps pour la cérémonie. Il avait démarré à 8 h 45 et filé en direction de la Seine, deux-tons hurlant. Ce qui l'obsédait surtout était son inconscience. Père d'un garçon de 9 ans objet de tout son amour, de tous ses combats, il s'était encore une fois exposé à des dangers inutiles…

Troisième étage, machine à café. Sa gorge ne retint que la brûlure du breuvage sans goût ni saveur. C'était tout ce dont il avait besoin.

Dans la salle de réunion, les membres de son groupe étaient déjà là. Depuis quatre ans, il dirigeait une équipe soudée et efficace dont le fragile équilibre lui collait des insomnies. Qu'un seul élément disparaisse et l'alchimie serait rompue…

Barbara Chaumette, alias « Barbie ». Ni son prénom, qui évoquait pour Corso une longue femme langoureuse, ni son surnom n'étaient adaptés au modèle. Sa deuxième de groupe était une petite trentenaire châtaine au visage incertain. Sèche comme une trique, elle portait des robes de laine noire, des collants troués et des Stan Smith épuisées. Un débit électrique, des gestes saccadés : elle respirait la nervosité et le mal-être.

Elle avait fait Sciences po, était bien partie pour l'ENA, mais à 26 ans, elle avait changé de cap et pris le chemin de l'école des flics – pas l'École nationale supérieure de la police de Saint-Cyr-au-Mont-d'Or, qui forme les commissaires, mais la simple fabrique des officiers de police, à Cannes-Écluse. Personne n'avait compris ses motivations. On ne connaissait pas non plus ses origines familiales ni sa vie privée (si elle avait un petit ami, on le plaignait : elle était aussi stable qu'une maraca). Pour l'instant capitaine, Corso lui promettait un avenir rapide de commandant. Il n'avait jamais vu un flic avec un tel esprit d'analyse ni une telle mémoire. Lui confier des fadettes ou des relevés bancaires, c'était les passer au décodeur.

Nathalie Vallon, 48 ans, était tout le contraire. Ses années de culturisme lui avaient forgé le surnom de « Stockos » (les flics utilisent aussi le verlan), ou simplement « Stock » quand on était pressé. Sa carrure imposante lui avait valu à la PJ une réputation de lesbienne bien qu'elle soit mariée depuis vingt ans à un instituteur et mère de deux enfants qui menaient de brillantes études.

Toujours habillée d'un costume noir sans élégance, chemise blanche et chaussures de gendarme, elle était un vrai soldat de la Crime, à mi-chemin entre le fonctionnaire et le croque-mort.

Peu ambitieuse, elle n'avait jamais obtenu ni même convoité le grade de capitaine. Sa seule vraie passion était la bouteille. Corso devait lui rappeler régulièrement les principes de son groupe : pas d'alcool ni de drogue au sein du service, l'arme de dotation dans un tiroir et pas de vannes de cul, *s'il vous plaît*.

Sur le chapitre de l'humain, Stock était imbattable. Souriante, débonnaire, rassurante, elle n'avait pas son pareil pour mettre en confiance les témoins – et les suspects. Un interrogatoire de Nathalie offrait toujours plus de résultats que celui de n'importe quel autre flic.

Le troisième de groupe, celui que Corso appréciait le moins, s'appelait Ludovic Landremer. 35 ans, titulaire d'un master de sciences économiques, ce Toulousain brillant avait gravi les échelons sans difficulté. Un look de vendeur de voitures – costard cintré et pompes pointues –, une touffe de cheveux crépus et roux sur la tête, une seule passion avouée, le rugby. Quand on l'interrogeait sur ses origines, il répondait : « L'Ovalie ».

Sa faille intime était les sites de rencontre. Célibataire, il ne vivait que pour ses plans nocturnes. Sa devise : « Une femme par soir, un match par week-end. » On avait dû brider son ordinateur et son portable perso restait au vestiaire.

Son atout de flic, c'était la patience. Il pouvait écumer des immeubles entiers, sonner à toutes les portes, poser mille fois les mêmes questions sans se lasser ni se déconcentrer. Ludo le « Chalut », comme les autres l'appelaient, savait retenir dans ses filets l'élément décisif, la petite incohérence qui pouvait faire basculer une enquête.

Enfin, il y avait Krishna Valier. Ses parents babas cools, qui lui avaient donné le nom d'une divinité hindoue, devaient être désespérés de voir ce que leur rejeton était devenu : un flic certes, mais « un fonctionnaire avant tout ». Un procédurier qui passait ses journées dans son bureau (il en avait un pour lui

tout seul, que les autres surnommaient « le cachot »)
à rédiger des PV d'auditions, des rapports, des notes.
Doté d'une maîtrise en droit, il était le seul à parler
le langage des juges et à pouvoir démêler les tracas
administratifs. C'était lui aussi qui gérait les archives
et se fadait le Salvac, gigantesque base de données
consacrée aux crimes de sang, qu'il fallait nourrir à
chaque affaire en remplissant un questionnaire interminable.

Les autres n'étaient pas hindouistes mais ils véné-
raient Krishna – le leur – car il leur permettait de passer bien plus de temps sur le terrain que derrière un
ordinateur.

Krishna avait le physique de son métier, à moins
que ça ne soit l'inverse. Petit et frêle, chauve à moins
de 35 ans, il avait misé sur ses lunettes pour habiller
son visage : il portait une monture d'écaille à angles
droits, d'une marque prestigieuse, qui lui donnait l'air
d'avoir été bricolé en Lego. On ne savait rien de sa
vie privée mais avec une tête pareille, elle devait tenir
sur un Post-it.

Il ne participait pas aux réunions, ne menait aucune
enquête, ne sortait jamais de son bureau, mais il était
un élément vital du groupe. Sa patience n'avait pas de
limites, notamment vis-à-vis de ses collègues qui, au
lieu de frapper à sa porte, s'obstinaient à lui lancer un
« Hare Krishna » en guise de salut.

— Bon, attaqua Corso en frappant dans ses mains,
on a réglé le tout-venant ?

— Je finis les queues du dossier Martel, dit Barbie, Ludo a rédigé les derniers PV sur l'atelier coréen.
On attend toujours le rapport d'expertise du parking

d'Aubervilliers. On a levé le pied pour les convocs de témoins du lynchage de Château-Rouge…

Le mot « lynchage » lui rappela le pendu de la veille – et ses propres crimes, *à lui*. Il se prit une suée à l'idée qu'on puisse saisir son groupe pour compter les morts de la dalle de Pablo-Picasso. Mais Lambert le tiendrait sans doute à l'écart. Il ferait sa cuisine avec la SDPJ 92 – que chacun balaie devant sa porte.

— On peut donc se consacrer à fond à l'affaire du Squonk ?

Stock, mains dans les poches (elle ne prenait jamais de notes), intervint :

— L'idée, c'est quoi ?

— Je vous l'ai dit hier : on nous refile le bébé dans l'espoir qu'on fasse avancer les choses.

— On a tous lu le dossier, dit Ludo. Bornek et ses gars ont fait du bon boulot.

— Mais on peut faire mieux, assura Corso.

Silence approbateur : l'orgueil, le nerf de toutes les guerres.

— On se fout à 500 % sur ce dossier, tous les quatre, nuit et jour au moins jusqu'à lundi. Si on n'a rien trouvé, le délai de flagrance s'achèvera, un juge sera nommé et le soufflé retombera de lui-même.

— On est le baroud d'honneur ? sourit Nathalie.

— Exactement. Vous avez tous vu les photos de la victime. On va pas laisser cet enculé se branler en repensant à ses faits d'armes ni lui permettre de remettre ça.

Hochements de tête. Corso chauffait sa salle.

— Donc, on reprend l'enquête de zéro, en montant tous les curseurs. Ils ont interrogé les commerçants de la rue de Nina ? On secoue ceux du quartier. Ils ont analysé les fadettes du mois précédent ? On se farcit celles du trimestre. Etc.

Ludo leva les yeux de son ordinateur.

— On cherche quel profil ?

— Tout nous prouve que le meurtre était prémédité. L'assassin connaissait donc sa victime, soit de près, soit de loin.

— Et un quart d'heure avant sa mort, Nina était vivante.

Corso ne releva pas la vanne :

— Il faut chercher parmi tous ceux qui la côtoyaient, ses proches mais aussi ceux qui l'ont simplement croisée lors d'un spectacle ou d'un stage.

— Ça fait du monde.

— C'est pour ça qu'on doit partir de son emploi du temps *à elle*. Un salopard a flashé sur elle, et de la pire des façons. Ce gars-là est dans le tableau, on doit le repérer. On va dérouler le film à l'envers, en s'arrêtant image par image.

Les flicards se regardèrent : ce discours ronflant était bien beau mais, en termes de boulot, cela allait se traduire par des centaines d'heures d'enquête harassantes et fastidieuses. Et sans doute pour peau de balle…

— Qui fait quoi ? demanda Barbie sans enthousiasme.

— Tu t'occupes des fadettes, de ses comptes personnels, de son ordinateur. Tu passes au peigne fin le moindre de ses mails, ses contacts, etc. Vois avec les geeks du service s'il y a moyen de récupérer des trucs effacés.

— Son portable n'était pas dans les scellés.

Corso acquiesça et en profita pour souligner :

— Le cadavre était nu et on n'a retrouvé ni son sac ni aucun objet personnel. C'est peut-être rien, ou au contraire le signe que le tueur ne voulait pas qu'on accède à son agenda. D'où l'importance des fadettes.

— Les gars de Bornek ont déjà fait tout ça.

— Je parle français ou quoi ? demanda-t-il en montant la voix. S'ils n'ont rien trouvé, c'est que le grain de sable est plus ancien, ou plus petit. Appelle l'opérateur et surpasse-toi.

Puis, se tournant vers Nathalie, debout, adossée au chambranle de la porte :

— Toi, tu t'occupes des commerçants, des voisins, des proches. Ensuite, tu élargis le cercle : Nina était naturiste, fan de yoga, ce genre de conneries. Qui sait ? Notre tueur est peut-être un nudiste.

La blague tomba à plat. Pas grave. Un briefing se jugeait à l'énergie qu'on était capable d'insuffler à ses troupes.

— Un détail, fit-il encore à l'adresse de Stockos. Sophie Sereys est née sous X. Rechercher ses parents biologiques, c'est mission impossible, mais Bornek a fait une demande pour connaître les foyers et les familles d'accueil où elle a grandi. Vois où on en est de ce côté.

— Tu penses à une histoire aussi ancienne ?

— On sait jamais. Le mobile remonte peut-être à l'enfance, la frustration d'un autre môme abandonné.

Nathalie ne bougeait pas. Les élucubrations de Corso la laissaient de marbre.

Stéphane pivota enfin dans la direction de Landremer.

52

— Ludo, tu retournes dans les boîtes où elle a bossé, tu t'assures qu'il n'y a pas de cinglés parmi la clientèle. Tu appelles aussi tous ses *one shots*. Elle faisait souvent des strips d'un soir dans des boîtes ou chez des particuliers. Tu peux retrouver pas mal de monde… Sur un autre plan, demande à Krishna de fouiller du côté du Salvac pour voir s'il n'y a pas eu déjà des meurtres qui impliquent, même de loin, le même genre de mutilations ou de techniques d'étouffement.

— Bornek…

— Ils l'ont fait pour l'Île-de-France. Étends à l'Hexagone. Fouille aussi les archives de la boîte antérieures aux fichiers numériques. Interroge les vieux de la vieille. Brasse du papier. Putain, des blessures pareilles, s'il y a eu des précédents, elles peuvent pas être tombées aux oubliettes !

Il s'énervait encore, mais personne ne relevait. On le prenait comme il était – *carrément méchant, jamais content*.

— Et toi ? finit par demander Barbie, la seule qui pouvait se permettre ce genre de provoc.

— Je vais d'abord aller lécher le cul de Bornek pour ne pas nous foutre la moitié de l'étage à dos. Après ça, je me réserve les danseuses, les collègues et soi-disant copines de Nina. De l'avis général, elle avait l'air d'être la plus cool des meufs mais pas un témoin n'a pu lâcher un truc perso sur elle.

Dans un autre groupe, des vannes auraient fusé sur le fait que le chef s'était gardé le meilleur job – les gonzesses –, mais avec Corso, ces réflexions seraient tombées à plat. D'ailleurs, il ne serait venu à l'idée de personne qu'il ait eu dans l'idée de reluquer le cul des filles. *Pas le genre de la maison.*

7

— Si tu penses que tu peux mieux faire que nous, tu t'fourres le doigt dans l'œil.

— Je pense rien. Bompart m'a demandé de prendre le relais. Je vais faire de mon mieux, c'est tout.

Patrick Bornek était un homme de taille moyenne au torse en barrique et au nez écrasé. Un physique qui convenait bien à son mental. Besogneux et obstiné, il s'était pris pas mal de murs, en avait tiré les leçons et avait fini par devenir un enquêteur de premier plan.

Sa carrière était à l'inverse de celle de Corso : pas de faits héroïques ni d'années noires dans des brigades dangereuses, mais une progression lente, administrative, et une patience qui avait fait ses preuves. Sur le plan du taux d'élucidation, le groupe de Bornek n'avait rien à envier à celui de Corso – ils étaient simplement moins rapides, moins brillants, moins folklo.

Pour la petite histoire, Corso aurait dû hériter de l'affaire du Squonk, puisqu'il était de permanence le jour de la découverte du corps. Mais il avait été appelé juste avant chez un notaire qui s'était fait ouvrir la gorge avec un coupe-papier. Le temps d'identifier le coupable – un déshérité qui avait exprimé son mécontentement à sa façon –, il aurait pu récupérer la saisine concernant l'effeuilleuse, mais Catherine Bompart avait préféré confier le dossier Nina Vice, déjà trop médiatisé, à une équipe plus discrète.

Bornek alla s'asseoir à son bureau. Aussitôt, son cou disparut et son visage prit l'aspect renfrogné d'un taureau dans son toril.

— Tu trouveras que dalle, répéta-t-il, le salopard a pas laissé la moindre trace. Personne n'a vu la victime dans les vingt-quatre heures avant son meurtre. Personne n'a rien remarqué durant les derniers jours précédant sa mort. Quant aux proches, on les a tellement secoués qu'ils pourraient se constituer partie civile et nous attaquer pour harcèlement.

— Et les liens avec les sous-vêtements ?

— Le nœud qui l'a étranglée est un nœud de fouet, un genre de nœud coulant. Celui des poignets et des chevilles est un « huit ». Des trucs de marin. On n'allait pas réquisitionner le port du Havre ou de Toulon… On a même contacté des scouts.

— Pourquoi des scouts ?

— Ce sont des pros des nœuds. Tu vois où on est tombés…

— Le bondage ? insista Corso. Nina aurait pu faire des photos ou tourner des films sur le Net, rencontrer des amateurs de SM…

— On y a pensé. Aucune trace d'un boulot de ce genre dans sa compta, et crois-moi, elle était pointilleuse de ce côté-là. Une vraie petite épicière. On a gratté aussi du côté de ce milieu, on a demandé conseil aux collègues de la BRP. Rien de significatif.

— Les mutilations ?

— Je t'en prie. Se branler pour savoir ce que le gars a tenté de dessiner sur la gueule de la pauvre fille, pas question. L'enfoiré a voulu la défigurer et basta.

Bornek se trompait : les plaies de la bouche, la pierre dans la gorge n'étaient pas des détails anodins. Le tueur avait transformé le visage de sa victime en un véritable tableau et peut-être existait-il une référence à ce cauchemar.

— J'ai remarqué qu'il n'y avait pas de plaies de défense…, hasarda Corso.

— Et alors ? s'énerva Bornek. T'en déduis qu'elle connaissait son meurtrier, qu'elle s'est pas méfiée ? Tout ça, c'est des conneries de téléfilm. On n'a jamais résolu une affaire avec ce genre de remarques. Il l'a peut-être surprise et ligotée aussi sec. Ou droguée avec un produit qui ne laisse pas de traces. À moins qu'elle n'ait été trop terrifiée pour bouger. On saura jamais ce qui s'est passé.

Corso comprenait que Bornek ait jeté l'éponge, il était là pour la ramasser.

— Je comptais me focaliser sur Nina elle-même…

— Parce qu'on n'y a pas pensé, p't-être ? On a tout fouillé, tout retourné. Y a rien à se mettre sous la dent, ni du côté du meurtre, ni du côté de la victime.

— Et sur son enfance ?

— On attend le dossier de l'Aide sociale à l'enfance, mais tu les connais…

Il se demanda, s'il était un jour assassiné, ce que donnerait l'enquête sur son propre passé. Lui aussi avait été pupille de l'État, matricule 6065. On lui avait attribué ce nom à consonance italienne parce qu'il était né à Nice, à quelques kilomètres de la frontière.

Que trouveraient les flics s'ils remontaient le fil de son enfance, de sa jeunesse ? Des noms de foyers, de familles d'accueil, mais certainement pas le chaos souterrain qui avait forgé sa personnalité. Toutes ces zones d'ombre qui avaient fait de lui un homme à tiroirs, multipliant les contradictions, les mystères. Cette idée lui redonna de l'espoir. Sophie Sereys aussi devait avoir ses secrets…

Bornek se leva et retourna se poster près de la fenêtre, mains dans les poches.

— Cette destitution…

— N'appelle pas ça comme ça.

— C'en est une. Cette destitution, c'est comme une bonne branlette. C'est humiliant mais finalement, ça soulage.

Le mot de la fin.

Corso se leva et tenta un dernier boniment :

— On va faire le job mais on trouvera rien de plus. Tout ça, c'est juste une concession aux médias et au public.

— Tu parles, fit Bornek en se retournant. J'te connais, Corso. T'es persuadé que tu peux faire mieux que nous. Eh bien, j'te souhaite bonne chance. Moi, je pars en vacances.

En regagnant son bureau, Corso passa devant les Stups qui bruissaient des faits d'armes de la veille. Il accéléra le pas afin d'éviter de croiser un flic de la BS.

— Commandant Corso ?

Il tourna la tête et se trouva face à un journaliste dont il avait oublié le nom et qui rôdait souvent dans les couloirs de la PJ. Corso n'éprouvait aucune hostilité envers les baveux – ils racontaient n'importe quoi mais pas plus qu'un juge ou un avocat. À la différence de ses collègues, il ne les considérait pas comme des charognards. À ce compte-là, eux-mêmes étaient des vautours, se nourrissant du sang des autres.

L'homme s'avançait vers lui, le bras tendu. Corso évita le geste, il détestait serrer les mains.

— Vous pourriez me dire quelques mots sur l'opération de cette nuit à la cité Pablo-Picasso ?

— Je bosse plus aux Stups depuis cinq ans.

Le nom du gars lui revint : Trepani, ou Trivari. Il avait dû répondre une fois ou deux aux questions de cette face de clown. Avec ses yeux globuleux et sa petite bouche, il ressemblait à un Lapin Crétin.

— Tout de même, un pendu, trois morts et trois blessés par balle, ce n'est plus la banlieue parisienne, c'est Juárez ou Medellín.

— Demandez leur avis à mes collègues.

— Je me suis laissé dire que vous aviez grandi là-bas.

Les journalistes finissaient parfois par en savoir plus sur les flicards que l'IGPN elle-même.

— Que pensez-vous de l'évolution du quartier ? continua-t-il.

— Si vous cherchez un pompier pyromane, ne comptez pas sur moi. Je reste optimiste quant à l'évolution des quartiers. La plupart de leurs habitants sont des braves gens.

Le journaliste sourit, l'air entendu.

— À votre époque, il n'y avait pas de pendus aux réverbères.

Il eut envie de répondre qu'il existait d'autres festivités, plutôt en sous-sol. Il se retint à temps.

— Les caïds essaient de semer la terreur, fit-il le plus calmement possible. Ils n'y parviendront pas. Encore une fois, ils ne représentent qu'un infime pourcentage de la population des quartiers et la police est là pour les identifier et les arrêter. Il faut cesser de stigmatiser les cités.

Il ne croyait pas un mot de ce genre de discours politiquement correct. Ses vrais souvenirs de Picasso : quand ses voisins lâchaient sur lui leur chien parce qu'il écoutait sa musique trop fort, quand les gosses de la tour, au lieu de faire leurs devoirs, pissaient dans les boîtes aux lettres, quand les membres de sa propre famille d'accueil appelaient les flics pour dénoncer les sans-papiers du palier d'à côté… Des ordures à tous les étages.

— Comment stopper cette prolifération de… brebis galeuses ?

— Faut les arrêter et les mettre hors d'état de nuire, c'est tout. Putain, faut les foutre en cage !

Il se mordit les lèvres. *Bravo, Corso. À pieds joints et droit dans le mur*.

— Pour un gars qui vient des cités, vous n'êtes pas très clément.

— C'est parce que je viens de là-bas que je ne suis pas clément.

Sur ces paroles de facho, il rejoignit son bureau en se maudissant lui-même. Personne ne savait que c'était lui qui avait tiré la veille sur les dealers mais il fallait qu'il dégaine encore et tire d'une autre façon – des phrases qui allaient être reprises par les médias, les réseaux sociaux, les politiques de tout poil, chacun les utilisant à sa sauce.

60

Corso avait à peine trouvé refuge dans son bureau qu'on frappa à sa porte. Barbie se tenait sur le seuil, avec son air de chat noir qui vient de se prendre une averse.

— J'ai localisé un nawashi, ça t'intéresse ?

— Un quoi ?

— Un maître du shibari, l'art de la corde japonais.

Émiliya lui avait souvent parlé de cette discipline obscure, aux confins de l'érotisme et de l'esthétisme. L'art de saucissonner les femmes, mais avec rigueur et délicatesse.

— Bornek a déjà exploré cette piste…

— Il a visité trois, quatre clubs SM à Paris. Je te parle d'un véritable maître.

— Il est japonais ?

— Non, parisien. Il organise des workshops, des shows, des conférences.

— Il crèche où ?

— Dans le XVIᵉ. On y va ?

Corso jeta un œil à sa montre : pas encore 11 heures.

— On prend ma bagnole.

8

Barbie insista pour conduire. Au fil des quais, elle se laissa aller à parler shibari. Bizarrement, elle paraissait bien connaître ce Mathieu Veranne, mais pas moyen de savoir si elle-même était adepte de ces pratiques.

Corso s'était toujours demandé à quoi, sexuellement, Barbie carburait. Ce dont il était sûr, c'est qu'elle aimait plus que tout sonder les zones d'ombre de l'espèce humaine, quitte à s'y attarder de temps en temps. Elle se considérait comme une « reporter de l'âme ».

— Il a un métier, ton mec ?

— Financier. Il dirige un hedge fund pour des investisseurs asiatiques. Il partage son temps entre Paris, Hong Kong et Tokyo.

— Il a une famille ?

— Une femme et deux enfants, je crois. Mais tout ça passe bien après la corde, sa seule passion. Il gagne du fric, nourrit son foyer, s'agite comme n'importe quel banquier, mais il y a un mur invisible entre cette réalité et ce qui le fait vraiment bander.

— Où tu l'as connu au juste ?

— Quand j'étais à la BRP, on a été appelés sur un coup. Une séance de shibari avait mal tourné : une bonne femme s'était décrochée du plafond et s'était brisé la nuque.

L'idée le fit rire – il s'abstint. Le soleil de juillet frappait la pierre des façades mais c'était une lumière douce, atténuée par quelques nuages, qui donnait l'impression de courtiser la ville à voix basse. Toute la cité semblait sous le charme.

— C'était le maître de cérémonie ?

— Non. Je l'ai consulté comme spécialiste pour piger s'il y avait eu une faute de la part de… l'attacheur.

— Et toi, relança-t-il, t'as essayé ?

Barbie se contenta de ricaner derrière son volant qui semblait énorme comparé à ses bras filiformes.

Le silence s'imposa alors qu'ils dépassaient le Grand Palais et filaient vers la tour Eiffel – ni deux-tons, ni gyrophare, juste un couple en goguette dans une Polo noire décatie.

Corso se laissa aller à ses rêveries. La contention, l'arme secrète du désir… Lui-même avait souvent attaché Émiliya (d'une manière plus sommaire), quand elle acceptait de jouer les vierges humiliées et entravées par le sale flic, l'homme en noir… Auprès de son ex-épouse, il avait connu ces instants sombres et brillants où la jouissance monte comme le mercure d'un thermomètre en surchauffe. Il songeait alors à des atomes proches de la vitesse de la lumière. Quand ils frôlent cette limite, ils se dilatent, deviennent de l'énergie pure, se transforment en « autre chose ». C'était le même principe pour Émiliya : quand elle se tordait sous ses liens, elle lui paraissait s'amplifier en une sorte de halo lumineux, un pur noyau de soufre qui menaçait de le faire exploser, lui…

Il se redressa sur son siège pour balayer ces souvenirs. Il n'avait jamais tenté de retrouver ces plaisirs avec une autre. C'était une sorte de trouée dans son histoire personnelle qu'il cherchait plutôt à colmater avec l'oubli, le boulot, la haine et, pourquoi pas, des actes de violence qui pouvaient aller jusqu'au meurtre. Mais jamais il n'avait pu s'arracher à cette question qui le hantait : était-il aussi détraqué qu'Émiliya ? pire qu'elle ? un hypocrite, alors que la Bulgare, elle, assumait pleinement sa nature ?

Pont de Grenelle. Barbie braqua à droite, traversa la Seine puis passa devant la Maison de la Radio pour enquiller rue Gros. Tout de suite, ils se perdirent dans l'imbroglio des rues à sens unique du XVIᵉ arrondissement.

Mathieu Veranne habitait rue du Docteur-Blanche. Pour tout flic, cette adresse résonnait de manière funeste. C'était là que le 14 janvier 1986, une opération de police impliquant la BRB et la BRI avait mis en déroute le gang des Postiches (une banque se situait au 39), avant de virer au fiasco, avec cadavres sur le trottoir, fuite des casseurs, prise d'otages puis fronde historique des flics exigeant le limogeage du commissaire soupçonné d'être responsable du carnage.

Le 19 de la rue était un de ces immeubles rectilignes et sans fioritures qui avaient fleuri dans les années 50-60 à Paris, notamment dans le XVIᵉ. Après la grille basse, une cour ouverte offrait deux curiosités : un bassin de céramique turquoise aux lignes sinusoïdales et une sculpture-fontaine de résine noire en forme de gant de boxe.

Corso adorait ces détails qui renvoyaient au modernisme d'un autre temps. Il leva les yeux sur le bâtiment : onze étages, une cinquantaine de logements serrés comme des sucres dans leur boîte rectangulaire. Une construction hiératique posant sur le quartier un regard hautain et indifférent.

Ils franchirent le seuil. Le plus beau était à l'intérieur. Le hall, d'un seul tenant, s'ouvrait sur toute sa largeur sur des jardins et donnait l'impression que l'immeuble reposait sur du vide. Ici, tout miroitait : les portes vitrées de l'entrée qui se reflétaient dans celles du parc, le sol de marbre rutilant, les boîtes aux lettres plaquées aluminium…

Inexplicablement, ce tableau lui parut de bon augure : une telle grâce, une telle transparence devaient leur offrir une révélation – une claire-voie dans les ténèbres.

9

Mathieu Veranne était un grand échassier d'une cinquantaine d'années. Chevelure argentée, gueule osseuse, tout en sinuosités. Des dents de cheval, des yeux globuleux, avides, attentifs. Ses lèvres épaisses étaient comme suturées aux commissures par un rictus crispé. Quand il riait, c'était pire : toutes les dents étaient invitées au balcon pour un « hourra ! » féroce et carnassier.

Corso était toujours troublé lorsqu'il croisait un personnage qui avait la gueule de l'emploi. Il savait qu'il ne devait pas s'y fier mais tout de même, il aimait, quand elle était avérée, cette forme de franchise.

Mathieu Veranne avait une tête de satyre.

Il les fit entrer dans une vaste salle au plafond bas, aux murs lambrissés. L'ameublement paraissait être resté dans son jus depuis les années 60 mais Corso devinait qu'il s'agissait au contraire de pièces authentiques rachetées à prix d'or. Comme pour confirmer la valeur de l'ensemble, une grande toile signée Jean Arp se déployait sur le mur faisant face à la baie vitrée.

Un élément tranchait dans cette cohérence : une Japonaise d'une vingtaine d'années, un sac Eastpak sur les genoux, était assise au fond d'un siège de lainage jaune en forme de tulipe. Pas spécialement jolie ni apprêtée, elle ressemblait à une lycéenne qui aurait pas mal redoublé.

Concentrée sur son téléphone – on percevait le bruit nasillard d'un jeu –, elle ne daigna pas lever les yeux vers les nouveaux venus. Veranne ne jugea pas bon de la présenter.

— Que puis-je faire pour vous ? demanda-t-il en s'installant dans un canapé capitonné de cuir rouge.

Ils se contentèrent de fauteuils Egg.

— Vous avez entendu parler du meurtre de la stripteaseuse Nina Vice ?

— Bien sûr, fit-il en croisant les jambes et en balayant d'un geste désinvolte une poussière sur son pantalon. Je connais la boîte.

Aisance, décontraction : Veranne leur accordait un moment, voilà tout.

— Nous n'avons jamais diffusé les photos du corps à la presse. La victime était ligotée avec ses sous-vêtements d'une manière particulière.

Barbie sortait déjà les tirages de la scène d'infraction. Elle les disposa sur la table basse à la manière d'un jeu de cartes.

Veranne se pencha et observa les images sans broncher. Pas un mot sur les blessures au visage. Pas un signe trahissant la moindre émotion. Corso aurait bien aimé le voir à l'œuvre, avec ses mètres de corde et son fouet claquant sur des jeunes femmes nues en suspension.

Enfin, Veranne décroisa les jambes et saisit tour à tour les clichés.

— Ça vous dit quelque chose ?

Il fit une moue lascive, exagérée encore par l'épaisseur de ses lèvres. La Japonaise, toujours assise dans son coin, paraissait totalement absorbée par son portable – on discernait toujours le *zzz-zzz* agaçant du jeu.

— Ça pourrait évoquer une des positions les plus dangereuses du shibari : *ushiro takate kote shibari turi*.

— En quoi ça consiste ?

— On attache sa partenaire les mains dans le dos et on la maintient dans cette position en suspension. On peut aussi lui relier les chevilles aux poignets comme sur vos photos. On l'assure évidemment, sinon les membres céderaient sous le poids du corps.

— Regardez les nœuds avec attention. Que pouvez-vous en dire ?

— Ce sont des *musubime*, des « nœuds fermés », plutôt rares dans le monde du shibari. Trop dangereux.

— Excusez-moi, je ne comprends pas.

— Un nœud fermé est difficile à défaire. Plus le sujet s'agite, plus la ligature se resserre. Au contraire, un nœud ouvert se défait aisément, pour peu qu'on tire sur une des extrémités de la corde.

— Y a-t-il une discipline où on a recours aux nœuds fermés ?

Veranne haussa les épaules.

— Ça nous renverrait à une technique beaucoup plus ancienne, le *hojōjutsu*, apparue au XVᵉ siècle au Japon. À cette époque, ligoter un prisonnier était un véritable mode d'expression. À chaque crime correspondait une méthode spécifique. En voyant un supplicié, on pouvait deviner quelle était sa faute. Cet art martial était pratiqué par les samouraïs et les hommes de loi. C'est le *zainin shibari* (le « shibari des coupables »).

Corso observait Barbie du coin de l'œil : elle écoutait béatement. Cette expression d'admiration l'énerva, d'autant plus qu'ils s'éloignaient pas mal de leurs affaires.

— Plus tard, continuait Veranne, pendant l'ère Edo, on a commencé à utiliser ces techniques pour le plaisir. La corde est devenue une discipline purement esthétique, le « wasa », au même titre que la calligraphie ou l'art du thé. Au XVIIe siècle, il existait plus de cent cinquante écoles différentes dans ce domaine…

Corso interrompit le cours d'histoire :

— Selon vous, le meurtrier possède les rudiments d'une de ces techniques ?

— Aujourd'hui, il suffit de se renseigner sur Internet pour ligoter proprement sa partenaire.

Le flic eut une autre idée :

— Selon votre technique ancienne, là, chaque manière de ligoter désignait un crime spécifique. Les liens de notre victime pourraient-ils faire référence à une faute, un acte répréhensible en particulier ?

— Pas à ma connaissance. Il faudrait consulter des ouvrages historiques… Ce que je peux dire, c'est qu'il s'agirait alors d'une peine capitale. Quelle que soit l'école de shibari, attacher les poignets du prisonnier dans le dos en les reliant à ses chevilles est une des techniques les plus douloureuses. Aujourd'hui encore, on ne compte plus les accidents survenus avec ce genre de fantaisies mal maîtrisées et…

Veranne s'arrêta. Un détail sur l'un des tirages venait d'attirer son regard. Il prit de nouveau l'image et, de son autre main, attrapa des lunettes dans sa poche de poitrine.

— Je n'avais pas fait attention…, fit-il en les chaussant. Ce nœud en huit est particulier…

— Vous pouvez m'expliquer ?

Il releva la tête à la manière d'un héron puis retira ses lunettes dans un geste maniéré.

— Le nœud dont nous parlons ici a la forme d'un huit couché…

Il tenait toujours le tirage et désigna les liens avec sa monture d'écaille.

— Or, si vous regardez bien, un autre huit a été esquissé, mais cette fois ouvert…

Il tendit la photo à Corso, qui remarqua en effet que, dans la prolongation du nœud des poignets, un autre s'amorçait, mais restait comme inachevé.

— Qu'est-ce que ça signifie selon vous ?

— On peut tout supposer, mais le huit couché, c'est le symbole de l'infini. Tout le monde sait ça… Or, ici, le deuxième huit paraît appeler une suite. Sans risquer une interprétation trop fantaisiste, je pense que le tueur veut vous dire deux choses : d'une part, sa série de meurtres ne fait que commencer, d'autre part, personne ne pourra l'arrêter…

Bonjour le scoop. Corso faillit lui parler de Buzz l'Éclair de *Toy Story* qu'il regardait avec Thaddée : « Vers l'infini et au-delà… »

— Cette femme vous dit-elle quelque chose ? demanda-t-il en montrant un portrait de Nina Vice sur son portable.

— C'est la victime, non ? J'ai vu son visage sur les photos.

70

— Et ailleurs ? Dans un club SM, ou un atelier de shibari ?

— Non.

Corso rempocha son mobile.

— Vous pourriez nous donner la liste des clubs qui pratiquent ce… cette discipline à Paris ?

— Bien sûr. Il n'y en a pas beaucoup.

— Je vous remercie, fit-il en se levant, Barbie à sa suite.

Mathieu Veranne les imita. Dans son coin, la Japonaise n'avait toujours pas bougé. Corso percevait entre eux un rapport souterrain, indicible, mais largement plus important que tout ce qui s'était dit à voix haute.

Le flic essaya de finir sur une note plus familière :

— Elle a pas l'air contente, votre amie, dit-il en désignant la nymphette *otaku*.

— Ce n'est pas une amie.

— On dirait qu'elle vous en veut. Vous avez serré trop fort ou quoi ?

Veranne eut un sourire condescendant face à la vulgarité de la réflexion. La bouche se réchauffait légèrement mais pas les yeux – proéminents, glacés, ils offraient l'expression du bourreau.

— Elle fait la gueule parce que je l'ai fouettée un peu durement hier.

— Ouille, fit Corso qui s'enfonçait dans l'humour vaseux.

Le sourire de Veranne se fit plus méprisant encore – le marquis de Sade face à ses geôliers de la Bastille.

— Ça lui a fait mal mais au fond, c'est ce qu'elle attend de moi.

Veranne avait vraiment l'air de le prendre pour un con et Corso acquiesça comme s'il était d'accord pour endosser ce rôle.

Une fois dehors, il s'arrêta au pied de la sculpture de résine noire. Il était près de 13 heures – le soleil était haut mais la chaleur toujours raisonnable. Cet été qui s'épanchait à l'ombre des beaux quartiers le remplissait d'une étrange mélancolie.

— Je suis désolée, fit Barbie. Je pensais que le rendez-vous serait plus… productif.

— Je m'attendais pas à des miracles. On va quand même passer au tamis les amateurs de shibari.

— On rentre à la boîte ?

— Toi, oui. Prends un Uber.

— Et toi ?

— J'ai un rendez-vous, dit-il laconiquement. Un truc perso.

10

Le cabinet de maître Karine Janaud était installé dans un vaste appartement du VIIIe arrondissement, rue Saint-Philippe-du-Roule. Corso ne s'y sentait pas à l'aise : avec sa barbe de trois jours, sa coupe hirsute et son blouson râpé, il détonnait dans cette salle d'attente design.

Déjà dix minutes qu'il attendait mais ça ne le dérangeait pas. Il pouvait ainsi méditer sur la longue route qui l'avait amené jusqu'ici, sur ce fauteuil rouge aux formes protozoaires.

Corso avait toujours eu un problème avec les femmes en général et avec le sexe en particulier. Huit années d'analyse ne lui avaient pas permis d'en identifier clairement la source mais il avait sa petite idée. Les hasards de l'Aide sociale à l'enfance l'avaient successivement placé dans des familles d'accueil à tendance catholique où la femme maintenait le sexe à distance et où l'homme se la mettait sous le bras. Rien de tyrannique dans cette éducation, pas de discours pudibonds ni de prêches hystériques, mais le message était passé. Quand le petit Corso avait ressenti ses premiers coups de chaud, il avait tout fait pour les réfréner. En vain.

Alors – c'était sa version des faits –, il s'était mis inconsciemment à en vouloir à l'objet même de son désir : la femme. Il avait commencé à se sentir attiré, dans le monde de la fiction, par tout ce qui pouvait humilier, menacer, meurtrir les jeunes filles. Les bandes dessinées érotiques, les films d'horreur, les contes gothiques... voilà ce qui le faisait bander.

Tout se passait à un niveau fantasmatique et il n'avait eu aucune difficulté dans la vraie vie. Mais il n'aurait jamais osé avouer à ses potes que leurs histoires de baise dans les caves ou leurs amours timides de lycée le laissaient froid. Peu à peu, un clivage profond, mais classique, lui avait coupé le cerveau en deux – pour ne pas parler d'autre chose : il ne pouvait désirer celles qu'il aimait et il bandait pour celles qu'il méprisait.

La vérité était en fait plus compliquée. Ce qui l'excitait était la profanation du modèle qu'il aimait chastement. La femme éthérée, pure et innocente, qu'on déshabille, qu'on viole, qu'on humilie. La femme qu'on corrompt par ce qu'on a de plus mauvais en soi.

Puis la réalité s'était chargée de le recadrer. Il y avait eu la dope. Mama, son dealer et mentor. Sa séquestration... Pour quelques grammes d'héro, Mama l'avait transformé en esclave sexuel. Il avait fallu que Catherine Bompart, sa Fée bleue, le découvre couvert de sang dans une cave (avec le cadavre de Mama à ses pieds) pour qu'il revienne à la vie. Elle l'avait renvoyé au lycée puis à l'école de police, en passant par la case NA, les Narcotiques anonymes.

Lentement, il avait retrouvé le chemin de sa sexualité fragile et rêvée. Les vierges mordues par les vampires, les jeunes filles violées par les cow-boys, les teenagers pourchassées par les serial killers… Tout ça n'était pas bien méchant – tout se passait dans sa tête.

Jusqu'à Émiliya.

Battue par son mari, elle était venue porter plainte au commissariat central du XIVe arrondissement, où Corso, 27 ans, achevait de faire ses armes. Il avait tout de suite craqué pour son visage tout en douceur, son look d'institutrice amish, sans réaliser qu'il se trouvait devant l'incarnation de son fantasme, l'ange violenté.

Il avait mené son enquête sur sa belle afin de trouver le meilleur angle d'attaque. Il n'en avait pas trouvé. D'origine bulgare, Émiliya avait appris le français dans sa ville natale, Sliven, et s'était perfectionnée au point de réussir le concours de Sciences po Paris. Elle en était sortie major et avait fait ses preuves dans différents cabinets ministériels. Les routes d'Émiliya et de Corso n'avaient aucune chance de se croiser : elle évoluait dans les hautes sphères, il battait le pavé.

Il en avait été réduit à faire ce qu'il faisait le mieux : le flic, planquant des nuits entières avenue Dunois, à Cachan, devant la baraque d'Émiliya. C'est triste à dire mais il attendait – espérait – que son mari lui tombe à nouveau dessus pour pouvoir intervenir et jouer aux héros.

Les semaines passèrent. Corso commençait à se demander si la brute ne s'était pas acheté une conduite quand, le jour de la Saint-Valentin, son obstination paya. Des cris, des coups, des portes qui claquent. Puis le mari qui saute dans sa voiture et disparaît dans la nuit. Le flic avait aussitôt sonné. Pas de réponse. Il n'avait fait qu'une bouchée du verrou d'entrée et avait découvert Émiliya pendue à la barre de traction que son homme avait installée à l'intérieur du châssis de la porte de la salle de bains. Elle était nue et son corps racontait une pure folie de coups et de torture.

Urgences. Réanimation. Convalescence. Corso avait coffré l'artiste et joué le jeu dans les règles, veillant personnellement à ce qu'il ne bénéficie d'aucune indulgence de la part du juge. Il s'était démerdé pour qu'il fasse sa préventive dans le pire quartier de Fleury et que tout le monde sache bien pourquoi il était au trou. Il s'était assuré que son quotidien oscille entre passages à tabac et passages à la casserole. Un vrai stage de vie.

En même temps, il avait visité régulièrement Émiliya à l'hôpital, fleurs à la main, et s'était occupé de la paperasse pour son divorce. Elle s'était remise de ses blessures et avait accepté ses invitations. À force d'attentions, de cour à l'ancienne, il était parvenu à l'apprivoiser… physiquement.

Alors il avait découvert le pouvoir de la Bulgare. Tout en restant la femme désincarnée qu'il admirait, elle avait réussi à l'emmener dans un monde où, pour la première fois, il pouvait exprimer ses désirs les plus glauques, les plus violents. Il avait pu la profaner, l'humilier, la souiller, sans que ni l'un ni l'autre ressortent salis de ce cirque nocturne. Émiliya possédait une sorte d'ubiquité : elle pouvait être à la fois la femme aimée, au-dessus de tout soupçon, puis consentir aux pires jeux sexuels. Mais attention, en feignant toujours de les refuser. Là était tout le plaisir.

Corso avait grimpé aux rideaux. Il avait trouvé la partenaire sexuelle dont il n'osait rêver, celle qui pouvait jouer à la fois à la maman et à la putain, et surtout

76

à *la maman forcée de jouer la putain.* Celle qui allait le dépouiller de sa honte, de ses frustrations, de ses remords.

Il se trompait. Il croyait utiliser Émiliya, c'était lui qui était manipulé. La Bulgare jouissait de ses névroses, de ses terreurs, de ses péchés, puisant dans les tourments de Corso la source même de son plaisir.

Et elle voulait beaucoup plus.

Ce qu'il avait pris pour le sommet de la perversité n'était pour elle qu'un amuse-bouche. Alors seulement il avait saisi à quel point elle était dangereuse. Il avait aussi capté la vérité sur son ancienne vie conjugale. Le mari violent, le salopard à qui Corso s'était chargé de gâcher la vie à sa sortie de prison (agent de probation briefé, travail de sape continuel quand le gars cherchait du boulot, menaces permanentes…), n'était qu'une victime. Un époux aux ordres, qui avait dû assouvir l'appétit détraqué de la Bulgare. C'était elle qui exigeait d'être battue, brûlée, pendue… Elle qui menait la danse de mort.

À ce moment-là, ils étaient déjà mariés et Émiliya était enceinte. Ahuri, Corso ne pouvait admettre que leurs turpitudes allaient donner naissance à un enfant. Quand avaient-ils conçu le gamin ? Lorsqu'elle lui avait demandé de la pilonner sur un tapis de verre brisé ? Ou quand il avait dû la pénétrer en la rouant de coups ?

Il se dit que la grossesse allait la calmer. Nouvelle erreur. Submergée par les hormones ou il ne savait quoi, Émiliya était devenue plus vicieuse encore. Quand il l'avait surprise à s'enfoncer des aiguilles dans le ventre, il l'avait enfermée dans sa chambre jusqu'à nouvel ordre. Il s'était démerdé pour lui obtenir un congé prénatal « pathologique » (on n'aurait su mieux dire) et il était allé chaque jour prier à l'église. Dans son effroi et son dégoût, il craignait que leur fils soit marqué par une espèce de prédestination – ses deux parents n'étaient que deux cinglés vicieux.

Dès la naissance de Thaddée, il avait été rassuré. Le mouflet n'était qu'une pure promesse d'innocence, une page blanche à écrire. À charge pour Corso de lui donner l'éducation la plus équilibrée et de lui cacher la nature monstrueuse de sa mère. Il se jura de rester aux côtés d'Émiliya jusqu'à la majorité de Thaddée – et de surveiller la gorgone.

Les années passèrent ainsi. Corso était malheureux, son ménage était un naufrage, mais le petit garçon était heureux. Ce sacrifice ne lui déplaisait pas – il assumait ses péchés, vivait dans le malheur et gagnait chaque jour son paradis : la beauté et l'éveil de Thaddée. Mais ce marché de dupes avait fini par lasser Émiliya. Un soir, il était rentré pour découvrir leur appartement vidé de ses meubles. La Bulgare avait déménagé et tout emporté, fils compris.

Les flics avaient aussitôt arrêté Corso suite à une plainte de Madame pour « coups et blessures ». À peine sorti de ce guêpier, il avait reçu la demande de divorce d'Émiliya. Il s'était alors lancé dans une bataille perdue d'avance pour obtenir la garde principale de son fils.

— Monsieur Corso ?

Maître Janaud se tenait devant lui dans une splendide robe bleu ciel. Elle lui offrait un sourire à péter les vitres, le plus glaçant qu'on puisse imaginer. Une fois encore, il fut frappé par sa ressemblance avec Émiliya. C'était la même beauté hautaine, la même allure de sainte-nitouche dont on espère secrètement qu'elle sera la plus chaudasse de toutes.

Il se leva et la salua d'un signe de tête. En attrapant son cartable, il se rendit compte que sa manche de blouson était croûtée de sang – le sang du massacre de la veille. D'un geste réflexe, il se mit à gratter de l'ongle ces traces puis frotta avec son coude pour peaufiner le nettoyage express, tout ça avec sa sacoche sous le bras.

L'avocate le regardait faire, les bras croisés, l'air consterné. Il lut dans son regard tout le chemin qu'il aurait à parcourir pour convaincre un juge de son profil de père idéal.

Un pur chemin de Golgotha.

11

— Je vous l'ai déjà dit, votre dossier n'est pas bon.

Sans blague ? Corso avait choisi maître Janaud parce qu'un de ses collègues du 36 avait tout perdu face à elle lors de son divorce. *La pire des salopes*, avait résumé le flic. Exactement ce qu'il lui fallait.

— Vous avez eu le temps de lire leurs conclusions ? reprit-elle, installée derrière un bureau de chêne garni d'un large sous-main de cuir vert.

— Bien sûr, fit-il en ouvrant son cartable. J'ai annoté chaque paragraphe et…

— Sur le fond, qu'est-ce que vous en pensez ?

— Un tissu de mensonges.

— Vous pouvez le démontrer ?

— Bien sûr, je…

— Avez-vous de quoi, vous, la salir ?

Corso hésita. Le bureau de l'avocate n'était pas décoré de la même manière que la salle d'attente. Le mobilier d'époque, tout en bois verni, datait du début du XXᵉ siècle et rappelait plutôt le quotidien lustré d'un notaire à lorgnon.

— Possédez-vous des éléments qui attestent qu'elle est une mauvaise mère ?

— La pire de toutes mais je n'utiliserai pas ces informations.

— Pourquoi ?

— Je ne ferai pas ça à mon fils.

— Il est trop jeune pour assister aux débats. Il ne saura jamais ce qui s'est dit.

— Sa mère lui montrera le jugement dès qu'il aura l'âge de comprendre. Et même avant. Je refuse de donner à Thaddée une mauvaise image de sa mère. Je ne veux pas non plus qu'il puisse penser que je me suis acharné contre elle.

— Alors, ce n'est même pas la peine de continuer.

— C'est comme ça que vous faites votre métier ? En partant battue ?

Karine Janaud se leva et ouvrit la fenêtre. Tranquillement, elle alluma une cigarette avant de se rasseoir. Elle était belle, méprisante, désirable.

— Faut-il vous rappeler la situation ? reprit-elle. Votre femme a fui avec votre enfant, prétextant que vous étiez violent, plainte à l'appui, en janvier 2016. Maintenant que vous divorcez, vous demandez la garde principale de votre fils de 9 ans. Vous n'avez absolument aucune chance de l'obtenir.

— Sa plainte était bidon. On peut inverser le point de vue et dire qu'elle a abandonné le domicile conjugal…

— Peu importe, fit-elle en soufflant une nouvelle volute. Le problème est que vous êtes le père. Même pour la garde alternée, il faudra mener une bataille serrée.

— On m'a dit que les juges étaient maintenant plus favorables aux pères.

— Faux. Tant que l'enfant est petit, la plupart des magistrats estiment qu'il doit rester auprès de sa mère. Même si elle travaille, même si elle ne dispose pas de plus de temps que son ex pour s'en occuper. Et pour dire la vérité, même si elle a des torts objectifs. Une mère aura toujours raison contre le père. On appelle ça « la loi du ventre ».

Corso s'agita sur son fauteuil – Janaud disait tout haut ce qu'une petite voix lui murmurait depuis le départ. Par la fenêtre ouverte, des bruits de travaux pénétraient dans la pièce.

— Qu'est-ce qu'on peut faire ?

— Je vous le répète : la traîner dans la boue. Démontrer qu'elle est une mauvaise mère et qu'il y a mise en danger de l'enfant.

— Non.

— Dans ce cas, on va dans le mur.

— On peut démontrer mes qualités de père, non ?

— Dans ce genre d'affaires, les décisions ne se prennent pas en regardant la colonne profits mais celle des débits. Toute l'année, les juges voient défiler des hommes et des femmes qui se traitent de tous les noms et s'accusent mutuellement des pires horreurs. Si vous ne jouez pas ce jeu-là, le magistrat pensera que, pour une fois, votre future ex dit la vérité et qu'en revanche vous n'avez rien contre elle.

Elle se leva à nouveau, balança sa cigarette d'une pichenette puis referma la fenêtre.

— Voyons déjà comment on peut vous défendre…, continua-t-elle en se rasseyant. Mme Corso affirme que vous l'avez trompée plusieurs fois…

— Elle ment.

— Vous pouvez le prouver ?

— C'est elle qui ne peut pas le prouver. Elle m'accuse sans fondement. C'est trop facile.

L'avocate sourit – son rouge à lèvres évoquait une encre épaisse et brillante, miraculeusement retenue au bord des commissures.

— J'ai l'impression que vous n'avez pas conscience du profil de Mme Corso.

— Je la connais mieux que personne.

— Je parle de la vitrine. Émiliya Corso a un parcours professionnel exemplaire. Elle a décroché ses diplômes dans une langue qui n'était pas la sienne. Naturalisée française, elle a été en poste au ministère de l'Agriculture, puis au ministère des Affaires sociales. Elle est maintenant la numéro deux du secrétariat d'État auprès de la ministre de l'Éducation. Elle ira sans doute plus loin encore.

— Et alors ?

— Et alors, vous êtes un simple commandant de police.

— Un des meilleurs flics du 36 !

Maître Janaud posa ses mains à plat sur la surface de cuir vert bouteille. Ses ongles manucurés rappelaient la carapace d'un crustacé sanglant. À quelle heure cette femme trouvait-elle le temps de se pomponner ? Avait-elle des mômes ? un mari ? Le jour où elle divorcerait, qui la pulvériserait, elle ?

— Vos qualités professionnelles ne sont pas remises en cause, Stéphane, se radoucit-elle, mais vos états de service jouent, comment dire, contre vous…

— Ben voyons.

— Après plusieurs années dans des commissariats, vous avez travaillé à la BRI, à la BRP, puis à la Brigade des Stups, ce qui signifie que vous avez passé le plus clair de votre temps avec des voyous, des pervers et des dealers.

— Pas avec eux, *contre* eux.

— C'est la même chose. Vous évoluez dans un univers toxique. Maintenant, à la Brigade criminelle, c'est encore pire. Vous avez affaire à des assassins toute la journée.

Corso se rencogna dans son siège à la manière d'un cancre qui refuse de parler à son prof. Cette dernière phrase lui confirmait ce qu'il avait toujours pensé : les flics sont là pour vidanger les égouts de la société et assurer la quiétude des honnêtes gens. Tâche noble qui leur vaut de devenir à leur tour des parias. Aux yeux de tous, il existe une secrète parenté entre flics et criminels, *un air de famille*.

— Vous êtes là pour m'accabler ou quoi ?

— Je me mets à la place du juge. Il est normal qu'on passe au crible ce que vous êtes, ce que vous faites.

— On parle de mon rôle de père, là, je fais mon maximum et…

— Au dire de Mme Corso, vous n'êtes jamais là, vos horaires sont impossibles.

— C'est faux. Je reviens toujours en fin de journée pour voir Thaddée et dîner avec lui.

L'avocate rit, presque avec tendresse.

— Personne ne croira ça. Les voyous ne travaillent pas à heures fixes.

— À la BC, j'ai des horaires plus réguliers. Je ne fais plus de planques ni de saute-dessus.

— Mme Corso dit que vous buvez.

— Un verre de temps en temps. Rien d'autre que la normale.

— Elle prétend aussi que vous vous droguez.

Corso tressaillit : son passé d'addict, le meurtre de Mama, les NA.

— Faux.

— Vraiment ? cingla-t-elle. Même pas une petite ligne par-ci, par-là ?

— J'ai bossé aux Stups. Quand on planque des nuits entières pour coincer des trafiquants, on a parfois besoin d'un remontant. Tout ça est derrière moi.

Janaud tourna une nouvelle page – elle aussi avait surligné des passages.

— Elle dit que vous êtes armé et dangereux.

— Si je suis armé, c'est pour protéger les innocents.

— Vous avez tué cinq fois. L'avocate s'est procuré les procès-verbaux de vos faits d'armes. Ce sont les pièces 33, 34, 35, 47 et 63. Je dois dire qu'elle a fait du beau boulot.

Sept fois, ma cocotte. Corso revit en flash le lascar fauché dans le parking, roulant au fond du coffre. Le crâne du deuxième explosant contre le mur, laissant jaillir la fumée du tir par ses lèvres entrouvertes.

— Toujours dans l'exercice de mes fonctions, répliqua-t-il. C'était eux ou moi. Et il s'agissait d'assassins de la pire espèce.

— Elle vous reproche aussi d'être un homme violent.

— Encore un mensonge. Jamais je ne lèverais la main sur qui que ce soit.

— Son avocate a joint au dossier des plaintes de suspects qui…

— Des pures raclures ! Putain, avez-vous une idée des mecs à qui j'ai affaire au quotidien ? Qu'est-ce que vous croyez ? Que ce sont des gars à qui il suffit de parler gentiment pour qu'ils se mettent à table ? La rue, c'est la guerre. Ma violence est d'utilité publique. Mais dans ma vie privée, je suis inoffensif.

L'avocate gribouilla quelques notes et reprit :

— Il y a pourtant cette plainte déposée le 4 janvier 2016… La pièce 57 des conclusions. Émiliya Corso a passé une visite médicale dès le lendemain. Le bilan du médecin fait état de…

Corso l'arrêta d'un geste. Fermant brièvement les paupières, il revit cette soirée fatidique, quand il l'avait surprise en flagrant délit et qu'il avait réalisé jusqu'où sa folie pouvait aller, alors même que Thaddée dormait dans la pièce d'à côté. À cette seconde, il n'avait pas voulu la frapper, seulement l'empêcher de se mutiler gravement.

— C'est elle qui s'est fait ces marques.

— Vous voulez parler d'automutilation ?

— Pas au sens où on l'entend d'ordinaire. Elle…

— Oui ?

— Laissez tomber. (Corso se pencha vers le bureau et sentit craquer les jointures de sa chaise de bois. La sueur poissait la racine de ses cheveux.) Je n'irai pas dans cette direction. Trouvez-moi une autre solution pour avoir une chance de gagner.

— Si vous ne voulez pas incriminer l'adversaire, sortez du chapeau un élément qui vous propulsera au-dessus du commun des mortels.

Une idée lui traversa l'esprit :

— Vous avez entendu parler du meurtre de la strip-teaseuse ? On m'a refilé l'enquête hier.

— Y a-t-il des chances pour que vous arrêtiez l'assassin ?

Pas un indice à se foutre sous la dent, l'entrevue avec Bornek qui avait ruiné tous ses espoirs, un tueur qui s'était dissous parmi les millions d'habitants de l'Île-de-France.

— Je l'arrêterai.

— Dans ce cas, vous avez peut-être une chance. On ne peut rien refuser à un héros.

Il se levait quand elle ajouta :

— Collectez aussi des témoignages en votre faveur. Trouvez-moi des photos de vacances, d'activités avec votre fils. Je vous veux tous les deux sur chaque photo.

— Ça pourra être utile ?

— Si vous réussissez à arrêter l'assassin, cela viendra en backup.

12

Dans sa voiture, il composa le numéro d'Émiliya pour savoir à quelle heure il pouvait passer chercher son fils. Elle n'avait pas intérêt à lui dire un mot de travers.

— Qu'est-ce que tu veux ? demanda-t-elle dès qu'elle reconnut sa voix.

— Je t'appelle pour qu'on s'organise ce soir.

— De quoi tu parles ?

Corso souffla par le nez – *ne t'énerve pas*.

— À quelle heure je peux récupérer Thaddée ?

Il l'entendit rire. Un rire qui lui ressemblait : feutré, glacé, solitaire. Un rire qui ressemblait à une *private joke*.

— T'es tellement à l'ouest que t'es même pas foutu de regarder un calendrier.

— Joue pas à ça avec moi, siffla-t-il entre ses lèvres serrées. Tu sais très bien que c'est mon week-end.

— On est le 1er juillet, *vuzlyuben*. Les grandes vacances commencent. *Mes vacances*. Tu ne reverras Thaddée que le 1er août.

Comment avait-il pu oublier ça ? Le boulot, l'angoisse, et surtout le refus de vivre ainsi, tenu en laisse par cette détraquée. Il n'écoutait plus mais sa voix lui parvenait encore – cette voix qui l'avait charmé jadis, à la fois onctueuse et rythmée par l'accent de l'Est.

— Je lui téléphonerai ce soir.

— Je ne suis pas sûre qu'on pourra te répondre. Il a son dernier cours de piano. Il sera très fatigué.

Son cœur se mit à battre dans sa gorge, ses tympans.

— Tu mériterais que je te...

— Oui ? chanta-t-elle. Poursuis donc, mon *lyubimets*... Dis-nous de quoi tu es capable...

Corso s'arrêta net, sachant qu'elle enregistrait la conversation. De tels enregistrements constituent un « mode de preuve illicite » mais l'existence même de conversations violentes, d'insultes proférées, ne joue jamais en votre faveur.

— Où vous partez ? demanda-t-il en ravalant ses menaces.

— Notre accord ne stipule pas que je doive t'informer de nos déplacements.

Son français était suranné, précieux.

— Tu vas en Bulgarie ? Pour sortir du pays, t'as besoin de mon accord, tu...

— Le grand flic va fermer les frontières ? rit-elle encore.

Il se mordillait si fort la lèvre inférieure qu'il sentit le goût du sang dans sa bouche. D'un revers de manche, il s'essuya et ordonna :

— Appelle-moi quand t'es arrivée.

Il raccrocha sans attendre de réponse puis démarra sur les chapeaux de roue. Comme toujours en cas d'énervement maximum, il mit son deux-tons et conduisit jusqu'au 36 sans toucher à la pédale de frein.

Aussitôt arrivé au troisième étage, il fut alpagué par Barbie :

— Je peux te voir ? J'ai quelque chose.

Corso la suivit sans desserrer les mâchoires. Elle partageait un bureau exigu avec Ludovic – pour l'heure, le Toulousain n'était pas là et la pièce était remplie de listings qui se déroulaient jusqu'au sol. En matière de fadettes ou de relevés de comptes, Barbara travaillait à l'ancienne : feuillets imprimés et surligneur.

— J'ai étudié les relevés bancaires de Nina des quatre dernières années.

— On peut remonter aussi loin ?

— J'ai mes combines.

— Et alors ?

— J'ai comparé tous les virements ou chèques reçus avec ses déclarations d'heures travaillées, pour voir si elle n'avait pas bossé dans un autre domaine que le spectacle vivant, le cinéma ou l'audiovisuel.

Barbie attrapa un listing – elle imprimait les feuilles recto verso en réduisant le corps des chiffres de 50 % dans un souci d'économie (elle ne plaisantait pas avec l'écologie). Ça donnait des suites illisibles de colonnes qu'elle seule pouvait déchiffrer.

— J'ai trouvé au moins deux boîtes qui n'entrent pas dans ces catégories. En février 2012, Nina a touché 2 200 euros de la société Edoga. En mai 2013, 3 000 euros d'une autre, Kompa. Toutes les deux ont fermé quelques mois après l'avoir fait bosser.

— Quelle activité ?

90

— Des services d'encodage et de cryptage informatique.

— Nina avait des compétences dans ce domaine ?

— Pas du tout. Elle a passé un BTS de gestion avant de se lancer dans le strip.

— Qu'est-ce qu'elle foutait pour eux ?

— Aucune idée. J'ai juste la trace de sa rémunération : pas la queue d'une feuille de paie, d'un contrat ni même d'un contact. Mais finalement, j'ai déniché un fait intéressant.

Corso prit une chaise et s'assit. Il devait suivre patiemment le fil du chemin de Barbie.

— En consultant des sites de référencement, j'ai remarqué qu'Edoga et Kompa avaient le même texte de présentation. *Exactement le même*, fautes de français et d'orthographe comprises.

— C'étaient les mêmes mecs derrière ?

— Aucun doute. Autre chose m'a intriguée : ces lignes laissaient entendre que ces boîtes étaient aussi habilitées à produire des programmes encodés, des films par exemple…

— Retour à l'audiovisuel, donc…

— Je me suis dit que si par hasard ces types remontaient une nouvelle affaire, ils refourgueraient leur présentation à deux balles. J'ai mené une recherche inversée en partant de ces phrases, avec les fautes d'orthographe. Les bases de données m'ont proposé en retour une SARL datant de 2015 : OPA.

— Ils ont un site ?

— Que dalle et, hormis ce texte foireux, pas la moindre info sur le Net. Mais j'ai appelé des geeks que je connais et j'ai réussi à obtenir des infos. En réalité, ce ne sont pas des prestataires de services. Les seules données qu'ils encodent, ce sont leurs propres films.

— Quel genre de films ?

— Du porno. Et j'ajouterais même le mot magique : du gonzo.

La tendance s'était développée dans les années 90 et avait depuis inondé le marché au point d'y régner en maître. Le nom dérivait du « journalisme gonzo » des années 70, où le journaliste s'immergeait totalement dans son sujet, devenant un des protagonistes de son reportage.

Dans le porno, cela donnait un « réalisateur » filmant ses propres ébats, caméra à l'épaule, avec son propre pénis en guest-star. Pas de décor, pas de scénario, aucun moyen : juste du gros sexe qui tache. Bon marché, mal filmé, mettant en scène votre voisine de palier, le gonzo, le « *wall-to-wall* », le « toutsexe », avait fait recette grâce à un mélange malsain de banalité et de hardcore extrême.

— Nina a donc fait, au moins deux fois dans sa vie, du gonzo ?

— On peut tabler là-dessus. Et c'est peut-être seulement la pointe émergée de l'iceberg.

Une strip-teaseuse faisant du porno, ce n'était pas le scoop du siècle, mais Bornek n'avait pas repéré ce filon.

— Tes potes, ils ont déjà vu ces films ?

— Non. Mais ils les connaissent de réputation. À cause de leur cryptage de très haut niveau.

— Ces images sont plus connues pour leur code que pour leur contenu ?

— On peut dire ça comme ça, oui.

— Pourquoi crypter des films qu'on peut consulter en un seul clic sur le Net ?

— Pas ceux-là, justement. Pour les voir, il faut s'abonner à un site anonyme. Dans un monde où tout est accessible, interdire, c'est rallumer le désir.

— Une fois décryptés, ces films doivent aussitôt se retrouver en ligne, non ?

— Non. Le programme bloque toute copie, empêche tout transfert. Dans ce cas, même celui qui a payé perd le film.

Tant de précautions étaient faites pour attiser la curiosité, en effet.

— Sur ces films, qu'est-ce qu'on sait ?

— Il paraît que c'est très, très spécial.

— Illégal ?

Barbie eut un geste vague. Le champ de la légalité dans le domaine du porno était extensible – les acteurs signaient toujours un consentement qui, la plupart du temps, coupait court à toute poursuite.

La fliquette ouvrit un dossier : elle avait déjà réussi à imprimer des pages de tags provenant du site. Le flic lisait à l'envers mais les mots-clés promettaient : « *amputee* », « *dwarf* », « *glory hole* » (un terme qui désigne une pratique très spéciale : un trou dans un mur, de préférence dans des chiottes, dans lequel n'importe quel homme peut glisser son membre. De l'autre côté, une femme s'y colle).

— Toujours d'après mes potes, reprit Barbie, il y aurait derrière ces boîtes une sorte de gourou, un dénommé Akhtar Noor, qui s'est d'abord fait connaître dans les années 90 en commercialisant un lubrifiant très apprécié chez les homos durs.

— Il est devenu ensuite producteur ?

— Si on veut. Il a d'abord balancé sur le Net des films de « *goo girls* ».

Un autre terme pour connaisseurs : les « filles visqueuses ». Des pratiques acrobatiques dont on se demandait souvent par quel bout les observer.

— Puis il a inventé un nouveau genre. Lui-même appelle ça du « bio gonzo » ou du « porno organique ». Mais depuis qu'il s'est converti à l'hyper-crypté, il faut être membre du club pour voir ses films. À mon avis, c'est le sens des initiales « OP » – *organic porn*. Quant au A, il désigne peut-être simplement Akhtar.

— Le bonhomme a un casier ?

— Non. Il est d'origine pakistanaise ou bengalie, on sait pas trop. On le retrouve parfois sous les patronymes de « Sarfraz » ou de « Bukhari ». Son statut en France n'est pas très clair non plus. Il a monté toutes ces boîtes en utilisant des prête-noms. Aujourd'hui, il dirige une espèce de communauté où tous les goûts sont permis. Lui-même mélange le gonzo et le tantrisme dans une sauce fumeuse pour aboutir, comme d'habitude, à du cul extrême.

Nina n'avait pas seulement tourné quelques boulards, elle adhérait peut-être aussi à ces idées libertaires. L'association « naturisme/strip-tease » avait très bien pu se transformer en « tantrisme/gonzo ».

— Barbie, t'es la meilleure, conclut-il en se relevant. Où on trouve l'oiseau ?

— Son quartier général est rue de Paradis. Je t'envoie l'adresse.

— Je vais le transformer en kebab.

13

En se garant, Corso se jura de ne la jouer ni puritain ni justicier auprès du pornographe. Il ignorait encore ce qu'était le « porno organique » mais dans tous les cas, il en avait vu d'autres. Durant ses années à la BRP – jadis appelée « Brigade des mœurs » –, rien ne lui avait été épargné : les descentes sur des lieux de tournage où la moitié du casting était des animaux, les DVD raflés que ses collègues regardaient avec incré-dulité : deux hommes se serrant la main à l'intérieur d'un vagin, une actrice X battant le record du gang bang en se faisant pénétrer près de mille fois en une journée, une autre championne capable de supporter vaillamment une « triple péné », mais attention : anale uniquement…

Il avait chassé ces souvenirs, il avait viré Émiliya de son existence, qui dans un autre genre multipliait aussi les records. Il aspirait juste au calme, à la quiétude, à la raison…

Les bureaux d'OPA se situaient dans un de ces immeubles décrépits à cour intérieure qui avaient jadis accueilli des cristalleries ou des manufactures de porcelaine. Bien sûr, aucune plaque ni mention de la société de cryptage au rez-de-chaussée, mais Barbie lui avait donné la localisation précise : deuxième étage gauche.

Corso se coula dans l'ombre de la cage d'escalier où trônait un énorme monte-charge à grille latérale et gravit les marches sans allumer. Au deuxième, il sonna un coup bref – pour l'instant, il n'était qu'un visiteur. Une minute s'écoula sans que rien bouge. Il sonna à nouveau. Deux minutes. Apparemment personne. Il était 15 heures. Peut-être qu'Akhtar était en vadrouille. Mais son instinct lui soufflait d'attendre encore un peu.

Enfin, un petit homme à la peau très noire et aux cheveux lisses apparut sur le seuil. Pieds nus, vêtu d'une tunique blanche et d'un pantalon de pyjama, il se détachait comme un fantôme sur l'obscurité de l'intérieur. Visiblement, on vivait ici les volets clos.

— Monsieur Akhtar Noor ?

L'homme se mit à dodeliner de la tête à l'indienne. Corso montra son badge.

— Je peux entrer ?

Akhtar s'effaça pour le laisser passer. Corso le vit de plus près – peau fripée, cheveux gominés mais dépeignés : le gourou se réveillait de sa sieste.

Une grande pièce se déployait dans l'ombre, décorée à l'orientale : tapis au sol, tentures aux murs, meubles sans pieds, comme pour vivre exclusivement le cul par terre. Une forte odeur de curry et d'épices planait.

— Vous voulez un thé ? demanda soudain son hôte d'une voix haut perchée.

Il lissait ses cheveux d'un geste maniéré. Corso se contenta d'un signe négatif. Avançant de quelques pas, il repéra dans un coin des ordinateurs alignés sur une table. C'était la seule source de lumière mais les moniteurs ne diffusaient que des images silencieuses et brouillées. Corso révisa son jugement : il n'avait pas surpris Akhtar en pleine sieste mais en plein travail.

Avant de lui ouvrir, l'Indien avait pris le temps de crypter chaque écran.

— Je vous dérange ?

— Quelques montages en retard, rit l'Indien en joignant ses mains en signe d'excuse. Ça ne vous ennuie pas de vous déchausser ?

Corso fit comme s'il n'avait pas entendu. Il se sentait de plus en plus nerveux. Il ne quittait pas des yeux les écrans cryptés qui distillaient une lueur blanchâtre.

— Vous êtes sûr que vous ne voulez pas un *chaï* ? Ou des *sandesh* ? Ce sont des petits gâteaux bengalis qui…

— Laisse tomber tes salades, Akhtar, fit-il en se postant face à l'Indien.

Corso avait déjà renoncé à ses bonnes résolutions. Pour le gourou tantrique, le réveil allait être dur.

— Montre-moi un peu sur quoi tu bossais…

— Impossible, confidentiel.

Dans la pénombre, le visage noir mordoré d'Akhtar évoquait la carapace luisante d'un gros scarabée.

— Il n'y a rien de confidentiel pour un flic, tu devrais savoir ça, dit Corso en le poussant dans le siège à roulettes qui faisait face à la console de montage.

— Tout est crypté, je…

— Éclaircis-moi ces images, Akhtar, fit-il en appuyant des deux mains sur ses épaules. T'as rien à craindre. J'en ai vu d'autres. À moins que ton business soit illégal.

— Mais absolument pas ! Ma société…

— Tes codes.

Debout derrière le producteur, Corso dégaina et fit monter une balle dans la chambre de son Sig Sauer qu'il plaqua contre l'oreille d'Akhtar.

— Commence par le premier écran à gauche. Si tu fais un geste pour effacer quoi que ce soit, je t'explose un tympan.

Par réflexe, l'Indien rentra la tête dans les épaules et se mit à pianoter sur son clavier. Ses doigts tremblaient sur les touches. La neige du moniteur révéla une image très nette – et même d'une pixellisation parfaite. Pas la peine de chercher des visages. Corso vit deux bites dans un seul et même sexe, alors qu'un poing fourrageait l'anus. La mince bande de chair entre les deux orifices semblait sur le point de craquer.

— Nous travaillons en gros plan, murmura Akhtar. La demande est de plus en plus exigeante et nous devons déployer des trésors d'imagination…

Les « trésors » d'Akhtar avaient une drôle d'odeur. On était plus proche de l'opération chirurgicale. Tous ces organes étaient rigoureusement épilés. Pas un poil à l'horizon.

L'angle changea et Corso put noter que tous les acteurs de la scène avaient aussi le crâne tondu. On aurait dit un ballet de danse buto, version hard.

Pour l'heure, du dur, du cru, mais rien de répréhensible.

— Le deuxième écran.

— Je ne vois pas ce que…

— Vas-y, Akhtar. Ne joue pas avec ma patience.

Une nouvelle image s'imposa. Un *throat gagger*. Un bâillon sexuel. L'homme ouvre à deux mains la bouche d'une femme à genoux et crache à l'intérieur. L'instant d'après, il y enfonce brutalement son pénis et se met à pilonner avec violence. Scène insoutenable. Bruits sourds du membre au fond de la gorge. Râles et hoquettements de la femme. Larmes, salive, vomissures…

— Tout est simulé, risqua Akhtar, de plus en plus agité sur son siège.

— Tes actrices sont sacrément crédibles.

100

La femme tenta de hurler mais la queue l'étouffait littéralement.

Atroce, mais toujours rien d'illégal.

— C'est la loi du marché, plaida l'Indien. Nous ne faisons que répondre à la demande…

— Ton troisième moniteur, Akhtar.

Le producteur pianota fébrilement sur son clavier. Corso pouvait voir la sueur couler le long de sa nuque. À moins que ça ne fût la brillantine qui fondait sous la chaleur de son crâne…

Des doigts serrés sur un poing américain frappent à toute force le visage d'une femme attachée à une croix de Saint-André. Les anneaux d'acier déchirent la chair, écorchent les muscles, brisent les os. La fille, inconsciente, ne réagit plus aux droites qui réduisent son visage à néant.

— Eh ben voilà, Akhtar…, fit Corso, la gorge sèche. Tout ça va nous valoir une belle arrestation en bonne et due forme.

L'Indien bondit de son fauteuil et se retourna, faisant front d'un coup.

— Qui êtes-vous au juste ? Que voulez-vous ? (Il ne roucoulait plus du tout et son accent s'était effacé comme par magie.) Je connais mes droits. Article 1 de la loi du 21 juin 2004 : « La communication par voie électronique est libre, ce qui confère à Internet les garanties accordées à la presse écrite ou audiovisuelle en matière de liberté d'expression. L'exercice de cette liberté ne peut être limité que dans la mesure requise par le respect de la dignité de la personne humaine, la sauvegarde de l'ordre public et la protection de l'enfance et de l'adolescence. »

Corso sourit en rengainant son arme :

— C'est bien, Akhtar, tu connais ta leçon. Mais justement, le « respect de la dignité de la personne humaine » ne comprend pas l'usage d'un coup-de-poing américain dans la gueule. En l'occurrence, une condamnation pour torture et actes de barbarie t'ira bien au teint.

Akhtar bomba le torse sous sa tunique. Son visage ruisselait comme une grosse olive noire.

— Non, fit-il, les lèvres tremblantes. Toutes mes actrices ont signé un contrat qui atteste qu'elles acceptent les conditions de tournage.

— Ce que tu appelles tes « conditions de tournage » constitue un crime devant la loi.

— Non. Ces femmes sont consentantes et il s'agit de leur stricte vie privée. Le 17 février 2005, la Cour européenne des droits de l'homme a rendu un arrêt dans l'affaire K.A. et A.D. contre le royaume de Belgique consacrant un droit à « l'autonomie personnelle (…) comprenant le droit d'entretenir des rapports sexuels et de disposer de son corps jusqu'à s'adonner à des activités perçues comme étant d'une nature physiquement ou moralement dommageable ou dangereuse pour sa personne »…

Akhtar tombait mal : avec une femme comme la sienne, Corso connaissait bien la jurisprudence en matière de sadomasochisme.

— Les accusés avaient oublié de dire que les actes de barbarie étaient filmés puis revendus sur le Net.

L'Indien semblait heureux de pouvoir ferrailler avec un connaisseur :

— Alors, vous savez que la Cour a reconnu que, le consentement de la victime ayant été préalablement donné, le fait d'agir ainsi lors de relations sexuelles constituait un fait justificatif effaçant l'infraction. À partir de là, on peut vendre un film parfaitement légal.

Il se rapprocha de l'écran qui diffusait toujours sa boucherie et posa sa main sur l'ordinateur comme un sculpteur sur une de ses œuvres.

— Le sadomasochisme relève de la liberté sexuelle reconnue par l'État aux individus dans une société démocratique. Cette décision est un revirement de jurisprudence par rapport à l'arrêt Laskey, Jaggard et Brown de 1997 et a clos la question pour un moment.

Corso se força à jeter un œil au visage pixellisé qui ne ressemblait plus qu'à un morceau de barbaque suspendu au croc d'un boucher. Il gifla l'Indien avec le canon de son calibre et le plaqua contre le mur.

— Écoute-moi bien, ma salope. Je suis pas venu ici pour prendre un cours de droit, encore moins pour écouter tes conneries sur le SM et l'Europe. En février 2012 et en mai 2013, tu as fait bosser Sophie Sereys, alias Nina Vice, dans plusieurs de tes films. Qu'a-t-elle fait pour toi ?

— Sophie Sereys ? Nina Vice ? Vraiment, je ne vois pas, je…

Corso lui balança un coup de crosse et lui brisa le nez.

Il laissa le triste sire s'effondrer sur le sol avant d'ajouter :

— Elle a été assassinée y a dix jours. Les news n'ont parlé que de ça pendant une semaine. Son portrait est partout sur le Web. T'es du genre bien informé et tu as dû tout de suite la reconnaître !

— Ni… Nina appartenait à notre club… Elle… elle travaillait régulièrement pour nous…

— On n'a trouvé que deux fiches de paie dans ses comptes. Le reste du temps, tu la payais au black ?

Malgré son nez brisé et ses lèvres tuméfiées, Akhtar réussit à sourire.

— Vous avez rien compris… Nina jouait bénévolement. Pour son plaisir ! Ma philosophie a converti les cœurs et les esprits. Nous ne faisons pas des films, nous communions… Nous…

Corso lui en remit une dans la mâchoire, histoire de lui montrer qu'il avait bien saisi sa pensée.

— Nina, elle jouait dans quel type de films ?

— Le genre que vous venez de voir.

— Tu mens ! Nina était strip-teaseuse. Jamais elle n'aurait pris le risque d'être blessée ou défigurée dans tes séances de cinglés.

— Elle travaillait à l'intérieur, répondit l'Indien d'un ton placide. Les membres de notre réseau peuvent choisir les instruments ou les outils avec lesquels nos « officiants » travaillent le sujet et…

Corso allait lui en coller une autre mais il s'arrêta net, la main levée. Émiliya, nue, dans la salle de bains, alors qu'elle se… Son cerveau refusa d'aller plus loin et se concentra sur le moment présent.

— Où sont ses films ?

— Il faut que je fasse des recherches. Tout est référencé mais… je produis beaucoup.

— Qui étaient ses partenaires ?

— Même réponse, fit l'Indien en essuyant le sang et la morve qui lui coulaient du nez. Je peux pas de mémoire…

Corso le releva et le poussa à nouveau sur son fauteuil. Il attrapa son portable et composa le numéro de Stock. Il était sidéré d'avoir ouvert une telle brèche en quelques heures seulement. Bornek avait une bonne équipe mais pas de petit génie aux collants troués.

— J'ai retrouvé la trace de Nina Vice dans un réseau un peu spécial, expliqua-t-il à Stock sans quitter des yeux l'Indien qui reniflait comme un gosse. Barbie t'expliquera. Tu lâches tout et tu te radines avec les autres. Vous venez aussi avec des techniciens…

Akhtar fit mine de se lever.

— Vous n'avez pas le droit. Pour une perquisition, vous devez avoir une…

Corso l'attrapa par les cheveux – leur contact huileux lui répugna – et l'enfonça dans son fauteuil, lui barrant la gorge avec sa crosse.

— Vous ramassez tous les disques durs, les fichiers, continua-t-il au téléphone, la compta, tout. Vous embarquez le guignol qui dirige tout ça et vous lui faites cracher ses codes et ses références. Vous matez tous les films où Nina a joué. Vous retrouvez ses partenaires de scène, les techniciens présents lors du tournage, et surtout la liste des malades qui ont maté ces séquences. Je vous donne l'adresse par SMS. Envoyez-moi en urgence des bleus pour surveiller le suspect et magnez-vous le fion !

Il raccrocha et menotta le producteur au radiateur le plus distant de la console de montage. Il ouvrit la fenêtre pour chasser l'odeur entêtante du curry et se servit du thé sur un plateau d'argent posé par terre. Il retourna à la fenêtre et but son *chaï* à petites goulées en essayant de se calmer.

Enfin, il revint vers Akhtar qui gémissait dans son coin. Le scarabée s'était transformé en limace. Corso attrapa un pouf de cuir râpé et s'assit près de lui, sans lâcher sa tasse.

— File-moi ton portable.

De sa main libre, l'Indien attrapa son cellulaire dans sa poche de tunique et le tendit au flic.

— En attendant mon équipe, reprit Corso en empochant l'appareil, tu vas me donner quelque chose, un nom, un détail, une circonstance qui me permette d'avancer tout de suite.

Akhtar reniflait du sang et crachait des glaires rougeoyantes.

— Je vois pas ce que vous voulez dire... Je...

Sans se lever, le flic lui balança un coup de talon dans les côtes.

— Un nom, enfoiré. Un partenaire, un gars avec qui Nina partageait ses goûts tordus, un technicien qui l'aurait sautée, n'importe qui. Trouve, nom de Dieu, ou je te jure que mes collègues vont te ramasser à la petite cuillère.

L'autre cracha encore sur ses tapis puis haleta :

— Allez voir Mike... Un hardeur... Il a travaillé avec elle. Je crois... je crois qu'ils sont liés...

— Liés comment ?

— Ils sont sur la même longueur d'ondes. C'est lui qui l'a fait rentrer dans notre réseau.

— Où je peux le trouver ?

— Je... j'ai pas ses coordonnées...

106

Corso leva encore sa botte – il n'avait pas à beaucoup se forcer pour torturer le salopard.

L'autre se ratatina dans un coin de la pièce.

— Au… au Vésinet. Y a un tournage aujourd'hui… Je vais vous donner l'adresse…

— Son vrai nom, c'est quoi ?

— Faudrait que je retrouve sa fiche. De toute façon, tout le monde l'appelle Freud.

— Freud ?

— C'est un intellectuel.

À cet instant, on tambourina à la porte en criant : « Police ! »

— On se revoit au 36, conclut Corso en se levant. Tu donnes tous tes codes à mes collègues, tu réponds à toutes leurs questions, et le reste du temps, tu la fermes.

— Je… je veux appeler mon avocat, susurra-t-il entre ses dents déchaussées.

Le flic lui balança un dernier coup de pied dans le ventre avant d'aller ouvrir aux bleus. Akhtar éclata en sanglots.

— Pour un maître SM, j'te trouve bien sensible.

15

— Docteur ? (Corso roulait plein ouest tout en téléphonant au légiste de l'IML) Commandant Stéphane Corso, de la Crime. J'ai repris l'affaire de la strip-teaseuse assassinée.

— Et alors ?

Visiblement, il dérangeait. La résonance de la voix trahissait l'écho de la chambre froide. Le médecin était un nouveau que Corso ne connaissait pas.

— Vous avez autopsié Sophie Sereys y a une dizaine de jours. J'aurais besoin d'une précision.

Le toubib soupira. Il l'entendit donner des ordres à ses assistants, à la manière d'un réalisateur qui dirait « Coupez ».

— Je vous écoute.

— J'ai lu plusieurs fois votre rapport et je n'ai vu aucune mention concernant des lésions vaginales.

— Je l'ai dit et répété : cette femme n'a pas été violée.

— Je veux parler d'anciennes lésions, des cicatrices peut-être.

— C'est-à-dire ?

La curiosité du médecin semblait éveillée.

— Nous avons aujourd'hui la preuve que Sophie Sereys tournait dans des films porno à tendance SM. Vous n'avez rien remarqué ?

— Non.

— Pas de déchirures anales, de fissures vaginales ?

— Je vous dis que je n'ai rien noté.

— Et vous n'avez pas procédé à des examens concernant les IST ?

Le toubib explosa :

— Le corps que j'ai autopsié était lacéré, fracturé, défiguré, et vous auriez voulu que je vérifie si la victime avait des chlamydiae ? Vous vous foutez de ma gueule ?

— Merci docteur.

À la hauteur de la Défense, Corso songea une nouvelle fois à la fusillade de Nanterre. Deux morts la veille, la corrida avec l'Indien aujourd'hui. La violence était comme une mauvaise grippe dont il ne parvenait pas à se débarrasser.

L'interminable tunnel de la Défense filait sous la banlieue ouest. Une sorte d'Eurostar qui passerait sous les flots noirs de sa jeunesse. À cet instant, son portable sonna de nouveau. Stock et Ludo sur zone : le déménagement avait commencé. Tout le matos allait être transféré dans un entrepôt près de Bercy où la BC avait l'habitude de stocker le produit de ses perquises. Là, les geeks de la SDLC (Sous-direction de lutte contre la cybercriminalité) s'occuperaient de révéler le musée des horreurs d'Akhtar Noor.

— Pour l'inculpation, demanda Stock, j'mets quoi ?

— Mate quelques films, tu trouveras vite. Rendez-vous au 36 dans deux heures.

Quand il sortit du tunnel, il découvrit une nouvelle planète. Maintenant, il roulait sur une large avenue cernée d'arbres souverains, de bâtiments de verre et de villas hautaines.

Après avoir traversé la Seine, la D186 l'amena droit à sa destination, avenue Émile-Thiébaut. Le lieu du tournage était une maison à colombages abritée derrière des grilles pleines et des marronniers chatoyants.

Pour ne pas casser l'ambiance, Corso avait décidé de se présenter comme un ami d'Akhtar. Il voulait respirer l'esprit du « club », approcher en douceur Mike, alias Freud.

Un culturiste aux oreilles décollées vint lui ouvrir la grille. Le nom d'Akhtar déclencha une batterie de questions. Corso essaya de la jouer fine en évoquant les différentes performances aperçues dans les premières séquences chez le gourou indien. Aucun effet.

Pour couper court à cette conversation en forme d'impasse, il proposa qu'on appelle Akhtar *himself.*

— C'est quoi ton nom ? demanda Musclor.

— Corso.

L'autre pressa son écran. C'était quitte ou double : Corso avait donné le portable de l'Indien aux bleus, qui devaient déjà l'avoir refilé à son équipe... Soit l'appareil traînait au fond d'un sac à scellés et personne ne répondrait, soit il était aux mains de ses gars et il fallait espérer qu'Akhtar soit encore dans les parages. Dans ce cas, il y avait une chance pour qu'on fasse répondre le suspect, sur haut-parleur, le canon sur la tempe...

Corso perçut les sonneries au fond de l'oreille du cerbère. Il observait le logo sur son polo Lacoste mauve – les mâchoires du petit crocodile, écartelées par ses pecs, lui donnaient l'air de s'esclaffer.

La deuxième hypothèse l'emporta. Akhtar répondit, donna son feu vert, et Corso put entrer dans le saint des saints. Une allée de gravier, des sculptures abstraites au milieu des pelouses, des baies vitrées voilées de lin blanc.

Sur le seuil de la baraque, Musclor ordonna :

— Retire tes pompes.

C'était une manie dans le milieu. Corso s'exécuta puis suivit son guide à travers un dédale de pièces qui semblaient meublées par Mies van der Rohe en personne.

Il avait déjà assisté à des tournages porno. En général, l'ambiance y est bon enfant : les hardeurs à poil discutent famille, football ou voitures tout en se masturbant, pendant qu'on vérifie leurs tests HIV et qu'on règle les lumières.

Là, c'était autre chose. Les troupes d'Akhtar donnaient dans le grave, l'ésotérique. Une pièce tapissée de livres où trônait un billard français avait été transformée en loges. Les acteurs – hommes et femmes – s'y concentraient en silence. Tous nus, tous tondus, ils évoquaient des patients prêts à subir de sérieuses interventions chirurgicales.

— Attends ici, fit l'athlète avant de disparaître.

Corso essaya de se faire discret. Dans cette forêt de corps blancs, de bites turgescentes, de crânes astiqués, il se faisait l'effet d'un pervers indésirable.

Certains hommes avaient un mécanisme bizarre fixé autour de la queue, une sorte de pompe hydraulique qu'ils actionnaient d'un geste expert. Des femmes, cuisses grandes ouvertes, s'enduisaient la fente de crème ou faisaient le grand écart, prenant appui contre le billard. Sur une table, il repéra les substances habituelles – produits érectiles, lubrifiants, lavements… –, mais si nombreux qu'on aurait dit une pharmacie par temps de guerre.

Il n'était pas le seul habillé. Un petit athlète, portant un survêtement de velours bleu nuit et un stéthoscope autour du cou, s'activait autour des actrices. Sans un mot, il pratiquait des injections rapides, presque furtives, virevoltait de l'une à l'autre. Sans aucun doute des anesthésies locales en vue des performances à venir.

Enfin, un homme en tunique blanche – identique à celle d'Akhtar – entra dans la pièce et se dirigea droit vers Corso.

— Tu viens de la part d'Akhtar ?

— C'est ça.

— Il n'envoie jamais personne sur le set.

— Y a un début à tout.

— Tu veux parler au réalisateur ?

L'homme s'exprimait à voix basse. Avec sa tunique et ses manières compassées, il rappelait vaguement un officiant religieux. Pourtant, Corso repéra la lampe de poche, une led Maglite, suspendue à son cou : il avait affaire au responsable de la « *light pussy* » (« lumière chatte »), chargé d'éclairer la pénétration au juste moment.

— Non, je cherche Mike.

— Qui ?

— Freud.

— Pourquoi ?

112

— Je suis producteur, moi aussi. Ses compétences m'intéressent.

— Suis-moi.

Sur les pas de son hôte, Corso emprunta un nouveau couloir, enjamba des câbles scotchés au sol, contourna des flight-cases aux cornières d'aluminium. Il accéda à une vaste pièce où les meubles avaient été poussés et recouverts de housses blanches. Le sol était protégé par une bâche plastique : le théâtre des opérations. Des techniciens branchaient des projecteurs, installaient des réflecteurs. Visiblement, on tournait ici du gonzo sophistiqué, avec lumière, caméra professionnelle et acteurs aguerris.

Au centre de l'espace, un lit, ou plutôt un matelas, sur lequel des gars plaçaient une alèse de caoutchouc avant d'envelopper l'ensemble d'un drap-housse. Dans un coin, deux actrices nues, dont les crânes à la lumière de la fenêtre étaient presque aveuglants, s'embrassaient alors qu'une maquilleuse leur poudrait les fesses.

— Freud, c'est le gars assis là-bas.

On ne pouvait pas le rater : adossé à une fenêtre, il se tenait les yeux fermés, à poil bien sûr, en position du lotus. Petit gabarit mais costaud, faciès écrasé de bouledogue, orbites creusées, sourcils rasés. Les os du visage saillaient sous sa peau à la manière d'une structure métallique qu'on aurait superficiellement couverte de chair et de muscles.

Le meilleur était plus bas, entre ses jambes. Un braquemart dépassant les 25 centimètres, du XXL de hardeur, doté d'une érection vibrante. De sa main droite, l'artiste se masturbait nonchalamment tout en ajoutant, de la gauche, du lubrifiant sur l'arme fatale.

Quand Corso s'approcha, la bête ouvrit les yeux et sourit :

— T'en as mis du temps pour me trouver.

16

— J'ai connu Nina en réseau. À l'époque, elle consultait les sites SM.

— On a analysé son ordinateur : pas l'ombre d'une connexion de ce genre.

— J'ai dit « à l'époque ». Ces dernières années, elle n'en avait plus besoin. Elle était passée de l'autre côté de l'écran.

— C'était y a combien de temps ?

— Six-sept ans, j'dirais.

Le hardeur n'était pas du genre à se présenter spontanément à la police, mais une fois au pied du mur, il ne voyait pas d'inconvénient à parler.

Freud décroisa les jambes, les étira en les massant puis se mit debout sans l'ombre apparente d'une ankylose.

— Viens, fit-il en attrapant un paquet de Gitanes et en ouvrant la porte-fenêtre, j'ai besoin de fumer.

Corso s'efforçait d'avoir l'air naturel mais le spectacle de ce petit homme trapu et musculeux, nu comme une sculpture romaine et bandant comme un bas-relief indien, était stupéfiant.

Quand il put l'admirer adossé au balcon de bois, s'astiquant toujours l'engin sur fond de banlieue chic, l'image devint carrément surréaliste.

— Fais pas attention, fit l'autre en surprenant la gêne de Corso. J'vais bientôt tourner et j'me refuse à avaler leurs saloperies. Mike travaille sans filet ! Avec leurs merdes, t'arrêtes plus de bander mais ça devient mécanique. T'es plus dedans. (Il ricana.) Enfin, si j'ose dire…

Corso hocha la tête en prenant un air de connaisseur.

— D'après nos infos, Nina s'efforçait d'être sympa avec tout le monde mais en réalité, elle n'avait pas beaucoup d'amis.

— J'étais le seul, confirma le dogue.

— Vous n'avez jamais couché ensemble ?

— Dans les films seulement, sourit Mike. Elle n'était intéressée que par le SM dur. C'est moi qui l'ai initiée à tout ça.

— Tout ça quoi ?

— Le club. Les films. Le « porno organique », comme dit Akhtar.

— Dans quel registre elle officiait ?

— Comme si tu le savais pas.

— Akhtar a essayé de m'expliquer mais je n'ai pas bien compris.

Mike éclata de rire et alluma une nouvelle cigarette.

— Nina était la star des jeux en ligne.

— Quels jeux ?

— Dis donc, coco, fit le hardeur en soufflant sa fumée, tu m'as pas l'air très avancé dans ton enquête…

— Explique-moi.

— OPA propose des jeux cryptés. Tu payes, tu mates, tu paries.

— Sur quoi au juste ?

L'homme soupira : ce visiteur n'en piquait vraiment pas une.

— Nina était une spécialiste du « Fais un vœu » et du « Sucre d'orge ».

— Connais pas.

— Elle s'enfonçait par exemple un cierge très fin dans le vagin et allumait la mèche. Les paris en ligne se multipliaient au fil de la consumation de la cire. Plus la flamme se rapprochait de la chair, plus ça montait. À ce petit jeu, Nina était la meilleure. C'est elle qui éteignait la mèche… avec son vagin.

— Et le « Sucre d'orge » ?

— Akhtar fabrique des capsules de sucre cuit contenant du verre pilé. Le joueur, enfin la joueuse, se les fout dans la chatte. Avec la chaleur du corps, le sucre fond, libérant les tessons. Le jeu, c'est de parvenir à les expulser en jouant des muscles du périnée. Ça saigne, c'est affreusement douloureux et vraiment dégueulasse. Les joueurs en raffolent.

Le flic songea au légiste – comment n'avait-il rien remarqué de suspect ?

— Combien d'abonnés sont accros à ce genre de jeux ?

— Plusieurs milliers, je pense.

— Nina faisait-elle… d'autres choses pour Akhtar ?

Mike fit un signe amical en direction du jardin mitoyen. Corso tendit le cou : une quinquagénaire en veste Chanel traversait la cour de sa villa.

Outrée par le spectacle (le gland de Mike dépassait du rebord de la rambarde comme une marionnette dans un petit théâtre), la femme plongea précipitamment dans sa Mini.

— Nina allait trop loin, reprit le hardeur. Je le lui ai souvent dit. Elle participait à ce qu'on appelle des « blind tests ». La fille est attachée sur une table d'autopsie pendant qu'un bourreau reçoit des ordres des parieurs en ligne… Le plus souvent, il s'agit de lui enfoncer les objets les plus saugrenus dans la chatte. Au départ, la fille refuse, les enchères montent, et quand la somme paraît suffisante, elle donne son accord… Nina était la reine à ce truc.

— Quel genre d'objets ?

— Un téléphone qu'on faisait sonner à l'intérieur, pour la rigolade, mais ça pouvait tout aussi bien être une poignée d'hameçons de pêche…

— Akhtar m'a dit que Nina était bénévole.

— C'est vrai. Tout allait dans sa poche à lui. Cet enfoiré nous bassine avec ses conneries de grande fusion érotique mais c'est rien d'autre qu'un businessman qu'a trouvé le bon filon…

— Si c'est pas pour le fric, pourquoi acceptait-elle de telles épreuves ?

— Pour le plaisir. Nina aimait avoir mal. *Vraiment*.

— Ça me paraît un peu court comme explication.

Freud balança d'une chiquenaude sa cigarette dans le jardin de la voisine.

— Elle aimait avoir mal parce qu'elle ne s'aimait pas. Et elle ne s'aimait pas parce qu'elle était persuadée qu'elle n'était pas digne d'être aimée. Elle était née sous X, tu sais ça au moins ?

Corso hocha la tête.

— Au fond de sa conscience, cet objet indigne d'amour – elle-même – était devenu un objet digne de haine. Son désir s'est alors inversé. Elle s'est mise à avoir envie qu'on lui fasse mal, qu'on la torture, qu'on lui manifeste ce mépris qu'elle méritait. Sa psyché avait bousculé toutes les valeurs. La violence est devenue sa source unique de plaisir.

Corso commençait à comprendre son surnom de « Freud ». Il avait prononcé son discours abscons d'une seule traite, d'une voix docte – avec un peu d'imagination, on aurait presque pu penser qu'il s'adressait à son propre phallus.

Le flic restait bloqué sur cette impossibilité : une fille qui se livrait à de tels délires aurait dû avoir de sérieuses séquelles. Or le légiste n'avait rien vu.

Mais Mike avait réponse à tout :

— Ces derniers temps, Nina avait levé le pied côté jeux SM. Ses tissus avaient dû cicatriser. Elle se sentait mieux, physiquement et moralement.

— Pourquoi ?

— Elle s'était trouvé un mec.

— Un mec ?

Tous les témoignages convergeaient sur ce point : Sophie Sereys, alias Nina Vice, 32 ans, n'avait personne dans sa vie.

— Me raconte pas de salades. Pas un seul PV ne mentionne le moindre petit ami. On n'en a trouvé aucune trace ni dans son portable ni dans son ordinateur.

Mike secoua la tête d'un air consterné.

— Vous avez rien compris à Nina. Tout ce qui lui était personnel était totalement secret. Elle avait peu de choses à cacher mais elle y tenait.

— Ce mec, c'était qui ?

— J'en sais rien.

— Qu'est-ce qu'elle t'a dit sur lui ?

— Pas grand-chose. C'était un peintre, je crois.

— Il pratique le SM ? Où l'a-t-elle rencontré ?

— Je sais rien, j'te dis ! Tout ce qu'elle m'a révélé, c'est qu'elle le voyait de temps en temps et que ça lui faisait du bien.

Ce peintre lui aussi devait avoir le goût du secret pour ne laisser aucune trace dans la vie de Nina. Les deux s'étaient trouvés.

— Tu ne te souviens pas de quelque chose qui nous permettrait de l'identifier ?

— Je crois qu'elle posait pour lui…

— Où je pourrais trouver ces toiles ?

— Aucune idée.

— Il a une galerie ?

— Je te dis que je sais que dalle !

— Réfléchis.

Mike se passa la main sur le crâne.

— Il porte un chapeau.

— Un chapeau ?

— C'est un truc qu'elle m'a dit un jour. Il a une manière spéciale de s'habiller. Des costards blancs, des chapeaux… Le genre maquereau des années 20…

Ça ne collait pas avec l'image d'un homme secret. Il fallait secouer tout ça et voir ce qui pouvait en tomber. C'était en tout cas un sacré point d'avance sur l'enquête de Bornek.

Corso salua Freud mais se ravisa au bout de quelques pas.

— Une dernière chose, un détail.

— Quoi ?

— Pourquoi vous êtes tous tondus ?

Sourire pernicieux de Mike.

— Une idée d'Akhtar. Ça fait plus secte. Et puis, c'est plus pratique.

— Pour quoi faire ?

— Les head-fucking.

17

Son équipe l'attendait dans la salle de réunion. À Bercy, les geeks avaient commencé le décodage des films – il y en avait plusieurs milliers – avec la « gracieuse participation » d'Akhtar.

— Qu'est-ce que ça donne ?

— C'est dégueulasse, répondit Ludo, qui n'avait pourtant pas froid aux yeux. Les filles prennent vraiment cher. Pour l'instant, on n'a pas mis la main sur les films de Nina mais ça doit être dans l'esprit du reste…

— La liste des abonnés ?

— En décryptage aussi. Selon les informaticiens, on n'obtiendra que des IP d'ordinateurs. Il faudra ensuite identifier leurs propriétaires. On est pas rendus.

— Les acteurs, les actrices ?

— Akhtar a un fichier à jour mais ça nous sert à rien. Tout le monde bosse sous pseudo. Pas la moindre info administrative.

— Y a jamais de fiches de salaire ?

— Non. Ils sont tous bénévoles. Faut vraiment être fêlé…

— Akhtar, vous l'avez laissé appeler son avocat ?

— Non. On attend de trouver quelque chose de vraiment chaud sur ses bandes pour l'inculper.

— Suffit de piocher au hasard. Les filles se font réduire en bouillie !

— Il prétend que c'est truqué.

— Et les quadruples pénés ? Les objets fourrés dans le sexe, le cul ?

Ludo haussa les épaules.

— Du libre échange entre adultes consentants. On a les contrats signés par les filles. Akhtar nous a expliqué qu'il les libérait de leurs chaînes judéo-chrétiennes, des tabous aliénants de nos sociétés oppressives, etc. On continue le décryptage des films mais, à moins d'y trouver des mômes ou des animaux, faudra libérer Monsieur Loyal.

Ludo avait bossé à la BRP et il savait comme tout le monde dans cette salle que le seul moyen de coincer les fournisseurs de porno était l'utilisation de mineurs ou d'animaux dans des actes de zoophilie. L'article 521-1 du code pénal réprime « le fait, publiquement ou non, d'exercer des sévices graves, ou de nature sexuelle, ou de commettre un acte de cruauté envers un animal domestique, ou apprivoisé, ou tenu en captivité… ». Il existe même une jurisprudence à base de poneys sodomisés…

Corso leur ordonna de continuer sur leur lancée : creuser encore dans le puits de merde, identifier les consommateurs et les intervenants et laisser croupir au ballon l'Indien sans qu'il puisse contacter qui que ce soit.

— Le parquet va apprécier.

— J'assume.

Le flic prit son souffle et leur annonça le scoop du Vésinet : Sophie Sereys avait un boyfriend. Il donna ses ordres dans la foulée. Taper une perquise éclair chez Sophie, la nuit prochaine, en quête d'un indice concernant l'inconnu. Retourner au Squonk réinterroger ses collègues. Ratisser le marché de l'art contemporain pour débusquer la trace d'un peintre qui s'habillerait en costard blanc et borsalino. Un artiste qui (peut-être) consacrait son œuvre aux strip-teaseuses ou aux hardeuses, un gars qui renouait avec l'ancienne tradition des peintres du Moulin-Rouge.

Stock intervint – pour l'occasion, elle avait chaussé de grosses lunettes qui lui donnaient un air professoral inattendu :

— Je pige pas. On lâche le côté gonzo ?

— Pas du tout.

— Qui va s'occuper des abonnés d'Akhtar ? des partenaires de Nina, etc. ?

— On appelle du renfort.

— Pourquoi pas Bornek ? ricana Ludo.

— Laisse Bornek où il est. Il va bientôt se casser en vacances.

— La moitié du 36 part ce soir, précisa Stock.

— Voyez avec Bompart qui elle peut nous filer. Demain, on remet tout à plat et on voit qui interroge qui.

Les flics se regardèrent : ils allaient bosser cette nuit, première nouvelle, et ils seraient aussi de service ce week-end, deuxième nouvelle.

— Krishna aussi doit partir ce soir…, risqua Barbie.

— Qu'il annule ses vacances !

Sur ces mots, Corso salua la compagnie et retourna dans son bureau. Il avait besoin de faire le point calmement : en quelques heures, ils avaient découvert deux pistes majeures. Il n'en espérait pas tant la première journée.

— Stéphane !

Il se retourna : Barbie l'avait suivi dans le couloir, un dossier à la main. Il se dit que vraiment, son allure, c'était pas possible. Il émanait d'elle (les bons jours) un air de Mary Poppins déglinguée qui pouvait avoir son charme à condition d'aimer les allures vintage et les *tapestry bags*.

— J'ai trouvé une référence pour les blessures de Nina.

— T'as eu le temps de bosser sur un autre truc ? s'étonna-t-il.

— Je peux faire deux choses à la fois.

Trois en réalité, puisque c'était elle déjà qui avait dégoté Veranne, le maître des cordes, et identifié Akhtar après avoir épluché les comptes de Nina… Le côté surdoué de Barbie avait quelque chose d'agaçant, elle donnait toujours l'impression d'avoir un train d'avance sur le groupe, lui compris.

Elle ouvrit sa chemise de papier qui contenait des photocopies en couleur.

— Ce sont des toiles de Francisco Goya.

— Viens dans mon bureau.

Corso referma la porte et la laissa étaler ses clichés par-dessus ses propres dossiers.

— Tu connais ce peintre ? demanda-t-elle.

— Tu me prends pour un con ou quoi ?

Corso reconnaissait des tableaux célèbres : les portraits de personnalités de la Cour madrilène, les fameuses *Fusillades du 3 mai*, des reproductions des *Pinturas negras* : *Deux vieux*, *Le Sabbat des sorcières*, *Le Chien*... Des gueules déformées qui possédaient une présence terrifiante.

Barbie sélectionna quelques images et les disposa bien en vue.

— Regarde celles-ci, elles te rappellent rien ?

C'étaient des portraits atroces, tirant sur le rouge et le sépia, des trognes au cri dément ou au rire sarcastique (impossible de décider), des bouches dont les commissures remontaient jusqu'aux oreilles – exactement comme sur le visage blessé de Nina.

— Elles appartiennent aux *Pinturas negras* ? demanda-t-il en s'emparant d'un des tirages, un homme à la gueule émaciée dont on distinguait les poignets entravés de chaînes.

— Non. On les appelle les *Pinturas rojas*. Ce sont de petites toiles découvertes il y a quelques années et qui ont été attribuées à Goya. Un galérien, une sorcière, un moribond. Visiblement, Goya a fouillé là dans ses souvenirs les plus sinistres.

— Où sont ces œuvres ?

— Dans le musée d'une fondation à Madrid. Un fonds de mécénat a acheté la série à prix d'or. J'ai l'adresse. Je suis certaine que le tueur y a passé des heures... Peut-être même est-il espagnol...

Corso n'en revenait pas : cela constituait une troisième piste intéressante. D'autant plus qu'ils avaient maintenant dans le collimateur un possible « petit

126

ami peintre ». Tout cela pouvait esquisser un semblant de cohérence.

— On grattera là-dessus demain, conclut-il. Il faut
voir ce que ces visages représentent exactement. Leur
symbolique, leur signification profonde…

— Et la fondation ?

— Contacte l'officier de liaison français à Madrid.

— Tu veux pas qu'on y aille nous-mêmes ?

— Non. Les priorités sont ici.

Barbie remballa ses clichés et lui fourra la chemise
entre les mains.

— T'as tort. Notre tueur nourrit sa folie avec ces
toiles. Elles sont au cœur de l'histoire.

— Je te dis de voir avec l'officier de liaison.

Barbie acquiesça de mauvaise grâce. Comme tous
les petits génies, elle était susceptible, ce qui était un
sérieux défaut pour un flic.

Elle allait partir quand Corso la rappela :

— Tu fais quelque chose, là ?

— Tu plaisantes ou quoi ? Tu viens de nous donner
du boulot pour trois jours.

— Non, je veux dire, t'as le temps de boire un
verre ?

— Houlà.

— Quoi : « houlà » ?

— En sept ans de bons et loyaux services, tu m'as
invitée deux fois à boire un verre. La première, c'était
pour m'annoncer que tu virais un des gars du groupe.
La deuxième, pour me dire que la femme que je venais
d'arrêter s'était pendue dans sa cellule. Bref, c'est
jamais très bon signe.

Il essaya de sourire.

— J'ai un service à te demander.

— Tu commences vraiment à me faire flipper.

18

— Un témoignage ? Un témoignage de quoi ?

— De moralité. Une attestation prouvant que je suis un bon père.

Barbie secoua la tête comme lorsqu'on vient d'entendre une bonne blague. Ils s'étaient installés dans un café de la place Dauphine, à l'écart des lieux fréquentés par les flicards de l'île.

— Quoi ? aboya Corso, en mode agressif.

— J'me demande si ton affaire de divorce est bien partie…

— Parce que tu t'y connais en divorces ?

Il n'était pas prêt pour un discours à la Karine Janaud.

— Question de bon sens. Qu'est-ce que tu vas mettre au juste dans ton dossier ?

— Des témoignages, des photos de Thaddée et moi montrant tout ce qu'on fait tous les deux… Je compte aussi écrire un texte sur ma conception de l'éducation. Comment je vois mon rôle de père.

Barbie but une gorgée de Coca Zéro. Elle tenait son verre à deux mains : elle semblait vouloir s'infuser le froid du Coca sous la chair.

— T'as des amis ? demanda-t-elle.

— Pas trop, non.

— Une famille ?

— J'ai Thaddée.

— Tu trouves le temps d'aller à son école ? de t'occuper de ses autres activités ?

— Je fais ce que je peux.

Barbie sourit, mais c'était pour atténuer ce qui allait suivre :

— En gros, tu comptes seulement présenter des attestations de collègues.

— Peu importe d'où viennent les témoignages.

— Pourquoi pas des criminels que tu as arrêtés pendant que tu y es ?

— J'y ai pensé.

C'était une blague, mais en vérité il aurait trouvé légitime de donner la parole à ses ennemis. Ils auraient été les plus bavards. Mais tout ça n'aurait montré que sa qualité de flic.

— Je peux te parler franchement ? fit Barbie après une nouvelle goulée glacée.

— Ça fait longtemps que tu te passes de mon autorisation.

— Quand je suis arrivée dans le groupe, Thaddée avait 2 ans. Je l'ai vu grandir à travers toi et j'ai pu constater à quel point tu es un bon père. En tout cas, comme tu le dis toi-même, tu fais ton maximum.

— Mais ?

La jeune fliquette se recula, comme pour mieux prendre son élan.

— Une fois devant le juge, avec tes états de service de superflic et ton look de loubard, tu vas pas faire long feu.

— J'ai un look de loubard, moi ?

Barbie ne prit pas la peine de répondre.

— Et j'ose pas imaginer ce que vont dire les amis d'Émiliya.

— J'ai rien à me reprocher.

— Bien sûr que non, mais, comment dire, c'est toute ta présence qui fout un malaise.

Corso essaya de déglutir. Barbie en profitait pour vider son sac :

— Tu bois pas, mais comme un mec qui sort des AA. Tu te drogues pas, mais c'est parce que t'as toujours pas fini d'éliminer ce que tu t'es envoyé dans ta jeunesse. T'es du côté de la justice, mais on dirait que c'est pour t'éviter la taule. Quand tu fais de l'humour, c'est toujours involontaire, et quand tu dragues, on dirait un interrogatoire. Les rares fois où je t'ai vraiment senti à l'aise, c'est avec une arme à la main.

— C'est tout ?

— Non. T'es en train de divorcer, comme la moitié de Paris, mais on dirait qu'un attentat terroriste se prépare et que les victimes vont tomber par dizaines.

— Thaddée est ce que j'ai de plus cher. L'issue de ce divorce est cruciale pour moi.

Elle hocha la tête, comme un psy qui acquiesce non pas au discours mais aux signes manifestes de la maladie.

— Sans compter qu'Émiliya est foutue de trouver des témoignages négatifs qui viendront du 36.

— Je suis clean et on a le meilleur taux d'élucidation de la boîte.

— Je suis au courant, merci, mais ça fait pas de toi un flic irréprochable.

Corso revisita en quelques secondes tous les dossiers où il avait été borderline – personne ne pouvait exhumer ces actes illégaux que Bompart avait soigneusement enterrés sous des strates d'archives.

— Tu traites les familles des victimes comme des coupables et en même temps, t'as toujours l'air d'enquêter pour ton compte personnel, continuait Barbie. On se croirait dans un *vigilante* où le héros fait justice lui-même, calibre au poing.

— T'exagères.

— Non. Un flic de la Crime porte un costume noir par respect pour les familles et passe sa vie à rédiger des rapports. Toi, t'es même pas foutu de mettre une veste et tu donnes à écrire toute la paperasse à Krishna. Tu ne manifestes jamais aucune empathie. Tu n'es jamais poli, jamais respectueux. Une vraie calamité. Franchement, tes résultats sont bons mais tout le monde pense que tu devrais retourner là d'où tu viens : le terrain.

Corso souffla. Contre toute attente, il se sentait revigoré par ce discours comme après une douche froide.

— T'as fini ?

— Non. Y a aussi le problème physique.

— Quel problème physique ?

Elle haussa les épaules et regarda le fond de son verre où reposait le cadavre d'une tranche de citron. Elle avait une bague à chaque doigt, pas vraiment le style place Vendôme, plutôt le registre biker.

— Quand tes mains ne tremblent pas, c'est que tes pieds trépignent ou que tes dents grincent. T'as toujours l'air au bord de l'implosion. Tu fais peur aux témoins et tu accables les familles. Jusqu'où tu vas aller comme ça ?

On était définitivement sorti du dossier divorce, Barbie parlait en son nom et sans doute en celui de toute l'équipe.

— Il était pas question de la garde de mon fils ?

— C'est ce que j'essaie de te faire comprendre : t'as aucune chance de gagner face à ta femme.

Il choisit de ne pas s'énerver, ne serait-ce que pour donner tort au portrait de Barbie. Depuis dix minutes, il touillait son café – il y en avait autant dans la soucoupe qu'au fond de la tasse.

Il lâcha la petite cuillère et ajouta, presque rêveusement :

— Il faut pourtant que je réussisse à avoir la garde. Émiliya est… dangereuse.

— Je suppose que tu ne veux pas en dire plus ?

— Non.

— Qu'est-ce qu'en pense ton avocate ?

— Que ma seule chance d'infléchir le juge serait d'arrêter le salopard du Squonk.

— Enfin une bonne nouvelle.

Il leva les yeux.

— Tu trouves ?

— Bien sûr. On va se le faire, cet enculé.

Elle se leva, tâta ses poches et lança cinq euros sur la table.

— J'y retourne. Je vais rejoindre les autres pour la perquise.

Elle attrapa son sac et tourna les talons.

— Tu me feras mon attestation ou non ? demanda encore Corso.

— Bien sûr. (Elle lui adressa un clin d'œil.) Et j'oublierai pas de dire que t'es le meilleur tireur à l'arme de poing du service.

19

Sonné, Corso reprit sa voiture et roula sans but. Le soir tombait doucement sur les quais, un voile d'ombre enjôleur qui collait à Paris une chair de poule... électrique.

Il avait essayé d'appeler Émiliya, elle n'avait pas répondu. L'image de Thaddée, blondinet hirsute aux yeux sombres (ceux de sa mère), lui frappait la poitrine comme une pierre lancée par un casseur. À l'idée de ne pas voir son fils durant un mois, sans s'être préparé à cette quarantaine ni même avoir pu lui dire un mot d'au revoir, c'était trop – *vraiment trop*.

Et ce n'était que le début. Il n'aurait pas la garde, c'était certain. Il devrait se satisfaire des miettes qu'on lui accorderait et trembler chaque soir en se demandant si Émiliya n'embarquait pas leur petit garçon dans ses pratiques SM.

Il sentit les larmes lui monter aux yeux. Dans ces moments-là, ses vieux démons réapparaissaient comme aux plus beaux jours. Pour un ancien tox, les années d'abstinence sont comme une muraille patiemment construite qui reste en terre friable. Il suffit de la regarder d'un peu trop près pour qu'elle se réduise en poudre...

Il braqua sur le pont Royal pour rejoindre la rive droite et repartit en sens inverse. Les réverbères s'allumaient le long du musée du Louvre et ce fut comme une révélation : il savait où il allait.

Depuis quelques mois, il s'était trouvé une maîtresse idéale : jeune, douce, discrète. Une petite brunette bien en chair, pas très jolie mais dotée de formes opulentes soigneusement dissimulées sous des robes amples. Une créature banale, portant des lunettes et des barrettes dans les cheveux à la Keith Richards, qui se tenait aussi loin que possible du désir mais qui, une fois déshabillée, révélait des trésors de sensualité. Il y gagnait cette impression de profanation, de souillure, qui était la seule chose qui l'excitait.

Il l'avait rencontrée lors d'une enquête sur un casse nocturne où le patron d'une bijouterie s'était pris une balle dans la tête. La jeune vendeuse n'avait pas assisté à la scène mais il s'était tout de même proposé pour la consoler. Depuis, il venait boire à la source de temps en temps et faisait la sourde oreille quand elle évoquait leur avenir. Si elle insistait, il invoquait une « urgence au boulot » et disparaissait.

Miss Béret – elle portait souvent un béret rose qui lui rappelait la chanson de Prince, *Raspberry Beret* – habitait dans le XIIᵉ arrondissement.

Aux abords de Bercy, il se dit qu'il aurait dû plutôt rejoindre les geeks de la PJ (ils n'étaient pas loin) ou bien encore pousser sur les quais jusqu'à Ivry-sur-Seine et participer à la perquise chez Sophie Sereys. Mais il n'en avait pas la force. Au contraire, il voulait s'éloigner du meurtrier de Nina, de l'horrible cri béant, du monde abject d'Akhtar.

Quand Miss Béret lui ouvrit, elle était en jogging et chaussons, ne portait pas ses lunettes et avait noué ses cheveux en un chignon qui évoquait une glace italienne. À cet instant, elle ne ressemblait ni à la jeune fille sage qui cachait ses charmes, ni à la grenade dégoupillée des premières nuits, plutôt à la petite sœur qu'il aurait aimé avoir.

En découvrant le flic sur le seuil, regard perdu, tremblant dans son blouson, Miss Béret se contenta de sourire. Elle avait déjà compris qu'il n'était pas là pour faire l'amour ni même pour parler. Il était venu pour le plateau-repas, les coquillettes et le téléfilm du vendredi soir.

20

Il roulait dans les rues de son passé, avenue Pablo-Picasso, rue Maurice-Thorez, avenue Joliot-Curie… et voyait des corps suspendus aux réverbères, nus, mutilés, dépecés. Il appuyait à fond sur la pédale d'accélérateur mais sa voiture n'avançait pas. Seul son deux-tons hurlait avec des accents humains déchirants. Tenant le volant d'une main, il cherchait de l'autre le bouton pour arrêter la sirène sans jamais le trouver…

Il réalisa que c'était la sonnerie de son téléphone qui lui sciait le cerveau. Quand il ouvrit les yeux, il avait déjà la main sur l'appareil.

— Je te réveille ?

Corso reconnut la voix. D'un geste, il consulta sa montre : près de 8 heures du matin. En quelques éclats de seconde, il revit en accéléré sa soirée-réconfort : les carbonara de Miss Béret, le téléfilm incompréhensible – tableau stylisé de son propre quotidien, où personne ne remplissait jamais le moindre PV, où les coupables multipliaient les « erreurs fatales », où chaque enquête se résolvait en cinquante minutes chrono. *Super.*

Il s'était ensuite traîné jusqu'au lit pour écoper de la peine habituelle : quelques heures de sommeil poisseuses, saturées de cauchemars. À chaque réveil, il se posait la question : de telles nuits pouvaient-elles vraiment le *reposer* ?

— Comment ça va, *ragazzo* ?

— Super. T'appelles pour la strip-teaseuse ?

— Entre autres.

Catherine Bompart et lui, ça remontait à loin. Et même à toujours. Après l'avoir repêché au fond des caves de Pablo-Picasso, la première chose qu'elle avait faite avait été de prendre un crédit pour lui offrir de nouvelles dents – en vrai junk, Corso affichait déjà un sourire de vieillard, émail grisâtre, racines branlantes, incisives brisées ou carrément disparues… Quand il était sorti de l'école de police, Bompart lui avait fait officiellement cadeau du crédit ratiches qu'il était censé rembourser.

Officier de la Légion d'honneur, officier de l'ordre national du Mérite, elle était aujourd'hui la première femme chef de la Crime et avait écrit son autobiographie. Elle participait aux débats télévisés, pérorait sur les nouvelles méthodes d'investigation criminelle et ne cachait pas ses idées de droite, à la limite de la sortie de route. C'était une petite brune d'une soixantaine d'années, pas très classe mais bien roulée, autoritaire mais sympathique.

Durant toutes ces années, elle avait veillé sur Corso sans jamais le favoriser. Ses coups de pouce ressemblaient plutôt à des coups de poing : il s'était retrouvé dans les groupes les plus durs, histoire, selon elle, qu'il n'oublie jamais que sa rédemption devait se gagner chaque jour.

Leurs rapports étaient ambigus, entre autorité et affection. Elle lui parlait comme à un troufion mais chaque fois qu'ils se croisaient, son sourire prouvait qu'elle le considérait comme son fils et que pas une fois elle n'avait regretté de l'avoir sauvé de la taule.

Côté personnel, en revanche, elle manquait de flair : elle avait tout de suite adoré Émiliya et encouragé Corso à l'épouser. Dans un autre registre, ils avaient aussi couché ensemble. Vraiment pas l'idée du siècle. Catherine était vite retournée à son mari et à ses deux gamins. Corso avait retrouvé ses voyous et son épouse perverse.

Il résuma au téléphone leur moisson de la veille : le profil de SM allumée de Nina, sa participation aux jeux gonzo, l'ombre d'un petit ami peintre, les *Pinturas rojas*, source évidente d'inspiration pour le tueur.

— C'est tout ?

— Tu rigoles ou quoi ? En une journée, on a trouvé des éléments majeurs que Bornek n'a même pas soupçonnés en une semaine.

— Tout ça m'a l'air bien vague.

— J'ai besoin de renforts.

— Je sais, ta petite zombie m'a appelée. (Elle surnommait ainsi Barbie.) Je vais voir ce que je peux faire. Le problème, c'est le mois de juillet. Nos soldats partent en vacances.

— Ça urge.

— C'est à moi que tu dis ça ? Pour l'instant, les médias nous ont lâché la grappe mais quand ils vont se rendre compte que l'enquête patine, ça va être un festival. Je veux des nouvelles – du concret – lundi matin.

140

Corso ne répondit pas, observant son environnement immédiat. La maison de poupée de Miss Béret, le lit qui n'était qu'un clic-clac, les murs trop rapprochés et, par la fenêtre, les arches du viaduc des Arts. Il l'entendait qui s'affairait dans la cuisine…

— Pourquoi t'appelles, au juste ? demanda enfin Corso, qui connaissait bien sa marraine.

— T'as entendu parler de la fusillade à Nanterre ?

— Vaguement.

— Ton nom circule.

Il se redressa dans le lit et attrapa ses cigarettes.

— Comment ça ?

Bompart changea brutalement de ton :

— Plusieurs flics t'ont reconnu là-bas.

— Je vois pas…

— Tu vois pas ? Tu crois que je vais avaler que Lambert a tapé tout seul ? Qu'il a trouvé comme un grand le conduit d'aération pour accéder au parking ? Tu crois que je vais gober qu'il a touché un lascar à plus de cinquante mètres dans la pénombre tout en se battant avec un autre ?

Corso alluma sa cigarette. La morsure âcre de la première bouffée collait bien avec l'instant.

— Je vais te dire ce qui s'est passé, reprit Bompart. Pablo-Picasso, c'est chez toi. Toi seul pouvais connaître cette histoire de ventilation. Par ailleurs, tu es le meilleur tireur du 36. Alors, je sais pas quand, je sais pas comment, mais t'as su que Lambert tapait là-bas et t'as tout de suite enquillé dans l'espoir de défourailler, de te venger de cette putain de cité ou de je ne sais quoi qui déconne dans ta vie. Et Dieu sait qu'on a le choix.

— Ce n'est pas ce qui s'est passé, murmura-t-il.

— Mais c'est les grandes lignes, non ?

L'odeur du café lui parvenait et il pouvait maintenant apercevoir, entre une chaise et le coin du convertible, les mollets rebondis de la maîtresse de maison ainsi que ses chaussons ridicules (en forme de pingouins).

— Les douilles ne correspondent pas au calibre de Lambert, reprit Bompart. Je ne sais pas ce qui me retient de réquisitionner ton arme pour en avoir le cœur net.

Il conservait le silence. Dans ces moments-là, il fallait la jouer passe-lacets.

— Qu'est-ce qui t'a pris d'aller te fourrer dans ce merdier ? J'me suis fait chier à t'intégrer à la Crime pour que tu puisses enfin mener une vie normale, mais c'est plus fort que toi : la rue, la violence, le chaos.

— Je me suis rendu utile.

— Ben voyons. T'as qu'une seule chance dans cette histoire : l'unique plainte qu'on a reçue provient de la mère d'un mec abattu en surface, au fusil à pompe. Ce sont les gars de la BAC qui vont en prendre plein la gueule.

Corso revit en un éclair l'adolescent au visage arraché. Il entendait la mère beugler en arabe dans la nuit claire. *'Iibni ! 'Iibni ! 'Ayn hu ? 'Ayn hu ?*

— Stéphane, fit-elle plus doucement, donne-moi une seule bonne raison de fermer les yeux sur cette histoire.

— Je suis en train de perdre la garde de Thaddée.

— T'as jamais eu sa garde et à ce rythme, c'est bientôt lui qui ira te rendre visite au cimetière. Si c'est le feu que tu veux, intègre le RAID. Mais ne viens pas me parler de ta responsabilité de père !

— J'ai reçu les premières conclusions de l'avocate d'Émiliya, s'obstina-t-il. Elles me traînent dans la merde et je l'ai mauvaise.

— Tu t'attendais à quoi ?

— Thaddée ne doit pas rester auprès d'elle.

— Alors, dis la vérité. Démontre ses torts. Monte un dossier. Tu es flic, nom de Dieu !

Il y avait pensé : mener une vraie enquête contre son ex. Filatures, écoutes, flags… Il en avait les moyens, mais cela pouvait se retourner contre lui : abus de pouvoir, harcèlement policier, etc. Surtout, il butait toujours sur le même dilemme : il ne voulait pas laisser des traces dont Thaddée aurait plus tard connaissance.

— On verra. Tu pourrais me faire une attestation ?

— Quel genre ?

— Un témoignage selon lequel je suis un père modèle.

— Pas de problème. C'est ce que je pense.

Le compliment lui fit chaud au cœur. Tout à coup, il se dit qu'un tel document, signé de la main de la chef de la Crime, pouvait avoir de l'effet sur le juge.

— Je te remercie.

— En attendant, trouve-moi le salopard qui a trucidé la strip-teaseuse !

Il raccrocha. Miss Béret apparut à cet instant – elle devait sans doute attendre qu'il ait fini sa conversation (elle vénérait son boulot de flic) pour faire son entrée, un plateau entre les mains avec café et tartines.

Corso lui sourit mais se leva et s'habilla en express.

Il venait d'avoir une nouvelle idée.

21

Il prit la direction de l'aéroport d'Orly.

La veille, avant de s'endormir, il avait jeté un œil aux documents de Barbie : les *Pinturas rojas*. Il s'était endormi avec ces images terribles dans la tête, et l'histoire qui allait avec.

Sourd, âgé, brisé par la vie et les horreurs qu'il avait affrontées (notamment les nuits de mai 1808 où les troupes napoléoniennes avaient massacré la population madrilène), Goya s'était installé en 1819 dans une demeure qui, par un curieux hasard, s'appelait déjà « *la Quinta del Sordo* », « la Maison du Sourd ». Menant là une vie d'ermite, isolé par son handicap, il s'était mis à peindre sur les murs des fresques torturées mettant en scène des sorcières, des vieillards, des ogres…

À la fin du XIXᵉ siècle, ces fresques furent transférées sur toiles et exposées au musée du Prado où elles sont toujours. Ce que tout le monde ignorait à l'époque, c'était que Goya n'avait pas seulement peint sur ses murs. Il avait aussi exécuté trois petites toiles qui allaient encore plus loin dans le morbide : galérien défiguré, sorcière au visage rongé, malade aux yeux hantés…

Ces œuvres avaient été retrouvées en 2013 dans le grenier d'une famille aristocratique de Castille et acquises par une fondation madrilène qui les exposait dans son musée.

C'était là-bas que Corso avait décidé de se rendre.

Il avait trouvé un vol à 11 h 10, retour à 17 heures. Cela lui laissait largement le temps d'admirer les œuvres *in situ*, d'en discerner chaque détail, d'en observer la texture, la trame… D'une manière irrationnelle, il comptait sur cette visite pour mieux comprendre la folie du tueur. Il voulait aussi respirer l'atmosphère du lieu – le musée – parce qu'il était certain que le meurtrier l'avait souvent fréquenté.

Une fois à Orly, il appela Barbie pour avoir un débriefing de la nuit. La perquise chez Nina n'avait rien donné. Les geeks avaient identifié les abonnés du club d'Akhtar via les cartes de crédit qu'ils avaient utilisées pour s'inscrire – ils étaient moins nombreux que prévu : seulement quelques centaines. Dans un premier temps, on allait passer leurs noms au sommier pour repérer d'éventuels repris de justice ou autres pointus. Dans un deuxième temps, on se rencarderait sur leur profil socioprofessionnel. En tout état de cause, impossible d'interroger tout le monde. Sans compter la liste des amateurs de corde que Ludo avait dressée de son côté.

Les geeks avaient aussi établi celle des acteurs et actrices qui participaient à ces joyeusetés. Eux seraient convoqués au 36 dès le lundi. On allait faire salle comble pour pas mal de jours.

— Et vous ? relança Corso.

— On a retrouvé les films de Nina.

— Et alors ?

— *No comment*. Les gars qui matent ça sont tous des tueurs potentiels.

— On a interrogé Akhtar ?

— On l'a surtout libéré.

— Quoi ?

— Son avocat nous est tombé dessus et ça a chié pour nous, crois-moi.

Corso n'insista pas. En réalité, il ne croyait déjà plus à la piste Akhtar.

— Et le boyfriend ?

— On est dessus mais on n'a rien encore.

— Magnez-vous le cul. Ça doit pas être sorcier de trouver un peintre amateur de strip-teaseuses qui porte un borsalino.

— T'es gentil. T'as qu'à venir nous aider.

Elle n'avait pas tort. Pendant ce temps-là, il avait regardé un polar à la télé et s'était pieuté à côté des gros lolos de sa compagne.

— On peut savoir ce que tu vas foutre aujourd'hui ? demanda-t-elle.

— Je pars à Madrid voir les *Pinturas rojas*.

Pour Barbie, c'était une victoire. La preuve qu'elle avait encore mis le doigt sur un élément d'importance.

— Bon voyage, fit-elle d'une voix plus chaleureuse. On t'appelle dès qu'on a du nouveau.

Corso dormit tout le vol, avec sa documentation sur les genoux. Quand l'avion atterrit à l'aéroport Adolfo-Suárez de Madrid-Barajas, il se réveilla en sursaut, le visage laqué de sueur, la tête farcie de visions épouvantables.

— Ça va pas ?

À ses côtés une mamie affable le considérait d'un air préoccupé.

— Je fais des cauchemars, s'efforça-t-il de répondre avec un sourire d'excuse.

— Le principal, fit-elle en regardant par le hublot, c'est qu'on soit toujours entiers.

Corso fixa la fenêtre irradiée de lumière. Une telle blancheur n'évoquait ni le soleil ni une quelconque douceur de vivre mais le flash d'une bombe atomique. L'association du profil de la vieille femme et du halo éblouissant lui rappela de mauvais souvenirs. La canicule de l'été 2003, quand, à 24 ans, flic à Louis-Blanc, le commissariat central de l'Est parisien, il constatait les décès de vieillards solitaires qui avaient littéralement fondu dans la brûlure du mois d'août.

Sitôt sorti de l'avion, il fut comme asphyxié par la chaleur castillane. Les images terrifiantes de 2003 ne le lâchaient pas : morgues remplies jusqu'à la gueule, linceuls en série, masques de peau verte, gencives gonflées de putréfaction…

Dégringolant les marches de l'escalier mobile, il retrouva tant bien que mal son équilibre sur le tarmac et se pressa vers l'aérogare et sa clim'. Il gagna la sortie et plongea dans un taxi.

Il connaissait Madrid, il s'y était rendu souvent, dont une fois avec Émiliya. De jour, la ville n'était que violence – blancheur aveuglante des murs, air brûlant qui vous paralyse, soleil qui broie toute sensation –, mais au crépuscule, la cité reprenait le dessus et vous ensorcelait. Le long de ces avenues immenses, rectilignes, solennelles, on éprouvait des émotions de souverain béat dans son carrosse.

148

L'architecture, surtout, l'avait emballé. Il se souvenait d'un émerveillement particulier : la statue du phénix sur la coupole de l'immeuble Metropolis, à l'embranchement de la calle Alcalá et de la Gran Via, rappelait le « Spirit of Ecstasy » à la proue des Rolls-Royce. Le bouchon de radiateur d'un gigantesque véhicule, bruissant et encore tiède…

La Fondation Emilio-Chapi était située calle de Serrano, au cœur de la zone huppée de Madrid, un quartier de villas immaculées et de jardins plantés de palmiers triomphants. Selon sa doc, elle avait été créée au début du XXe siècle par un riche médecin qui avait fait fortune grâce à des brevets pharmaceutiques. Depuis les années 60, la fondation avait été reprise par un groupe de mécènes avides d'alléger leurs impôts en acquérant des œuvres d'art. Parmi les dernières en date, les *Pinturas rojas* de Francisco Goya.

Le taxi s'arrêta devant un long mur vermillon qui évoquait un fronton de pelote basque. Une fois le portail franchi, Corso découvrit une bâtisse blanche et rouge aux toits-terrasses surmontés de pinacles de pierre. Il longea l'allée de palmiers au son des arroseurs automatiques qui rythmaient ses pas comme des claquements de doigts. Il ne pouvait pas être plus loin de son enquête, du terrain de chasse de son meurtrier, de sa juridiction. Pourtant, il éprouva à cet instant la sensation quasi matérielle d'être sur la bonne voie.

Un demi-jour régnait dans le hall traversé par les rayons de soleil brisés par des volets entrouverts. Du bois, du marbre, de la pierre… Et le silence. Le hall offrait déjà quelques toiles, des figures cuirassées qui vous observaient du fond des siècles, des personnages en clair-obscur, comme lustrés à la cire d'abeille.

— *Un boleto por favor,* demanda-t-il à la caisse.

Il n'avait pas l'intention de se faire remarquer, encore moins de sortir sa carte de flic. Premier objectif : accéder aux petites toiles rouges. Ensuite, il verrait ce qu'il pourrait obtenir des gardiens. Mais sans l'aide de la police espagnole, il n'irait pas bien loin. Sans compter qu'il avait peut-être tout faux depuis le départ.

— *¿ Quieres entrar ?*

Un groom en livrée lui désignait un ascenseur à l'ancienne, avec garde-corps en fer forgé noir et portes palières de bois verni. Corso accepta : les toiles de Goya étaient au troisième étage.

Durant quelques secondes, il fut transporté dans un autre temps. La cabine lambrissée était dotée d'une banquette noire, d'un boîtier de commande nacré et de miroirs biseautés renvoyant des éclairs vers la cage d'escalier.

Corso sourit et sentit revenir sa confiance en son expédition. À chaque étage, il se rapprochait de l'univers fantasmatique du tueur.

22

Corso traversa une première salle qui regroupait des peintures religieuses du Siècle d'or. Dans la suivante, trônaient des figures de la cour d'Espagne de la même époque : fraises, pourpoints et perles… Quelques touristes déambulaient avec cet air recueilli des pèlerins parvenus au site sacré. Avec leurs shorts et leurs sandales, ils étaient plutôt ridicules mais il n'était pas mieux, vêtu de noir en plein été, comme pour un concert du Hellfest.

Dans la troisième salle, il repéra les tableaux rouges qui semblaient perdus, côte à côte, sur un grand mur blanc. On ne pouvait se méprendre sur leur valeur : un cordon de velours interdisait qu'on s'en approche. Il n'avait jamais fait attention à leurs dimensions, pourtant bien précisées dans les articles, et elles lui semblèrent minuscules. Sans doute moins de 50 centimètres de hauteur pour à peine 30 de largeur. Toutefois, quand on se penchait vers eux, les tableaux n'en paraissaient que plus intenses, plus terrifiants. Des purs concentrés de violence.

Les légendes indiquaient sobrement : « Pintura roja n° 1 », « Pintura roja n° 2 », « Pintura roja n° 3 », mais d'après ses lectures, Corso se souvenait que les historiens d'art les avaient respectivement baptisés : *Le Cri*, *La Sorcière*, *Le Mort*…

Le plus à gauche représentait le visage balafré dont s'était inspiré, de toute évidence, le tueur de Nina. Un galérien, ou un prisonnier, dont on discernait avec précision, au bas du tableau, les bracelets noirs et les chaînes. Ses commissures s'étiraient douloureusement jusqu'aux oreilles dans un rire avide, à la fois blessure et provocation. On ne savait plus si cet homme souffrait ou jouissait. Son expression pernicieuse – une grimace diabolique à vous glacer les tripes – jouait à plein sur l'ambiguïté. Un initié qui vous regardait du fond de la souffrance en riant de votre ignorance…

Mais le plus prodigieux – et le plus envoûtant –, c'était la dominante pourpre de la toile. Le visage béant émergeait du fond rougeoyant comme un morceau de glaise d'une flaque de boue. Il semblait s'en détacher lentement, irrésistiblement, comme les tirages argentiques jadis se révélaient peu à peu à travers leurs bains chimiques.

Le deuxième tableau (*La Sorcière*) présentait une composition étrange, très novatrice pour l'époque (un peu comme *Le Chien* des *Pinturas negras*). Une ligne de terre (mais ici la couleur rouge évoquait plutôt une pente de lave, un magma incandescent) coupait la toile en deux à l'oblique. De cet axe, jaillissait une tête épouvantable. Des yeux bridés, une figure ratatinée, une chevelure hirsute collée de crasse et de tourbe. La sorcière paraissait rire elle aussi, avec toujours cette même béance, et vous jouer un bon tour de l'autre côté de cette ligne de soufre.

Le Mort offrait des tons plus sombres, les derniers degrés du vermillon et du carmin avant la terre de Sienne. Une agonie couleur de crépuscule. On y discernait un homme sur un lit ou un brancard. Non pas à l'hôpital, plutôt dans une cellule ou une chambre mansardée. Le corps bizarrement incurvé semblait juste ébauché, comparé à la stupéfiante présence du visage. Des traits creusés au ciseau, des yeux énormes, un profil raboté – et toujours cette gueule grande ouverte qui cette fois n'évoquait plus le rire mais le néant qui gagnait du terrain à chaque seconde.

À une époque où il se passionnait pour la médecine légale, Corso s'était fadé des traités de médecine du XIXe siècle. Il se souvenait des descriptions de patients au stade tertiaire de la syphilis. Exactement ça : visage rongé, nez dissous, lèvres absorbées, tibias en lames de sabre, déformés par l'infection comme un métal par une température extrême. Goya avait sans doute peint là un syphilitique aperçu dans quelque dispensaire ou hospice.

Tout ça ne lui disait pas grand-chose sur son affaire, mais il était sûr que le tueur était venu là admirer ces œuvres. S'en imprégner. S'en nourrir. Elles avaient été le déclic qui l'avait fait passer à l'acte. Ou bien alors elles lui rappelaient un autre traumatisme, la vraie source de sa pulsion meurtrière…

Il se décida à redescendre au rez-de-chaussée pour interroger les gardiens et voir s'ils n'avaient pas remarqué un visiteur régulier, un admirateur bizarre autour de ces toiles. Il s'engageait dans l'escalier quand un grondement s'éleva des étages inférieurs, grimpant aussitôt dans les aigus au point de devenir un sifflement – le moteur de l'ascenseur. À travers la cage de fer forgé, il vit passer le contrepoids qui descendait à mesure que les pavés de verre du toit de la cabine se rapprochaient. Corso recula par réflexe et suivit des yeux la progression de l'engin.

À cet instant, derrière les vitres de la cabine lambrissée, il aperçut un homme, de dos, vêtu d'un costume clair et d'un panama blanc, à côté du groom. En un éclair, il se souvint des paroles de Freud : « Il a une manière spéciale de s'habiller. Des costards blancs, des chapeaux… Le genre maquereau des années 20… » Le maquereau venait de le dépasser, en route pour les sommets.

Corso remonta aussitôt quatre à quatre. Quand il parvint au troisième étage, la double porte venait de se fermer et l'ascenseur redescendait déjà vers le rez-de-chaussée. Corso se rua dans la salle des *Pinturas rojas* : pas d'homme en blanc. Il fit le tour des autres salles. Des rois, des ducs, des bouffons du Siècle d'or, mais pas de panama. *Putain de Dieu.*

Il revint encore sur ses pas et inspecta le palier de l'étage. Rien. Pas de toilettes. Pas de bureau. Pas d'autres pièces que ces trois salles. Il plongea son regard dans la fosse où l'ascenseur remontait encore. Il dégringola les marches en réalisant ce qui s'était passé. Le visiteur l'avait repéré – grâce aux miroirs de la cabine. Au troisième étage, il était resté à l'intérieur et avait demandé au groom de redescendre. Sans doute s'était-il simplement accroupi sous un prétexte quelconque le temps que Corso parvienne à l'étage, puis il s'était relevé une fois hors de vue. *Plus c'est simple, mieux ça marche.*

Impossible d'interroger le liftier, l'appareil filait de nouveau vers les hauteurs. Il préféra tout miser sur le hall et les jardins. Au fil des marches, deux questions : pourquoi le bonhomme s'était-il enfui ? Comment avait-il pu repérer Corso, le connaissait-il ?

Personne au rez-de-chaussée : ni près de la caisse, ni dans la librairie attenante. Il se rua dans les toilettes, hommes, femmes, ouvrit chaque porte. *Nada*. Enfin, il se précipita dehors. Malgré lui, il fut stoppé net par la lumière qui lui explosa à la gueule, sans parler de la chaleur qui lui brisa carrément les jambes. En retrait dans le hall, alors qu'on commençait à le regarder de travers, il reprit son souffle et bondit de nouveau vers le brasier.

La main en visière, il se livra à un rapide état des lieux. A priori, personne dans les allées ni à l'ombre des palmiers. Le paysage paraissait avoir été vidé de toute présence humaine et même de toute substance matérielle. Les arbres se résumaient à des flammes blanches, les pelouses à des miroirs aveuglants.

Corso courut jusqu'à la sortie du parc. Son ombre sur le gravier clair avait la netteté d'une fissure crevant la terre. Parvenu au portail, il s'appuya au châssis des grilles et dut aussitôt retirer sa main : le métal était brûlant. Sa gorge était dans le même état : quelques mètres de course l'avaient gargarisée au lance-flammes. Pas la moindre trace du visiteur. L'artère se déroulait, déserte. Il n'eut pas la force de reprendre sa course. D'ailleurs, où aller ? L'homme s'était dissous dans cette ville aussi blanche que lui.

Il se passa la main sur le visage et tourna les talons. Il pénétrait dans le hall, le souffle court, les tempes bourdonnantes, quand son portable sonna. Coup d'œil à l'écran : Stock. Il lui semblait qu'on l'appelait d'une autre planète.

— T'es où, bordel ? hurla la culturiste. On t'appelle depuis une heure !

Visiblement, Barbie était restée discrète sur ses allées et venues.

Corso hésita à répondre puis opta pour la réserve du chef :

— Qu'est-ce qui se passe ? Une urgence ?

— On en a une autre, putain !

— Quoi ?

— Une victime. Défigurée de la même façon, étranglée avec ses sous-vêtements, tout ça noué comme la fois précédente.

— Elle a été identifiée ? haleta-t-il.

— On la connaît tous, c'est Hélène Desmora, la collègue de Nina Vice. Miss Velvet !

23

Corso réussit à atterrir à Paris à 16 h 20, une vraie prouesse en période de vacances. Pas suffisante toutefois pour qu'on l'attende sur la scène de crime. Le corps d'Hélène Desmora avait déjà été transféré à l'IML, les techniciens de l'IJ avaient remballé et la scène de découverte – un terrain vague à Saint-Denis – se résumait à quelques banderoles de rubalise. *Circulez.*

Le procureur de Bobigny, dont Saint-Denis dépendait, avait saisi les gars du SRPJ 93 qui s'étaient rendus sur place. Barbie était déjà montée au créneau auprès du parquet de Paris afin qu'on leur file cette affaire. Mais la paperasse prenait du temps et en cette fin d'après-midi, personne ne savait au juste qui devait enquêter.

Pour l'heure, son groupe n'avait réussi qu'à récupérer les constates rédigées par les OPJ. Sans émettre le moindre avis ni dire un mot sur son absence, Corso s'était emparé des liasses imprimées et s'était enfermé dans son bureau. Avant tout, il devait intégrer les faits, se pénétrer, en toute objectivité, de ce nouveau drame – et oublier pour l'instant son coup de chaud à Madrid.

Le cadavre avait été découvert aux environs de 11 heures du matin dans un terrain en friche, à l'angle de la rue du Capitaine-Alfred-Dreyfus et de la rue Flora-Tristan, non loin des voies ferrées de la gare du Stade de France. En réalité, il ne faisait aucun doute que le corps avait été repéré plus tôt dans la matinée – la zone était un lieu idéal pour fumer quelques joints. Mais les mômes du coin ne pouvaient prévenir les flics, c'était une impossibilité chronique. Il avait fallu attendre que l'un d'entre eux en parle à ses parents, lesquels s'étaient décidés à appeler l'ennemi.

Comme Sophie Sereys, Hélène Desmora était nue, sans le moindre objet ni document auprès d'elle permettant une identification. Les flics avaient tout de suite pensé à la première strip-teaseuse assassinée. Les empreintes avaient confirmé leur intuition.

Comme la fois précédente, la victime, en position fœtale, était entravée par ses sous-vêtements. Le soutien-gorge autour du cou et des poignets, la petite culotte les reliant aux chevilles en un réseau serré. Nœuds de fouet, nœuds en huit, le dernier ouvert… Comme Nina Vice, la femme s'était sans doute débattue et asphyxiée elle-même en forçant sur ses liens.

Les blessures au visage étaient identiques aussi. Commissures charcutées, gencives à nu, pierre obstruant la gorge… Tout en feuilletant les clichés de l'horreur, Corso revoyait la jeune femme un peu trop ronde qui jouait au petit matelot sur la scène du Squonk. Physiquement, les deux effeuilleuses n'avaient rien à voir. Sophie Sereys était longue, maigre et blonde, avec un visage ovale aux sourcils très marqués, Hélène avait les cheveux noirs, sans doute teints, coupés à la Louise Brooks, et une bouille joufflue.

Par éclairs, Corso songeait à l'homme de Madrid. L'assassin, vraiment ? Aurait-il pu se rendre en Espagne après avoir tué à Paris ? Pas si absurde : il pouvait être allé se recueillir devant les tableaux une fois son crime commis. Chaque meurtre était peut-être une sorte d'offrande. Ou tout ça n'était-il qu'un vaste délire ? Il décida d'oublier pour l'instant le fantôme au panama. Il fallait s'en tenir aux faits, rien qu'aux faits, et mener l'enquête dans les règles.

Il passa aux plans plus larges du décor débité en blocs et tours : la misère habituelle, la laideur ordinaire, et un terrain vague dont les sous-sols, selon les constates, étaient pollués par deux siècles d'activité industrielle. Aucun rapport avec la déchetterie du site de la première découverte. Aucune signification symbolique possible.

Le seul détail à noter était la proximité relative entre ce terrain et l'adresse personnelle d'Hélène Desmora, rue Ordener, porte de Saint-Ouen, comme entre la déchetterie de la Poterne et Ivry où vivait Sophie Sereys. Mais ces distances ne voulaient rien dire – on ne pouvait même pas supposer que le tueur avait choisi ces lieux par commodité puisque Sophie n'avait pas été tuée dans son appartement et Corso était certain qu'Hélène non plus.

Les flics du SRPJ 93 avaient déjà passé quelques coups de fil, signe qu'ils comptaient garder l'affaire, et avaient reconstitué, dans ses grandes lignes, la dernière journée de l'effeuilleuse. Pas grand-chose à en dire. Hélène vivait seule. Ayant bossé au Squonk la veille, elle s'était sans doute réveillée aux alentours de midi puis était partie faire sa gym quotidienne, au Waou Club Med Gym de la rue du Faubourg-Poissonnière, vers 13 heures. On perdait sa trace dans l'après-midi.

Le flic regroupa la paperasse étalée sur son bureau puis cala le dossier sous son bras. Dans la salle de briefing, son équipe était là, plutôt à cran. Deux raisons à cela : le meurtre, bien sûr, mais aussi le silence du proc. On ne savait toujours pas qui allait s'y coller. Or perdre encore plusieurs heures avec des histoires administratives était un non-sens. Corso les apaisa : il avait déjà téléphoné au parquet et fait valoir leur légitimité.

Il enchaîna direct sur le vrai sujet sensible :

— Quoi que vous pensiez, on n'a pas perdu notre temps.

— Vraiment ?

C'était Stock qui avait posé la question, son expérience ne l'avait pas immunisée face au sentiment d'impuissance qui prend souvent les flics à la gorge.

— On a tout faux depuis le départ, marmonna-t-elle. Toutes ces conneries sur le gonzo n'ont rien à voir avec les meurtres. Le tueur n'a qu'une obsession. Le Squonk.

— C'est pour ça qu'on va changer notre fusil d'épaule, acquiesça-t-il. On se focalise sur la boîte. Il faut de nouveau interroger Kaminski et ses filles, remonter l'histoire du club, de l'immeuble et même, pourquoi pas, du strip-tease. Le tueur a un problème avec ce rade et ce métier. On doit absolument se concentrer là-dessus.

160

— Et Akhtar et ses vidéos ? demanda Barbie. On va pas lâcher le boulot en cours de route.

— On en est où des renforts ?

— Bompart nous envoie une chiée de stagiaires.

Corso ne s'attendait pas à mieux : en juillet, impossible d'espérer des troupes fraîches et aguerries.

— Les geeks de Bercy vont nous filer les coordonnées des hardeurs et des abonnés d'Akhtar. Nos petits gars enverront des convocs et interrogeront ce beau monde. Nous, on se concentre sur Hélène Desmora et Le Squonk.

— Et l'enquête de voisinage à Saint-Denis ?

— Le SRPJ 93 va s'en charger. Contactez-les. Demandez-leur aussi de se fader les caméras de surveillance.

Ludo ricana : dans ces quartiers, ce genre de matériel avait une durée de vie très limitée.

— Y a aussi les prélèvements de l'IJ, continua Corso, comme s'il n'avait pas entendu. Demandez-leur de faire appel à un labo privé pour les analyses, c'est une urgence absolue.

— La moitié du quartier a dû piétiner la scène, persifla Ludo.

Corso ignora encore cette remarque :

— Ce nouveau meurtre est l'occasion de reprendre en détail le mode opératoire. Imaginer chaque geste du tueur, identifier ses armes, retracer le rituel…

Silence lourd de scepticisme.

— On est déjà allé chez la victime ? relança-t-il.

— Des gars de Clignancourt y sont actuellement. Rien à signaler.

— On y retourne demain matin. On tape une vraie perquise tous les quatre. Il faut ratisser le profil d'Hélène en détail. Voir si elle avait des points communs avec Sophie Sereys, si elles se fréquentaient, si...

— En tout cas, intervint Barbie, elle ne bossait pas pour Akhtar. On a déjà vérifié.

— Y a pas qu'Akhtar dans ce milieu, grattez le monde SM, vous connaissez les bonnes adresses.

Son public commençait à se chauffer. Corso décida que ses flics étaient mûrs pour la répartition des tâches – tout de suite, si possible.

— Ludo, attaqua-t-il, tu vas à l'autopsie, tu gères aussi les échantillons ADN avec l'IJ.

Bref signe de tête du Toulousain : la perspective de passer la nuit avec un cadavre plutôt qu'avec ses *targets* rencontrées sur Internet ne semblait pas trop le chagriner – cas de force majeure.

— Stock, tu retournes cuisiner les filles du Squonk et Kaminski. Je veux un portrait détaillé de la Miss. Et s'il te reste quelques heures avant demain matin, tu réveilles ses voisins.

— C'est illégal.

— Vu l'urgence, on nous couvrira. Et n'oublie pas non plus les caméras de sécurité de son quartier.

— T'espères quoi ? coupa Ludo. Un kidnapping en direct ?

— Le tueur en est à son deuxième coup, ça ne fait pas de lui un génie du crime ni un magicien. Il a forcément laissé des traces et on va les retrouver.

Il se tourna vers Barbie qui attendait sa part.

— Tu récupères les fadettes d'Hélène, son portable, son ordinateur. Tu m'analyses tout ça fissa.

Elle était assise comme à l'accoutumée, une jambe repliée sous les fesses, un bloc sur les genoux – on aurait dit une étudiante aux tendances gothiques.

— Comment on fait pour les réquises ? On n'est même pas saisis...

— Je m'en occupe. L'urgence, c'est de savoir qui elle a appelé, qui l'a appelée, si elle a tiré de l'argent, pris le métro ou loué un Vélib' durant ces derniers jours.

Nouveau silence. Comme d'habitude, chacun se demandait ce qu'il allait foutre, lui. D'ordinaire, il n'était pas très disert sur ses propres occupations mais ce jour-là, il fallait faire preuve d'esprit d'équipe.

— Moi, je m'occupe du Squonk.

L'ex-culturiste intervint :

— Tu viens de dire que c'est moi qui...

— Toi, tu gères le personnel du club. Je vais m'intéresser de plus près à l'immeuble, aux voisins, à l'histoire du lieu... Ce putain de rade abrite un secret. Le mobile du tueur.

Acquiescements parmi les rangs. Ces nouveaux angles d'attaque semblaient avoir donné un nouveau jus aux troupes.

— Et le petit ami à chapeau ? Les toiles de Goya ? demanda Barbie.

En flash, Corso revit les portraits sanglants, le fantôme de l'ascenseur, la blancheur de l'avenue... Il soutint le regard de Barbie – elle seule savait où il était parti et il n'avait pas eu le temps de lui expliquer sa brève rencontre.

— Vous avez trouvé quelque chose là-dessus ? interrogea le flic.

— Non.

— Alors pour l'instant, focus sur Hélène Desmora. On remettra tout à plat lundi matin. Ça nous fait plus de vingt-quatre heures pour une gamme complète à propos de Miss Velvet. Des questions ?

Stock leva la main, comme à l'école – mais une école des athlètes slaves.

— Et les autres filles du Squonk, on les met sous protection ?

— Ça tombe sous le sens. Je vais voir ça avec Bompart et…

Il n'acheva pas sa phrase : son portable vibrait dans sa poche.

— Excusez-moi, fit-il en dégainant son mobile.

Il sortit sans un mot d'explication. Le numéro d'Émiliya venait de s'afficher.

24

— Tout va bien ?

Corso avait pris son ton le plus enjoué, il ne voulait pas laisser paraître sa colère ni son sentiment de frustration. D'abord pour qu'elle ne lui raccroche pas au nez. Ensuite pour qu'elle ne sente pas sa souffrance et qu'elle en jouisse d'une quelconque façon.

En vérité, il ne s'attendait pas à ce qu'elle le rappelle. Mais elle ne le faisait pas par amitié ni charité. Elle savait que désormais, chaque coup de fil serait comptabilisé. Pas question qu'on puisse lui reprocher d'empêcher son ex de parler à leur fils.

— Tout va bien.

— Vous êtes où, finalement ? poursuivit-il avec une inflexion joviale.

Émiliya gloussa face à cette piteuse tentative pour lui tirer les vers du nez. Mais la mère perverse devait être de bon poil, elle lâcha du lest :

— Varna, *my dear*... Nos plus beaux souvenirs.

Une station balnéaire de Bulgarie dont Corso gardait en effet quelques éblouissements. La mer Noire au petit matin, ses morsures dorées qui annonçaient l'Orient situé à quelques brasses, les églises orthodoxes se pressant sur le littoral avec leurs dômes miroitants, comme dilués dans le ciel même, et la ville, avec ses maisons peintes et ses lettres cyrilliques qui évoquaient un lieu étrange, à mi-chemin entre fête foraine et ville thermale…

— Vous y restez tout le mois ?

— On va voir.

Corso n'insista pas : surtout, ne pas tirer sur la corde.

— Thaddée est en forme ?

— On travaille sa langue maternelle.

Émiliya s'était toujours battue pour que son fils parle le bulgare au même titre que le français. Corso était d'accord mais à présent, cet enjeu linguistique était devenu un moyen pour sa mère de dresser un nouveau mur entre lui et l'enfant.

— Mais il va se baigner ? Il a d'autres activités ?

— Il voit ses cousins. Sa vraie famille. Je devrais dire… sa seule famille.

Premier coup bas. Pourquoi poursuivre cette conversation où il était acculé dans les cordes, réduit à prendre des coups ?

— Je peux lui parler ?

— Ne quitte pas.

Il était surpris qu'elle obtempère si facilement. Mais peut-être craignait-elle elle aussi qu'il soit en train d'enregistrer leur conversation.

— Papa ?

Quand il perçut ce timbre si haut, si frais, si particulier – une flûte qu'on aurait taillée dans une jeune pousse et qui vous renouvelait le sang rien qu'à l'entendre –, il sentit les larmes lui monter aux yeux.

166

— Ça va, ma puce ? Tu t'amuses bien ?

— On a trouvé un hérisson.

Corso exigea un récit détaillé de l'histoire. Peu importaient les mots, c'était le timbre qui comptait, le visage qu'il imaginait derrière chaque inflexion. Une chanson dont on ne saisit que vaguement les paroles mais qui vous bouleverse par sa seule mélodie.

À ses yeux, Thaddée possédait un pouvoir de transmutation : l'information la plus banale se transformait, via sa voix claire, en une chose très précieuse, un peu comme ces coquillages qu'ils ramassaient ensemble au Pays basque et qui devenaient, parmi les milliers existants, de véritables trésors.

— Je t'embrasse, mon bébé. Repasse-moi maman.

Il préférait écourter lui-même la communication pour ne pas avoir l'impression, quand Émiliya reprendrait le combiné, qu'on lui coupait un bras.

— Bon, salut, Corso. (Depuis longtemps, elle l'appelait ainsi.) On te téléphonera la semaine prochaine.

Elle avait une voix envoûtante, ni grave ni aiguë, mais au timbre riche, évoquant plutôt un tissu satiné, une étoffe lourde, chatoyante.

— Je peux vous joindre moi aussi, non ?

— Je ne préférerais pas.

Sans le vouloir, il monta le ton :

— Tu prétends régenter mes rapports avec mon propre fils ?

— Ne gâche pas nos efforts pour trouver un terrain d'entente.

— Un terrain d'entente ? hurla-t-il soudain. Alors que tu me fais passer pour une brute et un père indigne ?

167

Elle fit un curieux bruit avec sa bouche, un *tsk-tsk-tsk* rappelant le mécanisme d'un arrosage automatique.

— Calme-toi, Corso. Nous devons rester des êtres civilisés, même si ce n'est pas dans ta nature profonde.

— Je t'emmerde.

— Tu vois, gloussa-t-elle. Tu es un tueur, Corso. Et le pire de tous, protégé par la loi. Comme ceux qui ont assassiné mes parents.

Un de ses refrains préférés : des parents universitaires et dissidents qui avaient été éliminés par la police secrète bulgare. Corso n'en croyait pas un mot. Vu la fille, il aurait plutôt penché pour des délateurs chevronnés, actifs collaborateurs du régime.

— Je veux simplement…

Émiliya avait déjà raccroché. Corso s'adossa au mur du couloir, lançant des regards de droite à gauche afin de s'assurer que personne n'avait assisté à son humiliation. Cela n'aurait pas été si grave : la moitié de l'étage était divorcée et bossait pour payer des pensions scandaleuses. *La loi du ventre...*

— On n'a pas compris. La réunion est terminée, là ?

Barbie venait d'apparaître. Elle se tenait voûtée comme si sa croissance avait été un effort nerveux, une longue crampe dont elle conservait encore la courbature.

Il ne répondit pas. Elle fronça les sourcils.

— Ça va pas ? T'es tout rouge.

— Ça va, c'est bon.

— Et Madrid ? Tu veux pas m'en parler ?

Corso lui fit un signe explicite. En quelques secondes, ils se retrouvèrent sur le toit du 36, le

168

repaire de tous les flics de la Crime. Sans doute une des plus belles vues de Paris, mais plus personne n'y faisait gaffe depuis des lustres. La tendance actuelle était pourtant de se plaindre sur le mode « bientôt, tout ça sera fini », allusion au grand déménagement prévu pour la rentrée 2017.

Après avoir allumé une clope, Corso résuma son escapade madrilène. Le choc des toiles, l'homme en blanc, la course-poursuite avortée…

— Et… c'est tout ? demanda Barbie en achevant de se rouler une cigarette.

— Les gars du musée commençaient à me regarder de travers. Quand j'ai su pour le nouveau meurtre, j'me suis cassé aussi sec. Je vais mettre sur le coup notre agent de liaison.

— Tu penses que c'est notre tueur ?

Debout sur les lames de zinc, Corso tira une taffe à s'arracher les poumons. À chaque clope, il avait l'impression de foutre au feu quelques secondes de sa propre vie et bizarrement, cela faisait partie du plaisir.

— Il faudrait admettre qu'il a tué Hélène Desmora et qu'il a déposé son corps à Saint-Denis avant de prendre l'avion pour Madrid. Le même vol que moi, tant qu'on y est.

— C'est possible, non ?

— Possible, mais un peu dur à avaler. En tout état de cause, je sens un faisceau de signes qui va peut-être nous servir : ces toiles rouges, la silhouette à chapeau, le mystérieux boyfriend de Sophie qui serait peintre… Tout ça dessine une cohérence.

Barbie avait allumé sa clope et s'était allongée sur le toit gris. Elle paraissait contempler le ciel. Ceux qui ne la connaissaient pas auraient pu lui prêter à cet instant des pensées romantiques.

Soudain, elle se releva et retrouva sa position en tailleur – une gamine qui joue aux osselets dans la cour de récré.

— J'ai juste une question sur ton histoire au musée.

— Je t'écoute.

— Quand l'ascenseur est redescendu, pourquoi t'as plus vu le type à l'intérieur ?

Une nouvelle taffe, le goût âcre lui parut être celui de l'offense vécue à Madrid.

— J'ai interrogé le groom. Il s'est souvenu que le visiteur s'est agenouillé pour relacer sa chaussure…

Un sourire frémit sur les lèvres de Barbie. Malgré le contexte, malgré les mortes, malgré l'humeur de Corso, ou peut-être à cause de tout ça, la jeune femme éclata de rire. Il y avait de quoi. Toute cette expédition à Madrid anéantie par un lacet…

Corso grogna, mi-sérieux, mi-sourire :

— Va bosser, nom de Dieu !

25

En route pour Le Squonk, Corso appela Bompart – sans prendre de gants, il exigea d'être officiellement saisi pour le deuxième meurtre, lui demanda de contacter l'officier de liaison à Madrid et la pria de lui envoyer du renfort digne de ce nom pour traiter la partie « gonzo » du dossier et gérer les « témoignages spontanés » qui allaient affluer quand la nouvelle du meurtre d'Hélène Desmora serait diffusée.

Bompart ne moufta pas face aux airs de petit chef de Corso. En revanche, elle exigea des résultats tangibles d'ici lundi. La taulière avait décidé de donner une conférence de presse en début de semaine pour rassurer les médias et le public sur le « bon avancement de l'enquête ». Pas besoin d'expliquer l'enjeu : cette histoire de tueur à Paris, en plein mois de juillet, c'était pas bon pour le commerce.

Corso promit – ça ne lui coûtait rien – et la remercia de faire fissa.

Il allait raccrocher quand Catherine ajouta :

— Tu savais qu'une des victimes du parking Picasso était Mehdi Zaraoui ?

— Oui. Et alors ?

— Son frère vient de se faire entauler et il va rester à l'ombre un moment. Mais on sait jamais avec ces putains d'Arabes…

Corso refusait de s'inquiéter – ses actes, depuis qu'il était flic, ne pouvaient que provoquer la colère et la haine parmi une population stupide et dangereuse. S'il avait commencé à s'angoisser, il n'en aurait jamais eu fini. Il raccrocha sur une forfanterie de flicard, une de ces phrases de grande gueule conçues justement pour étouffer la peur.

Au Squonk, il trouva porte close. À quoi s'attendait-il ? Avec la mort de Miss Velvet, la boîte allait sans doute fermer pour un moment. Devant la paroi de métal noir, il se demanda s'il avait encore assez d'énergie pour pénétrer dans l'immeuble et sonner chez les voisins…

À cet instant, la porte cochère à gauche s'ouvrit sur un couple riant aux éclats. Le flic eut le réflexe de tendre le bras et de se glisser à l'intérieur. Une fois dans le hall, il jeta un œil aux boîtes aux lettres puis se mit en quête des caves. Avec un peu de chance, il existait un passage entre ces sous-sols et Le Squonk.

Une porte au fond de la cour, fermée. Aucun problème. En quelques gestes – Corso avait enfilé des gants de latex et sorti son kit de serrurier –, il eut raison de l'obstacle et s'engagea dans un couloir obscur. Il activa le système de géolocalisation en temps réel de son mobile et mémorisa sa position. Il n'avait aucun sens de l'orientation – encore un point fort pour un flic – et il n'avait pas envie de se perdre dans un dédale bourré de rats.

Enfin, il repéra un escalier et descendit. Il n'avait toujours pas allumé le commutateur et s'éclairait avec son portable. Tout de suite, l'odeur de moisi le prit aux narines et ranima en lui de sales souvenirs. Les caves, c'était toute sa jeunesse. La dope, les viols, le meurtre. Pas question d'inviter tout ça à sa table ce soir.

Une fois en bas, il estima qu'il pouvait allumer : il était hors de vue de la surface. Le plafonnier révéla des murs de briques, des portes vermoulues, des gravats, de la terre battue. En avançant, il s'éloignait toujours de sa position initiale, c'est-à-dire le mur mitoyen avec Le Squonk, mais il espérait trouver un autre couloir qui le rapprocherait de la boîte.

Enfin, il put tourner dans la bonne direction. La chaleur augmentait, comme prisonnière de ces murs. Le boyau s'amenuisait, des cadenas verrouillaient les portes, l'odeur devenait irrespirable. Selon ses calculs (et le signal de son portable), au bout du couloir, il serait face au mur du Squonk. Il avança encore, sans trop savoir ce qu'il cherchait.

Mais il sentait la vibration du tueur... Le Squonk avait été le théâtre d'un mûrissement, celui de sa folie. Il était venu voir le spectacle, avait payé en liquide, et lentement, ces corps nus et blancs avaient fusionné dans son cerveau avec les images rouges de Goya. C'était ici, dans cet immeuble, que sa démence avait explosé – brutale décompensation qui s'était traduite par un déferlement de violence.

Il en était là de ses théories quand il trouva enfin une paroi de briques dont le ciment des joints paraissait neuf. Kaminski avait sans doute exploité une partie des caves de l'immeuble pour agrandir son terrain de jeu.

Sur sa droite, la porte d'une cave était fermée par un cadenas standard dont il ne fit qu'une bouchée à l'aide d'un « shim », un ruban d'aluminium aiguisé en pointe avec lequel on pouvait travailler le pêne. Tous les pillards de caves connaissaient ce truc, merci la cité.

Corso tira la porte et comprit en un coup d'œil qu'il était tombé sur une des caves du Squonk : des chaises, des trépieds de projecteur, des pièces de décor, des miroirs, des tapis, des portants… Une vraie caverne d'Ali Baba remplie d'objets déglingués qui sentaient bon le music-hall d'un autre temps.

Il chercha un commutateur et alluma. Un détail retint son attention : au fond du box, vers la gauche, un espace avait été ménagé, comme si un animal y avait fait son terrier. Corso se mit en devoir de traverser ce bric-à-brac, enfonçant les pieds dans des surfaces molles, faisant craquer des armatures, se tordant les chevilles sur des portiques. Enfin, il atteignit le cercle déblayé de 1,50 mètre environ de diamètre. Quelqu'un s'y était installé. Pour preuve, une chaise un peu moins cassée que les autres disposée face au mur.

La suite coulait de source.

Corso chercha une brèche dans la paroi qui permettrait de regarder de l'autre côté, le versant Squonk. Il suffisait de se tenir à hauteur de vue d'un homme assis. Droit dans cet axe, un morceau de brique avait été descellé. En le retirant, on obtenait un angle de vue sur la salle du Squonk (ou ses coulisses : il ne voyait rien, le cabaret dormait).

Sa première réflexion fut de trouver curieux de se planquer dans une cave pour observer des filles qui, de toute façon, se dépoilaient en public. Puis il songea au tueur. Ce dispositif appartenait peut-être à son rituel d'excitation – observer sans être vu, se rincer l'œil au fond d'une cave… Trop tôt pour se monter la tête mais peut-être que l'intrus avait pris là moins de précautions et laissé des traces.

Un genou au sol, Corso fouilla parmi le fatras qui délimitait la zone : accessoires, tissus, costumes, chaises empilées. Rien d'intéressant – jusqu'à ce qu'il tombe sur un carnet glissé entre un morceau de rampe ripolinée et un rouleau de moquette rouge.

C'était un cahier d'esquisses à couverture kraft, format A5 (environ 21 centimètres sur 14) relié par une double spirale de métal. Le cœur battant, il parcourut les pages au grammage épais : des dessins représentaient les strip-teaseuses du Squonk dans un style figuratif, mais avec les déformations et outrances propres à la bande dessinée américaine des années 60, avec en particulier celles des illustrations d'heroic fantasy et autres couvertures de comics d'horreur, Frank Frazetta et consorts…

Culs cambrés, hanches généreuses, poitrines en cornes d'abondance… La morphologie musculeuse de ces femmes semblait faite pour un amour vraiment physique, une mécanique lancée à plein régime. Corso reconnut au passage Sophie Sereys et Hélène Desmora. Sans doute celles qu'il avait vues le premier soir étaient-elles là aussi mais il ne se rappelait plus leurs visages.

Sidéré, le flic était certain d'avoir entre les mains le carnet du tueur – ou plus encore celui du boyfriend de Nina Vice –, le Toulouse-Lautrec des temps modernes.

Détail curieux, l'artiste avait agrémenté ses silhouettes de stickers comme en utilisent les enfants, un assortiment de motifs et d'ornements propres à l'esthétique burlesque : paillettes, plumes, roses, papillons, diamants… Il avait aussi dessiné des frises dans les marges – utilisant alors des pastels de couleur –, des arabesques, des lassos, des fouets, des étoiles…

Corso avait l'impression de parcourir le journal de bord d'un enfant monté trop vite en graine. Un gamin obnubilé par les gros derrières et les mamelons violacés. On était tout à coup très loin du gonzo et des délires d'Akhtar, mais pas si loin de l'esthétique des *Pinturas rojas*… Les visages, les corps défilaient, et Corso pouvait apprécier la sûreté du trait, l'expressivité des visages, la puissance des corps. Le gars savait dessiner.

Et il savait sans doute aussi serrer des nœuds en huit…

Alors, contre toute attente, il identifia un autre visage.

À la fin du sketchbook, sans aucun doute possible, Émiliya Corso, nom de jeune fille Milic, était dessinée. À genoux, torse nu, parmi des drapés de soie et des peaux de zèbre. Elle portait une coiffure égyptienne – un atef – et des lourds colliers d'or et de pierres précieuses.

Ce qu'il reconnaissait surtout, c'était sa morphologie – malgré sa minceur, Émiliya parvenait, avec ses seins plantés haut, ronds comme des pommes d'or, et ses hanches coupées à la serpe, à être aussi bandante que n'importe quelle créature dressée pour la chasse et l'amour.

Au risque de le déchirer, Corso enfonça ses doigts gantés dans l'épaisseur du papier.

— Putain de Dieu, qu'est-ce que tu fous là, toi ?

Ce n'était pas si étonnant de croiser sa route sur ce chemin de perversité et de noirceur, mais la question qui lui givrait la cervelle en cet instant tenait en quelques mots : était-elle une des prochaines victimes ?

26

Hélène Desmora avait vécu dans un petit immeuble de six étages de la rue Ordener, dans le XVIIIe arrondissement. Les flics s'étaient donné rendez-vous à 8 heures dans une brasserie tout juste ouverte, au coin de cette rue et du boulevard Ornano.

Personne n'avait dormi. Ludo s'était fadé l'autopsie et avait quitté l'Institut médico-légal vers 4 heures du matin après avoir passé la nuit debout, dans sa combinaison de papier, auprès du corps d'Hélène Desmora démonté pièce par pièce.

Stock avait cuisiné Kaminski et les *girls* du Squonk. Elle avait ensuite joué de la sonnette jusqu'aux aurores, pistant jusqu'au fond de leurs squats les potes d'Hélène – des musicos et des punks à chien pour la plupart –, puis réveillant ses voisins. Tout ça dans la plus parfaite illégalité : le groupe n'était toujours pas officiellement saisi de l'enquête et on ne dérangeait pas les gens à pas d'heure.

Quant à Barbie, elle avait passé au peigne fin les fadettes et les relevés bancaires de la victime et s'était aussi chargée de collecter des infos sur son passé : origine, enfance, formation, etc. Au feeling, Corso devinait qu'elle avait trouvé quelque chose, il avait surpris sur son visage une imperceptible expression de satisfaction...

La logique aurait voulu que le groupe s'installe autour d'un café et échange les fruits de cette nuit blanche, mais une nouvelle tuile était tombée le matin même : le *Journal du Dimanche*, dans son édition du jour, titrait en une sur le « Meurtre d'une deuxième strip-teaseuse ». Le papier était pour le moins alarmiste. De quoi provoquer une belle parano au cœur de l'été parisien.

Debout face au comptoir, les quatre flics parcouraient l'article sur leur téléphone portable. Qui avait parlé ? Avec le SRPJ du 93 sur le coup et la moitié de Saint-Denis au courant, difficile d'identifier la source.

Côté infos, Corso ne sursautait pas à chaque ligne : le journaliste était à peu près aussi bien renseigné qu'eux-mêmes. Son nom, ainsi que celui de Bompart, revenait plusieurs fois, mais difficile de comprendre en lisant l'article qui s'occupait de cette affaire. Normal, eux-mêmes ne le savaient pas. Le bordel régnait à plein et la police passait encore pour une joyeuse bande d'incapables.

Corso avait l'esprit ailleurs. Après sa découverte nocturne, il était passé par toutes les réflexions possibles. La panique d'abord : Émiliya était sur la liste du tueur, il fallait la rapatrier d'urgence. Puis le contraire : si elle était menacée, autant qu'elle reste en Bulgarie. Il avait ensuite décidé que cette histoire de carnet n'avait aucun rapport avec la série de meurtres. À l'aube, il était revenu à la case départ : un voyeur obsédé par les filles du Squonk qui venait les observer, les dessiner, avant de choisir celle qu'il allait sacrifier...

Comment un prédateur aussi prudent avait-il pu laisser son carnet sur place ? Vraiment une erreur d'amateur. Ou bien une provocation délibérée...

À 6 heures du matin, il s'était rendu rue Sorbier, dans le XXe arrondissement, au domicile privé de Michel Bory, le coordinateur de l'Identité judiciaire qui avait analysé les deux scènes d'infraction. Malgré l'heure, le scientifique l'avait reçu – ils se connaissaient depuis dix ans – autour d'un café. En quelques mots, Corso lui avait révélé l'existence de la planque du voyeur et lui avait demandé d'envoyer en urgence un ou deux gars là-bas pour un relevé d'empreintes et une fouille en bonne et due forme.

En prime, Corso lui avait confié le carnet d'esquisses (dont il avait photographié chaque page) pour analyses : empreintes, crayons et pastels utilisés, origine des gommettes, etc. Au préalable, il avait arraché la feuille qui représentait Émiliya. Il n'aurait su expliquer son geste – ou au contraire il y avait trop d'explications : ne pas voir sa propre famille impliquée, mener sur le sujet une enquête parallèle (et solitaire), utiliser ce fait dans le cadre de son divorce (mais il ne voyait pas comment)...

Durant toutes ces heures, la nausée, la fatigue, la nervosité n'avaient cessé de le tenailler. Il se sentait fiévreux et en même temps excité comme celui qui a pris un rail de trop.

Finalement, vers 8 heures, il avait tenté d'appeler Émiliya – pour savoir si tout allait bien, déjà, puis pour l'interroger sur ses contacts avec le monde du burlesque et avec ce putain de peintre. Elle n'avait pas répondu. Et tant mieux : il était habillé trop léger pour cuisiner la sorcière qui nierait tout en bloc.

Du reste, quelque chose clochait dans cette histoire. Côté diurne, Émiliya était une des conseillères les plus proches de la ministre de l'Éducation. Côté nocturne, elle vivait un enfer intime dont elle se délectait. Entre les deux, il avait du mal à l'imaginer posant en reine égyptienne pour un peintre vicieux. Il fallait qu'il lui parle…

Corso maintenait toujours son écran de mobile devant ses yeux mais il y avait longtemps qu'il avait décroché de l'article. Les autres avaient fini leur lecture.

En guise de commentaire, il paya la tournée de cafés, faisant claquer ses pièces sur le zinc, et annonça :

— On y va.

27

Devant le porche, quelques bleus les attendaient pour aider à la manutention et jouer les déménageurs. Ils retrouvèrent dans le hall le serrurier réquisitionné pour l'occasion et demandèrent à la concierge et à son époux de les suivre – la loi exige la présence de deux témoins lors d'une perquisition. Refus catégorique : la gardienne ne voulait pas rater la messe télévisée, l'époux avait son tiercé à jouer. Stock arrondit les angles et promit qu'ils auraient fini avant 11 heures.

Hélène Desmora créchait au sixième étage sans ascenseur. *Super*. Ils empruntèrent la cage d'escalier qui sentait l'encaustique et les poubelles, puis l'homme de l'art ouvrit la porte – serrure trois points, pas de blindage : aucun problème. L'appartement était un deux-pièces mansardé d'une quarantaine de mètres carrés. Sans un mot, les flics se répartirent les tâches comme à l'habitude. Cuisine, salle de bains, toilettes pour Ludo – il appelait ça « la tuyauterie » –, meubles et tiroirs pour Barbie. Stock prenait en charge le dur : murs, sols, plafonds, châssis de fenêtre, tout ce qui pouvait abriter une planque impliquant du bricolage.

Elle n'avait pas son pareil pour sonder une paroi, soulever des lattes de parquet, dévisser des compteurs…

Corso supervisait les manœuvres, passant ses doigts et son regard sur la moindre surface, repérant les angles morts, respirant l'atmosphère. Il était le chaman de l'équipe : il sentait les lieux, captait leurs vibrations, s'identifiait avec la victime ou le suspect. Dans toute perquise, il y a deux dimensions, le matériel et l'immatériel.

Aussitôt, la litanie commença : chaque fois qu'un flic décidait d'embarquer un objet ou un document, il devait le décrire à voix haute avant de le fourrer dans un sac à scellés. Ainsi, tout le monde fouillait en composant un chœur ronflant et monocorde, aussi enthousiasmant qu'un appel matinal dans une caserne.

Très vite, le décor (posters, garde-robe, accessoires, bouquins, DVD…) leur révéla les grandes lignes de la personnalité de la victime : une punko-gothique, bien loin des valeurs de Nina Vice la naturiste végétarienne SM. Les livres de Miss Velvet par exemple résumaient ses convictions antisociales, avec toutefois une tendance qui la rapprochait de Nina : elle aussi était altermondialiste et écolo. Hélène donnait dans le gothique verdoyant.

Ludo avait la tête sous l'évier de la cuisine et Stock était en train de démonter les tringles de rideaux quand Corso demanda à la cantonade :

— Pas de photos de famille ?

Barbie apparut dans l'encadrement de la porte de la chambre, décoiffée, ses gants hypoallergéniques maculés de poussière.

— Pour ce qui est de la famille, ça sera vite vu. Elle a grandi dans des foyers de l'Aide sociale à l'enfance.

Corso songea à Sophie Sereys :

— Elle serait née sous X elle aussi ?

— Non. Mais ses parents étaient des alcoolos à qui on a rapidement retiré sa garde.

Comme toujours, Corso était sidéré que Barbie ait pu non seulement déchiffrer toutes les fadettes de la victime (il ne doutait pas qu'elle l'ait fait), mais aussi remonter à ses origines – tout ça en une nuit.

— Elle vient de quelle région ?

— Lons-le-Saunier, en Franche-Comté.

— C'est pas si loin de Lyon. Il faut vérifier si les deux filles n'ont pas grandi dans les mêmes foyers ou les mêmes familles d'accueil. Ça leur ferait un autre point commun et…

— Venez voir !

Stock se tenait à genoux devant les lattes de parquet qu'elle venait de soulever. La mine hilare, elle exhibait son trophée, un gros cahier à couverture de cuir imitant les vieux grimoires des contes pour enfants.

— C'est quoi ?

Stock se mit debout.

— Son journal intime.

Tout de suite, les autres l'entourèrent. Les pages déployaient une écriture ronde de jeune fille, des dessins simplistes, des frises colorées. Vraiment un journal de bord d'adolescente. Corso était surpris par tant de naïveté.

Stock lut à voix haute, remontant les pages à rebours :

— « Laurent Hébert. 20 février 2016. Sa peau est douce, ses traits angéliques. Passé une nuit magique. Laurent, ton silence, tes mains m'ont emplie de béatitude. »

Elle feuilleta encore :

— « Thomas Lander. 7 mai 2015. Passé quelques heures auprès de lui, dans un émerveillement continu. Une nuit "solitaire et glacée", comme disait Verlaine. Une nuit comme je les aime… Merci Thomas. »

Stock fit claquer une nouvelle page :

— « Yann Audemart. 12 mars 2015. Je me souviendrai toujours de ta poitrine sous mes lèvres, de ton sexe dans ma bouche… Yann, mon bel indifférent. Il n'y aura eu qu'une fois entre nous et jamais je ne l'oublierai… »

— C'est bon, je crois qu'on a compris, coupa Corso en s'emparant du cahier.

Les amants se suivaient au fil des dates. Chaque fois le nom était précisé. Chaque fois, les quelques lignes évoquaient un « moment enchanté », une « nuit sublime », etc. Vraiment, Corso ne s'attendait pas à ce que leur cliente, une strip-teaseuse tatouée et destroy, se révèle aussi fleur bleue. Cependant, on ne retrouvait jamais deux fois le même nom.

— Notre amie avait l'air abonnée aux coups d'un soir, commenta-t-il en glissant le livre dans un sac à scellés. Allez, on s'y remet.

Ludo retourna à sa cuisine, Stock à ses lattes, Barbie à ses tiroirs. Stéphane de son côté passa en revue les objets réquisitionnés : rien d'intéressant. Il essaya d'appeler encore Émiliya : répondeur. Il marmonna son éternel message : « Rappelle-moi en urgence », la main sur le combiné pour que les autres ne l'entendent pas, puis il se posta face à l'une des deux fenêtres, repérant les voisins qui pouvaient observer le quotidien d'Hélène – le b.a.-ba avant de se lancer dans le porte-à-porte.

Son esprit se mit à flotter au-dessus des toits de zinc et des cheminées de briques. Scopophilie, le plaisir de regarder. Tout partait de là. Celui qu'il cherchait regardait d'abord, il aimait voir les femmes se déshabiller, danser, puis il les dessinait. Alors seulement, son amour se muait en haine irrépressible – il fallait qu'il les torture, qu'il les tue, qu'il les détruise, jusqu'à en faire des œuvres de cauchemar au réel pouvoir d'attraction. Ces bouches beaucoup trop grandes, s'ouvrant sur une gorge de pierre, avaient le pouvoir d'attirer le regard des autres – et peut-être leur âme…

À mesure que la litanie continuait dans son dos – « une bague gris acier avec tête de mort sculptée à l'avant. Marque : Alexander McQueen », « un porte-vues plastifié Exacompta contenant des documents personnels de Sécurité sociale et des déclarations d'impôts », « une trousse à pharmacie remplie de médicaments et de produits homéopathiques »… –, Corso s'enfonçait dans ses pensées, presque des hallucinations.

Il pouvait sentir dans son sang la pulsion meurtrière de l'autre. Il imaginait sa fascination, quand il observait ces femmes à travers le mur, il adorait leur chair, leurs blagues salaces, leur esthétique approximative : elles étaient ses fées nocturnes. Il jouissait de leur nudité qui rejoignait dans son esprit, non pas l'idée d'une débauche ou d'une corruption, mais au contraire celle d'une pureté.

À cet égard, ses esquisses étaient claires. Chaque coup de crayon, chaque trait de fusain était porté par un respect, une admiration – et aussi une humanité troublante. Par son travail d'observation et de restitution, le peintre les sublimait, révélant ainsi son propre regard sur elles.

Mais alors quelque chose se détraquait : l'homme se réveillait à lui-même. Il réalisait où il se trouvait. Dans une fosse aux serpents, un puits de vices. Ses fées n'étaient que des putes, des salopes – une perverse pour Sophie, une fille d'un soir pour Hélène. En guise de décompensation, il les tuait de la plus horrible des façons, leur faisant payer non seulement leurs fautes mais aussi, bien sûr, sa culpabilité à lui. Celle d'aimer ces femmes, de bander pour elles.

Sans doute était-il impuissant – les victimes n'étaient pas violées –, mais là n'était pas le plus important. L'important, c'était le désir, la faute, la honte. Il les châtiait au nom de son propre remords. Ce mode opératoire si cruel – le suicide par le garrot, les mutilations du visage… – était sa manière à lui de retrouver son équilibre, sa cohérence. Les effacer ne suffisait pas, il fallait procéder à une forme de catharsis par la honte. Leur douleur ne les rachetait pas, elles, mais lui et sa culpabilité. Il expiait ses fautes dans le foyer incandescent de leurs cris et de leur sang.

— C'est bon, on a à peu près fini.

Corso sursauta. Barbie se tenait derrière lui. Durant ses réflexions – il n'aurait su dire combien de temps avait passé –, il s'était totalement immergé dans la psyché du tueur.

— Vous avez trouvé quelque chose d'intéressant ? bafouilla-t-il.

— Le journal intime est notre meilleure prise… Mais on a récupéré son ordinateur portable. Il faut prier pour qu'il y ait du lourd à l'intérieur.

Corso regarda sa montre – près de midi –, puis il contempla le petit deux-pièces les viscères à l'air. Sinistre spectacle qui évoquait une sorte de deuxième sacrifice d'Hélène Desmora.

— On se casse. Dites aux bleus de tout remettre en place et de transférer les pièces saisies à la salle des scellés. L'urgence, c'est d'envoyer l'ordinateur aux geeks.

Le flic se tourna encore vers la fenêtre et prit une inspiration. Le soleil était haut, Paris au zénith de sa beauté. Il constata avec satisfaction qu'il pouvait supporter cette lumière sans voir débouler ses vieux cauchemars.

28

Aux abords du 36, Corso fut pris de nausées à l'idée de s'enfermer, par cette chaleur, dans leurs bureaux minuscules pour un énième débriefing. Il attrapa son mobile et appela Stock qui suivait derrière dans sa voiture :

— Changement de programme. J'vous offre le déj' au Notre-Dame.

Nathalie parut surprise – personne n'était moins festif que Corso – mais contente, ça les changerait des palabres entre quatre murs.

Ils se garèrent dans la cour du 36 puis remontèrent à pied le quai des Orfèvres, dépassèrent le pont Saint-Michel et traversèrent la Seine sur le Petit-Pont-Cardinal-Lustiger, dans l'ombre de Notre-Dame. Ils progressaient en silence parmi les touristes et, hormis le fait qu'ils étaient tous les quatre en noir, ils auraient pu passer pour de simples badauds.

En voiture, Corso avait eu le temps de discuter avec Barbie. Selon elle, la perquise avait confirmé le portrait qui s'amorçait dès le départ. Une trentenaire rebelle, pas très maligne, qui préférait se dépoiler dans un club plutôt que d'aller bosser huit heures par jour.

Stéphane ne comprenait pas ce profil. Après quoi courait Hélène, avec ses idéaux primaires et ses numéros à deux balles ? Bizarrement, alors qu'un flic de la Crime se doit d'être psychologue, il avait toujours l'impression de passer à côté de la vie des gens, de ne rien piger à leurs motivations, leurs rêves, leurs angoisses. Il était beaucoup plus en phase avec les tueurs.

Tout le monde s'attabla à la célèbre terrasse, au coin de la rue du Petit-Pont et du quai Saint-Michel, face à la cathédrale dont les sommets se découpaient au couteau sur le ciel. Les quatre corbeaux commandèrent et, durant quelques instants, savourèrent le soleil, oubliant le bain de sang dans lequel ils pataugeaient.

— Bon, attaqua Corso. Qui commence ?

Ludo s'y colla de bonne grâce :

— Coscas, le légiste, n'a rien trouvé de neuf. Je veux dire, par rapport au corps de Nina. Mêmes blessures, même technique de strangulation, même arme pour les mutilations.

— C'est-à-dire ?

Ludo fit la grimace et attrapa un morceau de pain dans la corbeille.

— Il n'en a aucune idée. Un couteau de chasse, ou de cuisine. Pas de cran. Une épaisseur de plusieurs millimètres, difficile à évaluer parce que le tueur s'est acharné sur chaque plaie. On aura son rapport dans la journée.

— L'heure du meurtre ?

— Approximativement entre 22 heures et 1 heure du matin, dans la nuit de vendredi à samedi. Mais si

190

on compte l'agonie, la séance a dû durer au moins cinq heures…

Il y eut un bref silence. Même pour ces flics chevronnés, le supplice d'Hélène était une évocation pénible.

— Les mutilations ? reprit Corso en fixant toujours Ludo.

Le soleil auréolait sa chevelure crépue et passait un pinceau doré sur sa nuque à l'oblique (à cause de sa position voûtée et de son long cou, on l'appelait parfois le « Dromadaire »).

— Exactement les mêmes, j'te dis. Toutefois, Coscas a remarqué un détail, des marques sur les tempes.

— Qui signifieraient ?

— Il en est pas sûr à 100 %, mais la victime aurait pu avoir la tête coincée dans un étau.

— Tu veux dire : tout en ayant le cou ligaturé par ses sous-vêtements ?

— C'est l'hypothèse de Coscas. Le tueur se serait servi de ce truc pour la maintenir de profil sur un étal de boucher, quelque chose de ce genre. Il a relevé des échardes sur l'épaule, la hanche, la cuisse, toujours du côté gauche.

Les plats arrivèrent. En réalité, la même omelette-salade, multipliée par quatre. Seule fantaisie, la boisson : verre de rouge pour Stock, bière pour Ludo, Coca Zéro pour Corso et Barbie.

Les voix se turent, relayées par les cliquetis de fourchettes, qui évoquaient un minuscule duel d'épées.

— La cause de la mort ?

— Elle s'est étouffée en forçant sur ses liens. Comme Nina.

— Les yeux ?

— Injectés aussi. Ses mouvements ont précipité sa circulation crânienne au bord des paupières. Elle s'étouffait pendant que le sang lui sortait des yeux.

Des larmes de sang. Voilà une image qui devait faire bander le bourreau du Squonk.

— Sur le corps lui-même ? Pas de signes particuliers ?

— Des tatouages en veux-tu, en voilà.

Ludo sortit son carnet. Pour les blessures, il travaillait de mémoire ; pour les tatouages, il lui fallait ses notes.

— Dans le désordre : un tiki polynésien dans le cou, un mandala sur l'épaule droite, une horloge et des roses sur la hanche (me demandez pas pourquoi), le logo du groupe Nine Inch Nails…

— Des nouvelles de l'IJ ? coupa Corso.

— Ils ont paluché le corps, les nœuds, les sous-vêtements, pas une empreinte.

— Les fragments ADN ?

— On attend les résultats.

Corso s'adressa à Stock qui venait de commander un autre ballon :

— Et toi, Kaminski, les filles, le porte-à-porte ?

Elle éclata de rire – avec son physique d'ogresse, elle avait un côté terrifiant mais aussi chaleureux, comique. Dans l'éclat du soleil, la ressemblance parut évidente à Corso. *Elle était Madame Shrek.*

— Kaminski est au bord du suicide. Enfin, c'est ce qu'il dit… Mais difficile de l'imaginer impliqué dans tout ça. J'ai été voir aussi les collègues de Miss

Velvet, elles sont terrifiées et pas près de sortir de chez elles.

— Elles t'ont parlé d'Hélène ?

— Elles ont confirmé ce qu'on sait déjà : une punkette romantique, toujours fatiguée et assez fragile.

— Fragile comment ?

Stock haussa les épaules. Elle consultait en parlant un petit bloc Rhodia qui entre ses paluches ne semblait pas plus gros qu'un timbre-poste.

— Rien à voir en tout cas avec Sophie, qui était une battante. Hélène naviguait à vue et avait un vrai profil de strip-teaseuse.

— C'est quoi le « profil d'une strip-teaseuse » ?

— Rien dans la tête, tout dans le cul.

De tous ses gars, le plus misogyne était Stock – et c'était une femme.

— Elle michetonnait ?

— Ça m'étonnerait pas, mais faut creuser.

— Du porno ?

— Possible aussi.

— Ses potes ?

— Pas de problème pour trouver ces gugusses après minuit, des gratteux obscurs, des squatteurs-dealers, toute une bande de marginaux fichés à la boîte…

— Des suspects là-dedans ?

— Non. Du menu fretin.

Son ballon arriva. La culturiste prit le temps d'en boire une gorgée avec délectation, comme si elle savourait un nectar, et fit claquer sa langue.

— Les mecs ne la voyaient qu'à la tombée de la nuit. La journée, à mon avis, elle flemmardait chez elle à fumer des joints.

Corso se souvint que Barbie le matin avait sa tête des bons scoops :

— Et toi ?

— J'ai décroché des infos sur le passé d'Hélène Desmora. Côté Aide sociale à l'enfance.

— Comment t'as fait ?

— À ton avis ? J'ai couché.

— Sérieusement.

— Je me suis démerdée. Bref, le scoop, c'est que Sophie Sereys et Hélène Desmora se connaissent depuis l'âge de 9 et 7 ans.

— Quoi ?

— Quand j'ai consulté le dossier d'Hélène, j'en ai profité pour jeter un coup d'œil sur celui de Sophie. Elles étaient dans le même foyer, près de Pontarlier, en 1993. À partir de là, elles sont devenues inséparables et les agents sociaux ont tout fait pour les laisser ensemble.

Barbie avait allumé son ordinateur portable. Elle cliqua sur son clavier et chaussa ses lunettes. Corso sentit une onde de chaleur dans l'entrejambe. L'institutrice à lunettes, c'était vraiment le cliché le plus banal du petit pervers.

— Pour l'instant, j'ai les noms des foyers où elles sont passées. Les familles d'accueil, c'est plus compliqué. Je les aurai d'ici demain soir. J'ai parlé à des éducateurs mais les faits sont trop anciens. En tout cas, d'après mes infos, les filles ont fini leurs études en Franche-Comté, des BTS à la con, et elles sont montées à Paris ensemble. Elles voulaient être danseuses, elles sont devenues strip-teaseuses.

Corso comprenait que ces deux filles étaient sans doute des « sœurs de cœur ». Pourtant, jamais cette info n'avait transpiré dans les auditions. Elles cachaient ce lien d'amitié à leurs collègues. Pourquoi ?

— Sinon, reprit Barbie, le dossier mentionne aussi des emmerdes avec la justice.

— C'est maintenant que tu le dis ?

— T'affole pas. Hélène était mineure et tout ça est oublié depuis longtemps.

— Quels délits ?

— Vandalisme, bagarres, profanation de cimetières, mendicité. Des conneries de punk à chien. À l'heure de sa mort, elle avait pas de casier.

Corso baissa les yeux : il n'avait pas touché à son assiette. L'angoisse, le manque de sommeil… À quoi s'ajoutaient le soleil, la chaleur, le bruit des couverts, le grondement des voitures, tout ce qui pouvait passer pour le plaisir d'une terrasse à Paris en été le rendait soudain malade. Il avait maintenant envie d'en finir :

— Et les fadettes ?

— Je viens de les recevoir. Pas eu le temps encore de les analyser mais ses coups de fil s'arrêtent aux environs de 13 h 30. Ensuite, elle n'a plus répondu.

— À qui, le dernier appel ?

— Un dénommé Patrick Sernhardt. Un petit dealer de shit de Stalingrad. J'ai foutu les gars de Louis-Blanc sur le coup, ils vont mettre la main dessus. On se colle maintenant aux fadettes avec Ludo.

— Non, Ludo, tu t'occupes du journal intime.

Le Toulousain sursauta.

— C'est-à-dire ?

Corso avait conservé le document dans son sac à scellés. Il le posa sur la table.

— Avant de le filer à l'IJ, tu le photocopies et tu me retrouves tous les mecs mentionnés dans ces pages. Y a les noms, des dates. Ça va pas être sorcier.

Ludo prit le sac plastique sans enthousiasme.

— Tu penses que le tueur est parmi eux ? marmonna-t-il.

— Je pense rien mais tout ce qui a approché sexuellement la victime m'intéresse.

— Et moi ? Je continue le porte-à-porte ? demanda Stock.

Elle avait dévoré son omelette et elle se tenait les mains dans les poches, bien carrée dans sa chaise, un troisième ballon devant elle. En temps normal, Corso aurait fait une réflexion – « Lève le pied » – mais on était dimanche et la journée était loin d'être finie.

— Non, fit Corso en ouvrant son cartable. J'ai quelque chose pour toi.

Il sortit les copies des pages du carnet à esquisses et expliqua en quelques mots d'où elles provenaient. Les images passèrent de main en main dans un silence si compact qu'il semblait former une cloche de verre au-dessus d'eux, les isolant du tumulte du quai.

Personne n'avait ici le moindre doute : c'était la même main qui avait tracé ces esquisses des danseuses et tailladé le visage des victimes.

— Vous avez tous reconnu les danseuses du Squonk. Stock, tu dois identifier les autres. Faut les mettre sous protection dès que possible.

Acquiescement général. Corso revint à Barbie – cette histoire de foyers sociaux et de familles d'accueil ne cessait de tourner dans sa tête.

— Pioche parmi tes stagiaires et fous-les sur le passé des deux victimes. Je veux les noms, les coordonnées, le pedigree de tous les agents sociaux, parents de fortune, professeurs qu'elles ont pu croiser. Et tant qu'on y est, le maximum de noms d'élèves rencontrés au fil de leurs placements.

— Ça va prendre du temps.

— Ça tombe bien, t'as jusqu'à ce soir.

— À quoi tu penses ? ricana Ludo. Le fameux éducateur tueur en série ?

— Demande aux familles des victimes d'Émile Louis si ce genre de vannes les fait rire.

Le flic se ratatina derrière sa 1664.

Corso se leva et balança un billet sur la table.

— C'est ma tournée.

— Où tu vas ? demanda Barbie.

— Je retourne à la boîte. Rédiger une synthèse de tout ce qu'on a.

— Ça sera vite fait, persifla Ludo.

— Ta gueule. Krishna est là-haut ?

— Il a annulé ses vacances mais il n'est pas là aujourd'hui, répondit Barbie.

— Appelle-le. Putain, je veux tout le monde sur le pont !

29

Dans les locaux déserts du 36, difficile de se per-
suader que la brigade était en ébullition, toutes voiles
dehors. Pas un rat dans les bureaux, pas un bruit dans
les couloirs. Où étaient-ils tous ? Le soleil passait par
les fenêtres et dardait ses rayons obliques comme une
explication : il y avait mieux à faire ce jour-là que de
s'enfermer entre quatre murs.

Corso eut une vision : dans quelques mois, tout le
36 allait déménager et en cet instant, il lui semblait
que les flicards étaient déjà partis, les cartons déjà
bouclés. Il ne savait quoi penser du ramdam à venir,
il était toujours bon de bouger, ça évitait l'ankylose.
Mais on parlait d'un bâtiment perdu sur le périph',
aux confins du XVIIe arrondissement. Rien de très
excitant.

Il se fit un café, s'enferma à clé dans son bureau – il
avait pris l'habitude de verrouiller son antre, même (et
surtout) quand il était à l'intérieur.

Son téléphone sonna aussi sec.

— Tu m'as appelée quatre fois dans la matinée,
qu'est-ce qui se passe ?

Émiliya, faisant claquer ses mots comme une vieille machine à écrire. Corso se rendit compte qu'il ne pouvait l'interroger frontalement. Trop proche, trop forte.

— Je m'inquiétais, c'est tout.

— De quoi au juste ?

— Tout va bien à Varna ?

— Qu'est-ce que tu veux ?

Ils étaient en guerre et il n'avait plus le droit de l'interroger sur sa vie privée. Même en tant que flic, il ne pouvait prétendre obtenir des informations qui pourraient lui servir dans le cadre de son divorce. Le conflit d'intérêts jouait à plein.

— Je me demandais... Tu ne t'es jamais laissée aller à faire des... shows ?

Elle gloussa :

— Quel genre de shows ?

— Du strip-tease.

Elle revint à son ton brutal comme on réarme un calibre. *Tchac-tchac.*

— Tu enquêtes sur moi ?

— Pas du tout. Je... je suis sur une affaire liée à ce milieu-là.

— La strip-teaseuse assassinée ?

Au bord de la mer Noire, Émiliya ne pouvait être au courant du deuxième meurtre, mais personne n'avait pu échapper à celui de Nina Vice.

— Exactement.

— Et alors ? Qu'est-ce que j'ai à voir là-dedans ?

— Je voulais être sûr que tu n'as jamais traîné dans ce milieu.

— Tu me prends pour qui ? Je travaille dans un ministère et j'élève seule notre enfant. Tu crois que j'ai le temps de me balader à poil dans une de tes boîtes de nuit ?

Tu en fais bien d'autres, ma belle... Il n'insista pas et glissa sur l'accusation implicite selon laquelle il ne s'occupait pas de Thaddée. Il n'arriverait à rien dans cette direction. Il prit un autre chemin, juste pour voir :

— Tu n'as jamais posé pour un artiste ?

Elle eut un soupir accablé :

— Je te plains, Corso. Si tu n'as rien d'autre à foutre dans ton enquête que d'interroger ton ex, c'est bien triste. Retourne dans ton caniveau et laisse-nous passer des vacances tranquilles.

Sans lui laisser le temps d'ajouter quelque chose, elle raccrocha. Corso prit quelques minutes pour se calmer. Il se demanda s'il ne devait pas faire comme Barbie, elle avait téléchargé sur son portable une application pour pratiquer la méditation, discipline soudain devenue à la mode.

Finalement, il composa le numéro de Bompart. Il fallait protéger Émiliya malgré elle.

— Si t'appelles pour la saisine, c'est bon. T'es officiellement chargé de l'enquête. Ton délai de flagrance commence aujourd'hui. Pas de juge à l'horizon avant une semaine.

— Même pour Nina Vice ?

— J'te fais un prix pour les deux. Tu auras aussi une escouade de flicards en renfort dès lundi matin. Je peux pas faire mieux. Toi, qu'est-ce que t'as pour moi ?

Corso expliqua les avancées des dernières heures : la planque de l'artiste et le carnet d'esquisses dans la cave du Squonk, le journal intime d'Hélène Desmora et ses amants d'une nuit, les liens d'amitié entre les deux victimes.

Bompart ne fit aucun commentaire. Elle s'attendait sans doute à mieux mais elle savait aussi qu'ils avaient affaire à un tueur hors normes, pas un client qu'on chope avec un échantillon ADN ou un témoin oculaire.

— T'as pu joindre l'agent de liaison de Madrid ? relança Corso.

— Il est allé au musée ce matin et il a posé quelques questions.

— Alors ?

— Un type qui correspond à ton signalement vient souvent voir les peintures de Goya, concéda-t-elle.

— C'est tout ?

— C'est tout. Franchement, ton mec à chapeau, ça a l'air d'une blague.

Corso était payé pour savoir que la mort violente peut prendre tous les visages, même les plus grotesques.

— Ils ont des caméras de sécurité, reprit Bompart. Ils vont essayer de trouver des images.

— Super. J'ai besoin que tu me rendes un service.

— Tire pas trop sur la corde.

— C'est du sérieux. Tu pourrais contacter notre agent de liaison à Sofia ?

— Tu me prends pour une agence de tourisme ou quoi ?

Il lui révéla qu'il avait découvert le portrait d'Émiliya parmi les esquisses du mystérieux artiste des basfonds.

— Qu'est-ce qu'elle en dit ?

— D'après toi ? Elle est en vacances à Varna avec Thaddée. J'ai même pas pu lui poser la question.

— Vous commencez à m'emmerder tous les deux.

— Tu peux mettre un flic sur le coup ou non ?

— Je vais voir, mais ça m'étonnerait. À tout casser, on doit avoir un seul agent à Sofia. Il va pas aller jouer les gardes du corps sur la mer Noire…

— Tiens-moi au courant. Je ne sais pas vraiment si je dois m'inquiéter.

— Concentre-toi sur ton enquête. Je te rappelle quand j'ai du nouveau.

Bompart possédait une sorte de super-pouvoir : elle était la seule capable, en un simple coup de fil, de lui redonner confiance et énergie. Il but une gorgée de café, fit craquer ses doigts et prit une inspiration avant d'attaquer sa fameuse synthèse.

Là-dessus, il s'endormit comme une pierre.

30

— J'te réveille ?

La voix ricanante de Ludo.

— Quoi ?

— Je te demande si je te réveille.

Corso se frotta le visage et regarda sa montre :
17 h 15. Putain, il s'était endormi d'un coup, tête la
première sur ses notes. Il devait avoir le pli de la reliure
de son cahier en travers du visage. *Bravo la police.*

— Qu'est-ce qui te fait dire ça ? essaya-t-il de se
défendre.

— Je sais pas, gloussa Ludo. La voix, et aussi le
fait que ça fait trois fois que je t'appelle et deux fois
que je frappe à ta porte. On a même cru que tu t'étais
cassé en douce.

— Qu'est-ce qu'il y a ? fit-il avec mauvaise
humeur. Du nouveau ?

Ludo marqua un temps, comme un acteur avant sa
grande tirade :

— J'ai retrouvé les amants de Miss Velvet.

— Tous ?

— Tous. Mais y a un problème.

— Quel problème ?

— Ils sont morts.

Les mots parvenaient à la conscience de Corso mais ils peinaient à faire sens. Il chercha machinalement une cigarette et ouvrit la fenêtre.

— Qu'est-ce que tu racontes ?

— C'est tout simple, la liste des amants d'Hélène Desmora, c'est la rubrique nécrologique.

Corso tira une taffe, ou plutôt il l'arracha, sentant aussitôt sa gorge brûler.

— Tu veux dire qu'ils ont été assassinés ?

Ludo eut un rire cynique.

— Je me suis mal exprimé. Si on se fie au journal intime, ils étaient *déjà* morts quand Hélène a couché avec eux. En fait, ils venaient de mourir. Tout porte à croire que ses « fameuses nuits d'amour » se sont déroulées dans les morgues de Paris et des alentours.

De mieux en mieux. Mais il fallait encore vérifier. On était en train de parler d'une strip-teaseuse qui se glissait dans les instituts médico-légaux et les chambres froides en quête d'amants. Dur à avaler. Mais il lui revint qu'elle avait été arrêtée dans sa jeunesse pour une histoire de profanation de cimetières. Une mise en jambes ?

— Pas de similitudes entre les morts ?

— Aucune. On a un AVC, un cancer, un traumatisme crânien suite à un accident de moto... J'ai passé quelques coups de fil et il ressort qu'Hélène les aimait jeunes – aucun d'entre eux n'avait au-delà de la trentaine – et relativement bien préservés, si on peut dire...

Corso réalisa que le temps dehors avait tourné. Par sa lucarne, la pluie, la grisaille étaient revenues. Il frissonna, sans savoir si la sensation était douce ou lugubre. En moins de deux heures, l'été s'était retiré du paysage comme la mer sur un banc de sable.

— Continue là-dessus, ordonna-t-il, sans être convaincu que cette déviance ait le moindre rapport avec l'assassin.

Il raccrocha et partit se faire un café. Les couloirs avaient repris un semblant d'activité. En regardant le liquide brun couler dans le gobelet, il se demanda s'il n'était pas en train de vieillir prématurément – une nuit blanche, et voilà qu'il s'écroulait sur son bureau.

De retour dans son bureau, il croisa Barbie, des listings à la main. Toujours bon signe…

— T'as un truc ?

Elle brandit sa liasse.

— J'me suis procuré ses relevés bancaires.

Le miracle Barbie fonctionnait aussi le dimanche.

— Côté dépenses, enchaîna-t-elle, ça raconte pas grand-chose. En revanche, j'ai remarqué un détail : elle tirait cinquante euros de cash, au même distributeur automatique, chaque jeudi ou presque, entre 16 h 50 et 16 h 55.

— Dans son quartier ?

— Non, à Bastille. Le Crédit Lyonnais au début du boulevard Richard-Lenoir, à l'angle avec la rue Amelot.

— Un rencard avec un dealer ?

— J'y ai pensé mais personne ne va acheter sa drogue à heures fixes. Je penche plutôt pour un psy.

C'était aussi son idée mais il ne voulait pas avoir l'air d'un névrosé qui connaît bien ce genre de petites galères : trouver du liquide avant d'aller vider ses tripes dans le cabinet d'un psychanalyste.

— T'as cherché dans le coin ?

— Y en a une au 2, rue Amelot. Ma main à couper que c'est elle qu'Hélène Desmora allait voir.

Peu de chances de trouver la praticienne à son cabinet un dimanche, mais Corso pressentait que Barbie était allée plus loin.

— J'ai son adresse personnelle, confirma-t-elle. Un coup de bol, la fille s'appelle Ianja Rajaonarimanana. Elle est d'origine malgache. Inutile de te dire qu'il y en a pas des masses dans l'annuaire.

— Où elle crèche ?

Barbie lui tendit un Post-it.

— Au 11-13-15 de la rue Mercœur, dans le XIe arrondissement. Elle est perpendiculaire au…

— Je connais. T'as d'autres infos sur elle ?

— *Nada*. Même pas un PV. Par contre, son nom figure sur la liste des experts du TGI de Créteil.

La jouer pianissimo. La psy saurait qui appeler pour le faire virer de chez elle.

— J'y vais.

— Je viens avec toi.

— Non. Continue de gratter ici.

— Sur quoi ?

— Les foyers qui ont accueilli les deux victimes. Essaie de voir si elles n'ont pas gardé des contacts avec d'autres mômes de l'Aide sociale. Creuse aussi du côté du Squonk, le passé de l'immeuble.

— Attends.

Elle fila dans son bureau et revint quelques secondes plus tard, à la manière d'une petite souris osseuse. Corso en profita pour attraper son blouson.

— Tiens. Pour te chauffer avant de voir la psy.

C'était le PV d'audition d'Hélène Desmora, daté du 21 juin 2004, après son arrestation dans un cimetière de la banlieue de Lyon. Pas de quoi fouetter un canard : à 17 ans, elle avait tenté de desceller la tombe d'un jeune homme inhumé la veille avant d'être surprise par le gardien. Fin du drame. Étant mineure, elle avait évité les ennuis sérieux. Corso feuilleta les pages pour voir si on citait des complices – et, pourquoi pas, Sophie Sereys elle-même. Personne à l'horizon.

— T'as parlé avec Ludo ? demanda-t-il.

— Non.

— Vois-le, ça va t'éclairer sur cette première arrestation.

Il la salua d'un sourire.

— J'me fais la psy et je vous rejoins ici.

31

Une poignée d'immeubles massifs en briques rouges, agrémentés de balcons blancs, comme ceux qu'on voit sur les boulevards qui ceinturent Paris. Des petites cités entièrement cuites au four, qui fleuraient bon les rêves d'avant-guerre de vie collective et d'hygiène rigoureuse – de l'air, de l'eau courante et des jardins en ciment pour vivre ensemble.

Il mit un certain temps à trouver le bon immeuble, à dégoter le code et à sonner à la bonne porte. Ianja Rajaonarimanana était une petite femme au teint de cigare. Sur sa tête, une touffe de cheveux en broussaille. Sur le nez, des grosses lunettes aux verres fumés. Une bouche pour ainsi dire privée de lèvres évoquait plutôt une coupure au-dessus du menton. Pas vraiment un prix de beauté.

— Comment vous êtes entré ? demanda-t-elle sans préambule, en fronçant le nez et en montrant les dents comme un petit rongeur.

Corso sortit sa carte de police et se présenta. La psy ne manifesta aucune surprise et s'effaça pour le laisser entrer. Il la suivit le long d'un couloir étroit aux murs tapissés d'affiches reproduisant des slogans de Mai

68 : une bouteille d'encre bleue portant l'inscription « PRESSE », accompagnée de l'avertissement : « NE PAS AVALER » ; une silhouette de CRS derrière son bouclier estampillée « SOUS LES PAVÉS, LA PLAGE ! » ; des lettres peintes à la va-vite proclamant : « PRENONS NOS DÉSIRS POUR DES RÉALITÉS ! »

— Vous avez gardé l'esprit jeune, commenta Corso.

— En 1968, rétorqua-t-elle par-dessus son épaule, je n'étais pas née.

— Alors, pourquoi ces affiches ?

— Simple archéologie. Les hiéroglyphes émouvants d'une époque révolue.

Ils parvinrent dans un petit salon. Vingt mètres carrés à tout casser, un canapé et des fauteuils comme revêtus de moquette. On avait ici rogné sur tout – espace, hauteur de plafond, qualité des matériaux.

Il repéra dans un coin deux valises abîmées et un sac de toile qui évoquaient le paquetage d'un migrant clandestin.

— D'une certaine façon, fit-elle en se plantant au milieu de la pièce, je vous attendais.

D'un signe de tête, il désigna les valises.

— Vous avez plutôt l'air de prendre la fuite.

— Je pars en vacances. Plutôt normal un 3 juillet, non ?

— À cette heure ?

— Je roule de nuit.

— Où vous allez ?

— Dans la Drôme. Vous voulez l'adresse ?

Corso sourit. Ce babillage n'allait pas les mener bien loin.

— Je suis venu vous interroger sur Hélène Desmora, dit-il en s'asseyant sur le sofa. Vous avez sans doute lu le journal.

La psy choisit un des fauteuils, de l'autre côté de la table basse, et sortit une cigarette. Une Camel. Il eut un souvenir ému pour les anciens paquets blond et or.

— Vous n'avez pas peur que j'invoque le secret médical ? demanda-t-elle en allumant sa cigarette.

— J'espère que vous êtes plus maligne que ça. Entre la mémoire d'une morte et des éléments qui pourraient nous permettre d'identifier un tueur bien vivant, y a pas photo. Sans compter que si vous jouez ce jeu-là, je vous interdirai de quitter Paris avant d'avoir obtenu l'autorisation du Conseil de l'ordre des médecins. Vous pouvez oublier vos vacances.

Elle l'arrêta d'un geste.

— C'est bon. Je me rends. Mais d'abord, comment m'avez-vous trouvée ? Hélène m'a toujours payée en liquide et je ne lui ai jamais signé de prescription.

Corso lui fit part des raisonnements de Barbie. La psychiatre se laissa aller dans son fauteuil et tira rêveusement une taffe. Ainsi, la police, depuis la belle époque de la contestation, s'était acheté un cerveau…

— Depuis combien de temps connaissiez-vous Hélène ? attaqua-t-il.

— Six ans. Elle est d'abord venue deux fois par semaine, puis une seule, à partir de 2014.

— Analyse ou psychothérapie ?

— Analyse.

— Pourquoi vous voyait-elle ?

— Dites-moi plutôt ce que vous cherchez.

210

— Nous avons toutes les raisons de penser qu'Hélène Desmora était nécrophile.

Ianja le dévisagea à travers ses verres fumés puis montra encore les dents.

— C'est exact. Elle faisait l'amour avec les cadavres. J'ai toujours essayé d'aider Hélène mais je ne l'ai jamais considérée comme malade. En matière de désir, il n'y a pas de norme et le mot même de « perversion » s'est vidé de son contenu à mesure que la morale bêtifiante perdait du terrain…

— Et le respect pour les morts ?

Ianja haussa les épaules. Elle tirait toujours sur sa Camel, semblant baigner dans la fumée et la nostalgie, celle du temps où on pouvait fumer fenêtres fermées et choisir de mourir à petit feu.

— Elle les a aimés, choyés, caressés… Les a-t-elle vraiment profanés ?

— Il me semble en tout cas qu'elle ne leur a pas demandé leur avis.

Nouveau haussement d'épaules : à l'évidence, Ianja était du côté des vivants. Corso n'insista pas. Si pour la Malgache sucer un mort ou s'évertuer à se faire pénétrer par une bite inerte n'était pas une perversité ni un viol, il était à court d'arguments. D'ailleurs, ce n'était pas le débat. Hélène avait rejoint pour toujours ses amants dans l'au-delà.

— Parlez-moi plus précisément de ses pratiques, enchaîna-t-il.

— Ça a commencé en 1999, elle n'était âgée que d'une douzaine d'années. Un pensionnaire de son foyer souffrait d'insuffisance cardiaque. Il est mort brutalement et son cadavre est resté au centre pendant une nuit. Hélène est allée à l'infirmerie et s'est blottie contre lui. Le fait important était que le corps n'était pas détérioré. Pour qu'elle puisse satisfaire son désir, il fallait que son amant ait une apparence... intacte.

— Comment expliquez-vous cette attirance ?

— Je ne pense pas qu'il y ait eu d'événement déclencheur. Elle a toujours éprouvé une véritable répulsion pour les hommes... vivants. Pour elle, ils sont synonymes d'indifférence ou d'hostilité.

— Elle a été violentée dans son enfance ?

Ianja alluma une autre cigarette. Corso était tenté de s'en griller une lui aussi, mais il ne voulait pas s'installer dans un quelconque confort. Il devait être *focus*, voire tendu, le meilleur état pour sentir ce que les mots ne disent pas.

— Pas que je sache, répondit-elle en faisant une petite grimace. Ce qu'on peut supposer, c'est que la démission de ses parents a joué un rôle dans cette méfiance. À qui faire confiance quand on a été trahi par ses propres parents ?

À ce compte-là, lui-même aurait dû coucher avec tous les cadavres qu'il avait croisés dans sa carrière. Il finit par s'allumer une Marlboro.

— L'attirance morbide d'Hélène n'était pas fondée sur un simple désir sexuel. Elle aimait réellement chacun des morts qu'elle approchait. D'ailleurs, elle se débrouillait toujours pour connaître leur nom, leur âge, etc. En revanche, peu lui importaient les circonstances du décès.

Corso se souvenait des lignes du journal intime : les souvenirs romantico-nunuches d'une violeuse de cadavres...

212

— Elle les imaginait vivants ?

— Surtout pas. Pour elle, les cadavres étaient les seuls amants possibles. Des corps sur lesquels elle projetait ses désirs, ses fantasmes, ses attentes. Elle avait peur des hommes capables d'agir et de réagir. Ce qu'elle aimait, c'était le mâle-sculpture, froid et immobile.

Tout ça ne l'avançait pas beaucoup. Il changea d'orientation :

— Vous parlait-elle de Sophie Sereys ?

— Bien sûr. Sa meilleure amie. En réalité la seule.

— Toutes les deux cachaient cette amitié. Vous savez pourquoi ?

— Quand elles sont montées à Paris, elles ont décidé de dissimuler leur lien, une manière de se protéger, d'être plus fortes.

Nouveau virage :

— Nous supposons qu'Hélène se prostituait. Qu'en pensez-vous ?

— En effet.

— Le fait que ça soit des hommes vivants ne la gênait pas ?

— Elle pratiquait cette activité avec distance. Avec le temps, sa peur des hommes s'était muée en indifférence.

— Sophie était-elle au courant de ses… tendances ?

— Je pense, oui. Elles n'avaient pas de secret l'une pour l'autre.

— Vous diriez qu'Hélène était… heureuse ?

— À sa façon, oui.

Un peu de provoc pour la route :

— Si tout allait pour le mieux dans le meilleur des mondes, à quoi serviez-vous ?

Sa grimace de rongeur se transforma en une sorte de rictus féroce.

— Je l'ai justement aidée à vivre en paix avec ses… singularités.

La psy n'avait pas l'air de réaliser qu'elle couvrait une sorte de criminelle et qu'elle l'avait confortée dans son vice. Mais, encore une fois, il n'était pas là pour juger.

— Avez-vous noté un changement d'état d'esprit chez Hélène ces derniers temps ?

— Oui.

— Quel genre ?

— Elle avait rencontré quelqu'un.

Corso tressaillit.

— Vous voulez dire… un partenaire qui ne soit ni un mort ni un micheton ?

Le sourire d'Ianja Rajaonarimanana se fit agressif. Ils étaient en train de rejouer l'éternelle opposition entre le flic et la contestataire, l'ordre et la révolte, le bourgeois et la libertaire, etc.

— Un compagnon, oui. Bel et bien vivant.

Corso sentit passer un frisson sur sa peau, une espèce de serpent furtif qui se serait faufilé sous ses vêtements.

— Que vous a-t-elle dit à son sujet ?

— Pas grand-chose. L'homme lui avait demandé de rester discrète.

Il préféra éliminer d'abord les classiques :

— Il était marié ? célèbre ?

— Pas marié, ça c'est sûr. Célèbre, plus ou moins.

214

— Dans quel domaine ?

— C'était un peintre.

Corso crut discerner un fourmillement dans ses tympans comme s'il plongeait au fond de la mer – le bruit des rouages de son cerveau était devenu perceptible. Un cliquetis feutré qui organisait maintenant le tableau : Sophie et Hélène partageaient le même amant, l'homme au chapeau, le peintre du Squonk, le fuyard de Madrid...

— Vous l'a-t-elle décrit physiquement ?

Elle écrasa sa cigarette dans un cendrier qui ressemblait à un coup-de-poing américain en verre épais.

— Un type d'un certain âge. Un excentrique. Le genre à porter des costards blancs et des borsalinos.

— Vous a-t-elle confié autre chose ? C'est très important.

Ianja le fixa derrière ses grosses montures.

— Il pourrait être le tueur ?

Pas de raison de faire des mystères.

— Sophie avait une relation avec ce même homme, vous le saviez ?

— Non.

— Ça signifie qu'Hélène l'ignorait elle-même ?

— Pas forcément. Elle ne me disait pas tout, c'est pour ça qu'on ne pouvait plus progresser.

— Réfléchissez bien, vous ne vous souvenez de rien d'autre ? Un détail qui pourrait m'aider...

Ianja reprit une cigarette : elle clopait aussi façon seventies.

— Il avait fait de la prison.

Morsure sur la nuque.

— Pour quel délit ?

— Je ne sais pas. Hélène refusait d'en parler mais d'après ce que j'ai compris, il y a passé beaucoup d'années. Sa carrière de peintre est une seconde vie. Une réhabilitation spectaculaire.

Il avait réellement gagné son dimanche : un amant commun aux deux victimes, un fantôme qu'il avait (peut-être) croisé au plus près des Goya, un peintre qui rôdait aux abords du Squonk et qui sortait de taule – sans doute pour un crime de sang. Ce n'était plus un suspect, c'était un putain de coupable servi sur un plateau.

— Hélène avait-elle l'air de le craindre ?

— Pas du tout.

— Quelle était la nature de leur relation ?

— Je vous le répète, elle n'en parlait pas, mais côté sexe, ça avait l'air chaud. De ce point de vue, elle avait vraiment renoué avec les vivants. Cet homme avait su l'apprivoiser.

— Vous m'avez dit qu'il était beaucoup plus âgé qu'elle ?

— Au moins le double de son âge, oui. C'est sans doute son expérience, dans tous les domaines, qui l'a séduite.

Corso revoyait la page du carnet représentant Miss Velvet : son regard tout en douceur, son sourire pas très solide. Le peintre avait su capter la fragilité de cette gothique couverte de tatouages.

— Que ressentait-elle pour lui ? insista le flic. Une attraction physique ? de l'amour ? de l'admiration pour ses œuvres ?

Ianja regarda sa montre et se fendit d'un large sourire.

— C'est dommage que pour finir, je ne puisse vous offrir qu'un cliché de psy, mais je pense que ce type jouait pour elle le rôle d'un père de substitution.

Corso se leva. Il se dit que dans ce cas, il nageait désormais en plein infanticide. Pas de problème, il savait faire.

32

De retour au 36, Corso convoqua son groupe : il fallait retrouver de toute urgence ce peintre, a priori l'amant des deux victimes. Un gars qui avait fait de la taule !

Contre toute attente, son scoop ne reçut qu'un accueil mitigé. En réalité, ses flicards étaient sur les genoux, abattus par une journée de recherches qui n'avaient pas produit grand-chose.

Stock, après avoir identifié et localisé quelques filles du carnet d'esquisses, avait organisé leur protection (des bleus plutôt symboliques). Ludo avait continué à pourchasser les amants-cadavres d'Hélène Desmora, grattant dans l'entourage de ces morts afin de voir s'il ne pouvait pas y avoir un esprit vengeur qui s'en serait pris à Hélène la nécrophile et à sa sœur de cœur Sophie, mais non. Barbie n'avait pas eu le temps de trouver quoi que ce soit sur d'éventuels amis d'enfance des victimes, encore moins de remonter l'histoire de l'immeuble du Squonk ou de ses habitants. Quant au cercle plus large de l'enquête, des stagiaires étaient arrivés et on les avait aussitôt divisés en deux groupes : ceux qu'on envoyait faire du porte-à-porte, ceux qu'on avait chargés de recueillir les témoignages spontanés – et délirants – provoqués par la nouvelle du meurtre de Miss Velvet.

En réalité, la fatigue accumulée était si forte qu'aucun fait nouveau n'aurait pu les réveiller. Il se dit qu'il pouvait très bien mener tout seul la recherche concernant le peintre au borsalino – une affaire personnelle depuis Madrid. En même temps, il songeait à Bompart qui attendait son rapport en vue de sa conférence de presse du lendemain : il avait du boulot pour la nuit.

— Bon, fit-il en conclusion, allez vous reposer. On réattaque demain à 9 heures.

Les flics se regardèrent et se levèrent sans un mot.

Il s'enferma dans son bureau et s'installa dans le petit canapé qui marquait le « coin salon » de la pièce minuscule, son ordinateur sur les genoux.

Avant de lancer sa recherche sur Internet, il prit quelques secondes pour réfléchir au profil qui se dessinait. Un taulard. Un peintre. Un vicelard d'un certain âge qui aimait dessiner des strip-teaseuses, planqué dans une cave, et qui avait jeté son dévolu sur deux d'entre elles.

Pourquoi les aurait-il tuées ? Son idée d'un châtiment revint en force. Sophie et Hélène étaient des effeuilleuses mais leur numéro, leur peau blanche, leur naïveté même, offraient une forme d'innocence – c'était ce qui avait plu au peintre qui avait su capter une grâce enfantine dans les provocations des danseuses, dans leur manière de se dévêtir sur un scénario rudimentaire.

Mais voilà que ces artistes de burlesque cachaient d'autres vices : Sophie subissait par plaisir les pires tortures, Hélène cherchait amour et jouissance auprès des morts. Peut-être que leur mentor avait été déçu ? Peut-être avait-il décidé qu'elles méritaient d'être châtiées ? Corso n'avait pas oublié la source d'inspiration du tueur : des toiles de Goya représentant un galérien, une sorcière, un moribond torturé par la maladie…

Sa ligne fixe sonna. Un bref instant, il fut tenté de ne pas répondre. Puis, avec peine, il s'arracha du canapé et décrocha.

— Commandant ? (La voix du planton, entre respect et indécision.) Y a un gars en bas qui demande à vous voir. J'le fais monter ?

Corso regarda sa montre : 21 heures passées.

— Comment il s'appelle ?

Un temps. Le bleu devait lire la carte d'identité du visiteur.

— Lionel Jacquemart.

— Connais pas. Tu l'envoies chier. Je veux dire, se reprit-il, tu le diriges sur les flics chargés de recueillir les témoignages. S'ils sont partis, qu'il revienne demain, à une heure normale.

— Il dit qu'il est d'la maison, insista le bleu à voix basse.

— T'as vu son badge ?

— Il est à la retraite.

Corso soupira :

— Fais-le monter.

— Y a un autre problème… Il est handicapé.

— Comment ça ?

— Il boite. Il a une canne.

Nouveau soupir :

— Dis-lui d'emprunter l'ascenseur de l'escalier E. Je l'attendrai au troisième.

Corso prit un premier couloir puis un second jusqu'à atteindre l'ascenseur – plutôt un monte-charge –, utilisé seulement par les handicapés ou les suspects récalcitrants qui refusaient de monter les marches.

Les portes s'ouvrirent sur un homme d'une soixante d'années, curieusement vêtu d'un gilet multipoche style reporter. Une tignasse grise, des yeux assortis, qui tenaient plus du fil barbelé que de la perle noire, une barbe hirsute. Un vrai gugusse.

Corso fut tenté d'appuyer sur le bouton du rez-de-chaussée sans lui laisser le temps de franchir le seuil de la cabine, mais il fit un effort de mansuétude et se présenta, laissant son visiteur pénétrer à l'étage de la Brigade criminelle.

— Lionel Jacquemart, fit l'autre avec un accent à couper du comté. J'faisais partie du SRPJ de Besançon dans les années 90. (Il éclata de rire.) Un pur Jurassien !

Il s'appuya des deux mains sur sa canne comme s'il voulait la planter dans le sol – c'était une espèce de bout de bois tordu et verni digne d'un roman de Giono.

— J'm'excuse pour l'heure tardive… C'est mon train, y a eu des soucis techniques. J'arrive tout droit de Besançon ! J'me suis dit qu'j'allais tenter ma chance au 36 avant d'aller à mon hôtel.

Dix minutes, se dit Corso, *pas une seconde de plus.*

— Suivez-moi. On va dans mon bureau.

Il reprit le chemin des couloirs à pas retenus, entendant l'autre clopiner derrière lui. Enfin, il fit entrer l'escogriffe. Avant même de lui proposer de s'asseoir, il l'interrogea brutalement sur la raison de sa visite.

Pas du tout troublé, Jacquemart partit d'un sourire matois et leva sa canne comme pour frapper les trois coups.

— C'est tout simple, je connais votre tueur.

DEUXIÈME PARTIE

33

Corso fit asseoir l'espèce de loup-garou boiteux et le laissa déblatérer son histoire, par pure solidarité de flicard – un cambriolage qui avait mal tourné dans la banlieue de Besançon en 1987, avec homicide de la fille des propriétaires des lieux et arrestation du coupable quelques mois plus tard. Stéphane écoutait patiemment tout en se répétant pour lui-même un adage personnel : il n'y a pas de bons dimanches soir, il y en a simplement des pires...

Pourtant, il sentit son attention se réveiller quand Jacquemart lui révéla que le dénommé Philippe Sobieski avait purgé dix-sept ans de sûreté, dont une dizaine à Fleury-Mérogis, et avait été libéré en 2005. Et il bondit carrément de sa chaise quand le Jurassien ajouta que Sobieski avait réussi une réhabilitation sans faute en devenant peintre. Ayant commencé à pratiquer en prison, il était même parvenu, les dernières années, à exposer dehors et s'était rapidement affirmé comme un nom qui comptait dans le monde de l'art parisien.

— Vous avez des photos de lui ? demanda soudain Corso.

— J'vous ai amené tout l'dossier, répondit Jacquemart sans paraître remarquer le changement de ton de son interlocuteur.

Il sortit de son cartable un classeur toilé. À l'intérieur, un porte-vues – ce qu'on appelle à l'école un « lutin » – contenait des portraits découpés dans des magazines. En un seul coup d'œil, Corso sut qu'il tenait son client.

Un homme d'une soixantaine d'années, sec comme une trique, gueule émaciée, regard provocant, posait, serré dans un costume blanc de maquereau, un manteau de vigogne sur les épaules. Un borsalino, blanc lui aussi, s'inclinait sur son front pour insister, au cas où on n'aurait pas compris, sur le côté voyou du personnage.

Corso était pétrifié, le cœur bloqué dans la gorge comme une balle en travers d'un canon. S'il avait dû faire le portrait-robot de l'homme de Madrid, c'est exactement cette silhouette qu'il aurait dessinée.

L'image appartenait à une série réalisée en 2011 par un magazine de mode. D'autres suivaient. Malgré l'allure totalement ringarde de l'ex-taulard, Corso comprit qu'il s'agissait de prises de vue hautement branchées – le costard du *pimp* était signé d'un célèbre créateur italien.

Surtout, grâce aux légendes sous les photos, il comprenait à qui il avait affaire : un cas d'école comme les aiment les médias et les intellos, un tueur qui avait payé sa dette à la société et dont le talent inattendu avait éclaté à la face du monde. Mais l'artiste avait gardé ses manières de mauvais garçon. Brut de fonderie, vulgaire et provocateur, le sire Sobieski avait tout pour faire frissonner la bourgeoise. *Que du bonheur.*

— Vous avez des photos des œuvres ?

Jacquemart lui passa un autre lutin. Des personnages nus, musculeux, aux couleurs bleuâtres ou terreuses. Des traits torturés, et en même temps flegmatiques, brossés comme à coups rageurs, jaillissant de la superposition des couches de peinture.

Pas besoin d'être flic pour deviner qu'il s'agissait de junks, de putes, de taulards, une population venue du ruisseau dont Sobieski avait réussi, exactement comme dans le cahier d'esquisses, à révéler la part de pureté, d'innocence.

Tout de suite, cette œuvre violente, dense et expressive, plut à Corso. C'était comme si l'artiste avait tordu le cou à la peinture elle-même pour la faire plonger dans la réalité la plus basse. Mais l'artiste, grâce à une empathie profonde, avait sublimé la tragédie de ces hommes et de ces femmes jusqu'à en faire des êtres éthérés, presque des anges. La cour des Miracles avait trouvé son portraitiste officiel.

L'ultime choc l'attendait dans les dernières pages.

Un tirage représentait Hélène Desmora. Un grand portrait (120 × 160) daté de 2015, où l'effeuilleuse posait de trois quarts, bras gauche appuyé au premier plan, visage légèrement penché, regard par en dessous, avec cette coupe à frange noire qui avait sur la toile la netteté d'un casque. Miss Velvet était en tenue de travail : boa mauve, string noir. Mais l'esprit du tableau n'était pas celui du néo-burlesque. La jeune femme était grave, livide, hantée. Sa peau vivait à coups d'aplats de blanc, de beige, de brun. Les seules

couleurs vives, hormis le serpent de plumes, provenaient des tatouages dont le peintre avait accentué la
présence, choisissant de les faire vivre sur l'épaule et
le bras du premier plan, comme des lianes suçant les
chairs blafardes de la strip-teaseuse. Une logique de
forêt équatoriale, la vie se nourrissant de la mort...
Au-dessus de ce combat atroce, le visage était déchirant de beauté et d'innocence.

Corso constata qu'il tremblait. Il posa les clichés
et glissa ses mains sous le bureau. *Résumons-nous.*
Sobieski était l'auteur du carnet d'esquisses du
Squonk. Aucun doute. Il était également l'amant – le
« père de substitution » – d'Hélène Desmora. Aucun
doute non plus. On pouvait aussi lui attribuer le rôle
de boyfriend de Sophie Sereys. Quant au personnage à
chapeau du musée de Madrid, il était bien placé pour
le casting.

— Bon, fit Corso d'un ton énergique, reprenons les
points principaux, vous voulez bien ?

— J'viens de vous raconter toute l'histoire.

— OK. Mais qu'est-ce qui vous fait penser que
Sobieski est notre homme ?

— Bah... Le mode opératoire !

— Y a pas mal de différences, non ?

— Moi, j'appelle plutôt ça des ressemblances.

— Vous m'avez parlé d'un cambriolage...

— Vous avez rien écouté ou quoi ? s'offusqua Jacquemart. Sobieski était en plein casse quand Christine
Woog l'a surpris.

— Elle était d'origine chinoise ?

Le flic jurassien prit un air consterné – il devait déjà
avoir expliqué ça aussi. Il tenait ses mains croisées

sur sa canne, bien droite entre ses jambes écartées. Il portait plusieurs bagues, dont l'une représentait une tête de mort.

— Woog, c'est alsacien. Ça veut dire « étang ».

— Continuez.

— Sobieski l'a chopée et l'a ligotée avec ses sous-vêtements. Après ça, il l'a étranglée et il lui a défoncé le visage. Exactement comme dans vos deux meurtres.

Jacquemart ignorait les détails du mode opératoire du tueur. La presse avait seulement signalé les liens avec les sous-vêtements et les blessures faciales. Les plaies de Christine Woog ne devaient pas ressembler à celles des strip-teaseuses, elles devaient plutôt trahir la violence et l'acharnement d'un casseur cinglé. Mais après tout, à cette époque, Sobieski n'était pas encore peintre…

— Pourquoi avoir attendu tout ce temps pour venir nous voir ?

Jacquemart frappa le sol avec sa canne :

— Z'êtes marrant, vous. J'suis à la retraite depuis dix ans. J'vis en ermite, près de la forêt de Chailluz. Toutes ces histoires de crimes et de salopards, c'est derrière moi. J'étais même pas au courant du premier meurtre. Par hasard, j'ai entendu l'annonce du deuxième à la radio ce matin. J'ai tout de suite acheté le *JDD*. Putain de Dieu, j'me suis dit, Sobieski a remis ça ! J'ai pris l'train aussi sec et me v'là !

Corso regarda sa montre : 22 h 30 – tout le temps pour se repasser le film. Malgré sa vie solitaire, Jacquemart devait avoir toujours gardé un œil sur Sobieski (les photos du lutin l'attestaient), c'était l'affaire de sa vie.

— À l'époque, c'est vous qui l'avez arrêté ?

Il hocha vigoureusement la tête – un coup de boule au passé.

— Six mois d'enquête, des centaines de PV… Le mec était insaisissable. Pas de témoins, pas d'empreintes, aucun indice.

— Comment vous l'avez chopé ?

— Comme souvent, par hasard. Ce con a revendu une série de gravures à un antiquaire d'Annemasse en 1988. Ils se sont engueulés et Sobieski l'a démoli. L'antiquaire a porté plainte. On a arrêté l'agresseur. Sur le moment, bien sûr, Sobieski n'a avoué qu'un seul cambriolage. Celui des gravures.

— Comment vous avez fait le lien avec l'autre affaire ?

— À cause d'un bouton recouvert de cuir qu'on avait retrouvé chez les Woog. Un bouton de canadienne. Pendant notre enquête, ça ne nous avait pas emmenés bien loin, mais quand on l'a arrêté, cet abruti portait la même canadienne ! Il n'avait pas remplacé le bouton.

— Je suis sceptique.

— Parce que vous connaissez pas Sobieski ; il est malin mais il se croit au-dessus des lois. En plus, y a quelque chose chez lui d'animal. C'est un vrai cerveau, et en même temps une brute.

— Je peux pas croire qu'il ait avoué le meurtre pour une histoire de bouton.

— Bien sûr que non, mais l'intérieur de sa veste était encore taché de sang. Un sang du même groupe que celui de Christine Woog.

— Toujours pas convaincu.

230

Jacquemart soupira. Il n'avait pas triomphé près de trente ans auparavant pour se farcir aujourd'hui ce récalcitrant.

— Z'êtes flic ou quoi ? Cette canadienne a été le premier élément qu'en a provoqué d'autres. On a foutu Sobieski au trou – pour le passage à tabac –, puis on a réinterrogé sa nana de l'époque, une pute occasionnelle de Besançon. Elle a eu les jetons et elle est revenue sur son premier témoignage.

— Vous l'aviez déjà auditionnée ?

— Sobieski était sur notre liste, une racaille qui terrifiait les putes pour le compte de maquereaux dans le quartier Battant. C'était aussi un prédateur sexuel, déjà arrêté plusieurs fois pour viols et agressions.

Ces faits divers ne correspondaient pas à l'univers de son tueur : précis, organisé, justicier... et impuissant. Mais, encore une fois, Sobieski avait eu tout le temps d'évoluer.

— Bref, la fille a avoué qu'il était arrivé chez elle aux environs de 3 heures, couvert de sang. Sobieski a nié mais d'autres éléments sont apparus.

— Lesquels ?

— Vous verrez dans le dossier.

Jacquemart en avait marre de raconter son histoire. Le bonhomme était un mélange d'enthousiasme et de mauvaise humeur, d'empressement et de pied sur le frein.

Corso décida de le soulager :

— Capitaine, concéda-t-il en posant ses deux mains sur les documents, je vais étudier ça de très près. Seriez-vous d'accord pour rester un jour ou deux à Paris ?

Le retraité passa l'index sous son menton mal rasé, produisant un bruit de rabot sur du bois.

— C'est-à-dire…

— Les frais de séjour seront pris en charge par la PJ.

— Dans ce cas…

— Vous voulez qu'on vous trouve un hôtel ?

Prenant appui sur sa troisième jambe, il se releva avec difficulté.

— J'vais m'débrouiller. Vous avez mon numéro dans l'dossier.

Corso l'accompagna jusqu'à la porte du bureau.

— Sobieski a l'air d'avoir repris le droit chemin. Qu'est-ce qui vous fait croire qu'il est le tueur d'aujourd'hui ?

Le Jurassien secoua la tête.

— Ces animaux-là changent jamais. On peut m'raconter qu'il est devenu un grand peintre, qu'il gagne des fortunes avec ses foutus tableaux, il reste un putain de meurtrier. Si vous aviez vu c'qu'il a fait à la pauvre fille de l'époque… Il aurait dû croupir en taule jusqu'à la fin de ses jours. Faut jamais libérer les bêtes sauvages.

Corso s'interdit de réagir face à ce raisonnement de facho – qu'il n'était pas loin de partager : le taux de récidive n'incite pas les flics à l'optimisme.

Il lui posa la main sur l'épaule en concluant :

— Je vous remercie d'avoir fait le voyage. Votre témoignage va sans doute jouer un rôle capital dans notre enquête.

34

Sous ses airs d'homme des bois, Jacquemart avait l'âme d'un biographe. Il avait monté un dossier qui aurait largement pu nourrir un livre, du style « La Vie secrète du grand peintre »…

De son côté, Philippe Sobieski était un cas d'école. Un pur exemple de déterminisme social et psychologique, brûlé au noir.

Monique Sobieski (nom de jeune fille : Moll) est née dans une famille nombreuse près de Montbéliard. Soupçons d'inceste. Elle quitte rapidement l'école et devient coiffeuse. À 17 ans, elle épouse un forain, Jean Sobieski, qui s'avère violent et alcoolique (un pupille de l'État). Femme battue, alcoolique, tuberculeuse, elle a un physique très particulier : mesurant 1,53 mètre, elle paraît avoir une douzaine d'années quand elle a 30 ans.

Un portrait anthropométrique a été pris lors de son arrestation : pas de lèvres, des yeux trop grands (obsédés et obsédants), une choucroute fifties, tendance punk. Elle a l'habitude de mouler son corps de petite fille dans des combinaisons de cuir et des minijupes léopard. Vraiment flippante.

En 1960, à 19 ans, elle accouche de Philippe. Le père disparaît. Tout de suite, c'est la haine – et la luxure. Monique couche avec tout ce qui bouge, et même ce qui ne bouge pas, elle est réputée pour faire des pipes aux patients de l'hôpital de Montbéliard (tarif : une poignée de francs).

Le petit Philippe est poussé dans l'escalier, roué de coups, livré à lui-même. Il disparaît régulièrement dans les forêts voisines. Arrêté plusieurs fois pour vol et vandalisme. En CM2, il ne va déjà plus à l'école. Il n'y a plus d'argent à la maison. C'est Philippe qui va chercher les allocs. Au retour, il est battu comme plâtre : Monique l'accuse d'avoir chapardé de l'argent.

Elle organise aussi un rituel : elle invite d'autres enfants du quartier pour des « goûters » très spéciaux. Les jeux tournent autour de sévices et de châtiments infligés à Philippe. Quand vient la puberté, les tortures redoublent, la mère accuse son fils d'être un obsédé sexuel, de « ne penser qu'à ça », « comme son père ». Des coups, des brûlures de cigarette, des passages à la flamme de son sexe (Monique appelle ça la « désinfection »).

Les services sociaux s'en mêlent. Le jour où l'enfant est enlevé à sa mère, à 13 ans, les résultats de sa visite médicale sont sidérants : Philippe présente de nombreux signes de malnutrition (sa peau alterne des parties dépigmentées et hyperpigmentées, il souffre d'eczéma, son ventre est gonflé ; il perd déjà ses cheveux). Par ailleurs, son corps est un catalogue de cicatrices : des marques de brûlures, d'entailles, de mutilations. Les radios montrent de nombreuses fractures mal réduites, des traumatismes crâniens :

un miracle qu'il soit encore vivant – et qu'il ait toujours sa raison.

Monique Sobieski est arrêtée – elle prendra douze ans ferme –, Philippe est placé en foyer, puis en famille d'accueil dans la région de Gap. Violent, irritable, impulsif, l'enfant n'est pas un cadeau. À 15 ans, il viole une de ses sœurs adoptives, handicapée mentale, dans sa famille d'accueil.

Envoyé dans un foyer spécialisé pour les jeunes en difficulté, on essaie d'oublier ses frasques mais il tabasse un môme qui diffuse du rock dans le dortoir – on découvrira que sa mère lui infligeait ses sévices au son de Led Zeppelin, Deep Purple, The Who, Ten Years After. Sobieski ne supporte plus d'entendre une guitare saturée.

Un an plus tard, il agresse sexuellement une fille dans une cafétéria. Mineur et bénéficiant de circonstances atténuantes, on passe encore l'éponge. Nouveau centre, nouveaux problèmes. Sobieski se met à boire et vit de petits trafics. À 18 ans, il intègre un foyer de jeunes majeurs à Chambéry. À cette époque, il zone sur la région frontalière avec la Suisse, oscillant entre petits braquages et boulots de service d'ordre.

Les témoignages sont unanimes : Philippe Sobieski est un prédateur sexuel. Dans son entourage, on l'a affublé d'un surnom qui lui restera, « Sob la Tob ». Il est aussi avéré qu'il se prostitue déjà. Contrairement à ce qu'il racontera plus tard, il n'a pas attendu la prison pour devenir bisexuel.

En 1982, il est une nouvelle fois arrêté pour viol à Morteau. Condamné à cinq ans de prison, il bénéficie d'un régime de semi-liberté au bout de deux et reprend aussitôt ses activités de videur et ses trafics. À cette époque, très instable, il sévit sur toute la frontière sud-est de la France. Sobieski n'est pas à proprement parler un routard ni un punk à chien. Plutôt un voyou qui a la bougeotte, qui ne parvient même pas à s'intégrer dans son milieu hors la loi.

À partir de 1984, il « se pose » à nouveau à Besançon. Il joue à la fois le rôle de rabatteur et d'homme de main, faisant ses rondes autour du parking Battant, quartier chaud de la ville. Il touche aussi au trafic de drogue dans les quartiers de Planoise et des 408. En 1987, au moment des faits qui lui seront reprochés, Sobieski est bien connu des gendarmes. Il faudra attendre le coup de la canadienne pour le mettre définitivement hors d'état de nuire. Vingt ans d'emprisonnement, dont dix-sept années de sûreté.

De retour chez lui, la lecture des pièces du dossier laissait Corso sceptique. Ce profil de délinquant pourri jusqu'à l'os – il en avait connu des milliers comme lui – ne cadrait pas avec le meurtrier récidiviste qu'il poursuivait, un tueur organisé qui avait réussi à ne pas laisser la moindre trace derrière lui et qui faisait preuve dans son mode opératoire d'une cruauté sophistiquée.

Par ailleurs, le dossier de Jacquemart ne comportait pas de détails (ni de photos) du meurtre de 1987. Il aurait voulu voir les plaies du visage de Christine Woog ainsi que les liens que l'intrus avait bricolés cette nuit-là…

En réalité, les assassinats de Sophie et d'Hélène correspondaient beaucoup plus au nouveau Sobieski, le peintre, le réhabilité, le héros des médias. Jacquemart avait consacré une partie spécifique de son dossier à cette mutation.

À la maison d'arrêt de Besançon, Sobieski passe son bac puis une licence de droit. Au milieu des années 90, il est transféré à Fleury-Mérogis où il se met au dessin. Peu à peu, détenus et surveillants découvrent les dons du numéro d'écrou 28 34 66. Le taulard est capable de brosser le visage de n'importe quel codétenu ou, selon la demande, de caricaturer les matons, ou encore de reproduire d'après photos les personnes chères aux prisonniers.

Bientôt (et malgré sa réputation de fouteur de merde), il obtient l'autorisation de recevoir des pigments à l'huile et d'aménager dans sa cellule un minuscule atelier. Sobieski devient le portraitiste officiel de Fleury. Parallèlement à ces travaux de facture classique, il développe un style propre, expressionniste, réalisant une série de toiles stupéfiantes de violence et de vérité.

En 2000, une exposition intra-muros est organisée. Des photos sont diffusées. En 2002, une galerie expose officiellement les toiles de Philippe Sobieski, et pas n'importe quelle galerie, celle de Nicole Crouzet et de Jean-Marie Gavineau, une des plus réputées du marché de l'art contemporain. Les associés parient sur le talent du peintre – et sans doute sur son image d'assassin reconverti. Bourgeois et intellos adorent ceux qui transgressent leur petit monde policé.

Bientôt, des pétitions circulent. Des personnalités prennent la défense de l'artiste, qui a « largement payé sa dette à la société ». De son côté, Sobieski laisse parler ses toiles. Il a raison : pour tous, un tel peintre ne peut plus être un criminel. Et s'il l'a été, cela ajoute à la puissance implicite de son œuvre. On évoque à son sujet le Caravage, bagarreur et assassin, et on le reconnaît désormais comme un témoin de premier plan de l'univers carcéral.

La politique s'en mêle : les figures de gauche mais aussi de droite, même si le pardon et la clémence ne sont plus très à la mode dans les années 2000, montent au créneau. Il faut libérer Sobieski !

Corso parcourait avec consternation les articles, les pétitions, les discours des défenseurs de l'artiste – des noms connus, dans tous les domaines. Il avait souvent eu affaire à ces gueulards, des écrivains, des chanteurs, des politiques, des mecs en vue persuadés d'avoir la science infuse alors même que l'affaire n'était pas jugée et que les flics piétinaient...

Le cas de Sobieski était différent : il était question de réhabilitation, de deuxième chance, et bizarrement du pouvoir purificateur de l'art. Corso ne voyait pas trop pourquoi Sob la Tob, après s'être enfilé près de vingt ans de prison et s'être mis à la peinture, aurait cessé d'être un prédateur. Comme disait Bompart : « Vous pouvez toujours éduquer un psychopathe. Tout ce que vous obtiendrez, c'est un psychopathe bien élevé. »

Corso passa aux images des toiles. Là, il y avait de quoi être impressionné. Les études consacrées aux taulards, réalisées dans les années 2000, étaient d'une force inouïe. Elles exprimaient un univers claustrophobique où les visages paraissaient curetés par la solitude ou au contraire bouffis par la mauvaise bouffe et l'ennui. Les peintures de strip-teaseuses étaient éblouissantes. Pour chaque fille, Sobieski choisissait

238

un accessoire, un peu comme les portraits royaux de Goya au XVIIIᵉ siècle. Il les transformait en reines, exprimant aussi leur solitude d'objets de désir relégués sur une scène comme les taulards emprisonnés dans leur cage.

Les années les plus récentes étaient consacrées aux hardeuses, aux putes, aux junks – du dur. Le trait avait été abandonné au profit de couches de couleurs superposées qui définissaient les lignes, les ombres, les reliefs. Cette peinture sollicitait autant la vue que le toucher. La texture boueuse, pleine de plis et d'arêtes, de dépressions et de crêtes, appelait la main…

Néo-expressionnisme, c'était le mot qui revenait dans les articles et les catalogues d'exposition. En effet, on retrouvait dans ces gueules tordues mais souveraines, ces peaux marbrées mais désirables, la même violence que dans l'expressionnisme du début du XXᵉ siècle ou encore dans la Nouvelle Objectivité des années 20, modèle Otto Dix ou George Grosz.

On le comparait aussi à des peintres plus récents : Francis Bacon, Lucian Freud… C'était tout le bien qu'il souhaitait à Sobieski, ces deux derniers artistes étant parmi les plus chers du marché. D'ailleurs, Corso, qui s'était toujours intéressé à la peinture contemporaine, trouvait étonnant de ne jamais avoir entendu parler de Sobieski. D'autant que le type avait eu droit à une débauche de reportages, d'interviews, d'invitations sur les plateaux télé.

Il s'interrogeait surtout sur la probabilité pour qu'un tel homme, ayant vécu non pas une réhabilitation mais une véritable résurrection, ait cédé à ses vieux démons, plus de dix ans après sa sortie du trou.

Corso ne croyait pas au pouvoir dissuasif de la taule. En quoi l'emprisonnement pouvait-il éteindre les feux qui torturaient les criminels ? Au contraire… Cela revenait plutôt à compresser les désirs funestes, à les mettre en bouteille en attendant la prochaine éruption. Qu'avait fait Sobieski de sa violence, de sa cruauté, de sa libido de cinglé entre ces murs ? Sa peinture l'avait-elle soulagé ? Avait-il sublimé la noirceur de ses désirs à travers ses pinceaux ? Corso en doutait sérieusement.

Il philosophait ainsi, seul dans sa piaule à 2 heures du matin, quand son regard tomba sur un détail d'une photo : on y voyait une série de toiles exposées lors de la foire internationale d'art contemporain, « Art Basel 2015 ». Le portrait le plus à droite représentait, sans doute possible, Mike, alias Freud, le hardeur philosophe, le seul ami de Nina Vice. Il posait nu, le gourdin au repos (une fois n'est pas coutume), et semblait littéralement jaillir du limon torturé de Sobieski.

Un point de plus pour la culpabilité de Sobieski. Il connaissait Freud. Il était sans aucun doute l'amant de Sophie et celui d'Hélène. Il était l'homme de la cave. Peut-être celui de Madrid. D'ailleurs, ses toiles, non pas dans la facture, mais dans l'esprit, avaient quelque chose à voir avec la veine noire et rouge de Goya.

Corso attrapa son téléphone portable et composa le numéro de Barbie.

— Tu dors, là ?

35

Ils se retrouvèrent au 36 et se mirent à la recherche de convergences. Corso voulait du solide avant de sonner à la porte du peintre. La première moisson fut infructueuse. Aucune trace de contact avec Sobieski dans les fadettes des victimes. Pas une seule fois son nom n'apparaissait parmi les clients du Squonk. Ni parmi les abonnés d'Akhtar.

Au petit matin, Corso se fendit d'un coup de fil à Mike, alias Freud. Au saut du lit, le hardeur n'était pas spécialement aimable. Surtout, il ne fit que répéter ce que les journaux ressassaient : Sobieski était un grand peintre dont le passé criminel était révolu. Un homme qui aimait peindre les marginaux d'une société qui l'avait rejeté lui aussi. Connaissait-il Sophie Sereys ? Mike n'en était pas sûr – lui-même connaissait mal l'artiste. Dans tous les cas, il n'avait jamais soupçonné que le boyfriend de la strip-teaseuse soit ce chauve de près de soixante balais.

Il appela aussi Catherine Bompart, il voulait lui faire part de son scoop et lui demander de reporter sa conférence de presse d'une journée. Peut-être le soir tiendraient-ils plus qu'un simple témoin mais un suspect mis en examen pour les meurtres de Sophie Sereys et d'Hélène Desmora. Bompart refusa. Elle exigea au contraire une note à propos de Sobieski. Corso la mit en garde : pas question de lâcher un nom ni d'en dire trop.

— Tu oublies que c'est moi qui t'ai tout appris, cingla Bompart.

À 8 heures, les flics n'avaient pas collecté un seul indice concret. Tout ce qu'ils avaient, c'étaient des suppositions et des liens à confirmer. Surtout, Stéphane voulait récupérer le dossier d'enquête complet du meurtre de Christine Woog en 1987. Il espérait débusquer dans les détails de ce premier assassinat les prémices de ceux de Sophie et d'Hélène.

Ils s'accordèrent une pause, un café au Soleil d'or, avant de retrouver à 9 heures tout le groupe sur le pied de guerre dans la salle de réunion. Le briefing tenait en quelques mots : on se focalise sur Philippe Sobieski.

— Stock, je te donne la matinée pour vérifier, discrètement, son emploi du temps aux dates qui nous intéressent.

— Pourquoi pas le lui demander ?

— Autant savoir où on met les pieds. Sobieski s'est farci dix-sept ans de placard. Depuis, il est un peintre reconnu et une figure médiatique. Va falloir se lever de bonne heure pour le prendre en faute. Ludo, t'as toujours des contacts à Fleury ?

— J'ai quelques connaissances.

— Prends le temps d'y aller et renseigne-toi sur lui. Quel genre de taulard il était, avec qui il traînait, etc.

242

Il a passé dix ans là-bas, il a bien dû laisser quelques souvenirs.

— Et moi ? demanda Barbie.

— Toi ? T'as la matinée pour interroger son entourage par téléphone. Son galeriste, ses amis peintres, ses gonzesses, etc.

— J'annonce la couleur ?

— Non. Fais-toi passer pour une journaliste. Depuis sa sortie de prison, il n'arrête pas d'apparaître dans les canards et de s'exprimer sur les plateaux télé. Personne ne sera étonné de ton appel.

— Et le reste ? interrogea Ludo.

Allusion claire aux autres pistes : l'enquête de proximité autour d'Hélène Desmora, le passé commun des deux victimes, les abonnés d'Akhtar…

— Pour l'instant, on oublie. On se donne la journée pour creuser à fond le filon Sobieski. Pour le travail de fourmi, on a nos stagiaires.

Corso les salua et disparut dans son bureau.

Le plus dur restait à faire : appeler Émiliya. Après avoir bien réfléchi, il s'était décidé pour l'attaque frontale.

— Qu'est-ce qu'il y a encore ? demanda-t-elle sur son ton le plus cinglant.

— Tu connais Philippe Sobieski ?

Émiliya ne répondit pas tout de suite, visiblement désarçonnée par la question.

Enfin, au bout de quelques secondes, elle murmura :

— C'est un génie.

— Tu le connais personnellement ?

— Nous ne sommes pas amis, mais à chaque rencontre, j'ai pu mesurer à quel point son intelligence est… hors normes.

Le ton d'Émiliya trahissait un respect et une gravité inhabituels. La Bulgare n'était pas du genre admiratif, encore moins déférent.

— Comment l'as-tu rencontré ?

— À un de ses vernissages.

— Tu étais invitée ?

— Ça fait plusieurs années que je m'intéresse à son travail. Par ailleurs, nous avons des relations communes.

— Quelles relations ?

— C'est un interrogatoire ou quoi ?

Corso se racla la gorge au lieu de répondre – surtout, ne pas la braquer. Elle avait sans doute des informations précieuses pour lui et il marchait sur un terrain miné : le b.a.-ba pour un flic, ne pas mélanger vie personnelle et terrain professionnel.

— T'as posé pour lui ? demanda-t-il pour prendre une autre direction.

Émiliya connaissait assez Corso pour deviner qu'il détenait déjà les preuves de ce qu'il avançait.

— Ça m'est arrivé une fois.

— C'est pas ton genre.

— Tu enquêtes sur Sobieski ou sur moi ?

Il esquiva encore une fois :

— La dernière fois qu'on s'est parlé, tu m'as dit que tu n'avais jamais posé pour un artiste.

— Ma vie privée ne te regarde plus. Si tu ne me dis pas à quoi rime cet interrogatoire, je raccroche.

— Sobieski est suspect dans une de mes enquêtes. On a trouvé un de ses carnets où tu es représentée en reine d'Égypte. Tout ce dont je te parle ne concerne que le boulot. Ne va pas t'imaginer que je pourrais utiliser…

— Tes méthodes sont toujours les mêmes.

— Tu sais donc que je peux te faire rapatrier d'urgence en qualité de témoin.

Elle ignorait s'il bluffait ou non (en réalité, il n'avait pas le pouvoir de la faire revenir en France, surtout pas pour lui poser trois questions à propos d'un peintre vaguement suspect), mais elle reprit sur un ton plus calme :

— Qu'est-ce que tu veux savoir ?

— Dans quelles circonstances tu as posé pour lui.

— Je l'ai rencontré en 2014. Tout de suite, il m'a proposé de lui servir de modèle. Il trouvait que j'avais un physique qui s'intégrait bien à son univers. (Elle gloussa.) Vu ses tableaux, je ne sais pas si c'est un compliment…

Soit Sobieski avait menti, soit c'est Émiliya qui mentait. Elle était beaucoup trop belle et trop chic pour l'univers de l'ex-taulard. Peu importait. Cela signifiait au moins que le carnet d'esquisses lui appartenait.

— Où se passaient les séances ? Dans son atelier ?

— Dans son atelier, oui. À Saint-Ouen.

— Ça n'a pas été plus loin ?

Elle rit encore – une fêlure dans du verre.

— Tu es jaloux ?

— Réponds à ma question.

— Il ne s'est rien passé. Je n'étais pas son style.

— C'est un dépravé pourtant.

— Il n'a rien à voir avec mes... préférences.

Violeur de femmes à 15 ans, prostitué mâle à 18, ils auraient pourtant fait la paire, tous les deux.

— À ton avis, c'est un homme violent ?

— Il est doux comme un agneau. Je ne l'ai jamais vu en colère, ni même énervé. S'il a commis des actes violents, c'était il y a trente ans. Il a payé sa dette à la société, et aujourd'hui il est totalement intégré.

Ce discours politiquement correct sonnait mal dans la bouche d'Émiliya. Sa vision du monde était autrement plus complexe et torturée.

— Écoute, soupira-t-elle comme si elle était soudain fatiguée par cette conversation, le plus simple, c'est que tu te fasses une idée par toi-même. Va l'interroger si tu le soupçonnes de quoi que ce soit.

— Merci du conseil.

— En quelques minutes, tu comprendras sa vraie nature.

— Qui est ?

Nouveau soupir. Émiliya était une comédienne hors pair. C'était ce qui avait donné tout le sel à leurs simagrées sexuelles.

— C'est un enfant.

— Pardon ?

— Sobieski n'a pas eu d'enfance, pas au sens où on l'entend en tout cas. Ensuite, il a enchaîné directement avec dix-sept ans de taule. À sa sortie, on lui a accordé une place dans la société qu'il n'aurait jamais osé espérer. Il joue le rôle qu'on attend de lui. Mais il le joue avec allégresse, excitation. Un enfant... dans sa panoplie de Jack Sparrow un soir de Noël.

Corso n'avait jamais entendu de tels accents d'attendrissement dans la bouche d'Émiliya.

Il ouvrit le dossier sur son bureau, cherchant des portraits récents de Sobieski. Jadis, le voyou avait été beau – ses photos anthropométriques l'attestaient –, mais les années de taule l'avaient ravagé. Il s'était amaigri, asséché, momifié. Sa peau s'étirait sur ses os et il avait perdu ses cheveux. Ses sourcils avaient blanchi – ou disparu – et ses arcades formaient des saillies proéminentes, acérées. Vraiment pas la gueule d'un ange sous son sapin de Noël...

— Une ordure reste une ordure.

— T'as quelque chose contre lui ?

— Non.

— Alors arrête de m'emmerder. Thaddée vient de se réveiller et nous sommes en plein petit déjeuner.

Corso ne put s'empêcher de lui river son clou :

— Sobieski est notre principal suspect pour le meurtre des strip-teaseuses.

— Il y en a plusieurs ?

— Une deuxième, oui. Ce week-end. Le tueur l'a étranglée en la ligotant avec ses sous-vêtements. Il lui a placé la tête dans un étau pour pouvoir la défigurer tranquillement. Elle aussi avait posé pour Sobieski.

Émiliya accusa le coup.

Une seconde de silence passa puis elle se ressaisit.

— C'est bien triste, fit-elle sur un ton indifférent, mais inutile de harceler Sobieski sous prétexte qu'il a fait une erreur de jeunesse.

— Son erreur de jeunesse s'appelait Christine Woog. Elle est morte à 23 ans, défigurée et étranglée avec ses sous-vêtements par ton « génie ».

De nouveau, Émiliya marqua une pause, avant de reprendre :

— Je te connais, Corso. Tu vas t'acharner sur lui parce que tu n'as rien trouvé d'autre. Tu ne cherches pas la vérité, tu veux des résultats.

Corso feuilletait toujours les photos de Sobieski. Il s'arrêta sur un portrait torse nu. Sous ses fringues de mac, le gaillard portait un autre costume : sa peau (bras, épaules, torse, ventre et dos) était intégralement couverte de tatouages, dessinant une gangue bleutée. Symboles de taulard, ornements maoris, dragons orientaux, créatures d'heroic fantasy, tout y passait, du vert au noir, de l'ocre au rose, en rangs serrés. On aurait dit une chemise d'écailles s'arrêtant net au cou et aux poignets.

Il chercha une repartie mais il était déjà à court d'arguments. Il l'avait appelée trop tôt. Voilà sa faute.

— Oublie-le, répéta-t-elle. Et oublie que j'ai posé pour lui.

— Qu'est-ce que tu insinues ?

— Rien, mais ce détail ne doit pas arranger ton obsession.

— Si tu penses que…

— Je ne pense rien. Je trouve seulement curieux que tu recroises ma route en pleine enquête criminelle.

— Et moi donc ! Tu es en train d'inverser les rôles. Ce n'est pas moi qui pose à poil pour un tueur qui s'est enfilé dix-sept ans de ballon et…

— Toujours aussi vulgaire.

Corso compta mentalement jusqu'à cinq pour retrouver son sang-froid.

— Quand l'as-tu revu pour la dernière fois ? demanda-t-il posément.

— Je te l'ai déjà dit, ce n'est pas un ami. Seulement une relation. J'ai dû le croiser dans une exposition.

— Laquelle ?

— Je ne m'en souviens plus.

— Comment t'a-t-il paru ?

— Comme d'habitude, charmant, drôle, d'une intelligence exceptionnelle.

— Pas spécialement anxieux, ou au contraire excité ?

— Je raccroche, Thaddée m'appelle.

Elle ne lui proposa même pas de le lui passer. Il préférait ça. Quand son fils était loin, qu'il n'avait aucune chance de le voir avant plusieurs semaines, lui parler rouvrait aussitôt une plaie palpitante, toujours prête à saigner…

— T'as tort de prendre tout ça à la légère, conclut-il gravement. Les strip-teaseuses assassinées ont aussi été des sujets d'esquisses pour Sobieski. Tu es peut-être sur sa liste.

Émiliya rit doucement :

— Ne prends pas tes désirs pour des réalités.

37

Deux heures plus tard, Barbie déboula dans son bureau.

— Alors ? demanda Corso.

— Pas terrible.

— C'est-à-dire ?

— Tous ceux que j'ai appelés m'ont servi la même soupe : Sobieski, le grand peintre, le ressuscité de la société, etc.

— Stock ?

— Elle continue à gratter mais pour l'instant, rien de spécial. Ces dernières semaines, Sobieski s'est consacré comme d'habitude à ses deux activités favorites : la peinture et la baise.

— Maîtresses ou amants ?

— Visiblement un peu de tout... On attend les noms et les adresses.

— Vous n'avez repéré aucun contact entre lui et Sophie et Hélène ?

— Non. Mais y a une explication toute simple, Sobieski n'a pas de portable.

— Qu'est-ce que tu veux dire ?

— Il n'a pas d'abonnement, pas de téléphone, rien.

250

Sans doute une pose d'artiste – ou bien une technique pour n'être jamais tracé, façon terroriste.

— Ludo ?

— Toujours à Fleury. Pas de nouvelles pour l'instant.

Silence. Après l'emballement de la nuit dernière, le retour à la réalité avait un goût de gueule de bois. Pourtant, Barbie posa en douceur un listing sur le bureau de Corso. C'était son péché mignon, jouer le suspense avec ses propres résultats.

— Cadeau, fit-elle, un demi-sourire aux lèvres.

Le flic ne prit pas la peine de lire le nouveau document. Barbie vivait dans un monde de chiffres et de hiéroglyphes fermé aux autres.

— C'est quoi ?

— La liste des passagers du vol Iberia pour Madrid de samedi dernier, départ 7 h 40.

Corso lui avait demandé de vérifier s'il n'existait pas une trace d'un vol de Sobieski pour Madrid ces jours derniers.

Le flic vit le nom recherché stabiloté en jaune. Le peintre avait pris le vol avant le sien, ce qui lui laissait le temps de torturer et d'assassiner Hélène Desmora dans la nuit. Il était rentré à Paris le dimanche, la gueule en fleur.

Corso et Barbie se comprirent en un regard.

Le flic ouvrit le tiroir de son bureau et attrapa son Sig Sauer.

— On prend ma bagnole.

Durant le trajet, ils n'échangèrent pas un mot. Ils étaient comme deux acteurs qui répètent en silence leurs rôles respectifs. Corso surtout se demandait si cette visite n'était pas prématurée – leur panier était-il assez garni ? Fallait-il attendre de nouveaux indices ?

— C'est quoi ça ?

Porte de Saint-Ouen, le long du boulevard périphérique, s'alignait une file de tentes rondes Quechua autour desquelles s'agglutinaient des familles sales et débraillées. Un spectacle de fin du monde. Des mômes à poil, pieds nus sur le bitume, des femmes enturbannées qui cuisinaient à même le sol, des hommes en jogging, l'air taciturne. Sacs en plastique, bidons, détritus en tout genre jonchaient le sol. Ces gens vivaient à même une décharge.

— Des réfugiés syriens.

Depuis deux ans, des échappés de la dictature de Bachar al-Assad ou de l'oppression de Daech se retrouvaient là, aux portes de Paris, en attente de papiers et d'aide de la part du gouvernement français. Corso avait surtout entendu parler du coup de filet que ses collègues avaient organisé pour arrêter les hordes de mendiants syriens qui officiaient aux feux rouges du quartier – ils s'étaient tous avérés être des Roumains ou des Roms.

Malgré lui, il ralentit pour détailler cette pauvreté d'un autre siècle, déversée au pied des richesses de la capitale. Il n'était ni choqué ni révolté, il avait assez voyagé pour savoir qu'il suffisait de quelques centaines de kilomètres pour retrouver cette bonne vieille misère humaine florissante sur le « corps du monde », comme disait Nietzsche. L'originalité, c'était de la voir pousser ici, à quelques mètres des puces de Saint-Ouen, où les Parisiens aiment fouiner, marchander, jouer aux pauvres le temps d'un dimanche matin.

— T'y vas, oui ? s'impatienta Barbie.

Après avoir vasouillé dans les rues perpendiculaires à l'avenue Michelet, bourrées de dealers capuchés qui ne prenaient même pas la peine de se cacher, ils trouvèrent l'ancienne chaudronnerie où Sobieski avait installé son atelier. Le peintre avait acheté, cinq ans auparavant, cet immense bâtiment de briques du XIXe siècle.

Ils prirent quelques secondes pour contempler la masse rouge : plusieurs milliers de mètres carrés entièrement rénovés, rehaussés de lanterneaux, sortes de cabanons vitrés sur le toit qui permettaient de diffuser une lumière à la fois verticale et oblique.

— L'éclairage zénithal…, commenta Corso sur le mode ironique. Très important pour la création.

— Quoi ?

— Laisse tomber.

Ils s'acheminèrent vers la porte d'entrée, une grande vitre enchâssée dans une armature de métal noir laissant voir, de l'autre côté, les toiles géantes de Sobieski, en exposition permanente.

Corso sonna à l'interphone et se présenta de la plus sommaire des façons :

— Police.

Ils attendirent plus d'une minute avant de voir débarquer un petit bonhomme vêtu d'une chemise de nuit grise constellée de taches de peinture. À y regarder de plus près, il s'agissait d'une blouse comme en portaient les artistes au XIXe siècle.

À travers la vitre, Sobieski leur fit de grands signes – il paraissait hilare – et se mit en devoir d'ouvrir les lourds verrous de son portail.

Corso l'observa en transparence : il était à poil sous sa blouse, pieds nus dans de gros godillots sans lacets et coiffé d'un bonnet noir au bord roulé.

Les années de taule semblaient l'avoir dégraissé à froid – il était famélique. Tournant la poignée de sa main droite, il tenait de l'autre un couteau à peinture englué de pâte épaisse. Une vraie caricature.

— Entrez, entrez, fit Sobieski d'une voix nasillarde. Je vous attendais ! Notre amie commune m'a prévenu…

Barbie tiqua et Corso sourit pour mieux réprimer sa colère. Vraiment, Émiliya le ferait chier jusqu'au bout. Mais il ne devait s'en prendre qu'à lui-même, il n'aurait jamais dû la mêler à son enquête.

— Suivez-moi, on va dans mon atelier.

Sobieski avait une manière particulière de parler, qui convenait à sa voix. Une sorte de gouaille mi-parisienne, mi-banlieusarde, d'où les années de taule avaient gommé toute articulation soignée. Il avalait les mots et en recrachait des postillons de fer.

Ils traversèrent des vastes salles où étaient exposés des portraits hauts de plus de deux mètres. Vraiment impressionnant : ces hommes nus (sans doute des hardeurs) et ces femmes musculeuses ou grasses, à moitié dévêtues (strippers, putes, actrices porno…), exhibaient leurs corps englués de peinture dont les reliefs multipliaient les reflets blancs et les évanescences bleuâtres.

Sobieski était un artiste exceptionnel. Cru, obscène, vulgaire aussi, mais d'une force inhabituelle dans un paysage où les artistes les plus cotés se contentaient de découper des vaches en rondelles ou de sculpter des ballons. On retrouvait avec lui la puissance organique de la peinture, la sublimation bouleversante, touche après touche, de la réalité par le pinceau.

Le site même avait une noblesse particulière. Des salles aux murs uniformément blancs, une dizaine de mètres de hauteur sous plafond, un lanterneau dans chaque pièce déployant un puits de lumière presque aveuglante. Le lieu était digne des plus belles galeries d'art contemporain de Paris.

Dans l'atelier proprement dit régnaient au contraire désordre et accumulation. Des toiles vierges étaient appuyées contre les murs, d'autres étaient déjà traitées – des couleurs uniformes les recouvraient à la manière de monochromes géants –, d'autres encore étaient emmaillotées de tissu épais. Puis il y avait l'œuvre en cours, une grosse femme avachie dans un fauteuil de velours défoncé. Impossible de ne pas penser au tableau *Benefits Supervisor Sleeping* de Lucian Freud, vendu à New York par Christie's près de 34 millions d'euros.

Sobieski ouvrit les bras en direction de l'espace chaotique, comme s'il désignait la plus belle de ses œuvres : sur le sol, des châssis épars, des seaux où trempaient des pinceaux et des brosses, des chiffons, des lambeaux de toile, des fauteuils, d'autres objets non identifiés…

Le plus spectaculaire était le comptoir qui courait le long du mur de gauche : un établi de bricoleur entièrement couvert de tubes, de bidons, de bouteilles, de palettes, de pinceaux, de couteaux…

— Champagne ? proposa Sobieski.

Un seau à glace, perlé de gouttes scintillantes, trônait en bonne place entre palettes et brosses. Les flics déclinèrent – il était à peine 11 heures du matin – mais échangèrent un regard : ils avaient tous deux repéré, à côté de la bouteille, un étau de serrage solidement arrimé au comptoir. Un engin qu'on utilise d'ordinaire pour monter les châssis des tableaux mais qui aurait été parfait pour coincer la tête de Nina Vice ou de Miss Velvet.

« Presque trop facile », se dit Corso, et il sentit à cet instant dans sa bouche un goût métallique, comme s'il avait mordu dans un morceau de papier d'aluminium. Il connaissait ce signe : la prémonition chaque fois vérifiée des galères qui commencent...

38

— Vous savez pourquoi nous sommes ici ?

Appuyé sur son comptoir, jambes croisées, coupe de champagne à la main, Sobieski acquiesça d'un signe de tête. Son sourire semblait les attendre au tournant.

— Je vais donc vous demander ce que vous faisiez dans la nuit du jeudi 16 au vendredi 17 juin 2016 et dans la nuit du vendredi 1er au samedi 2 juillet.

— J'ai déjà vérifié dans mon agenda : j'étais avec des femmes.

— Vous notez ça dans votre agenda ?

Il but une lampée puis haussa les sourcils d'un air faussement contrit.

— Y en a tellement ! La rançon du succès. C'est comme ça depuis que je suis sorti de taule !

Vraiment une tête à claques. Avec sa robe, son bonnet qui évoquait un bas noir roulé et ses galoches ouvertes, Sobieski donnait l'impression de jouer une farce à la Molière, une pièce grotesque dont il n'était pas dupe.

— Nous pourrions avoir leurs coordonnées ?

— Je peux vous donner leurs noms mais pas leurs numéros.

— Pourquoi ?

— Je ne les connais pas. Moi-même, je n'ai pas de téléphone.

— Comment faites-vous pour contacter les gens ?

— Je ne les contacte pas, ils viennent à moi.

Corso ne releva pas cette nouvelle forfanterie. Il venait de repérer, parmi les croquis, photos et gravures collés au mur au-dessus du comptoir, une reproduction des trois *Pinturas rojas*. *Vraiment trop facile.*

Tout en sirotant sa coupe, Sobieski surprit le regard de Corso.

— Vous appréciez Goya ? *El pintor diablo !* Il est pas mauvais mais je suis meilleur que lui. Techniquement parlant, je veux dire.

Une telle prétention tenait du gag, mais après tout, cela allait avec la blouse d'artiste et le champagne de bon matin.

— Nina Vice, Miss Velvet, vous les connaissiez ? Elles s'appelaient en réalité Sophie Sereys et Hélène Desmora.

— Me prenez pas pour un con, s'il vous plaît.

— Vous les connaissiez, oui ou non ?

Sobieski posa sa coupe, se gratta la tête et se mit à longer son comptoir en faisant claquer ses godillots sur le béton. Sur les photos, Corso avait été bluffé par sa musculature, impressionnante pour son âge, mais le peintre était un modèle réduit. Avec son petit mètre soixante-dix, sa silhouette était comme compressée et ses muscles, qu'on entrevoyait par l'échancrure de la blouse, ressemblaient à des cordes tendues. Corso songea à un petit singe gris dans un décor de foire.

— J'ai connu Hélène Desmora parce qu'elle me vendait du shit. J'aimais son visage, son corps. Je l'ai souvent peinte.

— Vous avez été la voir au Squonk ?

— De temps en temps, oui. Le strip-tease est un sujet que j'affectionne dans mon travail.

Corso songeait au carnet d'esquisses retrouvé dans la cave. *Plus tard.*

— C'est à ce moment-là que vous avez rencontré Nina Vice ?

— Exactement.

— Vous êtes devenu l'amant de l'une et de l'autre ?

Sobieski but une lampée et leva encore une fois sa coupe.

— Et j'ajouterais : en même temps.

— En même temps ?

— On avait l'habitude de se voir à trois.

— Vous les payiez ?

— Ça dépendait des fois. Mais elles étaient souvent partantes sans argent. On se défonçait. On se livrait à de petits jeux sexuels. Ensuite, je les dessinais… On dormait tous les trois, comme des bébés. Je pourrai vous montrer les croquis si vous voulez. Je conserve tout avec soin. (Il partit d'un ricanement sardonique, teinté encore une fois d'étonnement.) Avec ma cote actuelle, ça vaut un paquet de fric !

Sophie et Hélène, les sœurs de cœur, les filles de personne, qui cachaient farouchement leur amitié et n'avaient jamais réussi à trouver leur équilibre dans une sexualité normale, avaient donc fini dans le lit de ce porc famélique.

— Serait-il indiscret de vous demander de quel genre de jeux il s'agissait ?

— Bien sûr ! Mais vous êtes là pour ça, non ?

Corso conserva le silence, il attendait sa réponse.

— Souvent des trucs SM mais la plupart du temps, ça finissait en « pegging ».

— Je ne sais pas ce que c'est.

— Renseignez-vous.

À voix basse, sans le regarder, Barbie lui souffla :

— Je t'expliquerai.

Corso hocha brièvement la tête, façon militaire, et se rendit compte qu'il se tenait raide comme une potence. Il n'aurait su dire si ce gars le choquait ou s'il l'enviait de tant d'aisance.

— Quand les avez-vous vues pour la dernière fois ?

— Je dirais… y a environ trois semaines.

— Vous n'avez pas vérifié dans votre agenda ?

Sobieski se fendit d'un sourire.

— Vingt-deux jours exactement. Le plus simple, c'est que je vous le file, vous serez au courant de mes faits et gestes.

Une telle franchise était plutôt déconcertante mais encore une fois, Corso se méfiait de l'arbre qui cache la forêt.

— Vous saviez que Nina se prêtait à des jeux SM sur le Net ?

— Bien sûr. (Il fit mine de trembler de la tête aux pieds.) Tous ces trucs qu'elle se fourrait dans la chatte, j'en ai encore des frissons…

— Hélène vous avait-elle avoué qu'elle couchait avec des cadavres ?

— Ni l'une ni l'autre n'avaient de secret pour moi.

— Ces pratiques n'ont pas l'air de vous choquer.

— En prison, on m'a violé des centaines de fois. On m'a foutu dans le fion des objets dont vous avez pas idée. J'ai vu des mecs se faire trancher la gorge pendant qu'ils suçaient leur assassin. Ce qui me gêne, c'est qu'on laisse faire tout ça dans les prisons, sur des adultes non consentants... En revanche, ce que peut faire une salope majeure et vaccinée sur le Web ou dans une morgue, ça la regarde...

— Un peu de respect, vous parlez de personnes décédées.

— Dans ma bouche, le mot « salope » n'est pas une injure.

D'un signe, Corso passa le relais à Barbie : ce bouffon le fatiguait déjà.

— Vous ne paraissez pas bouleversé par la mort de vos... amies.

— Ce qui me bouleverse ou non, c'est pas vos oignons.

Corso remarqua qu'il lui manquait des dents. Quel plaisir pouvaient trouver Sophie et Hélène dans le lit de ce Gollum ? Sans doute une perversité de plus...

— Quel genre de relations entreteniez-vous avec les victimes ?

— Je viens de vous le dire.

— Il ne s'agissait que de rapports sexuels ?

— C'est ce que je connais de plus intense. Toujours pas de champagne ? insista Sobieski d'un ton badin. Ça vous détendrait...

— Le fait que les deux victimes soient des proches ne vous trouble pas ? relança Corso.

— J'suis pas le seul à les connaître.

— Mais le seul à avoir fait dix-sept ans de prison pour meurtre.

Sobieski éclata de rire.

— Je l'attendais depuis que vous avez franchi ma porte. Mon passé est toujours là, hein ? Dans vos petites têtes de flicards, ce crime fait de moi un coupable pour perpète ? Aucune chance de réintégrer le chemin de l'innocence ?

Corso ne prit pas la peine de répondre :

— Votre meurtre de 1987 ressemble aux assassinats de Sophie Sereys et d'Hélène Desmora.

— Vous êtes mal renseigné, commandant. D'après ce que j'ai compris, le tueur actuel est un taré qui a un rite très précis. Rien à voir avec mon histoire. Quand j'ai tué cette pauvre fille, j'étais complètement défoncé. Elle m'a surpris, j'ai paniqué. Je lui ai tapé dessus...

— Vous l'avez ligotée avec ses sous-vêtements.

— Pas ceux qu'elle portait.

— Comment ça ?

— J'ai pris ce que j'avais sous la main ! J'étais dans sa chambre. J'ai ouvert un tiroir et voilà.

— Elle était habillée quand vous l'avez attachée ?

— Bien sûr. J'ai simplement voulu la maîtriser. Elle n'arrêtait pas de gueuler. Je l'ai frappée pour la faire taire. Beaucoup trop fort, d'accord... Mais encore une fois, j'étais complètement raide.

Corso aurait vraiment dû attendre le dossier de Besançon avant de bouger. En quête d'un élément auquel se raccrocher, il désigna l'étau d'établi.

— À quoi sert cet instrument ?

Sobieski se tourna en direction du comptoir.

— Quel instrument ? Faut vous suivre, mon vieux…
(Corso tendit l'index.) Un étau de serrage. Je l'utilise
pour fixer mes toiles sur leur cadre.

— Vous faites ça vous-même ?

— Je fais tout moi-même. En taule, j'avais pas
d'assistants pour me tenir la main.

Stéphane s'approcha de l'engin et se pencha pour
mieux l'observer.

— Vous nous autoriseriez à venir faire des analyses
dans votre atelier ?

— Pas de problème. J'ai rien à cacher.

Corso longea l'établi puis s'arrêta devant les reproductions de Goya.

— Vous savez où les originaux sont exposés ?

— À la Fondation Chapi, à Madrid. Tous les pas-
sionnés de Goya savent ça. Je suis allé plusieurs fois
là-bas les admirer.

Le flic se tourna brusquement vers Sobieski.

— C'est ce que vous avez fait samedi dernier ?

— Samedi ? Non, pourquoi ?

La voix de Barbie retentit derrière lui :

— Vous avez pris ce jour-là le vol Iberia de 7 h 40
pour Madrid.

Sobieski sursauta, la main sur le cœur, faisant semblant d'avoir été surpris par la question.

— Vous m'avez fait peur ! (Il ricana.) Ma parole,
je suis pris entre deux feux.

— Répondez à la question, assena Corso. Êtes-
vous allé voir ces tableaux avant-hier ?

— Pas du tout. J'avais rendez-vous avec mon galeriste espagnol. Vous pouvez vérifier. Il s'appelle Jesus
Garcia Perez. Je comprends pas : vous me faites suivre ?

— Vous n'êtes pas passé à la Fondation Chapi ?

— Non, je vous dis. À quoi riment ces questions ?

S'abstenant de répondre, Corso fit à nouveau signe à Barbie : *les dessins*.

Elle fouilla aussitôt dans son sac et en sortit les reproductions du carnet de la cave.

— Vous reconnaissez ces esquisses ?

— Bien sûr, j'en suis l'auteur.

— Elles sont extraites d'un cahier que nous avons retrouvé dans une cave qui jouxte les vestiaires du Squonk.

— Bonne nouvelle ! Je l'ai perdu y a plusieurs semaines.

— Quand exactement ?

— Je me souviens plus. J'en ai des dizaines de ce genre.

— Pour être plus précis, insista Corso, nous avons retrouvé ce cahier dans une planque où un voyeur a ménagé un trou pour pouvoir observer les danseuses du Squonk dans leur vestiaire.

Sobieski éclata de rire.

— Vraiment un pervers, votre gars ! Quel intérêt de mater des filles qui se rhabillent alors qu'elles se désapent tous les soirs sur scène ?

— Ne plaisantez pas, ce carnet contient plusieurs esquisses des victimes.

— Je vous dis que c'est moi qui les ai dessinées.

— Elles reproduisent ce que le voyeur observait de sa cachette.

— Arrêtez vos conneries. J'ai dessiné ces filles pendant qu'elles se préparaient. J'étais dans leurs loges. J'ai mes entrées là-bas. Je connais bien Kaminski.

264

Corso n'avait pas de mal à imaginer l'ex-taulard cul et chemise avec le proxo karatéka. Mais que faisait ce carnet dans la cave ? Pourquoi la brique descellée pour observer ce qu'il pouvait en effet contempler *in situ* ?

La rencontre était un échec mais Corso ne s'attendait pas à un miracle. Ce n'était que la première manche.

— On peut avoir votre agenda ? demanda-t-il en signe de conclusion.

Le peintre ouvrit un tiroir de l'établi et en extirpa un cahier à couverture de cuir. Quand il l'eut dans les mains, le flic s'aperçut qu'il s'agissait d'un agenda Hermès.

— Je vous raccompagne, fit Sobieski en sortant de l'atelier.

Parvenu sur le seuil principal, il se retourna vers ses visiteurs.

— Vous n'avez trouvé que moi comme suspect ?

À quoi bon mentir ?

— Pour l'instant, oui.

— Tout ça parce que j'ai commis un meurtre y a vingt ans ? Faut vous creuser la cervelle, les gars. Vous avez pas beaucoup d'imagination.

— Ce sont les tueurs qui en manquent. À peine sortis de taule, ils remettent ça, même méthode, mêmes erreurs. (Sans le vouloir, Corso passa au tutoiement :) C'est pas à toi que je vais expliquer ça.

— T'as raison, répliqua le peintre sur le même ton complice.

Ils s'étaient trouvés – le flic et le voyou, la plus vieille paire du monde…

— Voilà pourquoi les anciens condamnés sont toujours notre première piste et souvent aussi notre dernière, c'est-à-dire la bonne.

Sobieski afficha un sourire admiratif puis prit Barbie à témoin :

— Il parle bien, hein ?

Corso eut la surprise de constater que la fliquette lui rendait son sourire. À ce moment-là, celui qui marquait des points, c'était Sobieski.

En montant dans la bagnole, Stéphane demanda :

— C'est quoi, le « pegging » ?

— On appelle ça le « chevillage », fit Barbie en fermant sa portière. C'est difficile à expliquer avec des mots délicats.

Corso tourna le contact.

— Oublie la délicatesse alors.

— C'est quand un homme se fait sodomiser par une femme équipée d'un gode-ceinture.

39

Corso et Barbie s'étaient déjà mis en quête des deux « alibis » du peintre : Junon Fonteray et Diane Vastel. La première habitait à Créteil mais travaillait dans l'atelier d'une femme sculpteur du nom de Marilyne Kuznetsz, rue des Cascades, sur les hauteurs de Belleville, l'autre résidait dans le XVIᵉ arrondissement.

D'abord la rue des Cascades.

Pendant que Corso conduisait, Barbie feuilletait l'agenda. Soudain, elle demanda :

— Sobieski a parlé d'une « amie commune » : c'est qui ?

— Laisse tomber.

Barbie n'insista pas et replongea dans le carnet du peintre. Elle finit par émettre un sifflement admiratif :

— Eh ben dis donc, il tient la forme.

— Quoi ?

— Chaque soir, il a une ou un partenaire différent.

— Pour les mecs, je sais pas, mais vraiment, je vois pas ce que les nanas peuvent lui trouver.

Il lui lança un coup d'œil en coin, espérant une réponse, mais Barbie referma l'agenda sans un mot. Le soleil était de retour et baignait le boulevard périphérique dans une clarté brumeuse – tout semblait décomposé en milliards de particules blanches.

— On est venus trop tôt, déclara-t-elle.

— Tu m'étonnes.

Barbie baissa sa vitre et inspira une goulée de pollution avec volupté. Son teint pâle semblait réfracter la lumière à la manière d'un tissu blanc. L'idée qu'elle pût bronzer paraissait aussi absurde que de mélanger de l'eau à l'huile. Simple incompatibilité de molécules.

— Tout ça est trop évident, fit-elle de son petit ton sec. L'étau, les tableaux de Goya, le carnet d'esquisses : trop d'indices tuent l'indice. Et en même temps, ce mec paraît si sûr de lui qu'il pourrait bien vouloir nous provoquer. Ou compter justement sur le fait qu'on ne croie pas à tant de signes accusateurs. Dans tous les cas, si ses témoins tiennent bon, on l'a dans le cul. Tout le reste, c'est de l'indirect, on peut être peintre, s'être tapé les victimes, aimer Goya et porter des costards blancs sans pour autant être un tueur en série.

Barbie avait parfaitement résumé la situation.

Remontant la rue des Pyrénées, Corso en rajouta une couche :

— Sans compter que son crime de 1987 n'a pas l'air de correspondre à notre affaire. Je me suis fait enfumer par le Jurassien…

Il voulut finir sur une note positive :

— Au moins, si Sobieski est notre coupable, il va se tenir à carreau. Il sait désormais qu'il est surveillé.

— Il l'est ?

— Mets un binôme sur le coup. Des gars sérieux.

— Pas très légal, tout ça.

— Tu passes le barreau ou quoi ?

Une fois garés rue des Cascades, ils découvrirent une impasse fermée par un carré de bambous encadré par une canisse. Derrière cette végétation, on distinguait un pavillon dont les fenêtres renforcées par des châssis d'acier avaient été transformées en larges baies vitrées. De longues femmes de bronze verdâtre, dressées parmi les feuilles, montaient la garde.

C'était l'adresse qu'ils cherchaient. Barbie sonna. Corso alluma une clope et checka ses messages. Un SMS de Bompart : « Conf' de presse OK. » Tout s'était donc bien passé. Première bonne nouvelle de la matinée – ou peut-être une mauvaise. Bompart avait dû muscler sur leur suspect. S'il leur claquait dans les doigts, ils seraient la risée de toute la France.

Une voix de gamine retentit dans l'interphone :

— J'arrive.

Selon leurs premiers renseignements, Junon Fonteray venait d'achever sa troisième année aux Beaux-Arts de Paris. À ses heures perdues, elle jouait les assistantes pour Sobieski et d'autres artistes.

Ils patientèrent parmi les ombres des feuilles qui dansaient lentement sur les pavés de la cour. Une jeune fille en blouse blanche crado finit par émerger des bambous. Mains dans les poches, clope au bec, elle portait un étrange chapeau cloche à la mode des années 20, enfoncé sur ses cheveux couleur betterave.

— C'est pour quoi ? demanda-t-elle à travers la grille, l'air de s'en foutre royalement.

Corso montra sa carte et se présenta.

— Nous cherchons Junon Fonteray.

— C'est moi, fit-elle en déverrouillant le portail. Qu'est-ce que vous voulez ?

— Simplement vous poser quelques questions.

— Venez avec moi. Je dois continuer mon boulot.

Ils suivirent l'apprentie artiste parmi la végétation bruissante et contournèrent le pavillon pour atteindre une arrière-cour jonchée de fragments de statues.

Sans un regard pour les deux flics, Junon s'installa sur une chaise devant une statue de bronze, petite sœur de celles qui hantaient le jardin, mais celle-ci était allongée sur une planche posée sur deux tréteaux.

— Junon, c'est votre vrai nom ? demanda Corso en guise d'entrée en matière.

— Une idée de mes parents. Des originaux. Dans la mythologie grecque, c'est la protectrice des mariages. Vous voyez le genre.

Elle ne paraissait ni surprise ni hostile, seulement indifférente. Elle devait avoir dans les 20 ans. Pas jolie (un nez proéminent, en bec de toucan, ruinait toute harmonie de ses traits), elle dégageait pourtant quelque chose d'attirant. Ses yeux très clairs, son allure frêle (à peine quarante kilos toute mouillée), son extrême jeunesse, tout ça lui donnait une aura frémissante, une séduction qui ressemblait à une petite morsure dans le cou.

— Faut qu'j'aie fini avant ce soir…, fit-elle en ajustant un masque de ski et en attrapant du papier de verre.

— Qu'est-ce que vous faites ? Vous poncez la rouille ?

— Ça peut pas rouiller, c'est du bronze. Mais à la longue, l'oxydation devient irrégulière. (Elle désigna des marques noirâtres sur le flanc du torse et les membres de la sculpture.) On dirait des taches de vieillesse.

Elle se mit à passer énergiquement le papier de verre sur un des bras de la statue.

Corso se pencha près de son oreille et articula d'une voix forte :

— Vous souvenez-vous de ce que vous avez fait dans la nuit du 16 au 17 juin ?

— Oui. Y avait la fête de fin d'études des Beaux-Arts. J'y suis restée jusqu'à 22 heures à peu près, j'fais partie de la fanfare. Après ça, j'ai rejoint mon p'tit ami.

— Comment il s'appelle ?

Junon arrêta de poncer et ricana :

— Philippe Sobieski. Comme si vous le saviez pas.

Les mots de « petit ami » pour désigner le satyre qu'ils venaient de rencontrer avaient quelque chose d'obscène. *Passons*.

— Où vous l'avez rejoint ?

— Dans son atelier, à Saint-Ouen.

— Vous vous souvenez de l'heure exacte ?

— Environ 23 heures. J'ai pris un Uber. Vous pouvez vérifier.

Corso s'attendait à un solide alibi et aussi à un mensonge. Le coup du taxi pouvait être prémédité mais cela signifiait une réelle complicité et il n'y croyait pas. Cette môme pouvait être amoureuse de Sobieski – pas complice des horreurs commises sur Sophie et Hélène.

— Vous avez passé toute la nuit avec Sobieski ?

— Oui.

— Combien d'heures êtes-vous restée éveillée à ses côtés ?

— Au moins jusqu'à 4 heures du mat'. Avec lui, c'est toujours chaud. Il dit souvent : « Je suis comme le poireau : la barbe est blanche mais la queue encore verte. »

Corso ne releva pas la blague – il commençait à s'habituer à la vulgarité de Sobieski. La genèse des blessures, qui avaient duré au moins plusieurs heures, impliquait que le tueur s'était consacré à sa victime une bonne partie du 16 au 17. *Exit Sobieski.*

— Mademoiselle, insista-t-il encore, notre enquête concerne des meurtres d'une violence… abominable. Votre témoignage a une importance capitale. Si vous avez le moindre doute…

— Je n'ai aucun doute. Cette soirée est tout à fait claire dans ma tête.

— Un faux témoignage est passible de cinq années de prison minimum.

Junon ne daigna même pas répondre : elle avait repris son ponçage, l'air tranquille, produisant une fine poudre verte qui s'échappait à la manière d'une fumée.

Histoire de ne pas repartir totalement bredouille, Corso s'accorda quelques questions périphériques :

— Vous diriez que votre relation avec Sobieski est régulière ?

— Plutôt en pointillé.

— C'est-à-dire ?

— On se voit, très bien. On se voit pas, très bien aussi.

— Depuis combien de temps dure cette liaison ?

— Deux ans.

— Où et comment l'avez-vous rencontré ?

— Aux Beaux-Arts. Il est venu nous raconter son histoire.

Corso imaginait le taulard repenti témoignant de sa vocation d'artiste devant un parterre d'étudiants subjugués. Il sentait monter pour le lascar une antipathie profonde – mais était-il vraiment l'assassin ?

— Le fait qu'il soit aujourd'hui un peintre reconnu a-t-il joué dans votre attirance ?

— Non. J'ai pas besoin de mentor.

— Et le fait qu'il soit un ancien criminel ?

— Oui.

Corso sursauta. Junon lui décocha un petit sourire tout en poursuivant son va-et-vient sur le torse de bronze.

— C'est ce que vous vouliez entendre, non ?

Elle releva ses lunettes de ski et s'arrêta pour souffler.

— J'te mettrais ces vieilles merdes à la décharge.

— Vous n'aimez pas ces sculptures ?

— Vous les aimez, vous ?

— Et votre travail personnel, ça consiste en quoi ?

Elle désigna un objet posé sur un tabouret à quelques mètres de là, dissimulé par un chiffon crasseux.

— Je fais des miniatures.

— Des miniatures de quoi ?

— Je peux pas vous montrer. Ça sèche…

Corso sentait le sourire de Barbie dans son dos – la fliquette était amusée par cette rebelle désinvolte pas du tout impressionnée par son patron.

— Selon vous, Sobieski n'éprouve plus aujourd'hui aucune pulsion violente ?

— Comment j'le saurais ? rétorqua-t-elle en sortant un paquet de cigarettes de sa blouse. Avec moi, en tout cas, il est toujours d'une douceur d'ange.

Corso se demandait quel genre de douceur il pratiquait avec cette Camille Claudel du dimanche. Devait-elle se harnacher d'un « gode-ceinture » pour faire jouir le vieux faune ?

— Vos relations intimes sont-elles… normales ?

— Qu'est-ce que vous appelez « normales » ?

Il tendait vraiment les matraques pour se faire battre.

— OK, fit-il en coupant court à cet échange qui s'enlisait. Venez demain au 36, quai des Orfèvres enregistrer votre déposition.

— J'ai le choix ?

— Non.

— On se croirait dans un téléfilm.

Ils allaient partir quand Corso se ravisa et montra l'œuvre dissimulée par un chiffon.

— On pourrait tout de même y jeter un œil, non ?

Junon soupira, exagérant son expression de lassitude comme au théâtre, puis elle se leva pour dévoiler son œuvre.

C'était une sculpture de glaise ou d'argile représentant une jeune femme très maigre et un démon famélique enlacés ensemble. Leur position était particulière : un 69, mais curieusement debout, ce qui signifiait que l'incube avait la tête en bas, griffes plantées dans le sol, mufle enfoncé dans le sexe de la jeune fille qui de son côté le suçait avec délectation.

À l'évidence, cette horrible sculpture était un auto-portrait.

40

— On va dans le mur, déclara Barbie.

Sur le boulevard périphérique, les portes en direction du sud-ouest se succédaient, s'éloignant des bas quartiers pour rejoindre le XVIe arrondissement. C'était comme s'ils remontaient la révolution du soleil, frôlant sa courbe et gagnant peu à peu la lumière du fric, de la verdure, des immeubles souverains des portes de La Muette et de Passy.

— Si Diane Vastel nous sort un alibi du même genre, continua-t-elle, on peut se mettre une main devant, une main derrière et aller chercher un suspect ailleurs.

Corso conservait le silence. Il en était de plus en plus convaincu : Sobieski n'avait pas le profil psychologique du tueur – un bourreau qui pensait sans doute « sauver » ses victimes par la souffrance et la mort. Sobieski était au contraire un jouisseur, parfaitement amoral, étranger à toute notion de bien et de mal, réunissant dans sa posture de pacotille la révolte de l'art et le cynisme de l'asocial, tout ça dans une joyeuse vulgarité.

— Tu m'écoutes ?

Corso sursauta. Dans le ciel, les nuages revenaient, se compressant comme des plaques tectoniques, faisant déjà entendre des craquements sourds.

— On finit de vérifier ses alibis, trancha-t-il. On avisera ensuite.

Sur l'avenue Henri-Martin et ses quatre rangées d'arbres majestueuses, l'averse éclata. Les feuilles des platanes et des marronniers se mirent à briller d'étincelles, alors que la pluie elle-même passait un pinceau argenté sur l'artère.

Avec Diane Vastel, ils renouaient avec le quartier de Mathieu Veranne, le maître shibari. Sauf que les immeubles de l'avenue Henri-Martin n'avaient rien à voir avec les bâtiments modernes de la rue du Docteur-Blanche. Ici, c'était du lourd, du classique. Des blocs haussmanniens fin XIXe arborant atlantes et cariatides comme des proues de vaisseaux.

Les flics se garèrent et sortirent en courant, la tête dans le col. La pluie tapait sur le bitume avec acharnement. Les Vastel habitaient un hôtel particulier dissimulé derrière les frondaisons d'arbres centenaires. Grilles. Interphone. Caméra. Parfois, Corso se faisait l'effet d'un livreur. Ils se présentèrent à leur interlocutrice – voix nasillarde, fort accent asiatique.

Le portail claqua dans une chiquenaude d'acier. Ils pénétrèrent dans le jardin. Sous la vigne vierge, la villa évoquait un solide coffre-fort dont on avait tenté d'arrondir les angles avec des ornements factices. Mais le fric était là, et bien là : derrière l'épaisseur des murs, le fer forgé des balcons, le double vitrage des fenêtres. Puissant, tranquille, rassurant. Corso se dit qu'il aurait aimé vivre dans un tel lieu avec Thaddée, protégé de la misère et de la violence du monde.

Une Philippine les attendait sous la marquise du perron – elle avait la tête de son emploi : craintive, déracinée. Ils la suivirent à travers un dédale de portes fermées pour aboutir dans un salon décoré comme une chambre de palace anglais : fauteuils de cuir, rideaux à fleurs, boiseries rutilantes. Diane Vastel les accueillit debout, les bras croisés, une hanche appuyée sur un bureau victorien d'acajou massif.

Les flics se présentèrent. Diane les salua sans s'approcher, pas de sourire ni de poignée de main. La cinquantaine, 1,75 mètre, silhouette en coup de fouet, cheveux auburn au carré, magnifique visage à l'expression étonnée souligné de rides et d'épais sourcils. Un look de bourgeoise en week-end : chemise aux mailles imperceptibles, jean délavé, ballerines Repetto… Le genre de femme que les autres femmes admirent parce qu'elle est un modèle mais aussi une abstraction qui ne représente plus vraiment un danger.

Les flics avaient droit à un bonus, un petit mec assis, moulé dans un costume noir, son ordinateur posé sur les genoux. On aurait dit un greffier, ou bien un prêtre de jadis, un de ceux qui hantaient les familles aristocratiques, se délectant des menus de l'épouse, sirotant les liqueurs de l'époux.

— Xavier Nathal, mon avocat, annonça la bourgeoise. Je lui ai demandé d'être présent.

Corso s'efforça de sourire :

— Madame, vous n'êtes ni placée en garde à vue ni mise en examen, pas besoin d'avocat.

278

— Maître Nathal va simplement consigner tout ce que je vais dire, nous relirons ensemble le document et vous le signerez avant de partir.

Le monde à l'envers : c'était leur hôtesse qui rédigeait le PV d'audition.

— Ce document n'aura aucune valeur légale, objecta patiemment Corso. Vous devrez de toute façon venir au 36 pour signer vous-même votre déposition.

— Disons que ça sera un bon début. Je dois me protéger.

— Contre quoi ?

— Vos préjugés de flic. Votre propension à chercher, quitte à l'imposer, la vérité que vous avez établie avant même de m'avoir interrogée.

Corso et Barbie se regardèrent : ça commençait bien.

— Très bien, capitula le flic. Allons-y. Vous savez de quoi il s'agit ?

— J'ai ma petite idée, oui.

Les visiteurs s'assirent dans les fauteuils en cuir. Diane Vastel resta debout, appuyée à son bureau. On aurait dit qu'elle posait pour un portrait officiel à la Gainsborough.

— Notre enquête concerne les meurtres de deux artistes de...

— Je suis au courant. Donnez-moi la date qui vous intéresse. Je n'ai pas beaucoup de temps.

— La nuit du vendredi 1er au samedi 2 juillet. Qu'avez-vous fait ce soir-là ?

— J'ai passé la soirée avec Philippe Sobieski. Nous sommes allés dîner à 21 heures au Relais Plaza, avenue Montaigne, puis nous sommes rentrés ici aux environs de 23 heures.

— Ensuite ?

— Il vous faut un dessin ?

— À quelle heure Sobieski est-il reparti ?

— Vers 9 heures du matin.

Barbie intervint :

— Votre mari n'était pas là ?

— Mon mari n'est jamais là.

À l'évidence, Diane Vastel pratiquait l'adultère comme d'autres la chasse à courre. En grand équipage et sans la moindre discrétion.

— Vous connaissez Sobieski depuis longtemps ?

— Un an et demi environ. Je l'ai rencontré en 2015.

— Dans quelles circonstances ?

Elle fit quelques pas, visage penché, mains jointes, comme si elle répétait le texte d'une pièce. Cette attitude ostentatoire ne lui convenait pas mais au fond, elle pouvait tout se permettre. Elle ne suivait pas les règles de l'élégance, c'étaient les règles qui tentaient de la rattraper…

— Il y a trois ans, j'ai monté avec quelques amies un club culturel. Nous rencontrons des écrivains, des artistes. En janvier 2015, on a sollicité Sobieski. Il nous a reçues dans son repaire de Saint-Ouen.

— Ça a été le coup de foudre ? ironisa Corso.

— Une femme peut vieillir, ses sentiments demeurent intacts.

— Je ne me moquais pas de vous mais de Sobieski. J'ai du mal à appréhender ses qualités de… don Juan irrésistible.

— Disons qu'il n'a pas l'air obsédé par la fesse fraîche, ce qui est déjà un soulagement pour une femme de mon âge. Par ailleurs, je suppose que vous l'avez déjà rencontré, c'est un curieux mélange de vulgarité, de provocation mais aussi de fragilité et même d'innocence... À une époque où vous pouvez finir les phrases de la plupart des hommes, c'est une bonne surprise.

Corso devait l'admettre : les contradictions du bonhomme avaient de quoi intriguer.

— Pour ne rien gâter, un sacré baiseur.

Corso n'avait jamais compris ce genre d'éloges. Comme si l'acte sexuel était une prouesse solitaire, comme préparer un soufflé ou sauter à la perche. Il lui semblait au contraire que, au risque d'énoncer une évidence, ça se passait à deux et que le champion d'une partenaire pouvait être le bon à rien d'une autre. *It takes two to tango*...

— Notre enquête nous a démontré que Sobieski a dans ce domaine des goûts particuliers.

— Je n'ai rien remarqué de particulier.

Nouvelle provocation, en référence aux goûts supposés coincés du petit fonctionnaire de police qu'il était. Corso n'avait pas envie d'entrer dans le détail.

— Il faut que vous compreniez une chose, insista-t-elle. Je couche avec Philippe mais ce n'est pas le meilleur de notre relation, loin de là. Même si, encore une fois, il est très performant de ce côté-là.

— Quel est le meilleur ?

La question venait de Barbie.

Diane désigna une petite toile que le flic n'avait pas remarquée dans son dos, accrochée entre les deux fenêtres fouettées de pluie.

— Son art, évidemment.

Encore une strip-teaseuse ou une hardeuse, nue et maigre, muscles à vif. Le tableau, de dimensions réduites, aux dominantes ocre, évoquait un geyser de feu.

Diane finit par passer derrière le bureau victorien pour s'asseoir dans un large fauteuil en cuir. L'avocat ne cessait de pianoter sur son ordinateur portable, plus secrétaire que nature. Pour n'être pas en reste, Barbie avait sorti un bloc et un feutre.

— Que pense votre mari de tout ça ? demanda Corso.

— Il adore Philippe.

— Il le connaît ?

— Sobieski est venu dîner plusieurs fois à la maison. Et mon mari l'a trouvé, comment dire, très distrayant. C'est un banquier qui dans toute sa vie n'a pas dû avoir deux idées originales. Alors, Sobieski...

Le flic s'en voulut de poser cette question vieille école :

— Votre mari sait pour... Enfin...

— Dans un couple, il arrive un moment où ce qui se passe dehors est moins important que ce qui se passe dedans. Je veux dire : il vaut mieux détourner le regard pour vivre dans une relative quiétude. Quitte à attraper un torticolis de temps en temps. Mon mari n'a rien à m'envier, croyez-moi.

— Très bien, fit-il en se levant, vous avez conscience qu'avec ce témoignage, vous innocentez Sobieski face à des accusations très graves ?

— Je ne l'innocente pas, je dis la vérité.

Après le témoignage sans appel de Junon Fonteray, celui de Diane Vastel, noté en détail par son propre avocat, clôturait le débat.

Il baragouina quelques formules de flic selon lesquelles Diane Vastel devait venir témoigner en personne au 36 dans les meilleurs délais et prit le chemin de la sortie, suivi par Barbie.

Cette fois, la propriétaire des lieux les raccompagna, ce qui était un privilège.

Sur le seuil de l'hôtel particulier, alors que la pluie tambourinait toujours sur la marquise de verre, elle se permit un conseil :

— Vous faites fausse route, commandant.

Corso réprima à peine un soupir de lassitude – il s'attendait à un nouveau plaidoyer en faveur de son cher artiste, mais Diane Vastel prit une autre direction :

— Sobieski est sans doute toujours un assassin. Je veux dire, au fond de lui. Mais il n'a pas tué vos filles. Ce n'est pas son style.

— Qu'est-ce que vous appelez « son style » ?

— Dans un accès de fureur, il pourrait encore, disons, franchir la ligne, étrangler sa maîtresse par exemple, ou tabasser à mort un modèle. Mais d'après ce que j'ai lu dans les journaux, votre assassin suit un rituel. Sobieski n'a pas cette intériorité… ésotérique. Il serait incapable de tout organiser, de ne pas laisser de traces, de s'exprimer à travers des symboles torturés. Tout ça, il le fait dans sa peinture et ça lui suffit largement.

Corso n'aurait su mieux dire.

41

Pas question de s'avouer vaincu. De retour au 36, Barbie s'attaqua aux chiffres. Sobieski n'avait pas de portable mais il avait des comptes en banque. Stock continuait à écumer les relations du peintre – on lui donna l'agenda – et étudiait de près son emploi du temps. Quant à Ludo, il n'était toujours pas rentré de Fleury.

Parvenu dans son bureau, Corso s'aperçut qu'il avait reçu un WeTransfer contenant toutes les pièces scannées du dossier d'enquête concernant le meurtre de Christine Woog en 1987. Il passa les dernières heures de l'après-midi immergé dans ces documents. À 19 heures, il s'était enfin persuadé que ce qu'il pressentait se confirmait dans les grandes largeurs : l'assassinat de Christine n'avait rien à voir avec ceux de Sophie et d'Hélène. Jacquemart avait laissé libre cours à ses obsessions et lui, comme un bleu, avait foncé tête baissée dans le panneau.

Les faits : le 22 mars 1987, Michel et Anne Woog, bijoutiers, partent comme chaque week-end dans leur maison sur le bord du lac de Neuchâtel. Leur résidence principale, aux Hôpitaux-Neufs, près de la frontière suisse, est donc vide pour deux jours. C'est du moins ce que pense Sobieski quand il y pénètre après avoir désactivé l'alarme. En réalité, Christine, leur fille, est revenue chez ses parents pour y réviser en toute tranquillité (elle a un studio près de l'université de Besançon).

Quand la jeune femme surprend Sobieski en flagrant délit, il l'assomme puis la traîne dans sa chambre. Il l'attache et la bâillonne avec des sous-vêtements trouvés dans une commode. Bientôt, Christine se réveille et se libère de son bâillon. Elle se met à hurler, le voyou panique pour de bon. Il la roue de coups pour la réduire au silence et la tue, presque par maladresse. Il est arrêté et jugé pour « vol et violences volontaires ayant entraîné la mort sans intention de la donner ». Corso cherchait un génie du mal, on lui refilait une brute sous amphètes.

Il se leva, fit les cent pas dans son bureau afin de digérer sa déception, puis attrapa son téléphone et appela Jacquemart, toujours à Paris. Il fallait qu'il passe ses nerfs sur quelqu'un.

— Z'êtes marrant, vous, répliqua le Jurassien après s'être fait engueuler. J'avais pas les détails du dossier !

— Vous en saviez assez pour penser que Sobieski était notre homme.

— C'est le coup des nœuds qui m'a rappelé l'affaire…

Le flic baissa les yeux sur les gros plans des liens photographiés à l'époque.

— Ils n'ont rien à voir avec ceux des victimes actuelles.

— Qu'est-ce que ça prouve ? J'vous l'ai déjà dit : il a pu se perfectionner. Sobieski est un tueur et il s'arrêtera jamais. C'est un psychopathe.

Pas la peine d'insister, rien ne le ferait changer d'avis.

— Écoutez-moi, reprit-il d'une voix qui cherchait à être persuasive. Après l'enquête préliminaire, j'suis retourné voir Sobieski en prison.

— Pourquoi ?

— Comme ça. On a discuté. Sobieski a aucune empathie avec les autres, il connaît aucune morale. Il voit pas pourquoi il tuerait pas, il a pas la moindre idée de ce que sont le bien et le mal.

— Il devait vous vouer une haine féroce.

— Pas du tout. Il m'appelait « mon pote » et disait qu'on avait partagé un moment crucial de notre existence, ce qui était vrai. En fait, il avait toujours l'air d'éprouver une espèce de pitié pour nous, les flics. Sobieski s'est toujours cru au-dessus des lois. Il a sa propre logique et notre monde lui paraît mineur et pitoyable.

— Lors de vos visites, de quoi il vous parlait ?

— De ses conquêtes.

— Quelles conquêtes ?

Jacquemart eut un rire consterné.

— À peine arrivé en taule, il recevait déjà des sacs de lettres d'admiratrices. C'est moi qui les lisais avant de les lui filer. Y avait celles qui le croyaient innocent et qui juraient de le soutenir jusqu'au bout. Y avait celles qui pensaient qu'il était coupable et… mouillaient encore plus. Je sais pas vous, mais moi, ça fait belle lurette que j'ai renoncé à piger quoi que ce soit aux nanas…

Corso préféra ne pas relever.

— Sobieski a un alibi pour chaque meurtre.

Jacquemart ricana :

— J'vous l'avais dit, c'est un malin !

Stéphane hocha la tête pour lui-même : sur sa balance, il y avait d'un côté les alibis de Sobieski et sa réputation établie de peintre innocent ; de l'autre, la conviction d'un vieux flic à la retraite, un homme des bois qui tournait en boucle autour de quelques souvenirs.

— Vous faites pas avoir, insista Jacquemart sur un ton d'avertissement. S'il est devenu un grand peintre, pourquoi pas un grand tueur ?

Corso raccrocha et se décida à reprendre tout le dossier depuis le début – l'enquête de Bornek, la leur, celle de Jacquemart… On verrait ce qui sortirait de cette belle synthèse.

À ce moment-là, Ludo frappa à sa porte – il était enfin de retour de la maison d'arrêt de Fleury-Mérogis.

— T'as passé ta journée là-bas ou quoi ?

— Exactement, fit-il, essoufflé. (Visiblement, il avait monté les marches quatre à quatre.) J'ai interrogé pas mal de matons et de détenus…

— Et alors ?

— On pouvait pas rêver meilleur profil.

— C'est-à-dire ?

— D'abord, de l'avis de tous, le gars était d'une violence et d'une intelligence hors pair.

— Ça fait pas de lui un tueur en série.

— Non. Mais il n'était pas non plus la brute défoncée qui a paniqué une nuit de cambriolage. Ça, c'était la thèse soutenue par son avocat pour lui éviter le pire.

Une ligne de défense qui avait complètement raté car Sobieski avait écopé de vingt ans (le maximum).

— En réalité, poursuivait Ludo, c'est un vrai prédateur qui faisait régner sa loi à la zonzon.

— On cherche pas un gros bras.

— Justement, il ne l'a jamais été. Tu l'as vu, non ? Le mec est taillé dans un bâton de sucette. Or personne n'osait l'approcher. Un danger public version porte-clés. On le soupçonne même d'avoir tué plusieurs gars à Fleury – et aussi à Besançon.

— Des rumeurs. Des conneries de taulards.

Ludo sortit des PV et les étala sur le bureau de Corso.

— Les meurtres ont bien eu lieu et l'enquête s'est à chaque fois concentrée sur Sobieski.

Stéphane se souvenait que le peintre avait expliqué avoir été violé des centaines de fois – c'était avant qu'il terrifie toute la taule ou bien simplement des mensonges ?

— Il n'a jamais été condamné pour ces meurtres, rétorqua Corso en feuilletant les PV.

— Par manque de preuves et de témoins. L'omerta classique. J'te jure, j'ai l'habitude des taulards. Sobieski les faisait tous chier dans leur froc.

Tout ça n'apportait rien à l'affaire du Squonk. Ludo parut sentir le scepticisme de son chef.

— C'est pas tout, reprit-il en déposant d'autres documents. Quand Sobieski a été arrêté, il ne savait ni lire ni écrire. Finalement, il a passé le bac en prison et il a obtenu une licence de droit. Il dominait les autres par son savoir et son intelligence. Il s'est même forgé une réputation de juge.

Stéphane leva un sourcil.

— De juge ?

— C'est comme ça qu'on l'appelait à Fleury. Quand il y avait un conflit dans les quartiers, il mettait tout le monde d'accord. Et si un taulard avait manqué à sa parole ou déconné, il sévissait.

Beaucoup plus intéressant... Avec ses tripes, Corso devinait que l'assassin de Sophie et d'Hélène les avait punies pour leurs déviations – les perversités SM de la première, les tendances nécrophiles de la seconde…

— Mais je t'ai gardé le meilleur pour la fin.

— Quoi ? fit Corso en levant la tête.

— En prison, Sobieski pratiquait le shibari.

Les syllabes japonaises mirent un quart de seconde à se replacer dans le cerveau de Corso.

— Tu veux dire… le bondage ?

— Exactement. Il avait initié les autres détenus à la corde et les faisait jouir en les attachant, ce qui en taule est plutôt un comble.

Corso regroupa toutes les feuilles du Toulousain et les glissa dans leur chemise.

— T'as fait un super boulot, Ludo. Merci. Je vais étudier tout ça.

— Et vous, qu'est-ce que vous avez trouvé ?

— Va voir Barbie, elle va t'expliquer.

Quand le flic fut sorti, Corso ne rouvrit pas les documents. Il venait d'avoir une autre idée. Après avoir vérifié l'heure – 20 heures passées –, il appela un des deux OPJ chargés de suivre Philippe Sobieski

– il l'avait confié à des débutants, ce qui était risqué (l'ex-taulard méritait des gars chevronnés), mais ces bleus possédaient un atout essentiel : c'étaient les seuls qui ne puaient pas le flic à dix kilomètres.

— Où vous êtes ?

— Au Silencio, rue Montmartre.

Il connaissait : un bar branché décoré par David Lynch, situé à seulement quelques blocs du Squonk.

— Qu'est-ce qu'il fout là-bas ?

— Il enregistre une émission pour France-Culture. C'est un des animateurs réguliers.

— Il en a pour combien de temps ?

— Au moins deux heures.

Corso avait déjà glissé son calibre dans son holster et enfilé son blouson. Finalement, c'était Jacquemart qui avait raison : avec un salopard pareil, il ne fallait pas se faire avoir.

Et la fin justifiait les moyens.

42

La manufacture se découpait très nette sur le ciel nocturne. À cette heure, l'atelier de Sobieski paraissait posséder une densité particulière, une masse d'étoile morte. Le bâtiment, cerné par une grande cour pavée, n'avait pour voisinage que d'autres édifices qui lui tournaient le dos. Résultat, un isolement inattendu en pleine banlieue parisienne, et bienvenu pour un flic qui avait choisi cette nuit-là de devenir casseur.

La première serrure ne lui posa aucun problème mais il redoutait un éventuel système d'alarme. Pour l'heure, pas le moindre signe d'alerte. Restant sur le seuil, Corso attrapa sa torche électrique et balaya l'espace en quête d'un capteur, d'une lumière ou d'une caméra. Il ne vit rien et se risqua à l'intérieur.

En refermant la porte, il se dit que Sobieski n'était pas le genre à fliquer le lieu où il vivait. Ses toiles valaient très cher, certes, et il était bien placé pour savoir que cambrioleur, c'est un métier comme un autre, mais un voleur et un assassin comme lui ne se défie pas de ses semblables, il éprouve au contraire une sorte de solidarité pour le monde du crime, un monde auquel il appartient et qu'il accepte.

Corso traversa les pièces en prenant son temps. Des murs, un sol, un plafond, rien d'autre. Des surfaces nues, lisses et brillantes comme du métal. Les portraits de Sobieski le suivaient des yeux dans la pénombre : travelos, junkies, strip-teaseuses... Dans cette semi-obscurité, ils paraissaient évoluer dans leur biotope naturel : l'ombre et la clandestinité. En même temps, ils évoquaient les sursauts d'un animal blessé à la chasse. Ils étaient foutus mais ils marchaient encore sur les nerfs, titubant dans leur brève agonie.

Il attrapait au passage des regards, des traits fardés, des paupières mi-closes, lourdes et croûtées de maquillage. La drogue, le vice, la détresse circulaient sous ces chairs de papier kraft, dans ces veines bleuâtres – une légion de maudits à qui Sobieski avait offert son absolution.

Corso ne savait pas ce qu'il était venu chercher mais il devait, d'une façon ou d'une autre, percer la face cachée de l'ex-taulard. Impossible qu'un tel destin n'accouche que d'un bouffon carburant au champagne et aux mauvaises blagues. Sobieski s'était construit à coups de traumatismes, de défonce et de pulsions morbides – un tel parcours ne pouvait produire qu'un être complexe et dangereux. Un prédateur qui savait se battre et se camoufler...

Il pénétra dans l'atelier proprement dit. Son idée, traquer la moindre toile en cours, la moindre esquisse, en quête d'un indice. Il n'avait pas oublié le carnet de la cave – peu importait de savoir si c'était Sobieski qui l'avait laissé là ou si on l'y avait placé pour brouiller les pistes (c'était une hypothèse que Corso n'excluait pas). Ce qui comptait, c'était que la psyché du criminel s'exprimait par le dessin et la peinture. C'était par cette voie qu'il se trahirait, Stéphane en était certain.

À la seule lueur de sa lampe, il passa en revue toutes les œuvres en cours de l'artiste – il souleva les couvertures qui abritaient des tableaux, feuilleta les carnets de croquis, ouvrit les cartons à dessin qui protégeaient des lithographies…

Enfin, dans un coin, il dénicha une toile de 1 mètre sur 70 centimètres soigneusement cachée par un linge grisâtre. Relevant un peu le chiffon, il passa lentement le faisceau de sa lampe sur le tableau à peine sec. Il resta stupéfait.

C'était horrible.

Morbide.

Magnifique.

Corso ne put retenir un demi-sourire. Il avait sous les yeux la preuve absolue que Sobieski était l'assassin de Sophie Sereys.

Tout en contemplant le tableau dans le moindre de ses détails, il se dit qu'il existait une secrète logique dans le destin de Sobieski : il avait été sauvé de ses démons par la peinture mais c'est par la peinture qu'il avait rechuté – et qu'il serait condamné.

Soudain, une violente lumière inonda l'atelier.

— T'aurais pas dû faire ça, fils de pute.

Corso se retourna et découvrit Sobieski en tenue d'apparat : costard de lin blanc *su misura*, pochette de soie, chemise unie à col italien, mocassins en daim à picots…

— Filature illégale, violation de domicile par effraction, atteinte à la vie privée : tu vas te retrouver à faire la circulation place de l'Étoile, Duconneau.

Corso ne lâcha pas son sourire et regarda sa montre.

— On n'en est plus là, Sobieski. Il est 23 h 45. À partir de cette minute, tu es placé en garde à vue pour le meurtre de Sophie Sereys.

43

Une demi-heure plus tard, une bande de flics en uniforme dégringolèrent dans la cour pavée de l'atelier pour embarquer Philippe Sobieski et le transférer au 36 pour audition. Le peintre n'offrit aucune résistance, ne dit pas un mot, n'appela pas d'avocat. Visiblement, il était prêt à se battre tout seul.

Entre-temps, Corso avait passé un coup de fil en urgence à Catherine Bompart pour lui annoncer la bonne et la mauvaise nouvelles – qui étaient la même. Il avait a priori arrêté le tueur du Squonk mais dans des conditions totalement illégales. Ils savaient tous les deux qu'il existait des exceptions, des dérogations accordées par le juge des libertés et de la détention, Bompart trouverait le moyen d'obtenir cette autorisation et bidonnerait les heures.

Stéphane avait aussi appelé l'IJ pour qu'ils passent l'atelier au peigne fin – il fallait trouver, d'une façon ou d'une autre, des fragments d'ADN des deux victimes. En même temps, le flic était certain que Sobieski possédait un repaire secret où il tuait ses victimes, du pain sur la planche pour son groupe. Maintenant qu'ils avaient accès au moindre élément de sa vie privée, ils en trouveraient bien la trace.

Pour l'heure, Corso admirait sa pièce maîtresse. La preuve confondante de la culpabilité de Sobieski. Une toile tout juste achevée représentant Sophie Sereys telle qu'on l'avait retrouvée près de la décharge de la Poterne des Peupliers. Tout y était : les commissures charcutées, les nœuds des sous-vêtements, les yeux injectés de sang – jusqu'à la pierre au fond de la gorge… Autant de faits que personne, absolument personne, ne connaissait hormis les flics et le tueur.

La police scientifique avait les moyens de dater exactement le processus d'élaboration de l'œuvre. Dans tous les cas, l'artiste s'était mis au boulot au moins dix jours auparavant, soit quelques jours après la mort de Sophie…

Après avoir menotté Sobieski dans un coin de la pièce, Corso avait poursuivi sa fouille afin de dénicher des études, des croquis préliminaires de l'œuvre morbide. Il n'en avait pas trouvé.

Il avait trouvé mieux.

Un tableau qui représentait un corps affreusement cambré au milieu d'un terrain vague. Une vraie nature morte… L'œuvre était inachevée mais on reconnaissait sans peine Hélène Desmora. Encore une fois, les détails abondaient – des détails connus du seul meurtrier.

À l'évidence, Sobieski préparait une série de tableaux sur le sujet. Les strip-teaseuses du Squonk, c'étaient ses *Nymphéas* à lui.

Au fil de sa fouille, Corso ruminait deux pensées distinctes. D'abord, il trouvait étrange que le peintre ait pris si peu de précautions. Il laissait sécher le portrait de son premier meurtre au milieu de son atelier et travaillait sur le second alors qu'il savait que la PJ allait débouler – le matin même, Corso et Barbie lui avaient promis une chiée de bleus pour le lendemain. L'autre pensée était d'ordre psychologique. Plus il contemplait, et admirait les tableaux, plus il se disait que le mobile de l'artiste tueur était le plus simple du monde : il avait tué ces filles pour pouvoir les peindre. Leur supplice et leur mort faisaient partie du processus de création – la scène d'infraction pouvait être considérée comme un véritable décor. Sobieski avait mis en scène son tableau dans la réalité pour pouvoir le transcrire en peinture. C'était une œuvre à mi-chemin entre la performance et le tableau.

Pour l'heure, son analyse était rudimentaire. Jacquemart lui avait répété que Sobieski était un psychopathe, un tueur asocial incapable de pitié et d'empathie. Ses dix-sept années de prison avaient sans doute aggravé ce comportement. Il ne se souciait plus de ce qui pouvait se passer « hors les murs » de son atelier. Seule comptait l'œuvre. Et l'ex-taulard était prêt à tout pour avoir le bon sujet, pour que le monde s'accorde à ce qu'il avait en tête, à ce qu'il voulait coucher sur la toile.

Au fil des années, la peinture s'était insinuée dans son cerveau pour devenir, en quelque sorte, l'arme du crime. Ou du moins l'inspiration du meurtre. Homicide et peinture se confondaient dans son esprit malade. La victime choisie n'était que le brouillon de l'œuvre à venir.

En attendant les bleus, Corso n'avait pas cherché à discuter avec Sobieski, il ne voulait surtout pas gâcher son interrogatoire. Il se doutait par ailleurs que le peintre ne lui répondrait pas.

Allait-il se mettre à table au 36 ?

Aucune chance.

Ce dont Corso était sûr, c'était que Sobieski était un coupable hors normes. Il connaissait la loi, les rouages des procédures et, pire encore, le monde des médias. Il allait s'en donner à cœur joie pour proclamer son innocence et crier au harcèlement. Il n'aurait aucun mal à rameuter le bataillon de ses supporteurs : artistes, intellos, politiques, tous ceux qui l'avaient fait sortir de prison et qui allaient se battre aujourd'hui pour qu'il n'y retourne pas.

Quand les deux-tons des flics avaient résonné dans la cour pavée, Philippe Sobieski s'était fendu d'un rire silencieux et noir, découvrant ses chicots à la manière des Japonaises des temps anciens qui avaient les dents laquées.

Son visage n'avait plus aucune profondeur, juste un masque.

— Tu fais la pire connerie de ta vie.

44

— T'as bien compris la situation ? lui demanda Corso une demi-heure plus tard dans son bureau du 36.

Affalé sur la chaise des suspects, Sobieski regarda les quatre murs, s'attarda sur celui qui était mansardé, puis sur la lucarne bardée de grillage – depuis le suicide de Richard Durn, la norme désormais à la BC.

— Faudrait que je sois vraiment distrait.

— T'es parti pour passer l'autre moitié de ta vie au trou.

Le peintre haussa les épaules. Pour son arrivée en fanfare au 36, il avait demandé à se changer. Il avait endossé un ensemble survêtement à liserés dorés, sans doute une grande marque mais qui lui donnait l'air de ce qu'il était : un maquereau en route pour le ballon. La veste était ouverte sur son torse nu et ses chaînes en or, quincaillerie de rappeur à deux balles qui scintillait dans le jour naissant. Un borsalino en feutre gris à bandeau tigré lui dissimulait la moitié du visage.

De l'index dressé, dans un geste de caricature, il releva le bord de son chapeau et lâcha :

— Toi et moi, on vient du même monde, Corso, alors essaie pas de m'intimider ou j'sais pas quoi. La partie fait que commencer.

Corso alluma son ordinateur sans répondre.

— Nom, prénom, adresse, date de naissance, intima-t-il en ouvrant un nouveau document pour son PV d'audition.

Sobieski obtempéra d'une voix neutre. Quand Stéphane l'interrogea sur son emploi du temps les nuits des meurtres, il répéta sa première version : il avait passé la nuit du 16 au 17 juin avec Junon Fonteray et celle du 1er au 2 juillet en compagnie de Diane Vastel.

Corso posa ses mains sur le bureau et lui parla posément, comme pour convaincre un enfant buté :

— Sobieski, il faut que tu sois raisonnable. Avec ce qu'on a découvert dans ton atelier, tes alibis ne tiennent plus.

— C'est pourtant la vérité.

— Quand Junon comprendra ce qu'elle risque dans cette affaire, elle se rétractera.

— Vous pouvez essayer de lui foutre les jetons, ça marchera pas. Cette petite a de la tête et du cœur.

Corso se souvenait surtout d'une étudiante trop sûre d'elle. Quand on lui foutrait sous le nez le tableau de Sobieski, elle se dégonflerait comme un ballon d'anniversaire.

— Prenons les choses autrement. Si t'as passé la nuit du 16 au 17 juin avec Junon, comment as-tu pu peindre un tableau de la victime après sa mort dans l'exacte position où elle a été retrouvée à la Poterne des Peupliers ? Tu as représenté les liens qui l'entravaient et la pierre dans sa gorge. Ces détails n'ont pas été diffusés, les photos de la scène de crime n'ont pas été publiées. Seul l'assassin connaît ces précisions. Qu'as-tu à répondre à ça ?

— La force de mon inspiration.

— Trouve quelque chose de plus convaincant.

— J'ai lu les articles des journaux, les infos sur le Web. Le reste, c'est de la déduction.

— T'as raté ta vocation, tu aurais dû être flic.

— Les journalistes ont raconté que la petite était ligotée avec ses sous-vêtements. C'était pas difficile de deviner qu'il l'avait attachée les mains dans le dos.

— Personne n'a jamais précisé que tous les liens étaient solidarisés et reliés à la gorge, provoquant l'étouffement au moindre geste.

— Si t'étais un peu branché SM, tu saurais que ce type d'attache est un classique.

— Personne n'a jamais dit que l'assassin était branché SM.

— T'es con ou quoi ? Le gars choisit des strip-teaseuses, il se sert de leurs sous-vêtements pour les attacher, il les défigure. On est dans le registre de la perversion ordinaire…

— Les nœuds que t'as dessinés sont exactement ceux que le tueur a utilisés.

Sobieski se fendit d'un sourire oblique.

— Ma toile est pas aussi précise. J'ai pas dessiné les nœuds. T'auras du mal à faire passer un coup de pinceau pour une preuve objective.

Corso avait envie de le baffer mais il se cramponna à son clavier pour éviter tout geste déplacé.

— Et les mutilations au visage ? Comment tu expliques que t'aies dessiné exactement les blessures infligées par le tueur ?

— Arrête ton cirque, Corso. Sur ma toile, le visage est de profil, et qu'est-ce qu'on voit au juste ? Une bouche démesurée.

— La plaie de Sophie Sereys.

— J'ai simplement pensé au *Cri* d'Edvard Munch. Et à mon avis, ton assassin y a pensé aussi.

— Pourquoi pas à Goya ?

— J'te vois venir… Les *Pinturas rojas*, justement affichées dans mon atelier.

— Justement, oui. Y a pas qu'ça, Sobieski. Ton problème, c'est que de nombreux faits te désignent comme l'assassin : tu couchais avec les victimes, tu rôdais dans les coulisses du Squonk, t'es un amateur de shibari…

— Tout ça fait pas de moi un coupable.

— Pris séparément peut-être. Mais l'ensemble commence à peser, tu crois pas ? Surtout pour un mec qu'a passé dix-sept ans en taule.

— J'ai payé et je me suis racheté.

— Ton meurtre de l'époque présente des similitudes avec ceux d'aujourd'hui et…

— Non. On en a déjà parlé. Ça n'avait rien à voir avec les sacrifices de Sophie et d'Hélène. Putain de Dieu, tu vas droit dans le mur sur cette voie-là. Tout ce que tu vas récolter, c'est des emmerdes avec tes supérieurs.

Le flic esquissa un sourire.

— Tu vas m'attaquer pour harcèlement ?

— Pas moi, Corso. Mes amis, mes soutiens, tous ceux qui se sont battus pour que je sorte de prison.

— Je suis terrifié.

Sobieski se pencha en avant. Il avait les sourcils très fins et très mobiles. Il les inclinait vers les tempes pour un oui ou pour un non, accentuant une expression de contrariété ou de consternation. Bompart appelait ça les « sourcils en toit de chiottes ».

— Rigole, Corso, tu sais comme moi que t'avances sur un terrain miné. Tes preuves valent pas un clou, mon arrestation est illégale et tout ça va te péter à la gueule.

— Dans ce cas, pourquoi t'appelles pas ton avocat ?

Sobieski retrouva sa position de marlou sûr de son fait. Les jambes écartées, un coude sur le bureau, le torse légèrement penché afin de mettre en valeur toutes ses breloques.

— J'ai le temps. De toute façon, ta procédure est hors la loi depuis le départ. C'est à s'demander si t'as déjà eu affaire à un vrai délinquant.

Un signal s'alluma au fond du cerveau de Corso :

— Qu'est-ce que tu veux dire ?

— Pourquoi je suis rentré chez moi à 23 heures à ton avis ?

— Parce que ton émission était terminée.

— Mon émission se termine à minuit, ma poule. Je suis rentré parce que mon système d'alarme s'est déclenché.

— Quel système ?

— Celui qui est installé dans mon atelier, si discret que tu l'as même pas repéré.

304

Corso commençait à avoir la gorge sèche : encore une erreur d'analyse. La prison n'accouche que de paranoïaques.

— Mon système ne sonne pas, ne s'allume pas et n'appelle que moi. (Il lui fit un clin d'œil.) Si un salopard essaie d'entrer, c'est moi qui règle le problème.

— Où tu veux en venir ? On en est toujours à ma parole contre la tienne.

— Pas tout à fait, Corso, parce que mon système est aussi équipé de caméras.

Cette fois, son estomac se bloqua. Bompart ou pas, il aurait du mal à légitimer le film de ses déambulations nocturnes.

— Mon avocat reçoit directement les enregistrements time-codés. Il a dû se régaler ce matin. C'est pas tous les jours qu'on prend un flic la main dans le slip à se branler.

Corso changea de ton :

— Espèce de connard taré, tu peux essayer de me chercher des poux sur ce terrain. Tes tableaux restent des preuves recevables. Des pièces que le juge va se faire un plaisir d'intégrer à la procédure.

— Y a d'autres éléments à verser au dossier, Corso, comme cette filature illégale dont j'ai été victime. Encore une fois, t'aurais dû être plus prudent. Sobieski, c'est politique. Je suis un symbole, un message d'espoir pour tous ceux qui ont merdé un jour et qui veulent se racheter. L'opinion publique est de mon côté et, crois-moi, ça pèse plus lourd que tes élucubrations.

Des noms passèrent dans sa mémoire : Omar Raddad, Cesare Battisti… Rien de pire que les affaires dont les civils se mêlaient. Cela ne faisait qu'ajouter au bordel général. En France, il y avait encore des voix pour défendre Jacques Mesrine et accabler les flics qui l'avaient éliminé.

— Dans ce cas, rétorqua Corso, on va devoir secouer les témoins.

Le visage de Sobieski se contracta. Ses lèvres frémirent – elles étaient elles aussi très mobiles, pouvant passer, en un éclair, du sourire bienveillant à la cruauté la plus sinistre.

— Ne touche pas à Junon ni à Diane, fils de pute. Sinon…

— Sinon quoi ? Il faut qu'elles comprennent ce qu'elles risquent. Elles vont t'accompagner dans ta chute, c'est tout. Voilà ce que c'est que de coucher avec des *bad boys*.

Soudain, Sob la Tob retrouva son sourire. Toujours cette versatilité. Au fond de ses yeux caves brûlait une lueur de folie.

— J'ai tort de m'inquiéter, chantonna-t-il. Des enfoirés dans ton genre, en taule, j'en ai bouffé des douzaines.

— C'est ce que j'ai entendu dire, ouais. « Le Juge »… Ça aussi, ça va jouer contre toi.

— De quoi tu parles au juste ?

— Laisse tomber. En tout cas, t'as la gueule du casting, crois-moi. Tu vas être déféré devant le juge dans la journée et tu vas retourner en préventive.

— J'vais t'faire une fleur, murmura le peintre en avançant son coude sur le bureau comme un poivrot sur un zinc. Avant de rameuter la cavalerie, regarde bien mon tableau. La solution est à l'intérieur.

— Quelle solution ?

— T'es un bon flic, railla-t-il. J'te fais confiance. Tu finiras par comprendre la vérité. Comment j'ai pu peindre cette toile tout en étant innocent.

Corso se troubla – derrière ses accents de fort en gueule, il percevait autre chose.

Le suspect se leva. Il avait retrouvé sa superbe de prince des caniveaux.

— Mais dépêche-toi, conclut-il en lui faisant un dernier clin d'œil. N'oublie pas : Sobieski, c'est politique.

45

— On est bons ou on n'est pas bons ?

Bompart avait déjà prévu une nouvelle conférence de presse dans la journée. Elle comptait sur une annonce officielle pour river leur clou aux journalistes et apaiser le grand public. Debout face à son bureau, Corso essayait de la calmer et d'obtenir encore du temps.

— On est bons, confirma-t-il, mais…

— Il a avoué ?

— Non… et il y a des problèmes.

— Quels problèmes ?

En quelques mots, il expliqua l'histoire du système d'alarme et des caméras.

— Putain de Dieu, siffla-t-elle entre ses dents.

La chef de la Crime avait déjà obtenu l'autorisation pour la perquisition nocturne de Corso. Mais là, il s'agissait de tout autre chose : la violation du domicile d'un suspect.

— T'affole pas, essaya-t-il d'argumenter, on doit pouvoir négocier.

— Ah bon ? Avec qui au juste ?

— Avec Sobieski et son avocat. L'enfoiré redoute qu'on bouscule ses témoins, Junon Fonteray et Diane Vastel. Elles peuvent être notre monnaie d'échange.

— Où tu te crois ? Dans une prise d'otages ?

— Tu vois ce que je veux dire.

Il y eut un silence.

— Je ne peux donc pas faire de communiqué, conclut-elle avec déception.

— Laisse-moi la journée. Je vais trouver autre chose. Mon groupe est en train de passer au tamis son atelier, ses comptes, ses maîtresses. Sobieski pourra toujours nous attaquer plus tard, la puissance de l'accusation balaiera tout.

Bompart ne répondit pas, elle paraissait sceptique.

— Je te dis que ce soir, on aura du lourd.

— Que Dieu t'entende.

Corso fila dans le bureau de Krishna. Le procédurier savait comment rédiger des constates qui ne prêtaient à aucune critique – Krishna n'était pas seulement un maître de la langue administrative, il avait passé le barreau et ne craignait personne en matière de procédure.

Après l'avoir briefé, Corso précisa :

— Mais attention, c'est un brouillon.

— Qu'est-ce que tu veux dire ?

— Tu n'envoies rien, tu le montres à personne. Je ne sais pas où on va sur ce coup.

Krishna, derrière ses lunettes, ressemblait à un cahier de géométrie : le cercle et le carré, le crâne chauve et la monture d'écaille. Il n'aimait pas les sorties de route.

— Je comprends pas. On risque quelque chose ?

Corso se passa la main sur le visage.

Comme un fait exprès, Barbie débarqua dans le bureau du scribe.

— Qu'est-ce que tu fous là ? interrogea Corso nerveusement. Tu devrais pas être à l'atelier de Sobieski ?

— J'en reviens. On a presque fini.

— Déjà ?

— Justement, déjà.

Barbie avait sa tête des mauvais jours, l'œil inquiet et les joues rouges.

Elle considéra Krishna une seconde puis demanda à Stéphane :

— Tu peux venir un instant ?

Dans le couloir, la petite fliquette passa à table.

— On n'a rien, fit-elle à voix basse, le souffle altéré. La police scientifique a même pas trouvé une empreinte incriminante chez Sobieski. S'il baisait avec Sophie et Hélène, c'était pas chez lui.

— Aucune trace de sang ?

— Que dalle.

— Et l'étau ?

— On l'a démonté et emporté pour analyses. Mais sur place, on l'a déjà passé au Bluestar et ça n'a rien donné.

— Il a un autre atelier, c'est évident. T'as étudié ses comptes en banque ?

— J'ai commencé mais la perquise m'a grillé la fin de la nuit et la matinée.

— Retournes-y. Il doit louer un truc ou il a acheté un espace.

— Au fait, j'ai aussi contacté Mathieu Veranne, il ne connaît pas Sobieski.

Corso revoyait le marquis de Sade à gueule de limande. Si ce gars-là n'avait jamais entendu parler du suspect, ça signifiait que l'ex-taulard n'avait aucun contact avec le milieu du bondage à Paris. Sobieski pratiquait en solo – et selon ses règles.

— Vous avez trouvé du matos SM chez lui ?

— Pas le moindre bout de ficelle.

Barbie, d'ordinaire offensive, semblait déstabilisée – ils avaient crié victoire trop vite. Peut-être même commis une grave erreur en arrêtant Sobieski…

— Stock ?

— Elle continue à interroger ses proches, ses amis, mais à part ses histoires de cul, le mec semble irréprochable.

— Ludo ?

— Toujours à la perquise, il gère le bouclage des scellés…

— On a des nouvelles de l'avocat de Sobieski ?

— Non.

Pourquoi l'enfoiré n'avait-il pas encore lâché son chien sur eux ? Pourquoi les représailles tardaient-elles ? Le bavard avait reçu les images de Corso en pleine fouille illégale, il aurait déjà dû débouler au 36 pour exiger la libération de son client.

S'il ne bougeait pas, c'était qu'il avait des ordres. Sobieski attendait quelque chose – mais quoi ?

— Retourne à tes chiffres, dégote-moi un indice. Où sont les tableaux ?

— Les tableaux ?

— Ceux de Sophie et d'Hélène.

— À l'IJ, je crois.

Corso partit en direction du labo. Il traversa la cour, remonta un nouvel escalier et emprunta le couloir du SCIJ (Service central d'identité judiciaire), qui évoquait une sorte de musée du crime à l'ancienne.

La phrase de Sobieski ne cessait de tourner dans sa tête : « Regarde bien mon tableau... La solution est à l'intérieur. » Ce con était foutu d'avoir dissimulé un message dans sa toile – un truc explosif qui allait l'innocenter ou au contraire aggraver son cas.

Corso pénétra dans la salle principale de l'IJ, qui ressemblait à un des laboratoires décatis du Jardin des Plantes. Des paillasses, des becs Bunsen, quelques centrifugeuses pour faire moderne : on était loin d'un site futuriste façon *Les Experts*.

Il salua rapidement les techniciens qui s'affairaient sur leur ordinateur ou leur microscope. Il n'avait jamais rien compris à la police scientifique et le seul fait de venir dans ce repaire lui filait mal à la tête.

Un gars en blouse blanche vint à sa rencontre – coupe blonde de Playmobil, figure large à l'expression timorée, carrure de flûte à bec : vraiment pas taillé pour le terrain.

— Je suis le lieutenant Philippe Marquet. Je peux vous aider ?

Corso se présenta et demanda à voir les tableaux de Sobieski.

— Ils sont en cours d'analyse. Suivez-moi.

Ils passèrent dans une autre pièce. Les pieds s'enfonçaient dans des lattes de parquet déchaussées. L'ambiance rappelait plus que jamais une salle de classe de physique-chimie de la fin des années 70.

Le tableau de Sophie était fixé sur un chevalet de métal. Sur les deux techniciens qui s'agitaient autour de l'œuvre, il en connaissait un de longue date, Nicolas Laporte, un coordinateur avec lequel il avait souvent bossé, intelligent, connaissant son affaire, mais syndiqué et éternel râleur – pas du tout son genre.

— Ça donne quoi ? lui s'enquit-il.

— Rien de spécial. D'après les analyses des huiles et des vernis, Sobieski a dû achever ce tableau y a une semaine.

Sobieski avait donc peint son témoignage dans la foulée du meurtre, le boulot avait dû lui prendre deux ou trois jours. Ensuite, il avait préparé l'assassinat d'Hélène Desmora – l'esquisse de l'œuvre –, puis il était passé à l'acte. Tout ça se tenait mais les paroles du suspect résonnaient encore sous son crâne : « La solution est à l'intérieur... »

— C'est tout ce que tu peux me dire ? demanda-t-il en observant la toile avec attention.

Laporte attaqua une série d'explications techniques qu'il n'écouta pas. Penché au-dessus de la « nature morte », il se concentrait sur le moindre détail.

Sobieski avait joué l'hyperréalisme – la cambrure horrible du corps, les torsades des sous-vêtements devenus liens meurtriers, la bouche transformée en plaie béante, les cheveux épars sur le ciment... Le peintre n'avait oublié aucun détail : de la pierre dans la gorge, dont on apercevait l'arête, aux côtes saillantes prêtes à percer la chair...

— C'est quoi, le truc à droite ? fit-il.

— Quel truc ?

— L'angle noir, là.

Corso désignait une curieuse forme rectiligne dépassant en bas du côté droit du tableau, un élément qui ne semblait ni en terre ni en ciment et qui tranchait avec le reste.

Laporte chaussa des lunettes et regarda de plus près encore.

— Merde, finit-il par dire en se relevant.

— Quoi ?

Il ôta ses lunettes et regarda durant quelques secondes Corso. À cet instant, le flic comprit lui aussi.

— On est morts, conclut simplement Nicolas Laporte.

46

Corso convoqua Barbie dans son bureau.

— Le ver est dans le fruit.

— Comprends pas, fit la fliquette.

— Sobieski n'a pas peint ces scènes d'infraction *in situ* mais d'après des photos de l'IJ. Ses modèles sont des clichés de l'IJ. Il a même pris soin de représenter un angle d'une mallette en polypropylène des scientifiques qui apparaît dans le champ.

— Tu veux dire…

— Quelqu'un lui a donné ou vendu ces images.

— Il a très bien pu peindre ce détail pour s'innocenter…

— Non. Avec Laporte, on a retrouvé le cliché que Sobieski a copié. Le doute n'est pas permis.

Le premier mec à interroger était le photographe de l'IJ présent sur le site de la déchetterie de la Poterne des Peupliers le 17 juin dernier, et également à Saint-Denis sur le terrain vague : Benjamin Nguyen, 29 ans, officier de police à l'IJ depuis quatre ans. Nicolas Laporte se portait garant de lui mais on allait le cuisiner à fond.

De son côté, Barbie allait retracer les dossiers numériques : chaque consultation était mémorisée. On pouvait savoir qui, quel jour et à quelle heure, avait regardé tel ou tel cliché. Mais Corso penchait plutôt pour des tirages papier qu'un salopard aurait vendus en loucedé. Une fois imprimées, les images n'étaient plus traçables.

Le gros morceau, c'était de cuisiner les hommes de Bornek. C'étaient eux qui dirigeaient l'enquête au moment où la photo de Sophie Sereys avait été a priori vendue. Il y avait donc de fortes présomptions pour que le salopard soit parmi eux.

En fait, un autre cliché avait ensuite été vendu, celui d'Hélène Desmora. On pouvait donc soupçonner tout le service de l'IJ, les hommes de Bornek et, pourquoi pas, ceux de Corso...

— Tu les connais ? demanda-t-il à Barbie.

— Quelques-uns.

— Ils sont kasher ou non ?

— On n'est jamais sûr.

Corso secoua la tête avec fatalisme. Depuis le début de l'enquête, un flic était en contact avec celui qui était devenu leur suspect numéro un. Ça signifiait aussi, accessoirement, que Sobieski n'était pas l'assassin. Corso refusait d'y penser pour l'instant.

— On doit remonter à la source du fric.

— Qu'est-ce que tu veux dire ?

— Sobieski a acheté ces tirages. Il les a payés. L'argent a dû laisser une trace.

— Qu'est-ce que tu crois ? Qu'il a fait un virement au Trésor public ?

Barbie avait raison. Tout ça s'était passé sous le manteau, en cash.

316

— Checke tout de même ses comptes en banque. Il a peut-être retiré de grosses sommes aux dates qui nous intéressent.

La fliquette paraissait sceptique – il l'était aussi. L'urgence était d'éviter le scandale intra-muros. Corso décida de prendre le taureau par les cornes, c'est-à-dire Sobieski par les couilles.

— Je reviens tout à l'heure, fit-il sans donner plus d'explications.

Il dévala les escaliers et se retrouva dans la cour de la PJ. Sobieski était au dépôt, dans les sous-sols du Palais de Justice. Au terme de sa garde à vue, il allait être auditionné par le juge qui l'inculperait. Alors seulement il aurait droit à un « transfèrement » (les flics parlaient un français un peu spécial), c'est-à-dire un aller simple pour une maison d'arrêt.

Corso passa les sas, franchit les portes, traversa ces basses-fosses du tribunal dont toute l'architecture était fondée sur le grillage. Fenêtres, portes, passerelles, tout était protégé pour éviter que les fauves ne puissent causer le moindre problème durant leur bref passage.

Dans sa cellule, Sobieski portait toujours son survêtement blanc à bandes dorées mais n'avait plus de chapeau. Sa tête avait l'air d'avoir réduit de moitié. Il haussait les sourcils – toujours en toit de chiottes – et son front plissait, révélant des générations de rides, de rage, de désillusions.

— Où t'as eu ces photos ?

— De quoi tu parles ?

Sa tempe gauche était bleue, sa joue droite tuméfiée. Des éclaboussures de sang souillaient le col de sa veste. Les retrouvailles avec les keufs avaient été difficiles.

— Joue pas au con, ordonna Corso en s'asseyant à ses côtés. Tu t'es procuré une photo de Sophie Sereys à la Poterne des Peupliers, puis une autre d'Hélène Desmora sur son terrain vague. Tu t'es contenté de les copier, allant jusqu'à reproduire sur la première une mallette de l'IJ qui traînait là.

Sobieski eut un large sourire, dévoilant ses dents à la peine et ses gencives gorgées de sang.

— Mon assurance santé.

— Comment tu t'es procuré ces images ? Je peux te faire tomber pour entrave à la justice et corruption de fonctionnaire.

— Je suis mort de frousse. Tu m'as entaulé ici pour deux meurtres. Tu vas être obligé de me libérer dès demain et d'avouer à tous comment les fonctionnaires de police arrondissent leurs fins de mois. Corso, tu me fais de la peine. Ton urgence maintenant, c'est de sauver tes miches.

Sous les néons, les ombres du visage de Sobieski tombaient comme des stalactites noires. Par les vitres de la porte, Corso pouvait voir la tête du planton qui surveillait la scène. À l'évidence, Sobieski avait déjà fait des siennes.

— Tu les as achetées combien ?

— Pourquoi ? T'en as d'autres à me proposer ?

— Réponds.

— Tout a un prix, Corso. Et la probité d'un flic, sur le marché actuel, c'est pas ce qu'y a de plus cher.

— Qui te les a vendues, putain ?

— Je suis pas une balance.

— Tu protèges un flic ?

Sobieski se pencha. Gros plan sur sa peau qui semblait lisse comme du cuir. Cette chair s'était refermée il y a longtemps pour ne plus subir aucune attaque du monde extérieur.

— Je sais que t'as enquêté sur moi à Fleury. Là-bas, on m'appelait « le Juge ». On t'a dit pourquoi ?

— Parce que tu faisais respecter des règles à la con.

— Des règles que j'avais instaurées.

— Elles sont aussi valables pour les flics ?

— Pour les flics qui dealent avec moi, oui. Ceux-là sont sous ma protection.

Corso se retint pour ne pas le coller au mur.

— Si tu veux t'innocenter, tu seras obligé de nous lâcher le nom.

Sobieski éclata franchement de rire.

— M'innocenter ? Le seul coupable, c'est celui qui m'a vendu ces tirages. J'suis pas inquiet, tu vas le trouver mais je le balancerai pas.

Corso ne trouva rien à répondre.

— Ton seul vrai problème, reprit Sobieski d'un ton conciliant, c'est que j'ai pas tué ces femmes. Tu t'es planté sur toute la ligne, Corso, et t'as intérêt à me libérer fissa avant d'être la risée de tout Paris.

Corso fit un effort surhumain pour, juste un instant, se glisser dans la peau de l'ordure.

— Admettons que tu n'aies rien à voir avec cette affaire, pourquoi t'être procuré ces images ? Pourquoi en faire des tableaux ?

— C'est l'genre de trucs qui m'inspirent. C'est mon univers.

Corso se leva et contrôla sa voix :

— Je vais te dire, Sobieski. Tes témoins, tes alibis, tes combines avec les flics du 36, tes admirateurs, ça te sauvera pas. Je sais que t'as tué ces filles et tu vas payer pour ces meurtres, j'te le jure.

En rentrant au 36, il tomba sur Barbie – ou c'est plutôt elle qui se jeta sur lui. Elle l'emmena, presque de force, sur le toit du dernier étage et referma la porte avec précaution. Elle attendit encore quelques secondes derrière pour vérifier que personne ne les suivait.

Debout sur la pente de zinc, Corso sortit une cigarette, dérouté par ces excès de prudence.

Barbie revint vers lui – elle lui arrivait à la poitrine mais la pente accentuait encore cette différence.

— J'ai parcouru les comptes en banque de Sobieski. Il n'en ressort rien sinon qu'il est très riche. Il utilise jamais de cartes de crédit ni de chèques. Il sort seulement des sommes importantes de cash. Donc on oublie cette piste. Impossible de savoir quand et avec quoi il a payé la balance.

— Encore une bonne nouvelle.

— Tu t'souviens que Sobieski a pas de portable ?

— J'y crois pas une seconde.

— T'as tort. Selon Stock, pour communiquer, il utilise des techniques à l'ancienne. Par exemple, y a un troquet dans le XIᵉ, près de la rue Saint-Maur, L'Hippocampe, où on peut lui laisser des messages.

— Comment tu le sais ?

— Toujours Stock. Bref, j'y suis allée et j'ai cuisiné le patron pour savoir si un gars aux allures de flic avait pas laissé un mot y a une quinzaine de jours. Le patron avait la mémoire floue mais il s'est souvenu d'un mec qui est passé deux fois, y a deux semaines puis y a quelques jours…

— Quel signalement ?

— Une grande asperge avec une touffe de cheveux crépus et roux. Un gars qu'a l'accent du Sud et qui parle que de rugby. Ça te rappelle quelqu'un ?

47

— C'est un cauchemar.

Au pied de Notre-Dame, entre le pont Saint-Michel et le Petit-Pont-Cardinal-Lustiger, la Seine, déjà fendue en deux par l'île de la Cité, s'amenuise encore. Au fleuve large et souverain succède une rivière ceinturée par les hauts remparts des rives où, comme par hasard, sont toujours stationnées une poignée de péniches, donnant un air de canal à ce bras étroit et intime.

Quand Corso l'avait appelée pour un « briefing de crise », Bompart l'avait aussitôt emmené dehors, sur le quai des Orfèvres, qui en avait entendu d'autres. Le flic avait résumé la situation et Bompart avait décidé de poursuivre leur marche. Ils avaient traversé le parvis de Notre-Dame parmi les touristes, les amateurs de roller et les soldats antiterroristes, puis ils s'étaient arrêtés sur le Petit-Pont, trouvant là une atmosphère de confessionnal qui convenait bien à la situation.

— C'est un cauchemar, répéta-t-elle en allumant une cigarette.

— Non, j'ai une stratégie.

— T'as assez fait de conneries comme ça.

— Écoute-moi. Demain, on libère Sobieski. Avant, je deale avec lui.

Bompart le regarda avec consternation.

— C'est sûr que t'es en position de négocier.

Corso fit comme s'il n'avait pas entendu :

— Cette histoire de photos fout en l'air notre preuve majeure mais c'est aussi un acte répréhensible.

— Surtout pour Ludo.

— Pour Sobieski aussi. Corruption de fonctionnaire, vol de pièces à conviction et j'en passe. Avec son passif, il retournera au trou.

— Comme si on n'avait pas assez d'emmerdes. Provoque la colère de tous les intellos de la rive gauche et des journaleux de la rive droite, je t'en prie.

Corso lui serra le bras.

— J'ai été le voir en cellule. Il joue les gros bras mais il est terrifié à l'idée de retourner en taule. On lui propose de la fermer. De notre côté, on lui lâche la grappe et on sauve les miches de Ludo.

Bompart lui lança un regard oblique – elle se tenait les deux mains serrées sur le parapet comme un capitaine à la proue de son navire.

— Il marchera ?

— J'en suis certain. On oublie les photos, les tableaux, et on repart de zéro.

— Y a les PV.

— Les PV sont toujours chez Krishna.

— Et le proc ?

— On lui dit qu'on est allés trop vite, qu'on est habillés trop léger pour déférer Sobieski devant un juge.

Bompart fixa la Seine en direction du pont Saint-Michel. Le soir tombait et dans d'autres circonstances, la scène aurait pu être charmante. Corso, lui, regardait sa marraine : la reine des flics avait été jolie mais le temps était passé par là. Le temps et les crimes. Aux méfaits des années, s'étaient ajoutés les meurtres, les viols, les trafics... À force de sonder la noirceur humaine, Bompart avait perdu tout éclat, à l'extérieur comme à l'intérieur. Crispée sur ses désillusions, rongée par les déceptions, elle n'était plus qu'un noyau d'amertume qui votait Le Pen et souhaitait le retour de la peine de mort. Ravages de l'âge, ravages de l'âme...

En l'observant du coin de l'œil, Corso cherchait à se souvenir de la fois où ils avaient couché ensemble. Ils s'étaient retrouvés dans un hôtel minable du côté de Maubert-Mutualité. Ils portaient tous les deux leur arme de service et s'étaient empêtrés dans leur holster. Tout ce dont il se souvenait à présent, c'était du sentiment de ridicule et d'erreur sinistre qui l'avait tenaillé alors.

— Et Ludo ?

— Je viens d'me le faire.

— Qu'est-ce qu'il dit ?

— Des histoires de flambe, de nanas, des conneries.

— C'était la première fois ?

— C'est ce qu'il jure mais il ment.

— Tu me dégages cette ordure.

— Pas tout de suite. On attend que ça se tasse et il nous file sa dém'.

Bompart acquiesça. Elle était d'accord avec la clémence de Corso mais elle aurait aimé prendre la décision elle-même.

— Il sait quelque chose sur Sobieski ?

— Non. Ils se sont connus dans une boîte à partouzes. Le peintre a juste dit à Ludo qu'il était preneur de ce genre de photos : des cadavres, du sang, de la misère… À n'importe quel prix.

— Combien il s'est fait ?

— 10 000 la photo. Il était couvert de dettes.

La chef de la Crime lui balança un coup d'œil.

— Qu'est-ce que t'en penses ?

— Faut laisser retomber le soufflé.

Bompart exhala un soupir qui avait valeur de point d'orgue.

— Je vais téléphoner au proc, conclut-elle d'une voix lasse. Je vais faire mon mea-culpa et expliquer qu'on a été trop vite. Il lèvera la garde à vue ce soir.

Il allait repartir quand elle l'attrapa par la manche.

— J'crois qu't'as pas compris, là. Si on règle cette affaire, c'est juste une emmerde de moins. Tu dois trouver l'assassin.

— C'est Sobieski.

— Alors, sors-toi les doigts du cul et fais-le tomber.

Corso fila directement au dépôt. Il demanda aux bleus de lui amener le peintre menotté dans la salle des fouilles – ils seraient tranquilles, loin des yeux et des oreilles, dans cette pièce carrelée qui ressemblait à un vestiaire de piscine.

Quand Sobieski l'aperçut, il se raidit.

— J'suis pas libéré ? demanda le peintre.

Corso fit signe au policier de les laisser. Le claquement de la porte ébranla encore le détenu.

— Assieds-toi, ordonna-t-il en désignant le double banc central.

Sobieski ne bougea pas. Menottes aux poignets, secoué de tics, Sob la Tob avait perdu de sa superbe.

— J'vais tout balancer au juge, putain d'enfoiré. Quand j'serai libéré, j'irai tout baver aux médias. Putain, je…

Corso l'attrapa par l'épaule et le força à s'asseoir.

— Assis, j'te dis ! (Il s'installa à ses côtés.) J'ai parlé au proc et je lui ai tout expliqué.

— T'as dû oublier quelques détails, ricana Sobieski.

— Non, j'lui ai expliqué comment t'as piraté le site de l'Identité judiciaire et piqué des photos de nos affaires criminelles.

— Qu'est-ce que tu me chies ?

Corso prit un ton conciliant :

— J'lui ai assuré que c'était innocent de ta part. Tu pensais pas à mal. Tu es un artiste. Tu cherches simplement des sujets d'inspiration…

— Tu racontes n'importe quoi, j'ai même pas de portable.

— Non, mais t'as un ordinateur. J'ai envoyé chez toi une équipe de geeks de l'IJ qui se sont fait un plaisir de pirater leur propre site pour te faire tomber.

— Putains d'enfoirés !

— Calme-toi. Tout peut encore s'arranger.

Sobieski se ratatina au bout du banc, le regard torve. Il paraissait vieux et essoré, mais encore capable de bondir comme une bête traquée.

— Personne est au courant pour les tableaux.

Au fond de ses orbites, une lueur s'alluma, vitreuse, frémissante.

— On va dire au proc qu'on s'est un peu précipités. On va lui parler de tes liens avec Sophie et Hélène, du carnet d'esquisses, de Goya. Mais comme tu le sais, tout ça, c'est de l'indirect. Avec un peu de chance, tu sors ce soir.

— Tu racontes que d'la merde, cracha le peintre. C'est moi qui vais vous foutre en taule. J'ai conservé les photos que vous m'avez vendues, vous, les flics. J'ai le film où on te voit pénétrer chez moi par effraction. Putain, vous êtes morts.

Corso acquiesça d'un signe de la tête, sans se départir de son calme – la seule stratégie pour convaincre l'ennemi.

— T'as quelques biscuits, c'est vrai, mais nous aussi. J'ai parlé avec Ludo, mon grand. Il m'a donné la liste de tout ce qu'il t'avait vendu. Mes geeks sont en train de foutre les clichés dans la mémoire de ton Mac. On t'a rien vendu, tu nous as tout piqué. C'est aussi simple que ça.

— J'vais pas m'laisser faire. Vos bidouillages informatiques tiendront pas la route face à des experts et…

— La magie de la combine, c'est que c'est précisément nos geeks qui seront appelés pour vérifier ton Mac.

— Enfoirés, marmonna-t-il. J'ai d'autres preuves, j'ai…

— Je doute que Ludo t'ait signé des reçus. Ça sera ta parole contre la nôtre. Avec tes antécédents, y aura pas photo.

— Vous vous protégez entre vous, tas d'enculés.

Stéphane posa une main sur l'épaule de Sobieski, amicale.

— Du même coup, on te protège aussi. Vaut mieux que tout le monde oublie cette affaire.

— Qu'est-ce qui me prouve que vous allez pas m'entauler pour piratage ?

— C'est pas le sujet, Sobieski. Quand je t'arrêterai, ça sera pour les meurtres de Sophie Sereys et d'Hélène Desmora. Et ça devrait pas tarder, crois-moi. T'as juste gagné un sursis.

Sobieski sourit de toutes ses dents noires. Il venait de comprendre qu'après ce score nul, un nouveau match commençait déjà. Curieusement, cette idée parut lui plaire.

— Je te souhaite bonne chance, ma couille, susurra-t-il.

Après avoir quitté le dépôt, Corso régla les affaires courantes. Bien sûr, il avait bluffé : jamais un flic de l'IJ n'aurait accepté de trafiquer l'ordinateur d'un suspect, même pour sauver la peau d'un autre flic. Mais Sob la Tob fermerait sa gueule pendant l'audition et le juge ne serait jamais au courant de la perquise illégale ni des trafics de Ludo.

De retour dans son bureau, Corso appela Bompart pour lui signifier que tout était réglé – elle raccrocha sans un mot –, puis il rédigea un PV d'audition avec Krishna qui ne mentionnait à aucun moment les toiles. Il passa ensuite à l'IJ pour les récupérer et sut convaincre les gardiens du temple, notamment le petit bonhomme coiffé en Playmobil, Philippe Marquet, qu'il emportait les tableaux « pour les besoins de l'enquête ».

Enfin, il briefa Barbie sur le résultat des courses et la chargea de recadrer encore une fois Ludo : on l'avait sauvé pour sauver le groupe. Après cette enquête, on ne voulait plus jamais entendre parler de lui.

Il demanda aussi à son adjointe de faire un dernier tour de piste avant le soir : les témoignages spontanés, le travail de fourmi des stagiaires, les retours divers et variés des sondes qu'ils avaient lancées. Ensuite, tout le monde pourrait aller se coucher. Le lendemain il faudrait repartir… de zéro.

Quand il quitta le 36, Corso fut pris d'un vertige. Il n'avait plus de coupable, il n'avait plus de piste, il n'avait plus d'idées. D'une certaine façon, il se sentait soulagé, presque grisé, d'avoir évité le pire, mais c'était l'ivresse des désespérés.

Il rentra chez lui et s'endormit tout habillé sur son canapé.

Sans dîner ni rêver.

48

— C'est Adrien.

Corso mit quelques secondes à réaliser qu'il s'agissait du nouveau flic que Barbie avait collé aux basques de Sobieski dès sa levée de garde à vue, la veille, aux environs de 20 heures.

Le bleu le réveillait. Il était près de 9 heures et il avait dormi comme un accidenté de la route dans le coma.

— Qu'est-ce qui se passe ?

— Je suis gare du Nord.

— En quel honneur ?

— Sobieski a pas bougé de la nuit mais il a pris un taxi tout à l'heure. Je l'ai suivi jusqu'ici.

— Il va où ?

— Aucune idée.

Corso était sidéré : au mépris des consignes qu'on lui avait intimées, le connard se faisait la malle.

Stéphane dévalait déjà les escaliers.

— Ne le lâche pas, je te rejoins.

Alors qu'il fonçait à bord de sa Polo, deux-tons et gyrophare poussés à fond, le petit gars le rappela :

— Il va prendre l'Eurostar !

Corso avait déjà traversé la Seine et remontait le boulevard de Sébastopol. Il restait le pied appuyé sur l'accélérateur, ne s'arrêtant à aucun feu. Qu'allait foutre Sobieski en Angleterre ? Même un fanfaron comme lui savait qu'il était dans le collimateur et qu'il devait la jouer *low profile*.

— Tu montres ta carte et tu te démerdes pour savoir dans quel train il monte.

— Qu'est-ce… qu'est-ce que je fais après ?

— Tu me prends un billet.

La réponse avait fusé sans qu'il prenne le temps de réfléchir. Il allait disparaître mais c'était pour la bonne cause : Sobieski avait une secrète raison de se précipiter de l'autre côté de la Manche. Et ce mobile pouvait, pourquoi pas, avoir un lien avec sa culpabilité.

Gare du Nord. Le quartier battait tous les records de bordel, de vacarme, de pollution. On n'avait jamais cessé ici de pousser les murs, de construire des annexes, de creuser des souterrains… Résultat, les alentours étaient une sorte de chaos permanent. Impossible de comprendre le sens de la circulation : voitures au coude à coude, artères trop étroites, carrefours frappés de non-sens… La gare du Nord, c'était comme une île protégée par de forts courants marins : on croyait l'approcher mais elle s'éloignait aussitôt, on manœuvrait de nouveau pour encore une fois la voir reculer…

— Où il est, là ?

— Il a passé les guichets, fit Adrien, essoufflé. Il attend pour la sécurité.

— T'as mon billet ?

— Je suis en train de l'acheter.

Corso laissa sa voiture n'importe où. Il voyait déjà le moyen de rattraper son retard : Sobieski ferait la queue à la sécurité, alors que lui franchirait tous les obstacles grâce à son badge.

— Il vient de passer le check-in. Je le suis jusqu'aux quais ?

— Non. J'arrive.

Corso courait dans le hall central, ramant à contre-courant sous les huées des voyageurs. Il enjamba les marches de l'escalator de l'Eurostar et aperçut enfin Adrien. Il lui donna aussitôt ses clés de bagnole en échange de son billet.

— Heu… Qui va me rembourser ?

En guise de réponse, Corso lui fila l'immat' de sa bagnole et se rua vers les guichets. Sa carte tricolore lui permit de passer en toute rapidité côté français. Plus compliqué côté anglais, mais après tout, en 2016, le Royaume-Uni faisait encore partie de l'Europe.

Quand il parvint sur le quai, les agents de sécurité fouillaient les derniers passagers. On lui demanda la raison de son voyage. Il resta évasif : pas question de révéler que son suspect était dans le train.

Le quai se vidait à vue d'œil. Dernières minutes avant le départ… Enfin, il put rejoindre la gigantesque colonne d'acier, fuselage jaune et bleu, un miracle de technologie qui donnait l'impression de vouloir planter là le pauvre monde statique. De deux choses l'une : soit il courait jusqu'à sa voiture et il prenait le risque que Sobieski l'aperçoive par les fenêtres, soit il montait dans la première et il chercherait sa place plus tard – mais c'était s'exposer encore à être reconnu à l'intérieur.

Il opta pour un compromis : se glisser en tête de train et ne plus bouger. Gare de St Pancras, il serait temps de repérer Sobieski.

À bout de souffle et trempé de sueur, il s'installa à une place libre et ferma les yeux. Quelque part dans ce train, Sobieski aussi avait embarqué – ils étaient tous les deux liés par ce monstre d'acier et le voyage avait quelque chose de réconfortant. On reprendrait les festivités à Londres. D'ici là, il n'avait qu'une chose à faire : briefer ses équipes et expliquer pourquoi le chef de groupe de l'enquête la plus chaude de l'été s'était éclipsé pour la journée.

49

Aussitôt le train parti, Corso appela Barbie et lui résuma la situation.

— Je peux te dire quelque chose ? demanda-t-elle en retour.

— Non. Je te charge d'organiser le nouveau départ de l'enquête.

— T'appelles ça un nouveau départ ?

Il expliqua ce qu'il voulait : on continuait à décrypter le dossier, enquête de Bornek comprise, à travers le prisme Sobieski.

— On vient de se planter. Tu penses vraiment que c'est la bonne ligne ?

Corso ne répondit pas. Même si le peintre avait des solides alibis, même si on n'avait rien trouvé dans son atelier, même s'il avait acheté des photos des meurtres – ce que le vrai assassin, en toute logique, n'aurait pas pris la peine de faire –, son intime conviction lui soufflait de ne pas lâcher.

— Et le reste ?

— Quoi le reste ?

— Toutes les autres pistes qu'on a lancées…

Avec les flics que Bompart leur avait assignés et les stagiaires qui fourmillaient à l'étage, c'était une vraie petite entreprise qui tournait autour de l'affaire du Squonk.

— Tu te démerdes. Tu répartis les tâches, tu organises le boulot. Tu sais bien qu'en mon absence, tu es la seule à pouvoir tenir la boutique.

Barbie fut sans doute flattée par ce compliment mais elle ne releva pas.

— Et Ludo ?

— Tu le traites exactement comme d'habitude. Il va se défoncer plus que jamais sur l'enquête.

— Qu'est-ce que je dis aux autres ?

— Qu'on a dû libérer Sobieski à cause de ma visite nocturne. Le message est le suivant : il faut vraiment s'arracher. Sobieski est un ennemi hors gabarit.

— OK. Je peux te dire quelque chose ?

— Non, moi je veux te dire quelque chose : je te charge personnellement de trouver sa planque. Retourne ses comptes en banque, ses factures, ses cartes de crédit. Si tout se passe bien, je serai de retour ce soir.

Il raccrocha et se répéta qu'il filait dans la juste direction. Il voyageait dans le même train que Sobieski et rien ne pouvait se passer durant les deux heures à venir.

Il se détendit et s'enfonça dans son siège. Mais le fumier ne quittait pas ses pensées. Pourquoi ce trip en Grande-Bretagne ? Mille autres questions déferlèrent. Comment avait-il pu convaincre ses deux maîtresses de mentir pour ses beaux yeux – qui étaient horribles ? Comment avait-il enlevé Sophie et Hélène ?

Leur avait-il donné rendez-vous ? Quelle technique utilisait-il pour les contacter ? Où opérait-il ?

Sa cogitation fut brutalement interrompue par une sirène. Il réalisa que le train filait déjà sous la Manche et qu'on avait activé la sonnette d'alarme. *Sobieski.*

Le train ralentit aussitôt. Alors que la sirène continuait à mugir, résonnant dans le tunnel comme dans un accélérateur de particules, la file des voitures s'arrêta en quelques secondes. D'un coup, le tunnel s'alluma – des agents, des pompiers, tous revêtus de chasubles jaune fluorescent, apparurent sur les trottoirs qui bordaient la voie. Les passagers se levaient, s'agitaient, s'apostrophaient. On parlait de panne technique, d'incendie, d'agression…

Les portes de la voiture s'ouvrirent dans un soupir. Les agents de sécurité demandèrent à chacun de sortir, sans prendre ni sac ni valise. Il ne fallait pas s'inquiéter : on allait passer dans la galerie de service et être aussitôt à l'abri de tout danger. Corso s'en souvenait : le tunnel sous la Manche était en réalité constitué de trois galeries – celle du sud qui menait en Angleterre, celle du nord qui allait en France, et celle du milieu, utile aux travaux de maintenance et à l'évacuation des passagers en cas de problème. *On y était en plein, camarades !*

Corso suivit le mouvement, se demandant encore si ce barouf n'était pas un coup de Sobieski. Quand il fut avec les autres, en file indienne le long du train, il interpella un des agents pour obtenir des informations (avec leur chasuble jaune et leur casque à lampe frontale, ils évoquaient les Minions du film éponyme). On ne lui répondit pas. Dans les rangs, les rumeurs s'amplifiaient, privilégiant l'hypothèse d'un début d'incendie.

Pourtant, pas la moindre odeur suspecte. Au contraire, un courant d'air frais plutôt agréable circulait dans le tunnel. La colonne se mit en marche dans un calme et un silence étranges, comme si cette manœuvre n'était qu'un exercice de simulation.

De temps en temps, Corso se hissait sur la pointe des pieds pour tenter d'apercevoir l'homme au chapeau. Personne.

Le décor était écrasant. D'un côté, l'Eurostar à l'arrêt paraissait plus gigantesque encore sous la chape du tunnel. De l'autre, la paroi concave de la galerie évoquait l'intérieur d'un tuyau titanesque. Le plus troublant, c'était la répétition hypnotique de l'armature constituée de voussoirs, éléments préfabriqués qui s'alignaient en reproduisant invariablement les mêmes lignes, les mêmes surfaces.

Corso percevait autour de lui l'angoisse qui montait. Passé l'effet de surprise, chacun semblait comprendre où il était : à près de cent mètres sous le niveau de la mer, au milieu de couches géologiques inconnues, avec sur la tête une masse d'eau de plus de quatre mille kilomètres cubes.

Alors que la panique était proche, un vent furieux s'engouffra soudain dans le boyau. Certains passagers manquèrent de tomber, d'autres s'accroupirent, d'autres encore s'accrochèrent à leur voisin. On venait d'ouvrir le sas de communication du couloir de service. Nouveau souvenir : celui-ci était surpressurisé afin de repousser flammes et fumée en cas d'incendie.

Courbés, pliés, arc-boutés, ils avancèrent jusqu'au rameau de communication, une porte coupe-feu de couleur jaune cernée par un enchevêtrement de canalisations. Corso se décida à doubler la file, en quête du borsalino de Sobieski. Cette agitation pouvait permettre au prédateur de fuir. Mais où ?

Presque aussitôt, il se fit refouler par un des Minions. C'est alors qu'il le vit : Sobieski était en train de passer le seuil qui séparait les deux taupinières. Une main sur son chapeau, sac à dos noir dans le dos, sur lequel, bizarrement, un tapis de sol était roulé, il ressemblait à un vieux routard partant pour un trekking.

Corso sentait l'imminence d'une embrouille sans pouvoir la définir. Il tenta une nouvelle sortie de file et accéléra le pas dans la tempête – le vent devenait de plus en plus glacé.

Cette fois, c'est un pompier qui l'attrapa par l'épaule.

— Holà, calmez-vous ! ordonna l'homme en français. Y a pas d'urgence. On va attendre ici.

— Attendre quoi ? demanda Corso en montrant sa carte de flic.

L'homme ne parut pas éprouver une complicité excessive mais répondit :

— Soit la confirmation qu'y a plus de danger, soit un nouveau train sur la rame nord.

— Quel danger au juste ?

Le pompier le poussa vers les autres sans répondre, puis repartit remettre un peu d'ordre ailleurs. Ils passèrent le seuil et Corso se haussa encore une fois pour vérifier que Sobieski était bien dans la galerie de service.

Le salopard n'était plus là. Cette fois, pas d'hésitation : il recula d'un pas et se glissa le long des voussoirs.

Luttant contre le vent plus violent encore de ce côté, il longea la file, fléchissant les jambes, une main sur le mur arrondi, courbé comme un voleur.

Parvenu à la hauteur de la place de Sobieski, il ne put que constater sa disparition. Il fit encore un pas de côté afin d'embrasser d'un regard la suite de la colonne. Pas de peintre à chapeau. Où avait-il pu disparaître ? Et surtout, pourquoi ? À quoi rimait de rester tanqué sous la mer ?

Corso marcha encore à contrevent jusqu'à la tête de file, où agents de sécurité et pompiers discutaient en alternant français et anglais. Il vit alors une porte dérobée dans la paroi qu'il tenta aussitôt d'ouvrir. Fermée bien sûr. Il se rappelait que le moindre verrou dans le tunnel était actionné par des postes de contrôle situés sur le continent, à une centaine de kilomètres de là.

Un mec de la sécurité finit par l'alpaguer comme on attrape un voleur dans un supermarché :

— *What the fuck are you doing here?*

Corso ne trouva pas de réponse.

Il avait l'esprit bloqué sur une seule évidence, incompréhensible : Philippe Sobieski avait disparu quelque part sous la Manche.

L'esthétique anglaise lui avait toujours fait penser à une décoration de Noël : avec ses devantures marquées de lettres dorées, ses cabines et ses bus rouges, ses poignées de porte cuivrées, ses « bobbies » avec leur drôle de bombe sur la tête, Londres recelait un parfum de féerie précieuse, un air de clochettes et de paquets-cadeaux déposés au pied du sapin.

C'est exactement l'impression qui le saisit en sortant de la gare de St Pancras. Londres avait beau avoir basculé dans le troisième millénaire avec ses blocs de verre et d'acier, ses bâtiments spectaculaires conçus par des génies de l'architecture, la place qui se déployait sous ses yeux lui rappelait plutôt une boîte de chocolats avec ses papiers dorés et ses motifs d'argent.

Après la fausse alerte, tout le monde était remonté en voiture et l'Eurostar était parvenu à Londres avec seulement quarante-cinq minutes de retard. Cela n'enlevait rien à l'absurdité de sa situation. Il avait perdu son suspect, grillé une bonne partie de la journée et sans doute, en prime, attrapé la crève dans les courants d'air du tunnel. Il ne comprenait toujours pas ce qui s'était passé. Une seule réalité battait ses tempes comme un bourdon de clocher : en pleine enquête criminelle, il se retrouvait de l'autre côté de la Manche, paumé parmi des touristes hilares, sous un soleil plutôt inattendu dans la capitale de la Grande-Bretagne.

Il en fut réduit à aller manger un hamburger en attendant son train de retour. Installé au fond de la salle, mâchant mécaniquement son cheese, l'esprit comme enlisé au fond d'une vase verdâtre. Il vérifia son portable. Il se souvenait qu'il l'avait mis en mode avion durant le voyage afin d'économiser sa batterie (il se voyait déjà aux trousses de Sobieski à travers Londres, appelant Barbie pour obtenir des renseignements sur telle ou telle adresse visitée par sa proie : tu parles…).

Barbie, justement, lui avait laissé pas moins de cinq messages depuis son départ. D'un coup, l'espoir revint : du nouveau à Paris ? Corso la rappela comme le gars qui arrive sur les coudes dans une oasis, les yeux brillants, la voix rêche, l'esprit brûlé au troisième degré.

— Sobieski est en route pour Liverpool ou Manchester, attaqua-t-elle sans lui laisser le temps d'expliquer ses galères.

— Comment tu le sais ?

— Tu te souviens de son baise-en-ville ?

Même lors de son arrestation, Sobieski avait tenu à emporter une sacoche griffée Louis Vuitton, façon racaille des cités. Selon le rapport des flics qui avaient effectué sa fouille, le sac ne contenait que du cash, des papiers d'identité, des capotes, des stimulants sexuels et du lubrifiant. Mais ça lui revenait maintenant : sur le seuil de la porte coupe-feu des deux tunnels, l'artiste portait encore son baise-en-ville en bandoulière.

— Où tu veux en venir ?

— Pendant qu'il était au dépôt, je l'ai fouillé.

Barbie avait été plus scrupuleuse que lui-même, ne faisant pas confiance aux bleus pour l'inspection.

— Je me suis permis de lui laisser un souvenir, continua-t-elle.

— Quoi ?

— Une balise satellite. Un truc que m'ont refilé les gars de la DGSI. C'est nouveau, minuscule, indétectable. J'ai essayé de te prévenir tout à l'heure, mais pas moyen d'en placer une.

Corso avait toujours considéré Barbie comme un solide back-up, mais il se trompait. Elle était toujours loin devant...

— Tu... tu l'as déclenchée ?

— Je vais t'envoyer l'application de géolocalisation, t'auras plus qu'à suivre le curseur. Il a quitté la gare de St Pancras à 15 h 30 et il a aussitôt pris l'autoroute M40, plein nord. Pour le moment, il roule sur la M6 en direction de Liverpool et Manchester, mais qui sait ? Il va peut-être sortir avant...

Sobieski était donc resté dans le train. Était-ce lui qui avait tiré la sonnette d'alarme ? Avait-il vraiment disparu le long des voussoirs ? Corso se demandait s'il n'était pas en train de perdre pied.

— Où il est maintenant ?

— À la hauteur de Birmingham. Je sais pas qui conduit mais c'est plutôt pépère. À ce rythme, il arrivera aux environs de Liverpool vers 19 heures. Mais encore une fois, on ignore où il va vraiment...

Corso regarda sa montre. Encore dans les temps pour louer une voiture et foncer dans la même direction. Avec la géolocalisation, il pourrait suivre le peintre à distance et découvrir ce qu'il trafiquait.

— On a identifié des contacts anglais pour Sobieski ?

— Rien du tout. Je crois qu'il a une galerie anglaise mais elle est à Londres.

— Je te félicite. T'es vraiment la meilleure.

— Pas de lèche, gloussa Barbie. Magne-toi de lui filer le train. Ton temps est compté.

— Qu'est-ce que tu veux dire ?

— J'ai planqué la balise dans la première capote de sa boîte. Dès qu'il baisera, tu perdras sa trace. Retrouve ta belle avant d'être cocu !

51

Corso avait pris du retard sur sa proie.

Il avait loué une Audi A3, boîte automatique, volant à droite, et filé directement vers le nord. Mais il avait trouvé le moyen de se perdre à la sortie de Londres, s'engageant dans la mauvaise direction et grillant encore une demi-heure.

Sobieski, malgré son rythme raisonnable, lui avait mis deux cents kilomètres dans la vue – petit traceur bleu se déplaçant en direction de Manchester… Il n'y avait plus aucun doute, le peintre en vadrouille avait ignoré l'embranchement de Liverpool et continuait droit sur la M56 vers le Lancashire.

Le stress et l'excitation de Corso ne l'empêchaient pas de profiter du paysage. Il avait quitté les rues agitées de la ville pour rejoindre peu à peu le monde des cottages, des collines verdoyantes, des barrières blanches. Malgré le soleil, cette campagne était gorgée d'eau, un ADN d'averse et de mélancolie qui collait, quoi qu'on fasse, à la peau de l'Angleterre.

Sur le coup de 19 heures, Sobieski pénétra dans la ville et s'arrêta dans le Northern Quarter, le nom de la rue était Houldsworth Street. Corso enrageait d'être encore à cent bornes de la zone, mais il ne voulait pas se faire épingler pour excès de vitesse. Tout en conduisant, il checka, via Google Maps, les images du quartier – une zone à moitié destroy, royaume de briques et de street art. La rue semblait abandonnée mais sa recherche lui donna le nom d'une galerie, « Northpad ». Un nouveau clic et la liste des artistes représentés par cette enseigne apparut, Sobieski en tête, avec une expo dans un mois et un site qui lui était entièrement dédié.

Sob la Tob n'avait donc bravé son injonction que pour ça ? Corso n'était pas étonné : par pure provocation, le peintre n'avait pas voulu déroger à son programme. Mais c'était encore une hypothèse qui s'effondrait : Sobieski n'avait pas fui, et il n'était pas parti vers l'Angleterre pour une quelconque raison secrète.

Le temps avait déjà tourné. Le ciel déployait maintenant une noirceur de révolution industrielle, une haleine de mines de suie et de locomotives à vapeur.

Enfin, la banlieue de Manchester apparut. Un autre visage du Royaume-Uni : la tristesse des briques, une langueur rousse et dure allongée dans l'herbe.

À cette distance, les barres d'immeubles et les groupes de maisons basses revêtaient un caractère abstrait, aplats de couleurs mornes, terre de Sienne sur gris, ou brillantes, blanc sur vert, qui rappelaient les toiles de Mondrian ou de Rothko. Puis ça se précisait : pavillons au garde-à-vous, cités bétonnées écrasées par des nuages aux semelles de plomb, réverbères solitaires se détachant sur l'horizon tels des crocs de boucher…

Sobieski était reparti depuis près de trente minutes. Avec un bonus : il n'avait pas pris le chemin de retour mais il avait poursuivi sa route sur la M61, direction nord-ouest, vers la mer. De deux choses l'une, soit Corso s'arrêtait à Manchester, histoire d'interroger le galeriste de Houldsworth Street, soit il suivait sa proie du côté du littoral du Lancashire.

Il décrocha son téléphone et appela Barbie – marre de conduire d'un œil tout en essayant de déchiffrer l'écran de son portable. En quelques mots, il expliqua son dilemme.

— Selon ma carte, il pourrait aller à Preston, ou à Blackpool, ou carrément plus haut, à Morecambe ou Lancaster. Qu'est-ce que t'en penses ?

— Il va à Blackpool.

— Tu connais ?

— C'est une station balnéaire où vont s'amuser les familles prolos de Liverpool et de Manchester. Une espèce de mégafête foraine pour buveurs de bière et mangeurs de fish & chips.

— Que peut-il aller foutre dans un trou pareil ?

— Y a aussi pas mal de distractions pour adultes.

— C'est-à-dire ?

— C'est bourré de boîtes à strip-tease.

Corso sentit passer dans ses membres une onde de chaleur. Il appuya sur l'accélérateur, dépassa la sortie pour Manchester et fila droit vers le nord. Il se prenait déjà à rêver d'un flagrant délit de meurtre dans les bas-fonds de la cité des plaisirs. La nuit promettait d'être belle.

La ville, où dominaient les constructions en briques, se dressait face à la mer sombre comme une forteresse rouge zébrée de néons, d'enseignes, de paillettes. Elle était elle-même surplombée par une sorte de tour Eiffel modèle réduit et par les entrelacs de fer des montagnes russes qui s'élevaient au-dessus des immeubles à plusieurs dizaines de mètres de hauteur. De longues jetées chargées de casinos, de grandes roues, de baraques à frites, s'avançaient parmi les flots noirs. Dans le crépuscule, la cité balnéaire se mêlait aux couleurs sanguines du ciel, alors qu'un brouillard de chaleur et d'embruns venait brouiller les dernières minutes d'agonie du jour.

Sobieski déambulait depuis près d'une heure dans les rues de cette foire pour adultes. Que cherchait-il ? Une boîte à strip ? une pute à gros seins ? un prostitué ? une victime ? Réalisait-il qu'il avait signé son aller direct en taule quand il rentrerait en France ? Ou avait-il oublié jusqu'à la nature de ses problèmes, maintenant qu'il était dans sa peau de prédateur, prêt à agresser une nouvelle proie ? C'était ce qu'espérait Corso – il interviendrait avant que l'assassin n'agisse, le surprenant une corde dans une main, un cutter dans l'autre…

Il stoppa sur le parking en bord de mer et coupa le moteur. Il observa un moment le signal qui s'affichait sur le plan de la ville avec les yeux fascinés d'un chasseur d'émeraudes qui vient de trouver au fond de la jungle, après des jours et des nuits de boue et de fièvre, une pierre unique.

Portable en main, il verrouilla sa voiture et se mit en marche. Le front de mer n'était qu'une succession de salles de bingo, de bars, de fast-foods. Les façades étaient peintes de couleurs vives : rouge grenade, rose tyrien, bleu layette…, et les enseignes commençaient à s'imposer comme une infection bigarrée dans le jour déclinant. Côté mer, d'étranges filaments électriques, d'or et de cuivre, semblaient prêts à provoquer des courts-circuits à la surface des flots.

Le vacarme était assourdissant. Le seuil des baraques crachait du rock, du rap, de la salsa, des musiques de cirque, des mélopées jouées à l'orgue de Barbarie. Des machines à sous ruisselaient de pièces. Des haut-parleurs diffusaient des voix amplifiées, du baratin hurlé avec un accent incompréhensible. Mais surtout, c'étaient les rails de métal au-dessus des têtes qui déchiraient le ciel, des raclements, des grondements, des crissements qui vous passaient dans les dents à la manière d'une monstrueuse roulette de dentiste. *Brrrrrrrr*…

Corso pénétra dans la ville, comme poussé par les rafales de la plage qui soufflaient sur les charbons ardents du soir. Sous l'atmosphère de joie factice, tout trahissait ici la misère la plus extrême. Les familles qui déambulaient, gueules rougeaudes et bras tatoués, racontaient des générations d'allocs dépensées à siroter au pub ou à se défoncer à l'héroïne. Un monde déglingué, ivre et hagard, qui oscillait entre pintes et *roller coasters*...

Corso suivait toujours le signal. L'autre allait, venait, un prédateur en maraude. Pour l'instant, il ne l'avait pas repéré *de visu*. Au contraire, il se contentait de le pister à distance pour ne pas tomber nez à nez avec lui.

Avec la nuit, la pression montait. Femmes et enfants, barbe à papa à la main, rentraient au bercail. Les hommes trop bourrés devenaient agressifs, les rires se transformaient en cris, braillements, insultes. Heureusement, par ces temps de menace terroriste, des patrouilles de soldats circulaient, maintenant tout ce beau monde en respect.

Sobieski venait de pénétrer dans le Pleasure Beach, le principal parc d'attractions. Corso y entra à son tour, alors que les wagons des montagnes russes rayaient le ciel à la manière de patins à glace géants. Sous les néons, les visages devenaient livides, les chairs blafardes, les rires béants, jaillissant par flashs, par éclipses. Tout était prêt pour une nouvelle nuit de défonce et d'abrutissement.

Soudain, il l'aperçut qui s'acheminait, seul, vers un immense grand huit dont les rails se tordaient dans tous les sens – le flic ne pouvait croire que Sobieski avait fait tout ce chemin pour un tour de montagnes russes. Pour l'occasion, le vadrouilleur s'était changé : il portait une chemise de soie à manches courtes à motifs hawaïens, dont les pans sortis fouettaient un pantalon de flanelle gris très large qui rappelait les coupes des années 30. Arborant toujours son sac à dos, il avait aussi troqué son borsalino contre un véritable stetson de vagabond, comme en portaient les hobos américains du siècle dernier qui voyageaient de train en train…

Corso accéléra le pas. À ce moment-là, au lieu de se diriger vers la cahute illuminée qui servait de caisse au *roller coaster*, Sobieski passa sous la barrière et s'aventura sous les structures d'acier de l'attraction. Stéphane le distinguait dans les ténèbres, le bord de son chapeau paraissant couper la nuit comme une scie circulaire.

Il se précipita mais fut soudain bloqué par un groupe de vieilles Anglaises, robes fuchsia et perruques bleues, complètement cuites, qui brandissaient des tickets en hurlant : « Bingo ! Bingo ! » Corso les bouscula carrément et passa à son tour sous la barrière. Il courut parmi les herbes alors que les chaînes des montagnes russes cliquetaient lentement au-dessus de lui, le temps de l'ascension…

Quand les chars de fer déferlèrent, Corso se retrouva face à une route déserte, épinglée par des réverbères décorés de sirènes : Sobieski avait encore une fois disparu.

53

Corso traversa la voie au pas de course et se retrouva dans une zone inondée de lumière : le quartier des *strip clubs* et des *lap dancings*. Néons, enseignes, écrans affichaient des noms évocateurs – Aphrodites, Fallen Angels, Heaven, Rouge, Sinless, Wicked… –, assortis de femmes nues dans les positions les plus obscènes. Des musiques braillaient de partout à la fois, différentes, contradictoires, cacophoniques.

Dans la rue principale, il se mit à courir parmi la foule, exclusivement masculine. Il n'avait pas fait cinquante mètres qu'il retrouva sa cible : silhouette trottinante, chemise à palmiers, chapeau US. Corso ralentit et lui emboîta le pas. À mesure qu'on se rapprochait de la chair, il pouvait sentir le danger monter. Dans un flag, on n'a pas droit à l'erreur.

Soudain, Sobieski bifurqua sur la droite, dans une rue moins éclairée, où les troupes se clairsemaient. Les lueurs rouges sous les portes évoquaient des braises au fond d'un four.

Le flic profita de la pénombre pour se rapprocher encore. Sa proie marchait d'un pas décidé, comme s'il savait où chercher et où frapper. Une nouvelle rue, plus obscure encore, et Corso comprit enfin qu'on pénétrait dans un nouveau cercle : les types qui rôdaient ici étaient calmes et silencieux, les photos dans leurs cadres vitrés, plus petites et plus discrètes, n'exhibaient plus que des hommes à poil.

Sobieski cédait sans doute ce soir-là à la mélancolie de la taule, cherchant du mâle dans ce quartier aux offres variées. Corso au contraire était rattrapé par le malaise. Clins d'œil aguicheurs, regards appuyés, il se sentait comme cerné par un désir qui lui rappelait de sinistres souvenirs. Des prostitués prenaient des poses lascives sur le seuil des clubs ou à l'ombre des porches, leurs yeux perçant la nuit comme des têtes d'épingle brûlantes. À l'idée de pénétrer dans une de ces boîtes, le cœur lui manquait, mais pas question de lâcher Sobieski.

Sans même s'en rendre compte, il se retrouva dans une ruelle où il n'y avait plus ni boîtes ni musique – ni même aucun réverbère. Des ombres se tenaient dans des recoins et jaillissaient sur son passage, le prenant par le bras, lui envoyant des baisers, lui murmurant des phrases inintelligibles.

Corso aurait voulu marcher droit, sans ralentir – le problème était que Sobieski au contraire s'arrêtait, négociait, discutait, disparaissait parfois pour échanger une caresse ou un baiser puis repartait finalement d'un pas guilleret.

Stéphane était obligé de traîner le pas lui aussi, prêtant le flanc à toutes les manœuvres de séduction. Tout à coup, une main jaillit de l'ombre et le plaqua au fond d'une niche de ciment. Il n'eut que le temps de voir un visage qui s'approchait pour l'embrasser. Le flic lui décocha un direct en plein ventre, regrettant aussitôt son geste. L'homme recula, le souffle coupé.

Corso lui posa une main amicale sur l'épaule.

— *I'm sorry. Are you OK?*

L'autre tomba à genoux et tenta de lui ouvrir la braguette. Comprenant qu'il avait encore une fois déclenché un jeu pervers, il s'esquiva et sortit de la niche pour se retrouver totalement à découvert, au milieu de la rue. Il repéra sa cible en train de rouler une pelle à un homme aux cheveux longs sous un échafaudage. Il n'avait jamais vu galoche si passionnée depuis le lycée.

Les deux hommes se désenlacèrent et s'en allèrent main dans la main. Intervenir ? *Trop tôt encore.* Il voulait un flag, un vrai arrêt sur image, avec un Sobieski la lame à la main. Quelque chose qui ne pourrait plus être nié ni discuté.

Il se remettait en marche quand un autre bruit lui fit faire volte-face, un bruit qu'il connaissait par cœur : celui des pas ferrés, des attaques de rue, des ratonnades... Des skins armés de barres de fer et de coups-de-poing américains se précipitaient dans la ruelle, un *queer-bashing* en règle. Il porta la main à son arme en se disant qu'une sorte de fatalité jouait en faveur de Sobieski.

Il n'avait pas encore fait monter une balle dans le canon qu'il était déjà bousculé par les prostitués qui s'enfuyaient, alors que d'autres faisaient front au contraire, armés de tubes de plomb et protégés par des couvercles de poubelle.

Corso lança un bref regard derrière lui : plus de Sobieski. Il se retourna à nouveau pour se recevoir de plein fouet le poing d'un crâne rasé hurlant. Projeté au sol, il encaissa la dureté du bitume en essayant de relever son arme et d'attraper sa culasse. Une barre vint lui fracasser le poignet, tandis qu'une Doc Martens à bout ferré lui cinglait le visage. Par miracle, il ne lâcha pas son calibre (il sentait la crosse quadrillée entre ses doigts serrés) mais il ne voyait plus rien.

Il se recroquevilla sur lui-même et encaissa les coups qui pleuvaient, alors que le sang et les flashs lui battaient les tempes. Il tenait toujours son calibre entre ses jambes mais son bras n'était plus qu'une onde de douleur. Il avait le visage en sang, le cerveau en coulis, tout le corps paralysé par la souffrance mais, entre deux coups de latte, il parvint à se redresser, un genou à terre, soutenant son bras brisé et bredouillant des injures.

Une petite frappe au blouson luisant et au crâne bosselé soulevait un parpaing à deux mains au-dessus de lui. Corso se dit qu'il n'y avait pas plus absurde comme mort et qu'il payait là tous les coups de chance dont il avait bénéficié lors de ses vrais assauts policiers. Il ferma les paupières et rentra le cou dans les épaules, attendant le coup fatal.

Rien ne vint. Dans un dernier spasme, il rouvrit les yeux pour constater que le skin avait détalé et que la ruelle s'était vidée d'un coup : un bataillon de flics arrivait au pas de charge, à cent mètres de là, épaulé par des soldats, fusil automatique au poing. Dans un réflexe conditionné, il lâcha son arme et tenta de lever les bras. En vain.

Les rayons des torches lacéraient la ruelle. Les bruits de rangers incisaient ses nerfs. D'une manière absurde, il se dit que la brique et le sang faisaient bon ménage, les murs éclaboussés donnant l'impression de fondre en une gadoue uniforme.

Il se laissa tomber, face contre terre, en songeant aux petites toiles rouges de Goya.

54

Sur le bureau de l'*inspector* Tim Waterston, sa carte de flic, ses papiers d'identité, son arme de service faisaient office de pièces à conviction.

Après l'affrontement, on l'avait emmené au Blackpool Victoria Hospital afin de le soigner avec les autres victimes du *queer-bashing*. La douleur l'avait d'abord abruti puis les anesthésiants avaient pris le relais. Il s'était senti mieux mais ses mâchoires, à force d'être serrées, s'étaient engourdies et il n'avait pas pu proférer un mot. Il aurait voulu hurler, prévenir les flics, ordonner qu'on lance une recherche autour de Sobieski qui, peut-être, était en train de tuer un homme, mais il s'était juste endormi, en chien de fusil, dans un réduit qui n'abritait qu'un seul lit et aucune fenêtre.

Quand il s'était réveillé, il ne savait plus quelle heure il était (on lui avait pris sa montre), ni même ce qu'il foutait là. Il avait découvert son avant-bras droit prisonnier d'une attelle d'épaule. Sans doute lui avait-on fait des radios et découvert une fracture : aucun souvenir. Il s'était levé dans l'obscurité et avait trouvé un couloir. Là, encore groggy par les coups reçus et les médocs ingérés, il avait pu goûter aux joies inversées de l'Angleterre.

Quand il avait cherché un commutateur à droite, il était à gauche ; quand il avait voulu pousser une porte, elle se tirait ; quand il s'attendait à trouver un couloir, c'était une volée de marches qui montaient pour aussitôt redescendre (sans qu'on comprenne le but de la manœuvre). Après avoir trébuché, tâtonné, juré, il avait enfin atteint le hall d'entrée de l'hôpital. Là, deux faits lui avaient sauté au visage : le jour se levait – mais c'était un jour à l'anglaise, gris et scellé comme le toit d'un bunker – et deux flics l'attendaient près du comptoir d'accueil.

Il avait récupéré ses affaires et docilement suivi ses cerbères sous la pluie, jusqu'à une bagnole de service (qui valait les françaises du point de vue du délabrement et de la puanteur). Il ne savait pas s'ils allaient l'arrêter (on ne comptait plus les illégalités de son expédition), le réconforter, lui soumettre un trombinoscope de *boneheads*, lui annoncer qu'un nouveau meurtre avait été commis la nuit précédente à Blackpool ou simplement le foutre dans le premier train. Peut-être tout ça à la fois.

Finalement, ils n'étaient pas allés au poste de police mais dans une espèce de baraquement « de crise » installé au sein même de Pleasure Beach – l'enquête sur la ratonnade battait son plein et des flics rôdaient parmi les attractions (éteintes et huilées de pluie) à la recherche d'indices. Retrouver les connards qui « voulaient casser du pédé » ne devait pas être bien sorcier mais, visiblement, l'opération était menée avec sérieux.

Assis face à un bureau en plastique, Corso se taisait, les yeux baissés sur ses documents et son flingue. Devant lui, Tim Waterston était enfoui dans un ciré jaune à bandes fluorescentes – il tenait un talkie-walkie et ressemblait à un chef de chantier. Fidèle à la caricature, il était roux, balèze et portait des *mutton chops* dignes de Wolverine.

— On a passé quelques coups de fil… Tu es assez connu à Paris.

— C'est pas toujours un avantage.

Le flic anglais rit avec férocité.

— En tout cas ici, ça vaut que dalle.

Corso se tenait prêt à balancer son histoire dans un anglais parfait – une autre inspiration de Bompart : après l'examen de police, elle l'avait envoyé un an à la fac aux États-Unis. Mais pour l'instant, Waterston se préoccupait de la corrida de la nuit :

— Les gars qui t'ont attaqué sont des nostalgiques de Blood & Honour.

— Connais pas.

— Tu perds rien, des tarés qui croient encore aux conneries nazies. Normalement, ils sont interdits à Blackpool mais ceux-là sont passés à travers les mailles du filet. On va les retrouver, pas de problème.

Corso n'en avait rien à foutre.

— On va te montrer des photos pour identification, continua l'Anglais. Que t'ont dit les toubibs ?

Stéphane baissa les yeux sur son attelle – il avait récupéré son dossier médical.

— C'est rien. Une simple fêlure du radius.

— Le gars qui t'a fait ça t'a sauvé la mise.

— Pardon ?

— *My God*, un flic français qui tire dans le tas, à mille bornes de son bureau ? dans le nord de l'Angleterre ? Mais si t'avais blessé ou tué quelqu'un, on t'aurait pendu haut et court !

Corso opina en silence et regarda par la fenêtre. La pluie martelait les tôles des montagnes russes, rayait les vitres comme un diamant. Bizarrement, il se sentait bien, à l'abri dans cette baraque. L'Angleterre, avec ses averses, ses crèves, ses thés chauds, peut parfois devenir une jouissance. Il frissonna et eut soudain envie de retourner dans son lit d'hôpital, sous sa couverture de laine.

Waterston posa les coudes sur la table et appuya sa lourde carcasse sur le bureau.

— Oublie ces peccadilles. Moi, ce qui m'intéresse, c'est ce que tu foutais là, toi, dans le quartier des pédés, arme au poing, un mercredi soir. Au téléphone, on m'a dit que tu dirigeais une enquête criminelle qui met tout Paris à cran. Alors, pourquoi ce détour par notre charmante région ?

Corso attrapa son gobelet et but une gorgée tiède – on lui avait donné un café si allongé qu'on pouvait voir à travers. Puis il se concentra un moment et raconta toute l'histoire. Il arrangea un peu les raisons qui avaient fait libérer Sobieski mais affirma que sa culpabilité ne faisait aucun doute. Il décrivit sa fuite en Angleterre, la filature par GPS, l'arrêt à Manchester et la virée à Blackpool. Il acheva son récit par le fait que la balise satellite avait cessé d'émettre à 2 heures du matin (il avait vérifié). Ce qui signifiait que Sobieski avait utilisé sa capote ou qu'il avait découvert l'objet.

En tout état de cause, cela ne changeait rien à la conviction de Corso : Sob la Tob avait tué cette nuit…

Il y eut un silence. La grosse tête rousse de Waterston était toujours enfoncée dans son ciré jaune.

— Et moi qui crains parfois d'être hors des clous…, finit-il par grogner, mi-amusé, mi-admiratif.

Corso laissa échapper un mouvement d'humeur :

— C'est pas la question.

— Ah non ? Ben mon bonhomme, y a pas un élément, pas un seul, dans ton expédition qui est légal.

Le flic répondit les dents serrées :

— J'avais pas le choix. Quand j'ai compris qu'il prenait le train, je l'ai suivi. Je ne pouvais pas le laisser tuer à nouveau.

— Qui t'a dit qu'il allait le faire ?

— Arrêtez de jouer avec moi ! On a découvert un corps, oui ou non ?

Tim Waterston eut une moue de bébé qui ne cadrait pas vraiment avec sa tête de taureau paisible. Ses cheveux paraissaient collés sur ses tempes comme s'ils étaient mouillés.

— Non.

Ce fut un soulagement pour Corso mais il n'était que 9 heures du matin – Sobieski avait pu tuer un prostitué dans sa piaule et l'y laisser. Ou bien déplacer le corps. À moins que la bataille rangée de la nuit ne lui ait coupé l'envie de tuer. Mais le plus probable était aussi le plus simple : Corso s'était encore une fois trompé sur toute la ligne.

— C'est moi, ou ton histoire ne tient pas debout ? demanda Waterston.

Stéphane se contenta de souffler avec agacement.

— On a donc un suspect qui viole son interdiction de sortie du territoire, reprit le flic anglais. Pour quoi ? Pour voir son galeriste à Manchester. Ensuite, il part assassiner un prostitué à Blackpool. De plus en plus crédible. À cette heure, il doit être rentré chez lui en attendant qu'on mette la main sur le cadavre, c'est ça non ? Ah, j'oubliais, toute cette histoire part uniquement de ta petite tête de flic français qui a vu trop de séries à la télé…

— Arrêtez de jouer au con, le coupa Corso. À ma place, vous auriez fait exactement la même chose.

— Je crois pas, non. Parce que j'ai moins d'imagination que toi. (Il ne cessait d'enfoncer le poussoir d'un stylo, provoquant un *clic-clic* qui jouait les contrepoints avec la pluie au-dehors.) On va consigner tout ça.

Corso regarda sa montre – alors seulement il pensa à son équipe, à Bompart, à l'enquête. Que foutait-il ici, nom de Dieu ? Il n'avait pas reçu de message depuis la veille, mauvais signe : l'enquête, malgré les efforts de chacun, stagnait.

Un téléphone sonna sur le bureau. Waterston répondit, écouta, lança un coup d'œil à Stéphane, puis écrivit un mot et des chiffres sur un bloc. Il avait les yeux verts – ses pupilles offraient une curieuse ressemblance avec les galets marbrés d'algues et de mousse qu'on trouve au bord des jetées. Cette limpidité aquatique faisait écho à ses mèches rousses et humides.

— Ton Sobieski a pris l'Eurostar de 8 h 20, fit-il en raccrochant. Il est actuellement sous la Manche.

Corso ne savait pas quoi en penser. Il éprouvait simplement la désagréable sensation de s'être encore fait avoir.

— Souris, fit Waterston en allumant son ordinateur, tu l'auras tout à toi à Paris. Mais d'abord, déposition. Ensuite, les assurances de la ville veulent te voir pour ton bras.

— Déconnez pas.

Waterston lui offrit son plus beau sourire.

— Bien sûr que je déconne. On va rédiger ça vite fait et on te ramènera à ta bagnole. Tu peux conduire ?

Corso considéra son attelle. Combien de temps devait-il garder ce truc ? Il n'avait aucun souvenir d'avoir vu un toubib.

— Je pense, oui.

— Alors, ravi de t'avoir connu, déclara Waterston en commençant à pianoter sur son clavier. On va torcher ça en un quart d'heure.

À cet instant, on frappa à la porte et un autre malabar pénétra dans la cabane, la faisant tanguer à la manière d'un rafiot instable. L'homme, en uniforme et ciré, se pencha à l'oreille de Waterston. Cette fois, le rouquin accusa le coup. Son expression se pétrifia et toute trace d'humidité disparut de son visage, comme asséché par un grand coup de vent.

— Attends-moi là, dit-il en se levant et en suivant son collègue dehors.

Corso n'avait pas besoin de sous-titres : on avait retrouvé un corps. Il avait donc vu juste mais, encore une fois, il n'avait pas été à la hauteur. Il n'avait pas su empêcher un nouvel assassinat, qui s'était pour ainsi dire produit sous son nez.

Mais si un nouveau cadavre avait été découvert à Blackpool, reproduisant la mise en scène des corps parisiens, c'était l'indice décisif qu'il cherchait. Il n'aurait plus qu'à cueillir Sobieski à Paris. Sa présence sur les lieux de l'homicide suffirait à entraîner son inculpation en France. Il serait jugé à Paris, non pas pour ce meurtre, mais pour ceux de Sophie et d'Hélène.

Waterston revint dans le bureau, l'air préoccupé. Il lança un coup d'œil étonné à Corso, comme s'il découvrait les nouveaux angles, les nouveaux reliefs d'une statue qu'il avait à peine regardée jusqu'alors.

— Il se passe un truc suspect, bougonna-t-il sans s'asseoir.

— Vous avez découvert un corps ?

— Presque. Un pêcheur, tôt ce matin, a vu une scène étrange : un homme en Zodiac a largué au pied d'une bouée un objet qui ressemblait très fort à un corps nu...

— Cette bouée, c'est où ?

— À deux kilomètres du littoral.

— Il faut aller vérifier.

— Merci du conseil.

Malgré le *queer-bashing*, Sobieski avait donc tué encore une fois. Mais pourquoi avait-il pris le temps d'immerger sa victime ?

— Je suis désolé mais tu vas devoir m'attendre ici. Si on trouve quelque chose là-bas, je serai obligé de t'interroger à nouveau...

— Emmenez-moi, ordonna-t-il.

— Pas question.

— C'est mon enquête. Je connais le tueur. Je peux vous aider.

Waterston désigna d'un signe du menton l'attelle de Corso.

— Dans ton état ?

Corso l'arracha d'un seul geste.

— Aucun problème.

55

Deux heures plus tard, ils filaient sur les flots noirs de la mer d'Irlande à bord d'un Zodiac qui se fondait parfaitement dans la mêlée sombre des vagues et des nuages. Corso n'y connaissait rien en bateaux mais cette embarcation devait dépasser les 300 CV. On ne sentait même pas le relief de la houle, à croire qu'ils volaient au-dessus de l'écume. Pourtant, lorsque Corso se penchait, son regard scrutait des abîmes qui lui glaçaient les os et lui rappelaient les « gouffres crépusculaires » de Victor Hugo.

Waterston avait embarqué deux de ses sbires. Trois autres gars étaient du voyage : le pilote et deux plongeurs, qui allaient devoir barboter dans une eau à 12 degrés au pied de la bouée qui s'appelait – la bien nommée – la « Black Lady ».

Soudain, le pilote coupa les gaz et le Zodiac s'immobilisa. En réalité, il attaqua une série d'oscillations à faire gerber une baleine. Trempé jusqu'à la moelle, Corso se cramponnait d'une main à son banc, son autre bras étant encore douloureux.

Le silence de la mer les cernait alors que le ciel bombardait ses rafales grises à la cadence d'un blitzkrieg.

La bouée de balisage était une structure de polyéthylène vert en forme de fusée surmontée d'un feu de signalisation. Elle s'appuyait sur un flotteur circulaire doté d'ailerons sur les côtés. Un machin hideux qui n'avait vraiment rien à raconter – en rupture absolue avec son nom poétique.

Le pilote se mit en « positionnement dynamique », les plongeurs se préparèrent, les flics inspectèrent les alentours de la Black Lady – et lui resta là, frigorifié, à respirer la pluie et les embruns. Le bruit du moteur l'avait assourdi et l'atmosphère grise, où mer et pluie se liguaient en une seule et même trame, lui donnait l'impression d'avoir perdu toute sensibilité. Ce décor – mer atone et ciel fracassé – ressemblait à une anesthésie générale.

— J'aurais jamais dû t'écouter, marmonna Waterston, découragé par le grand large.

— Il a dû immerger le corps là-dessous. Il faut plonger…

Le flic anglais, debout à la proue du Zodiac, caparaçonné dans son ciré, acquiesça avec mauvaise humeur.

— Sous la bouée, qu'est-ce qu'il y a ? demanda Corso.

Waterston interrogea du regard un des plongeurs.

— Une chaîne, répondit l'homme.

— Cette chaîne est rivée à la roche ? renchérit Corso. À une ancre ?

— Ça dépend des cas. À mon avis, ici, c'est à un énorme bloc de béton.

Corso se décida à se lever, le pas mal assuré, et s'approcha des plongeurs. Il tomba quasiment à genoux devant celui qui lui avait répondu – arc-bouté sur ses bouteilles et sa ceinture de plombs, il vérifiait que tout était sécurisé.

— Je veux descendre avec vous.

— Ça va pas, non ? s'étrangla Waterston en rejoignant à son tour les plongeurs.

Il avait le visage huilé par la flotte, ses rouflaquettes pendaient comme des barbichettes, ses yeux grisaillaient sous ses cils trempés de pluie.

— Je sais déjà pas c'qui m'a pris de t'emmener.

— Waterston, c'est moi qui dirige cette enquête à Paris. Je connais le mode opératoire de Sobieski. Si c'est lui qui a tué cette nuit et transporté le corps jusqu'ici, il faut que je voie la scène de crime *in situ*. Même sous l'eau, chaque détail aura son importance.

Le flic semblait parti pour hurler mais finalement, il se ravisa. Il tira un paquet de cigarettes de la poche de son ciré, y piqua une clope avec ses lèvres et la couvrit aussitôt de sa main qui tenait toujours le paquet. De l'autre, il fit apparaître un briquet qu'il alluma en se protégeant du vent et de la flotte. Il avait des gestes de magicien qui dissimule ce qui se passe derrière ses doigts. En réalité, des gestes d'Anglais pour qui la pluie est une seconde nature.

— Tu fais pas mentir la légende.

— Quelle légende ?

— Que les Français sont les pires casseurs de couilles que la Terre ait jamais portés.

Corso préféra ne pas le contredire. Autour d'eux, la mer ruminait ses idées noires dans un va-et-vient incessant que rien ne pouvait consoler. Waterston finit par se rasseoir sur le boudin du Zodiac, Corso retourna sur son banc – son projet allait demander une sérieuse négociation.

— Donc, selon toi, le gars a voulu se payer une tranche de fesses à Blackpool, puis il a cédé à ses terribles pulsions et il a tué sa pute, qu'il s'agisse d'un homme ou d'une femme.

— Exactement.

— Mais ça lui suffisait pas. En plein milieu de la nuit, il a trouvé un bateau (j'ai lancé mes gars sur le sujet) et il est venu jusqu'ici immerger sa victime sous la bouée.

— Je sais que ça paraît…

— Dément ? Absurde ? Grotesque ? J'crois qu'on peut dire ça, ouais.

— Mais vous avez un témoignage.

— Très vague : t'as lu comme moi la déposition.

Le pêcheur n'avait vu qu'une silhouette à bord d'un bateau non identifié, qui balançait une forme pâle et « recroquevillée » à la baille. Quand le témoin s'était décidé à venir voir de plus près de quoi il retournait, le bateau avait disparu et la bouée n'offrait aucun signe suspect – exactement comme maintenant.

— C'est déjà un miracle, continuait l'*inspector*, que je demande à mes gars d'aller se geler les couilles dans une flotte qui avoisine les 10 degrés.

— Je suis certain qu'on va trouver quelque chose. Il faut que je plonge avec eux !

— Et pourquoi je te laisserais descendre ?

— On y va ou quoi ?

Le plongeur était maintenant debout, il avait enfilé sa capuche de néoprène noir et endossait ses bouteilles. Les brefs coups d'œil qu'il lançait aux deux négociateurs exprimaient l'impatience.

Il était temps d'arracher sa décision, quitte à bluffer dans les grandes largeurs :

— Je suis majeur et vacciné, je suis flic et je possède une solide expérience de plongeur.

— Tiens donc.

Encore un bobard. Quelques stages dans les eaux chaudes des Antilles, à la belle époque d'Émiliya, ne faisaient pas de lui un expert.

Waterston paraissait réfléchir, tirant toujours sur sa cigarette invisible. Toute la scène – son visage de taureau roux, ses gestes de prestidigitateur, les plis de son ciré fluorescent – était rehaussée par la pluie. Le soleil devait poindre quelque part car chaque détail brillait maintenant comme une nacre humide aux reflets irisés.

— Et ton bras ?

— Je vous l'ai déjà dit, aucun problème.

Il balança sa clope par-dessus bord et désigna d'un signe de tête aux plongeurs la combinaison qui semblait attendre Corso.

— T'as intérêt à revenir sain et sauf. Je veux voir ta gueule quand tu remonteras bredouille.

56

D'abord, le froid. Une gangue instantanée qui vous enveloppe partout à la fois et qui, en quelques dixièmes de seconde, irradie jusqu'à l'os. Puis l'ankylose – une paralysie qui s'accompagne d'un engourdissement. Plus aucune sensation. La mort est là, disons son anti-chambre : les moniteurs n'affichent plus la moindre réaction.

Après, peu à peu, quelque chose apparaît, se modèle, se précise : la chaleur. Une douceur nouvelle s'im-pose, se referme sur vous jusqu'à devenir une armure soyeuse. Jamais vous n'avez ressenti réconfort aussi intime, comme si la chaleur de votre propre sang vous entourait. C'est exactement ce qui arrive : la combi-naison de néoprène laissant passer un filet d'eau entre elle et la peau, cette pellicule se réchauffe au contact de votre circulation et vous enveloppe complètement, définitivement.

Toutes ces pensées, il les eut en quelques secondes, tout en s'ébattant dans l'eau, alors que la température de son corps s'imposait à la mer glacée. Mais déjà, il fallait passer aux choses sérieuses : ses deux acolytes, après lui avoir fait un signe explicite, regroupèrent leurs membres et se coulèrent dans l'abîme.

À travers son masque, Corso observait la lumière du ciel se réfractant sur la surface, la ligne ondulée des vagues qui montait et descendait, se déchiquetant et moussant contre la vitre de ses lunettes. Il songeait à la phrase que Bompart aimait répéter à propos de leur métier : « Les tueurs au-dessus, les morts au-dessous, et nous au milieu... » *Allez*. Il se ramassa – avantage en passant : le choc thermique semblait avoir anesthésié son avant-bras –, piqua de la tête et plongea à son tour.

Après le froid, le noir. Un noir si épais, si dense, qu'il évoquait une masse de boue d'hydrocarbures, un limon très ancien où toute lumière, toute couleur, toute vie avaient été bues par le temps. Maintenant, il ne restait que cette gadoue immonde, cette fin du monde à peine liquide, dans laquelle on pouvait nager mais qui laissait aux yeux un sentiment d'anéantissement complet. Rien n'y bougeait. Pas la queue d'un poisson, pas un mouvement. Une mort éternelle, sans limites ni contours.

Il finit par distinguer les faisceaux de ses deux compagnons environ cinq mètres plus bas. Lui-même avait une lampe fixée sur son masque mais il avait oublié de l'allumer en surface et maintenant... il était déjà assez occupé à progresser dans la tourbe, nageant avec, disons, un bras et demi. Il se concentra sur les rayons qui s'éloignaient, matérialisant la profondeur de la mer. Il pédala avec les jambes pour les rattraper alors que ses tympans claquaient comme des membranes d'enceintes.

Sans même y penser, il répétait la manœuvre pour décompresser : souffler dans ses narines après les avoir pincées entre le pouce et l'index, l'air, par contrecoup, se diffusant du côté des tympans. Un souvenir de cours : on appelait ça la manœuvre de Valsalva. Pour l'instant, il avait plutôt l'impression de se moucher entre ses doigts…

Les plongeurs l'attendaient plus bas. Il aperçut le trait vertical qui brisait les faisceaux de leurs lampes, la chaîne de la bouée. Corso avait l'impression que son corps était une entité à part, une ombre dissoute qu'il pouvait observer à distance.

Il s'orienta vers ses équipiers et comprit qu'ils avaient entamé une descente plus rapide, laissant filer la chaîne entre leurs mains. Il les imita et enserra les maillons de fer avec un sentiment rassurant : il n'était plus seul dans cette espèce de cosmos compact et vitrifié.

Alors seulement, il prit conscience du silence.

Il ne percevait plus ni les ondes étirées et assourdies du milieu aquatique, ni sa propre respiration. Il était sourd, aveugle – et muet. Encore une fois, il se dit que s'il n'y avait pas eu les faisceaux des deux plongeurs, il aurait pu se croire mort – un mort qui aurait conscience de sa propre fin, lucide dans un espace-temps sans limites…

Coup d'œil à son ordinateur de plongée. Des souvenirs lui revenaient sur la pression attachée à la profondeur : en surface, on subit un kilo par centimètre carré de peau, soit un bar. À dix mètres sous l'eau, vient s'ajouter un nouveau kilo, on passe donc à deux bars. Mais maintenant, à moins vingt-cinq mètres, cela équivalait à combien de pression ? Aucune idée. Il se souvenait seulement que l'augmentation de la pression décroît à mesure qu'on descend : elle ne progresse que de 20 à 40 % une fois dépassés les trente mètres de profondeur. Il n'osait pas non plus réfléchir au temps qu'ils allaient mettre pour regagner la surface. Il faudrait respecter des paliers de décompression. Ça signifiait de longues minutes à rester immobile en attendant que l'azote respiré au fond soit éliminé de son corps…

Les plongeurs descendaient toujours. Cela valait-il le coup d'aller jusqu'au bout ? N'était-il pas absurde d'imaginer Sobieski prenant la peine de faire couler sa victime ? Le pêcheur avait parlé de cordes, de corps, de pierres. Corso était certain que le peintre-assassin avait lesté sa victime et l'avait laissée filer le long de la chaîne.

Moins trente mètres. Les faisceaux se croisaient toujours devant lui, comme de longues herbes lumineuses oscillant dans les courants. Corso tenta d'accélérer et de se rapprocher des autres – il commençait à être grisé par l'absence totale d'obstacles, il sentait simplement la pellicule tiède qui entourait son corps, discernait les bulles claires, précises, compactes, que son souffle créait, à la manière d'une buée cristallisée. Il avait l'impression d'être en apesanteur, de ne plus exister…

Il planait complètement quand une douleur fulgurante traversa son masque pour exploser au fond de sa bouche. Il lâcha la chaîne et se cambra d'un coup sec. Aussitôt, il plaqua ses mains sur son détendeur. Mais il ne pouvait rien faire : ôter son arrivée d'air équivalait à un suicide. À cet instant, un des plongeurs lui empoigna la main, le deuxième était déjà sur lui et lui arrachait son détendeur. Corso tenta de les frapper – la souffrance, la panique. Ils voulaient le noyer ! C'étaient eux qui lui avaient injecté un poison dans la bouche, ou un gaz toxique dans sa bouteille.

Il sentit l'eau salée inonder sa bouche – mais il ne respirait pas. Douleur ou non, il ne voulait pas boire la grande tasse, se noyer dans cette flotte anglaise. Un des plongeurs lui maintenait la tête – Corso essayait toujours de les frapper, de s'échapper –, alors que le deuxième inspectait l'intérieur de sa bouche remplie d'eau. Il tenta de le mordre mais l'homme lui écartait les mâchoires comme un chasseur de crocodiles.

Finalement, l'agresseur enfonça un couteau à lame crantée dans son palais. Corso ferma les yeux. Il s'attendait à crever, la gorge asphyxiée de sang et d'eau, mais il éprouva un soulagement immédiat puis un assèchement de sa bouche, alors que l'oxygène revenait le nourrir. La vie coulait de nouveau dans sa gorge, une vie douce, bienveillante, sans peur ni douleur… Les deux plongeurs l'avaient lâché après lui avoir remis son détendeur entre les dents.

Alors seulement, il vit passer devant ses yeux les filaments transparents qui avaient failli avoir sa peau. Les tentacules urticants d'une méduse, emmêlés comme des mauvaises herbes gorgées de toxine. Il comprenait que les plongeurs l'avaient sauvé en lui extrayant à la sauvage ces fibres vénéneuses qui s'étaient glissées sous son détendeur. Un mal translucide qui l'aurait asphyxié en quelques secondes….

Il se laissa aller en arrière, savourant son soulagement, tournant sur lui-même à la manière d'un cosmonaute. À tâtons, il retrouva la chaîne et l'attrapa pour continuer sa descente.

Mais alors, il découvrit l'horreur.

Quelques mètres plus bas, ses deux comparses entouraient un corps relié par une boucle de corde à la chaîne. Leurs lampes révélaient les détails de la sinistre mise en scène : le cadavre était dans la même position que ceux de Sophie et d'Hélène. Gorge entravée, bras ligotés dans le dos, reliés aux chevilles groupées sous les mains – mais cette fois, les liens étaient en corde, sans doute parce que la victime était un homme et que son slip ne permettait pas l'habituel système.

Retrouvant son sang-froid, Corso les rejoignit. D'autres cordes ceinturaient la taille de la victime et la reliaient à des blocs de pierre qui bizarrement semblaient en apesanteur. Or c'étaient ces poids qui maintenaient le cadavre à cette profondeur.

Corso battit encore des jambes : il voulait des certitudes. Il parvint à la hauteur du visage et sut que la boucle était bouclée. Le visage du jeune homme – la trentaine, sans doute une belle gueule à l'origine – était ouvert d'une oreille à l'autre en un cri noir qui semblait s'être ramolli au point que les mâchoires oscillaient légèrement dans le courant, offrant l'illusion que la victime respirait sous l'eau.

C'était terrifiant, et en même temps vertigineux, de retrouver ainsi Goya à près de quarante mètres de profondeur. Corso ne voulait pas céder à sa surprise. Il essayait au contraire de détailler la mise en scène, tandis que ses compagnons prenaient des photos, comme sur une banale scène de crime.

Mais tout ce qu'il voyait pour l'instant, c'était la chair de l'homme assassiné, déjà mordue, attaquée, rongée par des poissons invisibles, qui peluchait dans les fonds glacés comme du papier journal. Corso ne put s'empêcher de penser que le corps était en train de se dissoudre et que les mètres cubes qui les entouraient étaient emplis de poussière de peau, des minuscules débris de chair qui tournoyaient parmi les bulles de leurs détendeurs.

Il eut soudain la sensation qu'il ne remonterait jamais à la surface, qu'il ne se sortirait jamais de cette affaire – et surtout qu'il ne découvrirait jamais la vérité. Pourquoi Sobieski avait-il décidé cette fois d'immerger sa victime à plus de quarante mètres de profondeur ? Voulait-il que personne ne la découvre ? Avait-il choisi sa victime au hasard ou au contraire avait-il fait tout ce chemin pour sacrifier ce jeune homme en particulier ?

57

— T'attends pas l'identification ?

— Non, répondit Corso. Ça prendra peut-être des jours et je dois arrêter Sobieski à Paris.

— Holà, mon gars, on n'a pas la queue d'une preuve.

— Ici, non. Mais à Paris, ça commence à faire beaucoup. Sa présence dans la ville même où un nouveau meurtre a été commis est décisive. Le juge va l'inculper.

Ils venaient de mettre pied à terre au port de Fleetwood, à moins de quinze kilomètres de Blackpool. La remontée du corps avait pris plus de deux heures. Pas moins de trois vedettes et vingt plongeurs s'étaient déplacés. De leur côté, Corso et ses collègues, respectant les paliers de décompression, avaient mis près d'un quart d'heure à refaire surface.

La dépouille avait été transférée à l'hôpital de Blackpool par hélicoptère, un médecin légiste de Manchester était attendu. On ne savait comment, la presse avait été avertie en temps réel de la macabre découverte – à leur arrivée au port, il avait fallu maintenir à distance une horde de journalistes. Le bordel habituel avait donc déjà commencé et Corso n'était pas mécontent de quitter tout ça. Il allait régler ses comptes à Paris – dans une (relative) tranquillité.

Waterston, au contraire, paraissait épuisé d'avance. Un meurtre à Blackpool, ça le changeait des dealers et des bastons, mais ce n'était pas une bonne nouvelle, surtout pour l'image déjà au plus bas de la ville. En même temps, l'enquête du flic serait rapide puisque, a priori, on connaissait le coupable.

Restait tout de même à retrouver la chambre où le meurtre avait eu lieu, y relever les empreintes, les traces organiques. Il fallait aussi identifier l'embarcation que le tueur avait utilisée. À chaque fois que Corso se repassait mentalement les faits, il était sidéré par la méthode : pourquoi tant de complications ?

Pour son boulot, Waterston possédait un joker, les vidéos de surveillance. Les Britanniques raffolent de cette technique et Blackpool était truffée de caméras en parfait état de marche (à la différence des françaises).

Le flic anglais frappa dans ses mains.

— Allez, je t'emmène à l'hosto.

— Quoi ? Mais tout va bien...

Waterston ne prit même pas la peine de répondre. Ils empruntèrent la même route que le corps et rejoignirent l'hôpital de Blackpool, où on offrit à Corso une attelle toute neuve pour son avant-bras.

— On peut aller vite pour la paperasse ? demanda-t-il à son alter ego.

— Je vais faire le maximum, mais je te conseille de décoller de Manchester. Y a un vol en fin de journée.

Deux heures plus tard, après avoir bricolé une version des faits présentable pour l'un comme pour l'autre, incluant la visite « non officielle » d'un officier de police français sur le territoire britannique, un *queer-bashing* qui avait brouillé les pistes et une expédition maritime qui avait porté ses fruits, Corso put récupérer sa bagnole de location.

Il fila directement à l'aéroport et se décida enfin à appeler son équipe : il tenait à prendre son temps pour leur expliquer ce nouveau coup de théâtre. Il donna ensuite des consignes strictes en vue de l'arrestation de Sobieski. Le peintre s'était assez foutu de leur gueule. Il voulait cette fois une opération en fanfare, avec brigade d'intervention et médias dans les parages.

De leur côté, comme il s'y attendait, les membres de son groupe n'avaient pas avancé d'un pouce. Ils étaient repartis de zéro... et y étaient restés. D'humeur joviale, Corso expliqua à Barbie que tout ça n'avait plus d'importance : le soir même, Sobieski serait sous les verrous.

Deux heures plus tard, il allait embarquer pour Paris quand la fliquette le rappela :

— J'ai enfin dégoté une info.

— Qu'est-ce que tu veux dire ?

— Une société anonyme liée à Sobieski. Un truc dont on n'a jamais entendu parler.

Des fourmillements sur sa nuque. Ne pas aller trop vite. Ne pas s'exciter pour rien. Corso avait l'habitude de ce genre d'emballements dans une enquête. On passe des jours, voire des semaines, à brasser du vide, et tout à coup une faille révèle une série d'éléments décisifs.

— Explique-toi.

— En repassant toutes les données qu'on possède sur Sobieski, j'ai remarqué qu'il avait signé une série d'illustrations pour un ouvrage érotique en utilisant un pseudo, « Thémis ».

— Et alors ?

— Thémis est la déesse de la justice, de la loi et de l'équité dans la mythologie grecque.

— C'est une femme ?

— Sobieski n'en est plus à ça près. Ce qui compte, c'est que le choix de ce nom révèle encore une fois son obsession de la justice, du châtiment...

Les passagers finissaient d'embarquer. Corso s'impatientait :

— OK, où tu veux en venir ?

— Je me suis demandé s'il n'existait pas une société qui porterait ce nom. Un truc qu'aurait créé Sobieski pour couvrir ses petits secrets.

Ça lui semblait vraiment tiré par les cheveux mais l'instinct de Barbie avait fait ses preuves.

— T'as trouvé ?

— Il en existe une vingtaine rien qu'en Île-de-France, mais l'une d'entre elles importe des produits chimiques pour fabriquer des pigments.

Corso sentit, par toutes les fibres de son être, que Barbie avait touché juste. L'étau – c'était le cas de le dire – se resserrait autour du peintre-charcutier.

— T'as obtenu des précisions ?

— Non. Sur les sites d'identification des sociétés, les renseignements sont réduits au minimum. Pas de chiffre d'affaires, pas de bilan, pas de salarié. Tout ça sent l'activité bidon. Ce qui m'a fait réagir, c'est l'adresse du siège social.

— C'est celle de Sobieski ?

— Exactement. Ça m'étonne qu'il ait fait cette bourde mais il ne pouvait soupçonner qu'on remonterait jusqu'à cette boîte fantôme.

Le fourmillement dans son corps devint une sorte de démangeaison, un prurit qui lui donnait envie de hurler. Au lieu de ça, Barbie et lui conservèrent le silence. Tous deux pensaient à la même chose : si cette société louait un local quelque part, alors cet endroit pouvait être le lieu des crimes.

La putain de planque qu'ils cherchaient depuis le départ.

Il revit en flash la silhouette de Sobieski, stetson de hobo sur la tête, chemise hawaïenne. Cette image n'était pas seulement celle d'un tueur à foutre en cage mais aussi l'incarnation de la confiance en soi, de l'arrogance du crime.

Un grand rire craché à la face des flics.

— J'arrive à Roissy à 20 h 30.

— Je t'attendrai.

58

Corso déboula finalement à Roissy à 21 heures parmi un flot de touristes tout heureux de partir à l'assaut de la capitale. Barbie était là, crispée dans ses Stan Smith défoncées, se rongeant les ongles, avec l'air d'avoir avalé une matraque électrique.

La fliquette ne fit aucun commentaire sur l'attelle de Corso, sa lèvre enflée et les pansements qui barraient son visage. À l'évidence, son escapade au Royaume-Uni avait été mouvementée.

Côté conversation, Barbie avait beaucoup mieux à offrir : pendant qu'il ronflait dans son Airbus, la fée électricité avait creusé son filon. La société Thémis louait un pavillon rue Adrien-Lesesne, à Saint-Ouen, près des voies ferrées en droite provenance de la gare du Nord. Officiellement, Thémis y entreposait des produits chimiques.

En guise de conclusion, Barbie lui tendit son portable sur lequel s'affichait une géolocalisation : depuis son atelier, Sobieski pouvait rejoindre le site à pied.

— On a le choix, fit-elle en ayant du mal à cacher son excitation. Soit on tape chez Sobieski, on l'arrête, puis on perquise dans l'entrepôt. Soit on envoie tout de suite une équipe rue Adrien-Lesesne et ils commencent le boulot pendant qu'on fout les pinces à…

— On fait le contraire. Envoie Stock et Ludo arrêter Sobieski ; nous, on se charge de l'entrepôt.

— T'es sûr ?

À l'idée de surprendre l'antre du salopard, Corso avait la trique. L'excitation de Barbie n'était rien comparée à la sienne. *Putain, ils allaient se le faire.*

— Je veux voir sa gueule quand on lui annoncera qu'on a trouvé sa garçonnière. T'as l'autorisation du juge ?

— J'ai tout ce qu'il faut. Pour Ludo, tu crois que c'est une bonne idée ?

— *Je veux.* Il faut que Sobieski comprenne qu'il n'a pas le moindre allié dans la maison et que Ludo, malgré tout, reste un des flics de notre groupe.

Barbie acquiesça et attrapa son portable. En quelques mots, elle informa Stock des nouvelles directives : Stock et Ludo aux commandes, avec, comme prévu, quelques gros bras armés pour l'ambiance. Mais attention, Corso ne voulait pas qu'on dise à Sobieski pourquoi on l'arrêtait au juste. Il fallait le laisser mariner.

— Vous l'emmenez au 36, conclut Barbie, et vous nous attendez.

— Non, lui souffla Corso. Qu'ils nous préviennent une fois sur place. On sera qu'à quelques centaines de mètres. Une fois qu'on aura repéré les lieux et foutu des scellés, on se fera un plaisir d'aller saluer Sobieski.

Roissy n'était pas si loin de Saint-Ouen. Ils filèrent sur l'A1 puis, le Stade de France dépassé, empruntèrent la D20 jusqu'à survoler le lacis des voies ferrées et descendirent au fil de rues plus étroites.

Corso s'attendait à une zone à l'ancienne : friches industrielles, terrains vagues, squats… Pas du tout. De la même façon que Sobieski avait métamorphosé sa manufacture abandonnée en galerie de luxe, le quartier de la rue Adrien-Lesesne s'était nettement amélioré. Une armée de bobos en avaient pris possession et, sans se concerter, à coups de petites attentions, de crédits, de volonté de faire du beau avec du moche, du riche avec du pauvre, avaient réussi à transformer la zone défraîchie en village souriant.

Corso, qui venait des cités et connaissait par cœur les méfaits de la laideur et de la misère, n'appréciait pas non plus ce genre d'améliorations. Il y percevait toute la mesquinerie bourgeoise, la prétention pseudo-artistique de ces familles proprettes aux idées creuses et aux comptes en banque frileux. En voulant rendre présentable ce quartier de pavillons et d'ateliers industriels, ces nouveaux venus jouaient encore une fois l'air bien connu de Jacques Brel, la chanson de ceux qui « voudraient avoir l'air mais qu'ont pas l'air du tout »…

L'adresse de Sobieski était un bel exemple du phénomène. Mais, dans son cas, c'était simplement pour tromper l'ennemi. Personne ne devait soupçonner ce qui se passait derrière ce portail en fer vert à double battant qui ne laissait voir que les frondaisons de chênes et de marronniers. Même Corso, en découvrant ce décor de grand-mère, se prit à douter :

— T'es sûre que c'est là ?

— Sûre, fit Barbie en vérifiant encore une fois sur son portable.

Le serrurier réquisitionné les attendait devant le seuil.

— Tu lui fais signer la paperasse et on y va, fit Corso en sortant de la voiture.

— On n'attend pas les bleus ?

— Non.

— Et les témoins pour la perquise ?

Corso lui balança un regard qui se passait de commentaire.

L'artisan, pas spécialement coopératif, grommela en prêtant serment et en empochant le mémoire de frais qui lui permettrait d'être remboursé. Corso regardait le portail plein, la cime des arbres, la toiture rouge de la baraque, cinquante mètres plus loin, au fond du jardin. Il en avait les mains qui tremblaient.

Le serrurier se mit au boulot – ou plutôt à la peine. Au bout de cinq minutes, et pas mal de boucan (il avait carrément utilisé une scie électrique), le portail s'ouvrit dans un grincement sinistre et une odeur de métal chauffé à blanc.

Corso et Barbie pénétrèrent dans le jardin, suivis par le clampin et sa boîte à outils. Un chemin de cailloux menait à un pavillon de taille modeste. Pierres meulières jointes par rocaillage, fenêtres à voilages blanchâtres, marquise de verre feuilleté et de fer forgé, tout était là pour vous foutre le cœur dans les chaussettes et vous inciter à choisir l'arbre auquel vous alliez vous pendre.

Pourtant, les oiseaux chantaient dans les feuillages et la lumière du crépuscule baignait le tableau dans une clarté très douce, couleur de pulpe d'orange. Vraiment pas le décor pour une perquise tendue à bloc.

Le serrurier gravit les quelques marches qui conduisaient au perron protégé et s'attaqua à la nouvelle serrure.

— Même pas blindée, commenta-t-il avec mépris.

Corso monta à son tour la volée de marches. Ça ne collait pas : si Sobieski avait mené là une quelconque activité occulte ou laissé des indices compromettants, il aurait installé un système de sécurité drastique. Corso n'avait pas oublié comment il s'était fait niquer par les caméras invisibles de l'atelier. Outre le camouflage « petit-bourgeois » du lieu, le peintre-tueur aurait opté pour un dispositif inviolable.

La porte ouverte libéra une odeur atroce de moisi qui les fit reculer de plusieurs pas.

— Ça pue là-dedans ! grogna le serrurier en agitant la main. Personne a foutu les pieds ici depuis des lustres, moi j'vous le dis.

Les flics échangèrent un regard. Tout ce qu'ils avaient finalement, c'était un pavillon loué par une boîte qui s'appelait Thémis et dont le siège social se situait chez Sobieski. S'étaient-ils encore plantés ?

Corso était sur le point de céder au dépit quand son regard se posa sur le garage mitoyen presque aussi grand que le pavillon, au bas mot cent cinquante mètres carrés au sol.

— Ouvrez-moi ça aussi, ordonna-t-il en désignant le local.

L'artisan descendit les marches et s'attaqua à la porte pivotante. Aussitôt, il émit un sifflement d'admiration.

— Qu'est-ce qui se passe ? demanda Corso en s'approchant.

— Bah là, mon gaillard, c'est une autre histoire. Y z'ont installé un système de sécurité comme on n'en voit pas souvent.

Malgré lui, Corso prit la main de Barbie. Ils avaient trouvé. Le putain de repaire d'un tueur en série qui semblait insaisissable. Les deux flics choisirent de garder leur sang-froid et allèrent s'installer sous les arbres. Ils s'assirent sur un banc, comme dans un jardin public, et prirent leur mal en patience. Le serrurier les avait prévenus, « au moins une demi-heure ».

Par téléphone, ils suivaient l'évolution de la seconde équipe, maintenant en poste aux abords de l'atelier de Sobieski. Le peintre était chez lui. Stock, qui pouvait l'apercevoir à travers une des verrières, confirma qu'il était en train de préparer des toiles comme si de rien n'était. Encore une fois, Corso le revit rôder dans le quartier homo de Blackpool, puis l'image du cadavre au cri flottant lui revint – le sang-froid du salopard forçait l'admiration.

Il leur ordonna d'attendre encore : s'ils trouvaient vraiment des éléments confondants dans ce nouveau local, l'arrestation n'en serait que plus belle.

Enfin, à près de 22 heures, alors que la nuit était tombée, le serrurier – il avait appelé un assistant – vint à bout de la porte du garage. Corso leur intima de reculer et, accompagné de Barbie, il pénétra dans l'espace. Il n'avait qu'une torche à la main – avec son attelle, pas moyen de tenir à la fois une lampe et une arme –, alors que son adjointe braquait son calibre en soutien.

Il ne voyait pas grand-chose mais déjà les formes, les objets, les ombres dans son faisceau lumineux lui laissèrent craindre le pire – ou le meilleur, c'était selon.

— Va chercher des protège-chaussures, des charlottes et des gants, ordonna-t-il à Barbie d'une voix blanche.

La petite souris détala alors que Corso, raide comme une clôture électrifiée, demeurait sur le seuil. Il balayait lentement les lieux de sa torche. Pas de fenêtre. Un comptoir le long du mur de gauche. Un plan de travail en bois au milieu de la pièce – Corso se souvenait de l'hypothèse du légiste, « l'étal d'un boucher », et des échardes dans la chair d'Hélène Desmora. Sur le sol, des pots de produits chimiques qui exhalaient des odeurs acides. Plus loin encore, il discerna un engin colossal, une sorte de caisson en métal doté d'un hublot qui pouvait largement accueillir un être humain…

Barbie revint avec le matos demandé. Ils s'équipèrent sans un mot, puis Corso fit un pas à l'intérieur et chercha un commutateur. Sous la lumière électrique, les choses se précisèrent et les deux flics surent qu'ils avaient trouvé.

Rien que du lugubre, de l'abject et de l'effrayant. Avec ses esquilles de bois et ses traces sanglantes, le plan de travail évoquait beaucoup plus le billot d'un boucher que l'établi d'un artiste. Surtout, une presse dotée d'une molette de serrage y était fixée – pas besoin d'une grande imagination pour visualiser une victime placée de profil, la tête coincée dans cet étau.

Le comptoir sur la gauche présentait tout un tas d'outils qui pouvaient servir à un peintre montant ses

388

toiles lui-même mais qui, dans ce contexte, s'avé-raient beaucoup plus funestes, surtout que la plupart portaient des traces brunes. Du sang ?

En s'en approchant, le flic buta contre un carton posé par terre. Il baissa les yeux : il était rempli de pierres. Exactement le même genre de galets que ceux qui obstruaient la gorge de Sophie et d'Hélène. Les tremblements de Corso étaient devenus brefs et constants, comme s'il marchait au 220 volts. Il aurait voulu dire quelque chose, ou peut-être simplement respirer, mais tout ça devenait foutrement difficile.

Barbie de son côté inspectait l'établi fixé au mur et détaillait chaque instrument. Deux visiteurs dans un musée s'extasiant chacun sur des œuvres différentes, mais prisonniers d'une émotion commune.

Sans se concerter, ils se dirigèrent vers le caisson du fond. C'était une chambre aux parois d'inox équi-pée sur sa façade centrale d'un système de commande compliqué.

— On dirait un four…, murmura Barbie, confirmant d'emblée la pensée de Corso.

— Appelle l'IJ, ordonna-t-il d'une voix altérée. Je veux toute la cavalerie ici dans moins d'une heure.

Barbie s'exécuta. Stéphane poursuivit sa visite. Il cherchait encore le signe indiscutable de la présence de Sobieski. Après tout, rien ne disait concrètement que cette chambre de torture était celle du peintre.

À ce moment-là, il repéra, affichées tout au bout de l'établi de gauche, plusieurs reproductions macu-lées de peinture, des œuvres des grands maîtres de la peinture espagnole : Vélasquez, Le Greco, Zurbarán…

Parmi elles, sans surprise, il reconnut les *Pinturas rojas* de Goya.

Le détail qui lui manquait.

Il attrapa son téléphone et appela Stock :

— On arrive dans cinq minutes. On tape avec vous.

— Y a du nouveau ?

— On a trouvé le repaire du monstre.

59

— Ça va ? T'es bien installé ?

Sobieski, tête nue, ne répondit pas. Assis dans le bureau de Barbie et de Ludo, il semblait avoir saisi que les choses se gâtaient vraiment pour lui. Il devait aussi avoir intégré que la proximité de Ludo ne l'aiderait pas. *Au contraire.*

Il était si pâle que son visage ressemblait à un moulage de plâtre, uniformément blanc et inexpressif. Corso connaissait ce masque. Ce n'était ni celui de la culpabilité, ni celui de la crainte. Sobieski portait l'expression de la terreur – celle d'une phobie réveillée : la taule se rapprochait, et pour de bon.

Corso, un mince dossier à la main, prit place derrière le bureau de Barbie. La fliquette se tenait debout dans un coin de la pièce, la main sur le calibre. Stock et Ludo étaient aussi présents, silencieux, fermés, aussi compacts que des blocs de propergol. L'air était chargé d'une tension presque insoutenable. On avait fini de rire. Si tant est qu'on ait ri un jour dans cette histoire.

D'un signe, Corso invita ses collègues à sortir ; un peu d'intimité ne leur ferait pas de mal.

— Ça m'a bien plu, notre petite balade anglaise.

Sobieski se racla la gorge :

— Je vois pas de quoi tu parles.

Corso sourit.

— Quitte à mentir, garde tes forces pour les situations où tu pourras encore être crédible. Ton billet, la douane, les caméras de sécurité…, tout prouve ta présence en Angleterre. Ne gaspille pas ton énergie.

Le peintre conserva le silence.

— Pourquoi t'es allé là-bas ? relança Corso.

— J'ai pas le droit p't-être ?

— Non, et tu le sais.

— J'ai passé l'âge de demander des autorisations, grogna-t-il. J'ai dû lécher des culs et lever le doigt pendant vingt ans. Tout ça, c'est derrière moi.

— Pas si sûr. Qu'est-ce que t'es allé faire en Angleterre ?

— Je devais voir mon galeriste à Manchester. J'prépare une expo.

— On est au courant.

— Si t'as les réponses, pose pas les questions, on gagnera du temps.

La voix, le ton, l'expression, tout était encore du Sobieski, mais c'était du Sobieski diminué, étiolé par l'angoisse.

— T'as donc pris le risque de retourner au trou pour une histoire d'expo ? Ça pouvait pas attendre ?

— Non. L'expo est dans un mois.

— Tes scrupules de peintre t'honorent, mais je t'apprendrai rien en te disant que t'es pas un artiste comme les autres.

Il eut un sourire d'orgueil, dents noires, rictus de travers.

— C'est ça qui fait ma force.

— Et aussi ta faiblesse. T'es suspect dans une affaire de meurtres, Sobieski. Tu ne peux pas te déplacer comme n'importe qui. Rien que pour cette raison, le juge pourrait t'envoyer au ballon plusieurs semaines et ton expo, crois-moi, tu seras pas là pour la voir.

L'autre ne répondit pas tout de suite. Tout son être semblait se compresser, se durcir. Il revenait à un âge minéral, l'ère de la taule, quand il encaissait les coups, se faisait violer, distribuait les sentences. Un être sans interstice ni fêlure. Un noyau glacé de volonté pure.

— Personne décidera plus pour moi, s'entêta-t-il. Ce temps-là est révolu.

Face à lui, Corso se sentait bien, avec son attelle et la nuit devant lui. Il tenait sa proie – et avec une pointe de sadisme, il aimait la regarder souffrir.

— C'est toi qu'as provoqué l'alerte dans l'Eurostar ?

Sobieski ne chercha pas à feindre l'étonnement, ni à nier sa présence dans le train.

— Pourquoi j'aurais fait ça ?

— À toi de me le dire.

Il eut un geste fatigué de la main qui signifiait : « Si t'as que ce genre de répliques, on n'ira nulle part toi et moi. »

Corso préféra réembrayer :

— Et Blackpool ?

— Quoi Blackpool ?

— Tu cherchais un peu de fun avant de rentrer en France ?

Sobieski se tortilla sur sa chaise.

— Me force pas à me répéter, Corso. Depuis que je suis sorti de taule, je fais c'que je veux, quand j'veux. Et c'est pas des merdaillons de flics dans ton genre qui vont m'empêcher de quoi que ce soit.

— T'as pas répondu à ma question : pourquoi Blackpool ?

— Envie de me détendre.

Corso avait fait imprimer quelques clichés du corps sorti de l'eau. Il les posa brutalement sur son bureau.

— C'est ça que tu appelles « te détendre » ?

— C'est quoi ces horreurs ?

— Un jeune homme assassiné la nuit dernière à Blackpool.

Sobieski parut sincèrement étonné :

— Qu'est-ce tu racontes ?

Corso se pencha – il ne se départait pas de son calme :

— Je raconte que t'es soupçonné d'avoir tué Sophie Sereys et Hélène Desmora selon un mode opératoire très spécifique. Tu te casses à Blackpool, et voilà qu'un homme est assassiné exactement de la même façon. Plutôt troublante la coïncidence, non ?

Sobieski secoua la tête avec consternation. Il semblait enfin comprendre ce qui lui valait cette deuxième garde à vue.

— J'ai passé la nuit avec un gars qui s'appelait Jim. Un suceur de première.

— Jim comment ?

— J'lui ai pas demandé. Il avait la bouche pleine.

Corso joua à l'imbécile :

— T'aimes aussi les hommes ?

— Peu importe l'instrument, pourvu qu'on ait la fanfare.

— Ton Jim, là, enchaîna Corso, où on peut le trouver ?

— Aucune idée. Dans le quartier des tafioles, je pense. C'est là qu'il tapine. (Sobieski lui fit un clin d'œil.) Tu connais, non ?

Il avait donc toujours su qu'il était suivi. Pourquoi avait-il pris le risque de tuer avec un flic aux fesses ?

Stéphane sortit de son dossier des photos anthropométriques de la victime.

— Tu le connais ?

— Non.

— Il s'appelait Marco Guarnieri. 33 ans. D'origine italienne. C'était un petit dealer de Blackpool que tout le monde appelait « Narco ».

— Jamais entendu parler.

Waterston lui avait envoyé ces infos dans la nuit. Les flics anglais n'avaient eu aucune difficulté à identifier la victime. Ses empreintes avaient parlé. Mi-dealer, mi-combinard, on n'était pas sûr qu'il ait été prostitué. Peut-être même pas homosexuel.

Corso avait été troublé par ces renseignements. Sa théorie était que Sobieski avait cédé cette nuit-là à ses instincts meurtriers, frappant au hasard. Mais Guarnieri n'avait pas le profil, même pour une rencontre d'un soir. L'autre théorie, qui ne tenait pas debout, était que Sobieski connaissait déjà cet homme, qu'il l'avait choisi pour lui faire subir le « supplice du rire », comme il l'avait fait pour Sophie et Hélène. Mais comment aurait-il connu ce petit dealer ? En quoi le pauvre mec méritait-il le châtiment du « Juge » ?

— Tu sais conduire un bateau ?

— Non. Pourquoi ?

Corso ne prit pas la peine de répondre.

— T'avais tes cordes dans ton sac ?

Sobieski préféra rire :

— C'est quoi ces questions de merde ?

— Pourquoi t'as immergé le corps au large de Blackpool ?

Sobieski se leva d'un bond. Corso ne lui avait pas mis les pinces, histoire qu'il ne sache pas sur quel pied danser : témoin, gardé à vue, inculpé ?

— J'en ai plein le cul de tes histoires. Je…

Il n'acheva pas sa phrase. Corso venait de lui balancer une baffe de toutes ses forces au-dessus du bureau. Il avait frappé de la main gauche. Il en ressentit aussitôt une vive brûlure à la paume mais surtout un intense soulagement. Des jours que cette baffe le démangeait.

Sobieski s'étala par terre en hurlant – pure comédie, il pouvait encaisser bien plus que ça. Corso contourna le bureau et lui décocha un coup de latte dans les côtes. Quand Sobieski tenta de se redresser, Stéphane l'attendait front en avant : coup de boule, nez brisé, jet de sang.

La fête – espérée depuis le début – commençait. La tête de Sobieski rebondit sur le sol. Le peintre voulut encore se relever mais Corso lui administra un coup de coude dans le menton. Par réflexe, il avait utilisé son bras droit. Son attelle sauta et la douleur traversa son membre comme un électrochoc.

Il armait encore le poing gauche quand Stock et Ludo surgirent dans le bureau et le soulevèrent du sol. Ils le poussèrent contre le mur et le bloquèrent. Corso reprit son souffle – le boxeur qui attend qu'on compte jusqu'à dix alors que son adversaire est K.-O. Mais Sobieski était déjà debout, il s'était mis en garde. Une « fausse patte » – position de gaucher – qui déstabilise l'adversaire.

— Enculé de ta race, cracha-t-il dans des postillons de sang. Laisse tomber tes deux gonzesses et viens te frotter à moi.

Corso ne réagit pas, il avait déjà retrouvé son sang-froid. Barbie entra à son tour et poussa Sobieski sur sa chaise. Elle attrapa une boîte de Kleenex et la lui balança.

Il y eut un répit. Sobieski épongea ses plaies. Une de ses joues paraissait plus creuse – peut-être avait-il largué une dent dans la bataille, ce qui ne lui en faisait vraiment plus beaucoup. Corso retourna s'asseoir à sa place, avec un signe explicite à ses gars : « C'est bon. » Mais son équipe préféra rester pour veiller au grain.

Le flic passa aux éléments décisifs :

— On a localisé ta planque, rue Adrien-Lesesne.

L'autre renifla puis cracha par terre un mollard sanglant.

— C'est pas une planque, c'est un atelier.

— Un drôle d'atelier, avec un étau, un four, des instruments de torture.

Sobieski trouva la force de ricaner encore :

— T'y connais rien. L'étau, c'est pour fixer les châssis. Les outils, pour tendre les toiles. Le four, pour faire sécher la peinture.

— Ton matos est couvert de sang.

— C'est du pigment, fit-il en un nouveau rictus.

— Non, Sobieski. On a déjà fait des analyses. On a relevé dans ton « atelier » au moins six ADN différents. Le sang de six femmes que tu as assassinées.

Cette fois, Sob la Tob accusa le coup. Ses yeux s'écarquillèrent et ses pupilles se dilatèrent comme deux taches d'encre sur un buvard.

— Tu bluffes.

Corso agita plusieurs documents.

— Les premiers relevés de la scientifique. Tes empreintes sont partout, ainsi que celles de Sophie et d'Hélène. On a déjà identifié leur sang et on fait des recherches parmi les autres disparues de ces dernières années. À ta place, j'appellerais mon avocat.

Sobieski fixait les PV sur le bureau. Il ne paraissait pas comprendre.

— Je vais te dire ce que je pense, reprit Corso. On se refait pas, et depuis que t'es sorti de taule, tu tues des femmes. Tu les charcutes dans ton atelier et tu les brûles dans ton four, façon Landru. On a leur sang, Sobieski, et on finira par les identifier.

Toujours pas de réaction. Le visage du peintre était parfaitement impassible. Sa chair se durcissait à vue d'œil, comme si elle coagulait plus vite que ses blessures. Corso songea à ces sculptures de démons découvertes dans le désert irakien, enduites de sable et de soleil. L'âme du mal, version minérale.

— Maintenant, va savoir pourquoi, t'as changé de mode opératoire. T'as voulu que le monde contemple ton œuvre. T'as tué ces deux pauvres filles et tu les as transformées en tableaux de Goya. Tu nous as provoqués, tu as joué avec nous, et finalement, je crois

398

que c'est ce qui t'excite le plus. Mais il faut être beau joueur parce que tu as perdu.

Sobieski baissa la tête et ses épaules semblèrent se refermer sur elle, à la manière d'un squelette qui se blottirait au fond de sa crypte.

— Foutez-moi cette ordure dans les cages, fit Corso aux autres. (Il s'adressa de nouveau au suspect qui paraissait rétrécir à vue d'œil :) Demain, c'est le juge, et tout de suite après, Fleury. C'est fini pour toi, Sobieski, tu reverras plus jamais la lumière.

À ce moment-là, se passa la dernière chose à laquelle Stéphane s'attendait : Sobieski se cambra sur sa chaise et poussa le hurlement le plus déchirant qu'on puisse imaginer. Un cri jailli des tréfonds de la peur et de la détresse.

Corso songea – il était sidéré de penser à ça – au cri d'un enfant qu'on arrache à sa mère.

60

Dès le lendemain, le vendredi 8 juillet, l'artiste peintre fut entendu par le juge Michel Thureige et inculpé pour l'homicide volontaire avec préméditation de Sophie Sereys et d'Hélène Desmora. Le meurtre de Marco Guarnieri faisait l'objet d'une procédure à part, menée par les Anglais. Mais on pouvait compter sur le magistrat pour relier les trois affaires et utiliser l'assassinat du dealer contre Sobieski.

La rédaction des queues du dossier, la relecture de toutes les dépositions, la vérification des derniers éléments, le recensement des personnes impliquées dans l'affaire à titre de témoins, etc., tout cela accapara Corso et son équipe jusqu'à la fin du mois de juillet. Ils ne parvinrent pas à identifier les autres victimes du peintre et ne trouvèrent aucune autre preuve à charge contre Sobieski, mais ce qu'ils avaient était suffisant : Sob la Tob allait payer pour les meurtres de Sophie et d'Hélène.

Dès le 10, Bompart se fendit d'une conférence de presse triomphaliste, félicitant au passage le commandant Corso et son équipe pour leur « brillant travail d'investigation ». Bornek, évidemment, faisait la gueule, mais son heure viendrait un jour ou l'autre. On murmurait déjà que c'était un coup pour Corso à obtenir une solide promotion : commissaire principal, patron d'un service, préfet…

Corso n'avait jamais songé à ce type d'ascension mais il n'était pas contre un plus gros salaire, ni un boulot plus stable, pour Thaddée.

En revanche, Ludo avait remis, comme prévu, sa démission pour « raisons personnelles ». Il disparut sans un mot ni un au revoir. « Encore un qui a un brillant avenir derrière lui », avait conclu Bompart.

Dès la mi-juillet, Corso était revenu à sa vraie obsession, la garde de son fils. L'arrestation de Sobieski – la fin du « bourreau du Squonk » – redorait son blason et allait lui permettre d'obtenir un job plus honorable. Que des bonnes nouvelles, son avocate le lui avait confirmé.

En revanche, Corso était plus doué pour arrêter les assassins que pour se faire des amis. En tout et pour tout, il n'avait récolté que cinq témoignages attestant qu'il était le « meilleur des pères » (des collègues de bureau, le patron du café en bas de chez lui…). Pour enrichir son dossier, il avait imprimé des photos rendant compte de ses activités avec Thaddée (parcs, fêtes foraines, piano, Disneyland…), photocopié ses relevés bancaires et surligné les dépenses inhérentes à son éducation, etc. Il avait réussi de cette manière à remplir un dossier d'une trentaine de pièces (avec, en bonus, les articles de presse les plus louangeurs sur l'affaire du Squonk ; comme l'avait promis son avocate : « On ne refuse rien à un héros »).

En réalité, toute cette paperasserie l'écœurait. Avoir à démontrer qu'il était un bon père lui rappelait tous les innocents qu'il avait croisés dans sa carrière et qui avaient dû lutter comme des diables pour prouver… qu'ils n'avaient rien fait.

Néanmoins, fin juillet, il remit son dossier complet à maître Janaud et récupéra (enfin) son petit garçon pour les vacances. On lui avait retiré son attelle et ses plaies au visage avaient cicatrisé, il n'avait donc plus la sale gueule du flic blessé au front. Ils partirent en Sicile, au Club Med, un village familial qui proposait un tas d'activités pour les enfants.

C'était la première fois qu'il plongeait dans cette marmite et il s'attendait à pire. Bien sûr, il n'apprécia pas de partager les repas avec les autres GM et ne se fit aucun ami, mais en maillot de bain, assis sur les mêmes bancs que ces vacanciers bronzés et heureux, à manger du taboulé, il se sentait presque normal. Surtout, Thaddée était ravi, occupé du matin au soir, à tel point qu'au bout de quelques jours, Corso avait l'impression que c'était son fils qui l'avait emmené en vacances et non l'inverse.

Mais on n'oubliait pas Sobieski aussi facilement.

La journée, il vaquait de la piscine à la plage, de la plage au bar, mais, quoi qu'il fasse, il revenait aux mêmes souvenirs, aux mêmes hantises : les cris silencieux des victimes de Sob, les abominations d'Akhtar, les jeux pervers de Sophie, les nuits à la morgue d'Hélène, le corps gris et effrité de Marco au fond de l'eau… Contrairement à ce qu'on raconte, les flics n'oublient jamais rien, leurs souvenirs constituent même leur principal matériau de travail

– un flic opère toujours mentalement une synthèse entre le passé et le présent, croise en permanence les données d'une nouvelle affaire avec celles des anciennes...

Un fait surtout revenait en leitmotiv, un grain de sable dans son dossier. Il connaissait maintenant le pedigree de Marco Guarnieri, dit « Narco ». Le gars n'avait pas (du tout) le profil des deux autres victimes. D'abord, bien sûr, c'était un homme. Ensuite, il n'était ni strip-teaseur ni prostitué (ce n'était pas lui que Sobieski avait embrassé dans la ruelle avant le *queer-bashing*). Narco était un petit dealer de Blackpool, drogué jusqu'à l'os, qui survivait en vendant ses doses à la sortie des casinos et des clubs de strip.

Son histoire n'avait rien de remarquable – dans le registre de la lose. Né à Aoste en 1983, élevé à Turin puis en Grande-Bretagne par sa mère. D'abord danseuse, puis serveuse, cette dernière avait trimbalé son gamin au gré de ses contrats et avait trouvé sa voie sur le tard : strip-teaseuse. C'était le seul point commun entre Guarnieri et les filles du Squonk.

Pour le reste, une petite frappe de Liverpool, un délinquant multirécidiviste. À 33 ans, il avait passé plus de quinze ans en taule. Altcourse, la prison de Liverpool ; Birmingham, dans les West Midlands ; Forest Bank, la taule de Manchester... À sa façon, Narco avait voyagé.

Il fallait donc supposer que Sobieski, cherchant ce soir-là un amant (ou, version plus probable, de quoi se charger), était tombé sur lui. Il l'avait convaincu de l'inviter chez lui – on avait finalement découvert le lieu du meurtre, un studio sordide que Guarnieri louait pour quelques livres. Sobieski l'avait ensuite emmené dans la propre bagnole du dealer puis il avait volé un Boston Whaler à la marina de Fleetwood Haven – tout ça pour immerger le corps au pied de la bouée Black Lady. Mais pourquoi tant de complications ?

Corso sentait une contradiction profonde entre l'hypothèse d'une pulsion criminelle soudaine et l'élaboration d'un meurtre aussi sophistiqué, avec liens, mutilations, immersion... Mais dans sa chaise longue, à l'ombre des palmiers, il s'efforçait de ne pas développer, c'était désormais le boulot du juge, et encore, d'un juge anglais.

Chaque jour, il observait les gamins qui jouaient sur la plage ou au bord de la piscine, cherchant des yeux Thaddée parmi les groupes du mini-club. Une fois qu'il l'avait repéré, il le saluait de la main et il fermait les yeux en éprouvant un profond sentiment de satisfaction. *Mission accomplie.* Il se prenait même à rêver d'une rentrée en forme de sans-faute : promu, il récupérait son fils, déménageait, et tant qu'on y était, se trouvait une nouvelle femme. Côté terrain, il passait la main, s'installait dans un beau petit bureau et prenait de la hauteur en rentrant à heures fixes pour le dîner. Un quotidien pépère qui lui permettrait de ne plus aller au contact avec les démons et de dormir tranquille.

Mais Corso n'était pas d'un naturel optimiste. Quand il rouvrait les yeux, le soleil avait la couleur amère du citron qu'on utilise pour diluer l'héro, et son fond de Coca, tiède, ressemblait à de la résine de cannabis fondue. Il devait rester sur ses gardes, la vie lui avait appris qu'on découvre toujours un étron sur son paillasson.

Il avait raison : une douche glacée l'attendait à son retour.

61

Émiliya était restée à Paris tout le mois d'août – et à l'évidence, son avocate aussi. À elles deux, elles avaient trouvé de quoi s'occuper. À son retour de vacances, maître Janaud lui remit un dossier de 134 pièces en représailles à son mince plaidoyer de « héros du jour ». Tout y passait : les innombrables activités qu'elle avait menées de main de maître avec Thaddée, les professeurs – école, piano, judo… – qu'elle rencontrait régulièrement, les certificats médicaux démontrant les soins qu'elle lui avait prodigués, les preuves en série que le petit garçon menait auprès de sa mère une vie paisible, riche et régulière. Le père, « présumé coupable », pouvait aller se rhabiller, il n'avait aucune chance contre cette championne toutes catégories de l'éducation et de l'amour maternel. C'était la loi du ventre, mais confirmée et entérinée par les faits.

L'avocate n'y alla pas par quatre chemins : l'affaire du Squonk était loin, son nouveau boulot n'existait pas encore et les maigres pièces de son dossier ne pesaient pas lourd comparées au tableau d'honneur d'Émiliya. L'affaire serait jugée d'ici six mois mais, d'après maître Janaud, c'était « tout vu ».

Très bien, se dit Corso, puisqu'il n'était qu'un salopard de flic, il allait agir comme tel.

Le lundi 5 septembre au matin, il convoqua Barbie dans son bureau.

— J'ai remarqué un truc pendant l'enquête, attaqua-t-il.

— Quoi ?

— Akhtar, tu connaissais ses productions ?

— J'en avais entendu parler.

— Tu as aussi déniché un maître du shibari.

— Ça nous a bien rendu service.

— Je te fais aucun reproche. Je constate que t'as l'air de maîtriser le domaine.

— Culture générale.

— Je crois plutôt que toutes ces histoires de porno, de SM, de ligotage, ça te chauffe.

Barbie, qui était déjà tendue au naturel, devint presque catatonique.

— Ça m'intéresse, c'est tout. Tu vas me foutre la BRP au cul ?

Corso fit mine d'acquiescer, sourire aux lèvres. Le dialogue était comme une résonance ironique de ce qu'ils ne se disaient pas. Il ouvrit un tiroir et en sortit une photo, un portrait tout en neutralité d'Émiliya.

— Tu la connais ?

— Elle me dit quelque chose. Qui c'est ?

— Émiliya, mon ex.

Barbie eut un bref sourire.

— J'ai dû la croiser dans les couloirs.

— Aucun risque. Elle n'a jamais foutu les pieds ici. Non, je pense que tu l'as rencontrée ailleurs.

— Où ?

— Durant tes nuits agitées.

— Qu'est-ce que tu cherches à me dire ?

Corso ne s'était jamais étendu sur la nature de ses problèmes avec Émiliya. Tout le monde savait qu'il divorçait mais il s'était toujours refusé à révéler la personnalité effrayante de la Bulgare. Il était temps d'affranchir Barbie :

— Si toi, « ça t'intéresse », considère qu'elle est à elle seule l'encyclopédie du cul qui souffre et qui gémit.

La fliquette se pencha au-dessus du bureau, l'air plus méfiante que jamais.

— Qu'est-ce que t'attends de moi ?

— Quand je garde mon fils, elle se la donne grave. Tous les clubs où on se chie les uns sur les autres, toutes les soirées où on se fait empaler à la matraque, elle y est.

— Et alors ?

Corso poussa vers elle le portrait d'Émiliya.

— À partir d'aujourd'hui, tu y seras aussi. Je te donnerai les dates de mes gardes. Tu la prends en photo, tu la filmes, tu ramasses des témoignages. Tu me ramènes de quoi la foutre en taule ou à l'asile.

— Tu crois que c'est aussi simple ?

— Si c'était simple, j't'aurais pas appelée. Tu peux me rendre ce service ?

Barbie conserva le silence quelques secondes.

— Jouer un tel coup bas à une autre femme, je suis pas très chaude.

— C'est la seule façon pour moi de récupérer la garde de mon gamin.

— Justement. C'est vraiment un coup de pute que de lui retirer son fils au nom de ses goûts sexuels.

Il ne s'attendait pas à ça : solidarité SM et féminine à la fois.

— Quand j'ai connu Émiliya, expliqua-t-il, elle se coupait les lèvres vaginales à la lame de rasoir et s'enfonçait des aiguilles sous les ongles. Aujourd'hui, j'ai un enfant avec elle et je dois gérer ça. Pas question qu'elle le bousille avec ses goûts de détraquée.

— Je pense qu'elle sait faire la part des choses.

— Pas si sûr. Elle est vraiment… cinglée.

— Les goûts pervers, c'est une chose. L'instinct maternel, c'en est une autre.

— C'est bon, soupira Corso, je suis au courant. Mais fais-moi confiance, je te parle d'une vraie pathologie. Et ça risque pas de s'arranger. J'ai peur qu'elle finisse par prendre Thaddée en otage de ses jeux SM.

Barbie avait les yeux rivés sur le portrait d'Émiliya. Ses traits légèrement orientaux paraissaient ciselés dans du cuivre et exprimaient une quiétude trompeuse.

— Elle est dangereuse, insista-t-il. Je crois que sur ce plan, tu peux me faire confiance.

— C'est quand ton jugement ?

— Dans six mois, mais je veux plus passer par un juge. Je veux une négo avec elle, le couteau sous la gorge, et qu'elle me signe un protocole qu'on fera homologuer.

Barbie attrapa le portrait et l'empocha d'un seul geste. Un rapace qui saisit un rongeur par le dos.

— File-moi tes dates. T'auras ce dont tu as besoin en temps et en heure.

Corso sentit quelque chose se dénouer au plus profond de lui-même. La coercition, il n'y a que ça de vrai.

62

Au milieu du mois de septembre, Corso fut convoqué par le juge Thureige. Les magistrats demandent souvent des précisions aux flics de terrain qui ont mené l'enquête, mais Thureige l'invita dans une brasserie parisienne.

Corso n'appréciait pas ce genre d'endroits, une de ces salles à l'ancienne qui puent la choucroute et résonnent comme un marché couvert. Pourtant celle-ci valait le coup d'œil : carrelage en mosaïque au sol, banquettes de moleskine, barres d'appui en cuivre, luminaires tulipes, vitraux à la Mucha. Chaque box était isolé par des panneaux de verre sablé qui donnaient l'impression d'être dans un compartiment de l'Orient-Express.

Thureige commanda un plateau de fruits de mer qui vint les séparer comme un mandala de coquillages. Huîtres, palourdes, tourteaux, bulots, langoustines… Si on ajoutait à ce florilège la mayonnaise, la sauce à l'échalote, le rince-doigts, le pain de seigle, les épingles à bigorneaux, Corso se sentait de trop…

Il était sur ses gardes. Son dossier d'enquête multipliait les irrégularités et, malgré leurs efforts, avec

Krishna, pour donner à tout ça un air de légalité, le flic redoutait que le magistrat ne tique sur telle ou telle faille de la procédure. Avec leurs auditions feutrées dans leur bureau et leurs experts au langage incompréhensible, les juges sont des théoriciens. Rien à voir avec les travaux pratiques que se fadent chaque jour des flics comme Corso.

Or Thureige était réputé pour son manque de souplesse et sa rigueur obsessionnelle. Un vrai fada de l'alinéa et du trombone. C'était un petit mec au costume étroit et à l'air anxieux. Très brun, sourcils charbonneux, joues creuses, il ressemblait à Charles Aznavour.

Il s'avéra assez vite que le magistrat voulait simplement avoir son avis sur l'affaire. Stéphane se détendit. Picorant ses œufs mayonnaise, il résuma ses semaines d'enquête en essayant d'avoir l'air neutre et distant. Pas question de révéler à quel point l'affaire Sobieski l'avait rendu cinglé.

— Vous saviez qu'il vénérait sa mère ? l'interrompit Thureige.

— Non.

— Elle n'est jamais venue le voir en prison mais, dès qu'il a été libéré, il s'est mis à sa recherche.

— Il l'a retrouvée ?

— Dans un asile, près de Montargis.

Corso revoyait la femme minuscule aux lèvres arquées comme un élastique de lance-pierre, les yeux fous, le cerveau infecté par un sadisme délirant. À quoi pouvait-elle ressembler à 70 ans ?

— Elle était dans un état lamentable, dit Thureige comme s'il avait entendu la question. Rongée par la

412

schizophrénie et les chancres de multiples maladies vénériennes. Il lui a payé la meilleure des cliniques jusqu'à ce qu'elle meure en 2013. C'est un fait attesté par ses proches : Sobieski allait toutes les semaines au cimetière de Pantin se recueillir sur sa tombe.

Le flic n'avait pas envie d'entendre le moindre fait humain concernant Sobieski. Il reprit son discours, insistant, sans savoir pourquoi, sur la folie sexuelle du personnage – celle de sa jeunesse, quand il multipliait les viols et les agressions ; celle de sa maturité, à sa sortie de taule, quand le peintre collectionnait maîtresses et amants.

Thureige ne semblait pas intéressé par cet aspect des choses. Il aspira une huître puis demanda :

— Vous pensez qu'il a tué dès sa libération ?

— Je n'ai aucun doute. On a trouvé dans sa planque du sang de…

— On n'a pas identifié ces victimes.

Nouveau *ssslluuuurrrrp*... À l'évidence, le magistrat aimait gober ses huîtres (il les avait demandées bien grasses) en prenant son temps, comme un amateur de cunnilingus qui jouerait l'endurance. Corso en avait des haut-le-cœur.

— Peu importe, trancha-t-il avec impatience. Sobieski est un assassin. Il a tué dans sa jeunesse. Il a tué en prison. Il a tué après sa libération. Cette aura de grand peintre a été pour lui la meilleure des couvertures. En gravissant l'échelle sociale, il s'est placé au-dessus de tout soupçon.

Thureige attrapa une épingle et tritura un bigorneau.

— Je ne veux pas le stigmatiser, dit-il en exhibant un tortillon grisâtre.

Corso se pencha pour mieux se faire entendre. Sa voix avait la fermeté d'un marteau enfonçant les clous de son discours :

— Sobieski a purgé dix-sept ans de prison. Il n'a jamais bénéficié d'une remise de peine. L'administration pénitentiaire a toujours considéré qu'il constituait un danger majeur – pour les autres détenus, et *a fortiori* pour le monde de l'extérieur. En prison, il se prenait pour un justicier, châtiait les uns et assassinait ceux qui lui déplaisaient. Il baisait comme un phoque et il a initié les autres prisonniers aux joies perverses de l'art de la corde. Sobieski est une pure raclure, un produit toxique, un poison pour notre société, un homme à abattre !

Thureige souriait et il avait raison : pour quelqu'un qui ne voulait pas avoir l'air fanatique, Corso avait raté son coup. Dans la lumière des globes de verre, il devinait l'image qu'il donnait. *Bon Dieu*, se dit-il, *j'aurais jamais dû venir. Ou alors avec Barbie.* Elle aurait su le cadrer et l'empêcher de déblatérer.

— Que pensez-vous de sa réhabilitation… officielle ?

— Sobieski est un grand peintre, aucun doute là-dessus. C'est aussi un vrai cerveau. Il est entré en taule quasiment analphabète. Il en est ressorti des diplômes plein les poches. Mais depuis quand les assassins ont pas le droit d'être intelligents ?

Thureige acquiesça avec calme. Il trempait maintenant son pain de seigle dans la sauce à l'échalote, dont l'odeur aigre piquait les narines de Corso.

— Comment expliquez-vous cette différence de mode opératoire ? Je veux dire, s'il a tué d'autres

414

filles avant Sophie et Hélène, pourquoi n'a-t-on jamais retrouvé les cadavres ?

— Je pense qu'il a évolué. Dès sa sortie de prison, il a repris les choses là où il les avait laissées aux Hôpitaux-Neufs. Il a sans doute asphyxié et défiguré plusieurs femmes d'une manière désorganisée et il les a fait disparaître dans son four.

— On n'y a pas retrouvé la moindre particule organique.

— Il y a mille façons d'éliminer ou d'éviter ce genre de résidus.

— Admettons. Mais pourquoi a-t-il ensuite exhibé ses victimes ?

Corso avait son idée sur la question :

— Son instinct meurtrier s'est affiné et, surtout, la peinture s'est immiscée dans son délire.

— Qu'est-ce que vous voulez dire ?

— Ses dernières victimes sont inspirées des toiles de Goya. Ce sont des hommages et aussi des œuvres.

Attrapant une pince, Thureige fit craquer une patte de crabe jusqu'à éclabousser le plafond.

— Et Marco Guarnieri ? Pourquoi avoir caché le corps ?

Là-dessus, il s'était cassé le cerveau.

— Il ne l'a pas caché.

— Pardon ?

— Il l'a immergé pour offrir une variante à sa série. Il a fait exprès de se faire surprendre par le pêcheur au large de Blackpool. Nous avons couru après ce tueur pendant plusieurs semaines sans jamais trouver la moindre trace. Croyez-moi, s'il l'avait voulu, personne n'aurait pu témoigner de sa présence auprès de la Black Lady.

Thureige ne répondit pas. Le nez dans son assiette, les lèvres lustrées de vinaigrette, il donnait l'impression d'être d'accord avec ces arguments – et surtout de déjà les connaître.

Stéphane se prit un coup de sang, il détestait tourner autour du pot :

— Monsieur le juge, pourquoi m'avez-vous invité ici ? Je reviens de vacances et je n'ai rien à vous dire de plus que ce que j'ai déjà écrit dans mes conclusions…

— Je voulais m'assurer que vous étiez solide.

— Dans quel sens ?

— Lors du procès, je vais vous citer à comparaître.

— Il n'y a pas de problème, je…

— La partie sera rude, croyez-moi.

— Avec le dossier qu'on a ?

Thureige fouina parmi les derniers coquillages comme une mouette affamée à marée basse.

— Sobieski a changé d'avocat.

— Grand bien lui fasse. Quelle que soit sa défense, il est cuit.

— Il a pris Claudia Muller.

— Jamais entendu parler.

— Ça m'étonne. C'est la meilleure pénaliste de Paris.

— Et alors ?

Le juge trouva une dernière huître qui avait échappé à sa razzia. Il considéra avec concupiscence le mollard juteux qui s'étalait sur la nacre comme s'il y avait découvert une perle.

416

— Et alors ? répéta-t-il avant de siffler la chair couleur d'acier en un nouveau bruit de soupe. Cette salope va nous crucifier.

TROISIÈME PARTIE

63

Une année passa. Marquée par deux victoires.

La première fut l'armistice négocié avec Émiliya. Barbie n'avait mis que trois mois pour revenir avec un butin solide. Une séance très spéciale à base d'aiguilles et de langue perforée au club L'Évident ; une plaie ouverte au flanc, avec intestins à vif, exhibée non pas aux urgences d'un quelconque hôpital mais dans les sous-sols d'une morgue abandonnée sur la frontière belge, avec public d'initiés en prime. *Du lourd.*

Toujours pro, Barbie avait fait valider l'authenticité de ces documents numériques par des experts. Ensuite, elle avait posé les scellés sur les clés USB avant de les remettre à un huissier. *Du lourd et du béton.*

Avec de telles munitions, Corso jouait sur du satin doublé de soie. Il avait invité Émiliya à boire un verre dans le bar d'un palace, le terrain naturel de son ex. Là, entre une coupe de champagne et une poignée d'amandes grillées, il avait sorti ses tirages.

— Qu'est-ce que je dois en conclure ? demanda-t-elle d'une voix blanche.

— Que j'ai beau être un flic des rues, une brute mal dégrossie, je saurai où envoyer ces images pour réduire à néant ta réputation et ta carrière.

À ce moment-là, Émiliya travaillait déjà activement à la campagne électorale d'Emmanuel Macron, ayant rejoint le parti En Marche depuis plusieurs mois. En cas de victoire du gendre idéal (celui qui épouse sa belle-mère), elle était assurée d'accéder aux plus hautes fonctions, mais certainement pas avec des aiguilles dans la langue et des boyaux dehors.

— Quelles sont tes conditions ?

— Un divorce à l'amiable et la garde partagée de Thaddée.

Maintenant qu'il était en position de force, Corso avait changé son fusil d'épaule : la meilleure situation pour leur fils, sur le plan à la fois affectif et éducatif, était un temps équitablement partagé entre son père et sa mère. Avec une précision toutefois :

— Si jamais j'apprends que tu l'as associé à un de tes jeux pervers ou que tu lui as fait subir le moindre sévice, je sortirai mon dossier et tu ne le verras plus qu'une demi-heure par mois, en compagnie d'une assistante sociale.

— Pourquoi tu ne commences pas par là ?

— Parce que je pense que Thaddée a besoin de toi, même si tu es une aberration.

Il glissa les images dans leur chemise cartonnée et sourit :

— Je suis sûr que ça va rouler.

— Comment tu vas faire pour t'occuper de lui ?

— Je change de boulot.

Il attendait d'une manière imminente sa mutation à l'OCRTIS (l'Office central pour la répression du trafic illicite des stupéfiants), au sein de la Direction centrale de la police judiciaire, rue des Trois-Fontanot à Nanterre.

— La rue te colle à la peau.

— Tu te trompes. Le sens de ma vie, c'est Thaddée. Et il est temps que je me range des voitures.

En conclusion, elle lui posa la dernière question à laquelle il s'attendait :

— Tu as quelqu'un ?

Corso songea à Miss Béret. Il ne la voyait pas plus souvent que d'habitude, mais le fait qu'elle fasse toujours partie du paysage était significatif.

— Oui, fit-il par provocation.

— Du sérieux ?

— L'avenir le dira.

Émiliya retrouvait déjà son sourire – et son maintien méprisant. Son ex-épouse était comme les amibes, elle aurait survécu à une bombe atomique.

— T'as jamais été foutu de garder une femme.

— Peut-être, mais je saurai garder mon fils.

Avant de se lever, Émiliya saisit la coupe de Corso et cracha dedans. Peut-être une tradition bulgare, mais il ne s'en offusqua pas. Après tout, il n'avait pas vraiment envie de trinquer avec le cauchemar de son passé.

Quelque temps plus tard, la conciliation en route, ils étaient allés célébrer ça, Thaddée, Barbie et lui, dans le restaurant préféré du petit prince, le McDo du Luxembourg-Panthéon, boulevard Saint-Michel, dans le Ve arrondissement.

D'une manière tacite, Barbie était devenue la marraine de Thaddée. Pas au sens religieux du terme, plutôt au sens flicard. Si le gamin était menacé d'une manière ou d'une autre, ils seraient deux à dégainer.

Un bonheur n'arrive jamais seul.

Un mois plus tard, en février 2017, Corso obtenait le job à la Direction centrale de la police judiciaire. Il n'en devenait pas le chef bien sûr (l'OCRTIS comptait près de cent cinquante hommes), mais il héritait de responsabilités accrues et pouvait être considéré comme le numéro deux ou trois de l'Office. Corso n'était pas particulièrement heureux de renouer avec la drogue – quand on est un ancien junk, on a toujours peur de se réveiller avec un fix dans le pli du coude –, mais il accédait à un poste mieux payé avec des horaires stables. *Alléluia !*

De loin en loin, il avait eu des nouvelles de l'affaire Sobieski, notamment par Barbie. Michel Thureige avait mené une procédure de plus de huit mois : des dizaines d'interrogatoires, plusieurs confrontations organisées, des expertises, des perquisitions, des réquisitions en veux-tu, en voilà… Tout ça pour constituer un dossier qui montait jusqu'au plafond et qui confirmait les lourdes charges qui pesaient à l'encontre du dénommé Philippe Sobieski.

Le peintre lubrique n'avait plus moufté. Il niait tout en bloc, s'accrochant à ses alibis. Quant à Blackpool, il s'obstinait à prétendre qu'il y avait passé la nuit avec un certain Jim, un prostitué anglais dont personne n'avait retrouvé la trace. Lorsqu'on évoquait son repaire de la rue Adrien-Lesesne et ses indices matériels, il se contentait d'évoquer un « coup monté », ce qui était d'une naïveté touchante.

Face à cette ligne de défense, le magistrat s'était pourtant senti obligé de vérifier la liste des ennemis de Sobieski, histoire surtout de ne pas avoir de mauvaises surprises lors du procès. Cette liste était digne de « l'air du catalogue » de Don Giovanni, avec ses « *mil e tre* » noms de conquêtes. En près de vingt ans de prison, Sobieski avait su s'attirer le respect mais aussi la haine de beaucoup de détenus. Toutefois, aucun d'entre eux ne paraissait assez malin ou audacieux pour organiser de tels meurtres dans le seul but de faire porter le chapeau à un vieil ennemi de mitard.

De son côté, Corso s'était renseigné sur Claudia Muller. Le juge n'avait pas menti : l'avocate était un phénomène. À 36 ans, elle s'était fait un nom dans les prétoires en collectionnant les acquittements ou les peines allégées pour les pires criminels. Elle agrémentait sa démarche d'un vernis philosophique. Lors de plusieurs interviews, elle avait expliqué plaider non seulement pour ses clients mais aussi pour une certaine conception de la justice, chacun, aux yeux de la loi, ayant le droit de bénéficier de la meilleure défense. Corso connaissait par cœur ce discours qui excusait tout et permettait aux pires salopards d'être replacés au plus vite sur le marché. À eux ensuite, flics de la rue, de compter les points et de remettre la main sur ces multirécidivistes.

Mais ce qui l'avait le plus frappé, c'était le physique de la trentenaire : une grande brune née d'un seul jet, dont le visage affichait des traits si fins qu'ils semblaient incisés à la pointe sèche. Il émanait de ses portraits une grâce et une dureté mêlées qui glaçaient le sang. « Trop belle pour toi », s'était dit Corso.

Une seule certitude, Thureige se méfiait de Claudia Muller comme d'une maladie vénérienne et s'évertuait à éclaircir tous les points obscurs que l'avocate aurait pu exploiter – les juges et les procureurs la surnommaient « l'enfumeuse ».

En avril, Corso avait croisé par hasard le magistrat au TGI de Paris. Ils avaient échangé quelques mots et Thureige avait de nouveau exprimé ses craintes. L'avocate ne s'était pas encore exprimée sur les détails de sa ligne de défense et personne ne savait ce qu'elle tramait. Le juge, plutôt inquiet, était certain qu'elle leur mitonnait une stratégie tordue et efficace, et qu'elle ne sortirait pas du bois avant le procès.

64

Le procès de Philippe Sobieski s'ouvrit le lundi 10 juillet 2017.

Corso, comme tous les voyous, détestait le Palais de Justice de Paris. La froideur de la pierre et du marbre. La prétention de l'architecture. La hauteur des plafonds, la longueur des couloirs, le nombre de marches… Le message était clair : « Vous avez trouvé plus fort que vous. » Une puissance terrible, immanente, intraitable, allait vous réduire en miettes.

Le TGI, c'était comme une église, mais sans le moindre dieu à l'horizon. On voulait vous faire croire qu'une instance supérieure, universelle, régnait ici, mais il ne s'agissait que d'hommes déguisés bricolant toute la sainte journée des sentences soi-disant objectives et des châtiments pseudo-équitables. Tout ça était bidon : l'exercice de la loi était toujours corrompu par les faiblesses et les erreurs humaines, celles-là mêmes qui étaient à la source des crimes jugés. Comme disait Bompart, « la pomme ne tombe jamais loin de l'arbre. Et la justice des hommes ne tombait jamais loin de la chierie humaine ».

Corso avait toujours fait son boulot dans un esprit de nihilisme : il arrêtait les coupables, donnait le maximum de munitions au juge, mais après ça... Que le coupable ait de quoi se payer un très bon avocat, ou au contraire qu'il n'ait pas les moyens de s'en offrir un, et le verdict changeait du tout au tout. Le flic ne pouvait admettre que la justice repose sur le talent d'un seul bonhomme, la mauvaise humeur d'un autre ou simplement le fait qu'il pleuve ou non ce jour-là...

Sans compter le système des jurés qui n'y connaissaient rien et qu'on avait précisément choisis pour ça. C'était un peu comme construire un TGV en jouant chaque décision aux dés ou à « pierre-papier-ciseaux ». Mais le pompon, c'était la jurisprudence. Qu'un juge prononce un jour un arrêt absurde (lui-même sous l'influence d'une mauvaise digestion ou du lit de sa maîtresse), et la bourde était aussitôt érigée en loi, la même connerie se répétant alors de procès en procès, de génération en génération...

Corso avait pris l'habitude de ne jamais se soucier de ce qui se passait après l'arrestation de ses suspects. Au fond, il était comme Sobieski : il se voyait comme un justicier solitaire, sûr de sa vérité. Mais son jugement s'arrêtait à son enquête. Ensuite, ce n'était plus son problème.

En l'honneur du triste peintre, Corso avait décidé de faire une exception à sa propre règle. Il voulait suivre le procès de bout en bout, demandant au passage une dérogation pour assister à tous les débats (étant cité à comparaître, il ne pouvait le faire normalement qu'après avoir témoigné).

Comme l'année précédente, Thaddée était parti passer le mois de juillet en Bulgarie avec sa mère. Corso pouvait donc renouer avec ses vieux démons le temps de quelques semaines, comme un ex-défoncé repique en secret à l'héroïne.

Quand il pénétra dans la salle d'audience avec la foule des curieux, il grelottait tel un enfant malade. Malgré lui, il était encore une fois impressionné. À l'intérieur du tribunal, la comparaison avec une église se renforçait. Les bancs en bois, c'était les prie-Dieu. Les seuils de bois verni, les portes du presbytère. Les robes des juges, les soutanes. Et tout autour de lui, le même recueillement, les mêmes voix basses et respectueuses qu'à la messe…

On en était aux prémices du spectacle. Dehors, les flashs crépitaient, se réverbérant sur les murs lambrissés et les plafonds à caissons peints. Les photographes jouaient des coudes, les cameramen cherchaient le bon angle sur le seuil de la porte (aucune image ne peut être prise durant les débats).

Sur les bancs, on s'agitait aussi, on murmurait, on tendait le cou. Stéphane percevait les craquements du bois, les murmures de ses voisins, les résonances de la pierre : il avait l'impression d'entendre les rouages d'un organisme obscur et inquiétant. La justice, c'était ça, ces avis mêlés, ces frissons enchevêtrés, cette espèce de voie moyenne dans l'horreur et la curiosité malsaine.

Enfin, les portes se fermèrent et le casting arriva, au grand complet.

Les jurés d'abord, qui s'installèrent de part et d'autre du fauteuil du président, derrière la tribune centrale. Puis, sur la gauche, les figures de l'accusation : l'avocat général, représentant le ministère public, dans un box particulier, et la partie civile, reléguée vers le public. Une seule personne s'était portée partie civile pour ces deux victimes sans famille : Pierre Kaminski *himself*, le tenancier du Squonk, ancien ami de Sobieski et désormais son pire ennemi. Il était là en personne, avec sa coupe de légionnaire et sa veste près de craquer sous la pression des muscles. Tout le monde devait se demander ce que foutait là cet athlète body-buildé à tête de facho. Corso s'interrogeait pour sa part sur la légitimité d'un ancien repris de justice à s'improviser accusateur…

Arriva alors l'avocate de la défense. Malgré l'ampleur du procès, Claudia Muller la jouait en solo. Très grande, elle s'assit sans un regard pour le public, domptant les plis de soie noire de sa robe. Aussitôt, elle se plongea dans ses notes. C'était la première fois que Corso la voyait en chair et en os et il en éprouva un vrai choc. Son cou, interminable, semblait disposer de quelques vertèbres supplémentaires, comme *La Grande Odalisque* d'Ingres. Ses cheveux châtains, légèrement ondulés et tirés en arrière, paraissaient faire honneur à son front lisse comme un casque d'armure. De là où il était, il pouvait distinguer la perfection de la ligne du nez et ses sourcils très noirs qui soulignaient son expression comme au couteau.

Pour l'instant, c'était tout ce qu'il voyait et c'était suffisant. Claudia Muller était le genre de liqueur dont il ne fallait pas abuser. Une beauté à savourer à petites gorgées. Et de loin, parce que, encore une fois, Corso se dit : « Beaucoup trop belle pour toi. »

Enfin, arriva Michel Delage, le président du tribunal de grande instance, en robe noire et rouge surmontée d'hermine, avec ses deux assesseurs – en l'occurrence, des femmes. Il y avait d'autres personnages dont Corso avait totalement oublié la fonction. Le plus impressionnant, c'était la longue suite de dossiers à couverture toilée qui se déployait en file indienne derrière eux : toute la procédure des meurtres du Squonk.

En fait, malgré la solennité des acteurs, malgré la beauté de Claudia Muller – celle qu'il fallait absolument garder à l'œil –, Corso se sentit encore plus fasciné par le dernier personnage à faire son entrée, Sobieski lui-même, dans son costard blanc de proxo, avec ses chaînes bling-bling et sa gueule décavée. Son visage était profondément marqué par son année de taule. Ses traits partaient de guingois, comme si un violent coup à la face lui avait désaxé la figure. Ses joues paraissaient plus creuses encore – Corso songea à celles de Marlene Dietrich et de Joan Crawford, les stars d'Hollywood qui s'étaient fait arracher les molaires pour dessiner une ombre au bas de leur visage félin.

Enfin, on allait juger le salopard.

Corso n'y croyait pas.

Et encore moins quand le président déclara d'une voix ferme :

— Accusé, levez-vous.

65

Depuis 2012, on ne lisait plus l'acte d'accusation au début du procès. Les faits reprochés furent tout de même brièvement exposés. La greffière trouva le moyen d'écorcher le nom des victimes et de se gourer dans la chronologie. Même Corso ne comprenait plus ce qui s'était passé. Pas grave, on était là pour revenir en détail sur les événements.

Le président informa l'accusé de ses droits et aussi de ce qu'il risquait au terme du procès : une condamnation à la réclusion à perpétuité. Aucune réaction de la part de Sobieski. Pas de trouble non plus du côté de Claudia Muller. L'accusé et son égérie répondirent, sans surprise, qu'ils plaidaient « non coupable ». Sans surprise, mais il y eut tout de même un murmure dans la salle. Compte tenu des témoignages et des preuves qui allaient suivre, une telle attitude était suicidaire.

Le président commença à interroger Sobieski. Docile, il répondit d'une voix éraillée, niant tout en bloc mais sans agressivité. Posé, modeste, il semblait s'être acheté une conduite. Pour le reste, son masque de clown blanc, cette tête de Pierrot fariné, jouait en sa faveur. En cet instant, il suscitait plutôt la pitié que la peur – certainement pas la haine.

Une fois les faits décrits puis contredits par l'accusé lui-même, le président se lança dans un portrait de Philippe Sobieski. Son histoire. Sa psychologie. Ses mobiles…

Aucun scoop à l'horizon. Corso connaissait par cœur le destin de l'artiste-tueur, scindé en trois parties. L'enfance et la jeunesse, crachées par le chaos comme de simples noyaux sanglants. Puis les dix-sept piges de prison où le criminel avait joué au juge, pratiqué le shibari et commencé à peindre. Les années de gloire et de liberté, enfin, où il avait pris son envol pour devenir un artiste reconnu.

Des témoins qui avaient côtoyé Sobieski au fil de ces décennies défilèrent à la barre. Ceux de la première période ne firent qu'enfoncer le clou de sa culpabilité. Un enfant violent, un ado dangereux, un adulte violeur…

Les questions fusaient, Sobieski répondait. Les accusateurs – avocat général, partie civile – s'en donnaient à cœur joie. Tout ce qui était raconté, jusqu'au moindre détail, constituait des faits à charge. Surtout les quelques années qui avaient précédé le cambriolage des Hôpitaux-Neufs. Philippe Sobieski offrait l'image parfaite d'un prédateur sexuel, une vraie bête de sexe et de sang, qui se promenait sur la frontière française, longeant la Suisse et l'Italie, violant, volant, frappant.

Tout ça était assez ennuyeux. Le seul fait notable était l'absence de réaction de maître Muller, qui ne cherchait pas à défendre son client ni à mener des

433

contre-interrogatoires. Elle laissait se dérouler – et s'approfondir – ce portrait de psychopathe dangereux et sans remords.

— La défense, des questions ?

— Pas de questions, Monsieur le Président.

Corso l'observait, fasciné. Ses traits avaient l'insolence de la beauté qui tient à quelques millimètres, parfois moins encore, et a l'air suspendue à sa propre grâce. La robe d'avocate offrait un cadre strict à cette harmonie et semblait l'accroître encore, comme les contraintes de la sonate ou les règles du nombre d'or ont produit de purs chefs-d'œuvre. Claudia était faite pour la robe et l'épitoge, la soie noire et le rabat blanc, comme certaines Japonaises sont faites pour le kimono.

On passa au premier meurtre, avec Jacquemart en guest-star, revenu du Jura. Corso n'écoutait plus. Il détaillait plutôt les personnages de la cour. Le président était un petit bonhomme aux cheveux rares qui semblait un peu limite dans son rôle de Saint Louis sous le chêne. Son embonpoint, son crâne dégarni, sa bouille de bon Français moyen lui donnaient plutôt l'air d'un tâcheron du glaive et de la balance.

À gauche, l'avocat général, un dénommé François Rougemont, arborant la Légion d'honneur et l'ordre du Mérite, avait un physique foisonnant : beaucoup de cheveux, beaucoup de sourcils, beaucoup de menton… Une vraie tête d'orateur façon XIXe siècle, l'époque où on portait la mèche longue, le col haut et le gilet serré sur sa lavallière.

434

L'avocate de la partie civile, maître Sophie Zlitan, était plus discrète : petite, boulotte, dans la cinquantaine, elle avait l'air de les avoir bien accrochées, si on pouvait dire. Avec sa coupe blonde, comme passée dans un gaufrier, elle lui rappelait Bompart à l'époque de leur brévissime liaison. Le genre à dégainer sans crier gare.

Les témoins du Jura se succédaient mais le président abrégea. Après tout, Sobieski avait payé sa dette envers la société et le lien avec les meurtres du procès actuel n'était pas si évident.

Toujours pas un mot de maître Muller.

On passa aux décennies de taule. Les années shibari. Le temps du « Juge », des diplômes et de la peinture. Ce nouveau chapitre en rajoutait dans l'ordre du toxique et du malsain. Les jurés étaient servis : hormis son talent d'artiste, l'accusé ressemblait à une caricature négative. Même son intelligence, sur laquelle tout le monde s'accordait, semblait toujours au service de calculs sournois et de jeux vicieux.

L'avocat général et l'avocate de la partie civile ne prenaient même pas la peine d'interroger les directeurs des prisons ou les anciens détenus après le président, et Claudia Muller s'obstinait dans son mutisme. Que cherchait-elle ? Quelle était sa ligne ? Elle devait posséder des armes de destruction massive qui allaient balayer tous ces soupçons.

L'après-midi fut consacré aux psychiatres.

Le premier ouvrit le feu avec un discours pontifiant. Le gars, collier de barbe, pull jacquard, accumulait les idées toutes faites comme on empile des Lego. Une pichenette aurait suffi pour faire tout tomber. Corso ne jouait pas dans l'équipe de Sobieski mais il n'aurait pas souhaité à son pire ennemi un tel saucissonnage du cerveau. Le médecin expliquait tout, commentait tout – pour accoucher d'une souris. L'enfance, la taule, l'art même, tout prédestinait l'accusé à commettre ces meurtres fomentés sous le signe de son maître, Goya. *Bonjour le scoop.*

Le deuxième, une grande tige à la voix haut perchée, en remit une couche. L'existence de Sobieski n'était qu'un long processus de violence et de destruction, où la mort avait peu à peu remplacé l'amour. Encore une grande révélation.

Bizarrement, c'était exactement ce que pensait Corso, mais à entendre ces toubibs prétentieux, cette argumentation sonnait tout à coup complètement creux. Par ailleurs, ni l'un ni l'autre n'avaient pu expliquer pourquoi un tel prédateur sexuel n'avait pas violé ses victimes… En réalité, Stéphane pensait, comme Aristote, que les parties ne sont jamais égales au tout et qu'on aurait beau disséquer des heures les origines, les actes, les œuvres de Sobieski, personne ne saurait jamais ce qui se passait dans sa tête, ni même ce qu'il avait réellement commis…

Claudia ne prit pas la peine d'interroger les experts. Elle ne lança même pas un commentaire ou deux qui auraient pu décrédibiliser ces pantins. Que cherchait-elle, nom de Dieu ?

La seule idée qui traversa l'esprit de Corso était qu'elle voulait jouer l'ironie ultime : tout accusait tellement Philippe Sobieski que cela ne pouvait être lui. Un paradoxe ambigu plutôt dangereux à manier devant une cour de justice, surtout avec un tel public :

trois magistrats coriaces et une poignée de jurés pour qui c'était la « première fois ».

Claudia avait un autre plan, c'était certain.

Thureige l'avait prévenu : *une enfumeuse*.

66

— À quoi vous jouez ?

À la fin des débats, Corso avait filé par la « sortie
des artistes », à l'arrière du tribunal, utilisée par les
magistrats et les avocats. Il l'avait tout de suite repérée
en bas des marches : une grande bringue qui flottait
dans sa cape de Zorro (elle n'avait pas retiré sa robe
d'avocate).

Claudia Muller se retourna et se contenta de sourire. Bon. Soyons clairs. La vision de cette femme qui
flirtait avec le mètre quatre-vingts, sa posture qui rappelait la courbe des sabres turcs, sa silhouette si fine
qu'elle semblait immatérielle, tout ça frappait Corso
pire qu'un coup de poing dans la gueule.

Après l'avoir interpellée, il resta sur place comme
un chien d'arrêt, immobile et stupide. Tranquillement, Claudia sortit un paquet de cigarettes de son
sac – elle paraissait disposée à lui accorder quelques
minutes.

Il descendit vers elle d'un pas mal assuré et s'obs-
tina dans sa brutalité :

— C'est quoi le plan, là ? demanda-t-il sans même
se présenter. Qu'est-ce que vous magouillez ?

Claudia prit le temps d'allumer sa Marlboro et de souffler la fumée. Puis elle lui tendit le paquet. Après une brève hésitation, Corso en prit une. Ce simple mouvement qui durant un siècle avait été le geste le plus utilisé pour briser la glace le rassura, comme un retour bienvenu aux classiques.

— Vous êtes bien la dernière personne à qui j'aie des comptes à rendre, dit-elle après lui avoir allumé sa clope.

Au moins, elle savait qui il était.

— Vous n'avez pas interrogé un seul témoin aujourd'hui, reprit-il, vous n'avez jamais contredit l'avocat général. Vous voulez achever Sobieski ou quoi ?

— Ça vous ferait plaisir, non ?

Corso ne répondit pas. Il exhalait sa fumée en la retenant légèrement, comme pour se calmer ou se prouver qu'il contrôlait la situation.

— Vous avez oublié les règles, fit-elle en reprenant une taffe. Je n'ai pas le droit de vous parler.

— L'enquête est close. Je ne peux plus intervenir.

— Vous pouvez bavarder. Avec l'avocat général, par exemple.

— Un flic qui parle à un procureur ? C'est vous qui oubliez les règles.

Il y eut un silence. De la fumée et de l'air chaud circulaient entre eux. Le soleil était peut-être là, peut-être pas : Corso ne voyait qu'elle. Bon sang, il devait se concentrer pour lui tirer les vers du nez, pas rester planté devant elle tel un ravi de la crèche. Mais sa beauté le court-circuitait, occultait son esprit dans une sorte d'éblouissement.

— Je n'interviens pas parce que pour l'instant, ces attaques ne font que confirmer la vérité sur Sobieski.

— Sa culpabilité ?

— Son innocence.

Corso éclata de rire.

— Allons boire un café, proposa-t-il.

— Vous essayez de me draguer ou quoi ?

— C'est pas mon genre.

— C'est quoi, votre genre ?

Corso prit une inspiration :

— Un divorce sanglant, un petit garçon dont j'ai la garde partagée, vingt ans de terrain dans la police, un nouveau poste derrière un bureau dans un office central. Je suis en pleine mutation.

— Pas de nouvelle femme dans tout ça ?

— Pas encore.

D'une chiquenaude, elle balança sa cigarette au-dessus de la grille, dans un curieux geste de voyou.

— D'accord, mais pas dans ce quartier.

Ils poussèrent jusqu'à la Sorbonne. Il ne se souvenait plus de la législation dans ce domaine mais il était clair qu'un enquêteur à charge n'était pas censé trinquer avec l'avocate de la défense en plein procès.

Claudia était montée dans sa vieille Polo. Elle lui racontait maintenant des histoires datant de ses études à la Sorbonne – son droit, ses espoirs, sa volonté de défendre les « indéfendables » et de faire ainsi œuvre de démocratie « plus intense ».

Corso aurait pu croire à une blague, mais Claudia Muller, grande saucisse dont l'élégance se réclamait d'Alberto Giacometti (elle portait un tee-shirt pailleté et un jean qui étreignait sa silhouette hiératique) était sincère. Elle était le pur produit d'une gauche qui n'existait plus, celle de la générosité avec un grand G.

Ils commandèrent deux cafés.

Il fallait revenir à l'affaire Sobieski.

— Alors, insista Corso, pourquoi cette réserve ?

— Je vous l'ai dit. L'accusation fait le boulot à ma place. Ce portrait psychologique, ces experts, tout prouve que Sobieski n'a rien à voir avec les meurtres.

— Je n'ai pas eu ce sentiment.

— C'est que vous êtes sourd. Ils ont présenté un enfant malade de solitude. Un psychopathe saturé de violence. Un obsédé sexuel incapable de résister à ses pulsions. Certainement pas un meurtrier sophistiqué comme celui du Squonk qui ne viole même pas ses victimes.

Corso utilisa l'argument de Jacquemart :

— Il a pu évoluer en prison. Affiner ses pulsions. Mûrir un plan.

— Ben voyons. Et il aurait attendu dix ans pour agir ?

— Vous oubliez les autres femmes, dont le sang était dans l'atelier de Sobieski.

Elle ouvrit les bras en signe d'interrogation.

— Où sont leurs cadavres ? (Elle enchaîna sans attendre de réponse :) En tout état de cause, la prison rend plus brutal, plus sauvage, jamais plus raffiné. Fleury, ce n'est pas Oxford.

— Et quand on l'appelait « le Juge » en taule ? Il avait déjà le sens du supplice.

Claudia Muller hocha la tête. À mieux la regarder, elle avait des traits un peu durs, à l'allemande. Il avait lu quelque part qu'elle était d'origine autrichienne.

— J'ai lu votre rapport. Je connais votre théorie sur son obsession du châtiment.

— Je n'ai pas inventé son surnom.

— Sobieski faisait bouffer des haltères à ses codétenus et après, il tuerait des femmes sans les violer et en s'inspirant de Goya ?

— Encore une fois, il a eu le temps d'évoluer.

— On parle d'un assassin qui a suivi ses victimes pendant des mois, qui a étudié leur vie au millimètre. Un tueur qui les a éliminées avec un raffinement inouï. Tout ça ne ressemble pas à Philippe Sobieski. C'est une brute, un voyou, un pervers, oui. Mais il n'a pas tué ces filles.

Corso essaya la provocation :

— Et Marco Guarnieri, c'est peut-être plus son style ?

— Ce meurtre n'est pas à l'ordre du jour.

— Il va forcément être évoqué.

— J'espère bien. Ça sera un grand moment de ridicule pour l'accusation. Sobieski n'a même pas son permis de conduire, et il aurait volé un bateau ? Il aurait trafiqué le moteur pour le faire démarrer ? On va bien rigoler dans la salle.

L'avocate parlait sans la moindre agressivité. Elle était plus calme et douce que prévu. Corso s'attendait à une pasionaria hystérique.

— Vous oubliez un peu vite les traces concrètes. Le sang des victimes. Leurs empreintes. Les fragments d'ADN. Le garage de la rue Adrien-Lesesne est bourré de preuves décisives.

Elle se pencha au-dessus de la table et Corso put sentir son parfum. Par pudeur, il se recula. Il n'aurait su définir cette fragrance. Ce qui l'envoûtait, c'était cette échappée soudaine, comme si Claudia venait d'ouvrir ses bras ou plutôt ses ailes pour l'accueillir. Cette femme était en train de lui jeter un sort.

— Nous y voilà, fit-elle avec un petit air de militante qui a trouvé un argument imparable. Je vais réduire à néant ce versant de l'accusation.

— On ne parle pas d'un point de vue. Il s'agit de preuves scientifiques.

Claudia sembla réfléchir au tour que prenait la conversation.

— On est vraiment en pleine illégalité, là. Je n'ai pas le droit d'entrer dans le détail avec vous.

— Vous n'allez pas rester au milieu du gué. Vous en avez trop dit ou pas assez.

Elle lâcha un soupir de capitulation. Soudain, il l'imagina quinze ans auparavant, étudiante, clopant dans un de ces cafés où ils se trouvaient à présent, brûlant les heures à coups d'utopies et de discussions passionnées. Le plus inattendu était qu'au-delà de sa beauté et de son charme, Claudia Muller lui était terriblement sympathique.

— Nous allons démontrer le coup monté.

— Un coup monté ? sourit Corso. Vraiment ? Et par qui ?

— Vous n'avez pas cherché les ennemis de Sobieski.

— Pas moi mais Thureige a identifié tous ceux qui pouvaient lui en vouloir en taule et y en a un paquet. Mais aucun n'a la carrure pour une telle machination.

— Il n'y a pas que la prison.

Aussitôt, elle parut regretter ces derniers mots. Corso, de son côté, vit se former autour d'elle une ombre, une sorte de menace indéfinie. *Bon Dieu.* Claudia possédait des éléments que personne d'autre ne connaissait, des éléments décisifs qui pouvaient infléchir le cours du procès.

Elle bluffe. Il était impossible que des faits significatifs leur aient échappé. L'avocate s'apprêtait plutôt à bâtir de toutes pièces une autre théorie, à proposer un autre coupable. La méthode était vieille comme le crime : embrouiller les jurés, semer le trouble pour obtenir le bénéfice du doute.

Il répliqua d'un ton qu'il aurait voulu moins brutal :

— Je devine votre manège mais nos preuves vous empêcheront de rouler les jurés dans la farine. Ce sont des méthodes malsaines de gauchiste, créer l'intox pour tordre le cou à la vérité.

Claudia changea d'expression et frappa la table du plat de la main.

— J'apporterai moi aussi des preuves concrètes. J'ai de quoi vous foutre à poil !

Il ouvrit la bouche mais elle ne lui laissa pas le temps de riposter.

— Philippe, je veux dire Sobieski, est une victime. La victime d'un système totalitaire qui se cache derrière le sourire tranquille d'un capitalisme de bon aloi. Il est la victime d'une bonne conscience bourgeoise pour qui, lorsqu'on a fauté une fois, c'est pour la vie. Il est la victime de flics comme vous pour qui « *coupable un jour, coupable toujours* ».

Corso sourit. Un bref instant, il avait eu peur qu'elle ne sorte du chapeau un fait qui pourrait les emmerder, mais son discours trahissait seulement des intentions partiales. Une banale bobo qui prenait son assassin de client pour un Dreyfus, la victime d'une société péremptoire qui ne donnait jamais de deuxième chance.

— Un coup monté, hein ? Je suis impatient de voir ça.

Il était heureux du tour qu'avait pris la conversation. Face à cette gauchiste maladroite, il se sentait plus à l'aise. Ça, il connaissait.

Claudia Muller plaqua quelques euros sur la table.

— Non seulement je vais prouver cette machination, mais je vous donnerai le nom de son organisateur.

Corso haussa un sourcil.

— Vous voulez dire…

— Le vrai tueur, fit-elle en se levant et en serrant son sac contre sa poitrine. Ne vous en faites pas. Il sera là, avec nous, au tribunal. Vous n'aurez qu'à le cueillir à la fin de la séance.

67

— Nom, prénom, qualité.

Corso savait qu'il devait passer sur le gril le lendemain mais il ne s'attendait pas à être le premier sur
la liste. À 9 heures du matin, le président du tribunal
l'avait choisi pour ouvrir le bal.

Le flic répondit d'un ton machinal, jura de dire
« toute la vérité » et raconta son histoire par le menu.
Il avait répété toute la nuit, s'efforçant de trouver les
mots le plus neutres possible et cachant sous le tapis
les multiples infractions de l'enquête.

Stéphane n'était pas à l'aise. Les paroles de Claudia
ne le quittaient pas. Savait-elle quelque chose de capital ? Étaient-ils passés à côté d'un élément crucial ? Il
ne voyait pas de quoi il pouvait s'agir.

Son exposé dura une demi-heure. Personne ne l'interrompit, personne ne lui posa de questions – et il
espérait qu'on en resterait là. Sans surprise, le ministère public et la partie civile le laissèrent tranquille. À
leurs yeux, il n'y avait rien à ajouter : son témoignage
ressemblait déjà à un réquisitoire à charge.

Mais Claudia se leva et demanda à interroger le
« témoin ».

C'était la première fois que maître Muller sortait de sa réserve.

— Si j'ai bien compris, commença-t-elle, jusqu'au 3 juillet 2016, vous n'aviez aucune piste.

— C'est ce que je viens d'expliquer, fit-il avec mauvaise humeur.

— En réalité, vous n'avez jamais eu aucune piste.

— Pardon ?

— Il a fallu que le capitaine Jacquemart, dont on a pu apprécier la verve et l'objectivité hier, vous fasse part de ses soupçons pour que vous orientiez vos recherches sur Philippe Sobieski.

— Le capitaine avait noté des similitudes entre le meurtre de 1987 et notre affaire. Il a fait son devoir de policier en venant m'en parler et nous avons fait le nôtre en sondant cette direction.

— Donc, il suffit de venir vous voir avec une vague impression pour infléchir votre enquête ?

— Pas du tout. Le profil de Philippe Sobieski correspondait à celui du tueur.

— Au stade de votre enquête, vous ne saviez rien du tueur. Il pouvait être n'importe qui.

— Non. Le meurtre de Sophie Sereys portait une signature spécifique.

— Et vous trouvez que cette signature rappelait le meurtre des Hôpitaux-Neufs ?

Corso conserva le silence. La veille, tout le monde avait compris que les deux homicides n'avaient rien à voir.

— Les liens des victimes avec leurs sous-vêtements, finit-il par dire, cela nous a semblé être une similitude significative qui…

Claudia Muller attrapa une feuille qu'elle braqua sous le nez de Corso. Malgré lui, il eut un recul.

— Voici les homicides perpétrés depuis 1987 au cours desquels les sous-vêtements de la victime ont été utilisés pour l'entraver.

D'où sortait-elle cette liste ? Ils avaient fait la même recherche et n'avaient rien trouvé : *fuck* !

— En France ?

— En Europe. Rien ne vous interdisait d'étendre vos recherches au-delà des frontières de l'Hexagone. Les tueurs voyagent aussi.

— Il n'y avait pas que les liens. Par sa violence et son impulsivité, Sobieski correspondait à notre profil. Bon sang, il avait défiguré Christine Woog !

— D'une manière anarchique. Rien à voir avec les plaies raisonnées de nos deux victimes d'aujourd'hui.

Corso ne répondit pas. *Inutile.*

— Vous avez donc rendu visite à Philippe Sobieski pour l'interroger, reprit-elle en s'approchant encore. S'est-il prêté au jeu ?

— Il n'avait pas le choix.

— Tiens donc. Vous sonnez un jour chez lui sans l'ombre d'un indice et vous l'interrogez sur deux meurtres avec lesquels il n'a a priori aucun lien.

— Sobieski connaissait bien les victimes.

— Il n'était pas le seul.

— Il pratiquait le bondage en prison.

— Les nœuds utilisés par l'assassin ne sont pas caractéristiques de cette discipline.

— Nous avions retrouvé un de ses carnets d'esquisses dans la cave adjacente aux locaux du Squonk.

— L'accusé n'a jamais caché qu'il fréquentait ce club. Il a dessiné de nombreuses strip-teaseuses et elles n'ont pas toutes été assassinées. Vous êtes policier, vous savez faire la différence entre un dessin et un homicide.

Corso pouvait sentir la sueur sous ses doigts crispés sur la barre – il craignait par-dessus tout que Claudia n'évoque la première arrestation ratée de Sobieski. Mais elle n'avait pas intérêt à remuer la vase. L'ordinateur du peintre avait été réquisitionné et personne ne savait si oui ou non la machine contenait les photos prétendument piratées de la première scène d'infraction. Par ailleurs, l'intérêt morbide de Sobieski pour les cadavres et les scènes de crime ne plaidait pas en sa faveur.

Il tenta une dernière contre-attaque :

— Tous les peintres ne sont pas fans de Goya et n'ont pas dans leur atelier des reproductions des *Pinturas rojas*.

— Quand vous avez sonné à sa porte ce jour-là, vous ne le saviez pas.

Malgré lui, Corso frappa la barre du poing.

— Holà ! C'est parce qu'on pose des questions qu'on trouve quelque chose, pas l'inverse.

— Admettons, fit-elle en reculant. Mais Sobieski avait des alibis pour les deux meurtres, non ?

— Oui. Nous les avons aussitôt vérifiés.

— Alors, pourquoi avoir continué à enquêter dans cette direction ?

Fine allusion à sa filature illégale en Angleterre. Encore une pierre dans son jardin. Mais Claudia devait se montrer prudente : le meurtre de Marco Guarnieri, même s'il n'était pas jugé devant cette cour, était un élément accablant pour Sobieski.

— C'est notre rôle de ne pas nous satisfaire des évidences, répliqua-t-il après plusieurs secondes de silence.

Claudia Muller fit quelques pas, feignant la réflexion. Chacun de ses gestes était calculé, peaufiné, appartenant à une pièce de théâtre qu'elle avait écrite d'avance et qui devait aboutir à l'acquittement de son client. *Pas si simple, ma belle.*

— Donc, fit-elle en s'arrêtant net devant lui, quand vous n'avez rien, vous faites comme si vous aviez quelque chose, mais quand vous avez quelque chose – comme les alibis de l'accusé –, vous faites comme si vous n'aviez rien.

Corso s'agita dans le cercle invisible qui lui était imparti.

— Où voulez-vous en venir ?

Elle avança d'un pas vers lui.

— Je veux montrer à la cour qu'en tant qu'enquêteur, vous suivez votre instinct et non les faits objectifs. Vous avez toujours été guidé par la conviction que Sobieski était coupable. En langage familier, cela s'appelle un « délit de sale gueule ».

— Et alors ? laissa-t-il échapper maladroitement. Puisque l'enquête a démontré sa culpabilité…

— Je dois vous rappeler la loi, commandant. Philippe Sobieski est présumé innocent jusqu'au prononcé du verdict. Nous sommes ici pour justement décider si oui ou non, il est coupable.

Corso se mit à piétiner le sol. Il avait l'impression d'être prisonnier de cette putain de barre.

— Notre enquête est irréprochable, clama-t-il. Elle se fonde sur des preuves matérielles qui, dans le cadre de l'enquête de flagrance, ont fait peser de fortes présomptions de culpabilité sur Philippe Sobieski.

Il avait débité ça au hachoir, comme un élève paniqué qui ressort sa leçon sans en comprendre un mot.

Il s'attendait à une nouvelle salve mais Claudia Muller se contenta d'un :

— Je vous remercie, commandant.

Corso ouvrit les yeux. Il les avait fermés malgré lui comme un condamné attaché au peloton d'exécution. Mais personne n'avait tiré. Il avait bénéficié d'une grâce mystérieuse.

En réalité, le mal était fait : chacun avait compris que Corso avait « décidé » de la culpabilité de Sobieski bien avant d'avoir des preuves. Et maintenant, maître Muller allait prendre un malin plaisir à couper les cheveux en quatre et à saper chaque élément chargeant le peintre.

Corso ne pouvait s'empêcher de songer au procès d'O. J. Simpson, le footballeur américain accusé d'avoir tué son ex-épouse et un ami de celle-ci. Il avait suffi de démontrer que le flic enquêteur était raciste pour jeter le discrédit sur toutes les preuves accablantes de la procédure. On n'en était pas là, heureusement, mais le sabotage était bien parti.

Plus profondément, Stéphane pressentait autre chose. Claudia Muller voulait démontrer pour l'instant que le commandant Corso, poussé par son « instinct », n'était pas allé chercher plus loin que les éléments évidents qu'on avait posés sur sa route.

Le fameux coup monté invoqué depuis un an par Sobieski du fond de sa cellule.

Si l'avocate n'insistait pas, c'est parce qu'elle avait sans doute beaucoup plus lourd à proposer. *Le vrai tueur*.

« Ne vous en faites pas. Il sera là, avec nous, au tribunal. Vous n'aurez qu'à le cueillir à la fin de la séance. »

68

Le reste de la matinée fut consacré aux victimes. Des proches vinrent les présenter, des strip-teaseuses pour la plupart. On passa rapidement sur les vices de Sophie Sereys et d'Hélène Desmora : dans une salle de tribunal, c'est comme au cimetière, le respect des morts interdit de s'épancher sur leurs défauts.

Après le déjeuner, ce fut l'artillerie lourde, les témoins convoqués par les parties civiles : des experts, des scientifiques, des gars de l'Identité judiciaire, des historiens d'art. Dans cette affaire, il n'y avait aucun témoin oculaire ni auriculaire pour accuser Sobieski. Seulement des preuves matérielles – « seulement », parce qu'on peut toujours manipuler ce genre d'indices…

Aux environs de 15 h 30, le défilé s'acheva. Ils avaient eu droit à des présentations PowerPoint, des schémas, des analyses chimiques, des formules mathématiques, des comparaisons picturales et à pas mal d'autres trucs assez emmerdants. Même l'intervention de Mathieu Veranne, convoqué pour parler du shibari, aurait endormi un insomniaque sous coke. Toutefois, il aurait fallu s'être sérieusement assoupi pour ne pas comprendre que l'atelier de Philippe Sobieski situé rue Adrien-Lesesne regorgeait de traces organiques appartenant à Sophie Sereys et à Hélène Desmora, ainsi qu'à d'autres femmes non identifiées.

Le principal était donc acquis.

Philippe Sobieski avait exécuté les deux victimes dans son repaire clandestin et les avait transportées sur les lieux de découverte de l'été 2016, mais la manière dont il les avait amenées jusque-là posait problème, le véhicule utilisé n'ayant pas été retrouvé et Sobieski ne sachant pas conduire. *Passons.*

Il les avait torturées durant des heures après les avoir ligotées avec leurs sous-vêtements et leur avoir coincé la tête dans un étau. Il les avait défigurées tout en les regardant s'asphyxier avec leurs liens alors qu'elles se débattaient sous la douleur. Ces derniers détails avaient tétanisé l'assemblée. Corso observait les jurés et, avec une pointe de cruauté, se réjouissait de leur effroi – Sobieski allait prendre perpète.

Puis ce fut au tour des témoins de la défense.

Junon Fonteray vint répéter sa petite histoire. Le président lui rappela qu'elle avait prêté serment. L'étudiante ne prit pas la peine de répondre. Elle semblait rivée à sa version des faits, tête baissée, yeux fixes. Corso pouvait le sentir : l'étudiante était en train de convaincre les jurés. Elle paraissait sincère et beaucoup plus maligne qu'une simple groupie séduite par un mentor.

Le flic l'observait avec attention. Elle portait toujours son chapeau cloche des années 20 et arborait un look hippie chic plutôt déconcertant. Mais il devinait maintenant quelque chose qui lui avait échappé la première fois : elle disait la vérité mais pas entièrement. Il s'agissait d'une version arrangée.

Corso aurait aimé pouvoir l'interroger à nouveau mais il avait passé son tour. Les parties civiles et le ministère public ne s'y risquèrent pas non plus. Soit ils n'avaient pas senti cette fêlure, soit – c'était plus probable – ils ne voulaient pas braquer cette disciple avec des questions insistantes. Tout ce qu'ils obtiendraient, c'est une Junon en colère qui martèlerait de plus en plus fort sa version des faits. Une fois suffisait, merci bien.

De son côté, Claudia Muller n'insista pas non plus : la petite souris avait fait son effet. À ce moment-là, tout le monde dans la salle était convaincu que Sobieski avait passé la nuit dans son atelier avec l'étudiante. Les preuves matérielles étaient solides mais rien ne valait un visage, une inflexion de voix, une présence humaine.

Vint le tour de Diane Vastel.

Une tout autre partition.

La beauté des riches. Corso avait toujours pensé qu'elle était supérieure et austère. La bourgeoise des beaux quartiers est splendide, certes, mais inaccessible. Elle vous repousse avec sa perfection, ses angles durs, son indifférence hautaine. Diane Vastel n'était pas ainsi : sa souplesse, sa chaleur étaient sensibles à chacun de ses mots et de ses gestes. Quand elle se penchait vers vous, elle vous prêtait réellement attention, sans la moindre trace de mépris ni de distance.

Tout son être exhalait une forme d'empathie. Quant à son physique, il était bien plus amène qu'il ne l'avait perçu lors de leur première rencontre. Sa coupe au carré n'était pas carrée justement mais légèrement floue et comme biseautée. Son visage, dessiné à la pierre noire et à la craie blanche, était passé à l'estompe, adoucissant les lignes trop dures, allégeant les ombres… Sa posture même était une leçon de vie : du maintien face à l'existence en général et à la loi en particulier. Le moins qu'on puisse dire, c'était que la femme ne semblait pas impressionnée par la grande salle d'audience. Alors que Junon avait tenu tête aux magistrats, cramponnée à la barre, Diane était tout en décontraction.

Après avoir décliné son identité, son âge – *pardon* – et son métier – *aucun* –, elle jura de « parler sans haine et sans crainte, de dire toute la vérité, rien que la vérité », puis balança son témoignage. Dans la nuit du vendredi 1er au samedi 2 juillet, elle et Sobieski étaient allés dîner à 21 heures au Relais Plaza, avenue Montaigne, puis ils étaient rentrés dans son hôtel particulier avenue Henri-Martin aux environs de 23 heures pour avoir des « relations intimes ». Le peintre avait quitté le lieu des délices le lendemain matin, vers 9 heures, après un solide petit déjeuner. *Ha, la vie des riches !*

Pour l'accusation, le témoignage de Junon Fonteray avait fait figure de caillou dans la chaussure (sérieux, le caillou). Celui de Diane Vastel était une véritable bombe : d'un coup, les charges volaient en éclats. Si on se fiait à cette reine du XVIe arrondissement, il devenait impossible de continuer à croire que Sobieski était l'assassin des dames du Squonk.

— Comment expliquez-vous que votre témoignage soit en totale contradiction avec les autres éléments du dossier ? demanda le président Delage.

— Je ne suis pas ici pour expliquer, je suis venue dire ce que j'ai vécu, c'est tout.

— Vous avez conscience de parler sous serment ?

— Je viens de jurer. Je suis un peu trop jeune pour souffrir d'Alzheimer.

Rires dans la salle.

Le président reprit avec humeur :

— De nombreuses preuves formelles démontrent que Philippe Sobieski a tué Hélène Desmora la nuit que vous prétendez avoir passée avec lui. Qu'est-ce que vous répondez à ça ?

Diane Vastel soupira, non pas d'irritation mais de lassitude.

— Il me semble que c'est votre problème, pas le mien.

Delage jeta un coup d'œil à l'horloge : déjà 16 heures. Pour la forme, il demanda :

— Quels étaient vos rapports avec l'accusé ?

— Je crois que c'est assez clair.

— Je vous parle des sentiments.

Diane Vastel sourit – sa douceur devenait craquante. Cette bourgeoise parvenait à être proche et séduisante tout en demeurant une femme de la « ville haute ».

— On éprouvait…

Sa voix se fit rêveuse. Pour la première fois, elle se tourna vers Sobieski. Il portait maintenant un jogging jaune à la *Kill Bill*. Minuscule dans son box vitré, totalement inexpressif, il ressemblait à un *golden fish* prisonnier d'un aquarium prévu pour un requin.

— On éprouvait, poursuivit-elle, une forte attirance l'un pour l'autre.

— Physique ou sentimentale ?

— Par les corps, on finit par atteindre une tendresse particulière. Vous pouvez appeler ça de l'amour.

Elle avait dit cela avec une note de condescendance, comme si elle s'était adressée d'un coup à un monde inférieur, incapable de saisir l'ambiguïté et la profondeur de leur relation.

— Cette proximité ne pourrait pas influencer vos souvenirs, provoquer dans votre mémoire une confusion dans les dates ?

— Non, Monsieur le Président.

Le président conserva le silence quelques instants. Il observait du coin de l'œil son témoin et semblait, à sa décharge, fasciné par elle.

— Madame Vastel, reprit-il enfin, vous êtes une femme mariée, mais vous n'avez aucun problème à avouer que vous avez passé une nuit avec votre amant ?

— Et alors ?

L'inflexion de Diane rendait stupide la question du président.

— Ce témoignage ne vous a pas causé d'ennuis auprès de votre époux ?

Elle eut un large sourire : ce magistrat était bien débile.

— Je vous ai dit qu'à ce moment-là, il était en voyage d'affaires à Hong Kong, non ? Là-bas, il a une autre femme et deux enfants.

Michel Delage eut soudain la tête du type qui a raté son train, en rade sur le quai de la gare. Le monde de Diane Vastel lui échappait totalement.

De son côté, Corso espérait que l'avocat général ou la partie civile allaient la mettre en pièces, la prendre en défaut sur la date, une circonstance, ou trouver une explication à son mensonge, amour ou chantage, n'importe quoi.

Mais tous renoncèrent à leur droit d'interroger le témoin. Comme pour Junon Fonteray, ils préféraient ne pas toucher à cette femme qui semblait si sûre d'elle. L'asticoter n'aurait fait qu'aggraver les choses.

Ce fut Claudia Muller qui prit le relais :

— Madame Vastel, dit-elle en se levant, je n'aurai qu'une question. Cette nuit-là, étiez-vous seule avec Sobieski ?

— Non.

Énorme brouhaha dans la salle d'audience.

— Attendez, intervint le président, vous avez toujours dit que vous aviez passé la nuit avec Sobieski en toute intimité.

— Ça ne signifie pas que nous n'étions que deux. Plus on est de fous…

Le magistrat paraissait ulcéré.

— Mais vous n'avez jamais mentionné la présence d'autres partenaires avec vous !

— Personne ne me l'a jamais demandé.

Le vacarme parmi le public s'intensifia. Le président dut rappeler à l'ordre les bancs qui s'agitaient.

— Qui était avec vous ? demanda Claudia Muller, qui semblait déjà connaître les réponses à ses questions.

— J'ignore son vrai nom. On l'appelle Abel. C'est une sorte d'expert.

— Expert en quoi ?

— En plaisirs. Il vient pour participer, donner des conseils. Il apporte aussi des instruments, des produits stimulants. Vraiment un pro.

La salle était maintenant attentive : ce petit voyage en terre de débauche captivait l'auditoire.

— À quelle heure est-il arrivé ?

— Aux alentours de minuit.

— À quelle heure est-il parti ?

— Vers 3 heures du matin.

— Durant ces trois heures, Philippe Sobieski n'a pas quitté les lieux ?

— Certainement pas. Il était même très actif.

Les rires revinrent. Encore une fois, le président calma le jeu.

— C'est bien joli cette histoire, mais où est cet Abel ? fit-il dans un mélange de colère et de familiarité. Pourquoi ne figure-t-il pas sur notre liste de témoins ?

Il s'adressait en particulier à maître Muller, qui lui répondit d'un sourire :

— Il y figure, Monsieur le Président. Il s'appelle en réalité Patrick Bianchi et c'est le prochain à comparaître.

Michel Delage, malgré lui, lança un regard au représentant du ministère public, mais celui-ci était déjà plongé dans ses notes à la recherche du témoin. Maître

Sophie Zlitan, chargée de la partie civile, compulsait elle aussi la « feuille de route » de la journée.

Comment étaient-ils tous passés à côté de ça ?

69

Personne n'avait remarqué Patrick Bianchi sur la liste des témoins. Personne ne l'aurait remarqué non plus dans une rame de métro ou un bureau de vote. C'était un homme de taille moyenne, aux allures de coach sportif (il portait un ensemble Adidas). La trentaine, les cheveux coupés en brosse, il avait une tête joviale, un nez retroussé, des yeux noirs pétillants. Il aurait pu jouer dans une pub pour corn flakes, du type « le déjeuner des champions ».

Après la présentation d'usage, le président l'attaqua avec vivacité, presque excitation. Ses motivations devenaient troubles : recherche de la vérité ou curiosité personnelle ?

— En quoi consiste votre métier ?

— Mon boulot officiel, c'est ingénieur du son pour le cinéma.

— Je parle de l'autre métier. Celui qui nous concerne aujourd'hui.

Le bonhomme hocha la tête, puis balaya d'un regard les magistrats et les jurés, comme pour s'assurer que tout le monde était attentif. À l'évidence, il vivait là son heure de gloire.

— Je suis une sorte de portier. Un portier des plaisirs.

— Mais encore ?

— Je permets à mes clients d'aller plus loin dans la réalisation de leurs désirs, d'oublier les interdits, les censures de nos sociétés.

— Vous avez beaucoup… d'amateurs ?

— Pas mal. J'aide les couples fatigués, les amants en panne, les amoureux à la recherche de nouvelles sensations, les…

Delage le coupa :

— Comment vous trouve-t-on ? vous contacte-t-on ?

— Par Internet.

— Depuis combien de temps exercez-vous cette activité ?

— Une dizaine d'années. J'ai d'abord commencé dans les clubs échangistes, où je me suis fait une clientèle fidèle. Malheureusement, cette activité n'est pas reconnue par l'État. Voilà pourquoi je rame pour avoir mes heures, je veux dire, rapport à mes indemnités d'intermittent du spectacle…

La salle se mit à rire. Même Sobieski esquissa un sourire. Le peintre reprenait des couleurs à mesure que les témoignages jouaient en sa faveur.

— Ce soir-là, continua Delage, qui vous a contacté ?

— Diane Vastel. Dans l'après-midi.

— À quelle heure êtes-vous arrivé exactement ?

— Minuit.

— Philippe Sobieski était là ?

— Et déjà en main, si je puis dire…

— En quoi a consisté votre intervention ?

Abel lança un bref regard à Sobieski : pouvait-il tout dire à la barre ? Corso croyait rêver. Ce procès concernait un double meurtre mais le « portier des plaisirs » s'inquiétait de savoir s'il ne trahissait pas son devoir déontologique de queutard professionnel.

D'un clignement d'yeux, Sobieski lui donna son accord.

— Eh bien, j'étais là surtout pour avoir des relations intimes avec Philippe, tandis que lui-même s'occupait de Diane. Vous voyez le topo ?

Malgré lui, le président hocha la tête. En retrait, Claudia savourait son triomphe. Soit le public était choqué, soit il riait, mais tout le monde croyait à l'histoire d'Abel.

Le coach livra d'autres détails et valida dans les grandes largeurs le récit de Diane Vastel. Avec ses histoires de godemiché, de lubrifiant et de sodomie, il donnait un grain très particulier à son témoignage.

Jusqu'alors, les deux maîtresses de Sobieski avaient paru sincères, mais après tout, l'amour, ou un tout autre sentiment, avait pu les égarer, les convaincre de faire un faux témoignage ou simplement leur faire confondre dates et horaires. Avec l'intervention d'Abel, on passait à un autre registre : neutre et impartial.

Le ministère public et la partie civile, dans les cordes, n'insistèrent pas :

— Pas de questions, Monsieur le Président.

Claudia Muller non plus. Mission accomplie.

Corso regarda par les hautes fenêtres de la salle d'audience : la lumière mordorée de la fin d'après-midi signait l'arrêt des débats. Il était près de 18 heures et tout le monde avait son compte.

Le président allait conclure, quand Claudia Muller se leva.

— Monsieur le Président, j'aimerais qu'on entende une nouvelle personne à titre de renseignements.

— Maintenant ?

— Cette personne a fait le voyage exprès et souhaiterait repartir ce soir.

— De qui s'agit-il ?

— Jim Delavey, plus connu sous le surnom de « Little Snake ».

— À quel titre le faites-vous comparaître ?

— C'est l'homme qui a passé la nuit du 6 au 7 juillet avec Philippe Sobieski, à Blackpool.

Ce fut au tour de Corso de bondir : d'où sortait-elle ce gars ? La rumeur dans la salle enfla comme une houle.

— Monsieur le Président, intervint Rougemont, je proteste. Les faits de Blackpool ne sont pas jugés ici.

— Qu'avez-vous à répondre ? demanda directement Delage à Claudia.

— Monsieur le Président, l'affaire de Blackpool n'est pas à l'ordre de ce procès mais elle plane sur les débats. D'ailleurs, le commandant Corso n'a pas caché que la présence de l'accusé à Blackpool la nuit même de ce meurtre constituait un fait à charge.

Le président acquiesça :

— Donc ?

— Je demande de pouvoir laver mon client de ce soupçon afin qu'il ne pèse aucunement sur les délibérations du jury.

— Soit.

Corso, médusé, vit arriver à la barre Jim « Little Snake » Delavey, le « suceur de première », le fantôme qu'il avait cru inventé par Sobieski, l'homme-alibi que les flics anglais n'avaient jamais retrouvé. Comment avait-elle déniché ce témoin passé sous tous les radars ? Lui avait-elle proposé du fric ? Avait-elle payé des privés sur place ? En tout cas, *respect*.

Il y avait une autre possibilité – qu'elle ait créé de toutes pièces ce témoin providentiel, engageant un junk de Blackpool prêt à raconter n'importe quoi. Mais Claudia n'était pas du genre à prendre un tel risque. Surtout, en observant l'asperge qui venait à la barre, Corso reconnut le gaillard : c'était l'homme que Sobieski avait embrassé à pleine bouche dans la ruelle des tarlouzes.

D'un coup, un nouveau scénario s'imposa à lui. Cette nuit-là, le peintre cherchait du cul et l'avait trouvé en la personne de Little Snake. Corso avait assisté, en live, à leur coup de foudre. Ensuite, les skins avaient déboulé. Bagarre. Fuite. Dispersion. Les deux amants s'étaient simplement réfugiés quelque part et s'en étaient payé une tranche.

Corso commençait à se prendre des sueurs froides. Se pouvait-il qu'il se soit trompé sur toute la ligne ? que Sobieski soit innocent ? que l'absurde thèse du « coup monté » soit la bonne ? Cela supposait que le tueur lui-même ait placé des indices dans l'atelier secret de Sobieski, qu'il ait tout manigancé pour faire tomber le peintre à sa place. Au fond... pourquoi pas ?

Little Snake avait un accent anglais tellement affecté qu'il en devenait écœurant. Il semblait cracher son mépris et sa fatigue à chaque fin de phrase. Physiquement, il était raccord avec son intonation : indolent, crasseux, il paraissait se placer nettement au-dessus (ou en dessous) des contingences matérielles. Une longue mèche venait lui barrer la moitié du visage comme un store à demi décroché et il ne cessait de la rejeter en arrière d'un geste précieux ou d'un mouvement de tête digne d'une diva.

En même temps, sa gueule de dur et ses tatouages faisaient pencher la balance du côté du voyou bagarreur. Plutôt hooligan que « Priscilla, folle du désert », le Jim. Un vrai fils de pute de Blackpool, né d'un coup d'un soir puis arrosé à la bière.

Petit Serpent y alla de sa tirade et raconta ce que Corso avait vu de ses propres yeux : la rencontre dans le quartier des *queers*, le long baiser, la ratonnade, la fuite… Sans complexe, il expliqua qu'il tapinait dans ce quartier depuis plusieurs années et que Sobieski promettait d'être un client juteux, dans tous les sens du terme.

Le meilleur dans tout ça, c'est que tout se passait en anglais. Claudia avait prévu un traducteur, distribuant des casques à chaque juré, prenant véritablement en main le procès. Corso était abasourdi : la condamnation qui hier encore coulait de source se retrouvait en ballottage…

— Où exactement ? demanda le président avec impatience.

L'autre venait d'expliquer qu'il avait emmené son client dans une piaule louée à l'année.

— L'adresse vous dira rien. C'est près du Grand National, un putain de *roller coaster* qui fait un boucan d'enfer. C'est pour ça que j'paye que dalle…

— Et Philippe Sobieski est resté avec vous toute la nuit ?

— Jusqu'à l'aube, *honey*. Après le coup du *queer-bashing*, il en menait pas large le Frenchie. (Delavey fit un clin d'œil à Sobieski, qui en retour lui lança un baiser furtif.) J'ai eu toute la nuit pour le consoler.

Delage marmonna quelques mots en rajustant ses lunettes. Ce type ne lui plaisait pas, pas plus que son témoignage ou cette mise en scène (ces magistrats et ces jurés casque sur les oreilles évoquaient plutôt la Cour pénale internationale de La Haye). Mais ce qui lui déplaisait plus que tout, c'était la tournure que prenait ce procès. Il était entendu au départ que les débats devaient durer quelques jours pour aboutir à une condamnation sans bavures. Finalement, les choses s'avéraient plus compliquées que prévu. Son expression fataliste semblait dire : « Toujours la même merde. »

— Pourquoi ne pas avoir prévenu la police plus tôt ?

— La flicaille et moi, c'est pas l'grand amour.

— Qu'est-ce qui vous a décidé, un an après les faits ?

D'un coup de mèche, il désigna Claudia Muller, imperturbable dans son box.

— C'est Catherine Zeta-Jones, là, elle a su me convaincre.

Corso se dit qu'en effet, l'avocate ressemblait à l'actrice, mais dans une version plus étirée et mystérieuse. Les magistrats se regardèrent : il était évident que Claudia Muller avait payé Jim « Little Snake » Delavey pour qu'il ramène ses boots à la cour d'assises de Paris. Tout ça était largement illégal mais ce n'était ni le moment ni le lieu pour discuter des moyens mis en œuvre. Seul comptait le résultat.

Le président ne laissa pas le temps aux parties civiles d'interroger le hooligan. *Ça suffit les conneries*. Il leva la séance comme on frappe un dernier coup de gong.

À la sortie du tribunal, les commentaires du public résonnaient contre les pierres de taille, les beuglements des journalistes dans leur portable se perdaient sous les voûtes. Tout le monde s'accordait sur le score du jour : un point partout, la balle au centre le lendemain matin.

Corso accéléra le pas et se précipita vers l'arrière du tribunal. Il voulait choper l'avocate sur les marches du palais.

— Pas mal, votre contre-attaque, l'interpella-t-il alors qu'elle apparaissait entre deux colonnes.

Claudia Muller alluma une Marlboro et passa au tutoiement :

— Et t'as encore rien vu.

70

Le lendemain, Corso n'était pas assis que maître Claudia Muller appelait déjà à la barre un nouveau psychiatre, Jean-Pierre Audissier. Une contre-expertise ? Non, l'homme intervenait en tant que simple témoin. Médecin psychiatre attaché aux Hôpitaux de Paris depuis 1988, chef de service au sein de l'établissement public de santé (EPS) Maison-Blanche, professeur à la faculté de médecine Paris-Descartes, le praticien était un « ami » de Philippe Sobieski.

Il expliqua qu'il consultait à Fleury depuis près de quinze ans, deux jours par semaine, en concertation avec les services médicaux de la maison d'arrêt. C'est là-bas qu'il avait fait la connaissance de Sobieski.

Belle gueule creusée par les tourments et l'intelligence, sous des cheveux grisonnants décoiffés, ses traits respiraient une passion, une ténacité qui devaient plaire aux femmes, bien plus encore que ses traits d'acteur.

Concentré, il ne donnait pas l'impression d'être stressé. Il était venu dire ce qu'il avait à dire, à la manière d'un sniper sans états d'âme.

— Vous avez donc soigné Philippe Sobieski durant toutes ces années pour des troubles mentaux ? demanda le maître des débats.

— Pas du tout.

Son ton sec fit sursauter Michel Delage. Après la journée de la veille, il n'était pas d'humeur à supporter les airs prétentieux de cet avorton.

— Je n'ai jamais suivi Sobieski pour des raisons médicales. Je suis à l'origine de sa vocation de peintre.

Le président se tourna vers Claudia Muller.

— Maître, je vous rappelle que l'accusé est jugé pour deux meurtres. Un nouveau témoignage sur le talent artistique de Philippe Sobieski est-il bien utile ?

— Oui, Monsieur le Président.

Claudia avait répondu avec fermeté. Corso le sentit dans ses veines : on touchait là sa ligne de défense. Qu'est-ce qu'elle leur mijotait ?

— Très bien, se résigna Delage. Racontez-nous dans quelles circonstances vous avez rencontré Philippe Sobieski.

— Lors de mes consultations, j'ai pris l'habitude de surveiller l'humeur de certains détenus disons… à risques.

— Sobieski était sur votre liste ?

Audissier acquiesça. Petit et maigre, il se tenait cambré face à la barre, à la manière d'un orateur sûr de son fait.

— C'était un élément perturbateur. Rebelle à toute autorité, imposant sa propre loi, terrifiant les autres détenus. Vraiment difficile. Je l'ai soumis à mes examens habituels et j'ai découvert une particularité dans son système de perception.

— Soyez plus clair.

— Certains de mes tests concernent les couleurs. Une hyper-sensibilité dans ce domaine est un signal d'alarme. Un homme bipolaire par exemple, sur le point de faire une crise maniaque, est plus sensible aux couleurs qu'en temps normal.

— Sobieski souffrait de ce syndrome ?

— Il se plaignait de voir les images scintiller, les couleurs vibrer. Il était très réactif aux éléments visuels, et plus particulièrement à la peinture artistique.

— Vous voulez dire… comme le syndrome de Stendhal ?

Un sourire moqueur échappa à Audissier.

— Vous savez…, dit-il sur un ton amusé, le syndrome de Stendhal, c'est plutôt un mythe. Récemment, on a compris que ce malaise qui s'empare parfois des visiteurs dans les musées est surtout lié au fait qu'on reste la tête en arrière pour admirer les œuvres les plus hautes. Le sang vous monte au cerveau et vous éprouvez alors un vertige.

Le président se renfrogna : *merci pour la leçon.*

— De quoi parlez-vous alors ?

— J'ai d'abord cru que Sobieski souffrait de troubles de l'humeur. En réalité, sa sensibilité ne traduisait aucune pathologie, à moins de considérer l'art comme une maladie.

— Vous avez compris à ce moment-là que Sobieski était un peintre ?

— Comment dire… La peinture l'appelait et son corps répondait à cet appel.

Désapprobation dans la salle. Audissier ne paraissait plus crédible – trop ésotérique.

472

Il dut sentir qu'il fallait rattraper le coup et passa à des faits concrets :

— J'ai organisé des ateliers de peinture à Fleury. C'est là-bas que Sobieski a commencé. Il dessinait, peignait, s'inspirait des reproductions qu'il trouvait dans les livres de la bibliothèque. Son talent était... incroyable. Et cette activité avait aussi un effet thérapeutique. À chaque fois qu'il reproduisait un tableau, il retrouvait son calme. Il se l'était pour ainsi dire approprié. Il l'avait... intégré.

— Le fait de peindre lui a donc apporté l'équilibre ?

— Sans aucun doute. Sa propre activité artistique l'a guéri de lui-même.

Michel Delage paraissait à court de questions et, dans la salle, personne ne voyait à quoi rimait ce témoignage. Finalement, le président laissa la parole aux parties civiles, qui à leur tour la cédèrent à Claudia Muller :

— Docteur, je voudrais être sûre de comprendre. À la fin des années 90, quelques années avant sa libération, Sobieski n'avait plus aucun problème avec la peinture ?

— On peut dire ça comme ça, oui.

— Vous ne vous souvenez pas d'un peintre qui aurait continué à provoquer chez lui une réaction... pathologique ?

— Si, Francisco Goya. Ses tableaux le fascinaient et en même temps le rendaient malade. Il essayait de les copier mais rien n'y faisait.

— Vous parlez par exemple des *Pinturas rojas* ? enchaîna Claudia.

— Non. Elles n'avaient pas encore été découvertes à ce moment-là. Il était surtout obsédé par les *Pinturas negras* qui sont exposées au musée du Prado. Il ne cessait de les copier, il cherchait à s'exorciser lui-même de cette… possession.

— Y est-il parvenu ?

Audissier lança un regard affectueux à Sobieski : à l'évidence, le psychiatre ne croyait pas une seconde que l'artiste était un assassin.

— Je pense, oui. En trouvant son propre style. Ses grandes toiles représentant des strip-teaseuses et des hardeurs. Il a découvert sa voie et il s'est libéré de ses hantises.

— Merci, docteur.

Le psychiatre s'éclipsa dans l'incompréhension de la salle.

— Maître, confirma le président, je ne comprends pas très bien la raison d'être de ce témoignage. Nous n'avons pas de temps à perdre.

Claudia Muller se leva et marcha vers la tribune des magistrats.

— Je vous remercie, Monsieur le Président, d'avoir accepté cette digression artistique. En réalité, elle est capitale pour ce qui va suivre.

— C'est-à-dire ?

— L'enquête a démontré que l'assassin s'est inspiré des trois *Pinturas rojas* de Francisco Goya pour les mutilations opérées sur ses victimes. En clair, il a cherché à reproduire sur le visage de Sophie Sereys et d'Hélène Desmora l'esprit des œuvres de Goya, notamment celui de la toile surnommée *El Grito*, qui représente un galérien hurlant et blessé.

Le président ouvrit les bras.

— Justement, vous venez de nous rappeler l'importance des peintures de Goya pour votre client. Il me semble que ce fait est plutôt aggravant…

— Non, Monsieur le Président. Jusqu'ici, le commandant Corso et le juge Thureige ont tissé un lien entre cette passion de l'accusé et le mode opératoire des meurtres. Or il existe une tout autre raison à la fascination de Sobieski pour les *Peintures rouges* exposées à la Fondation Chapi. Une explication qui n'a rien à voir avec les homicides qui nous intéressent.

Corso eut un coup d'œil pour Sobieski dans sa cage de verre et ce qu'il vit le terrassa : le fumier avait retrouvé son expression narquoise de peintre triomphant. Ses yeux brillaient et, dans ce seul regard, le flic lut sa propre défaite.

Comme pour confirmer ses pires craintes, maître Muller marcha vers le box vitré et s'adressa à son client :

— Philippe Sobieski va nous dire lui-même pourquoi il s'intéresse tant à ces trois toiles de Francisco Goya découvertes dans les années 2000.

Silence. Tension. Vertige.

L'accusé se pencha sur son micro et regarda le président du tribunal droit dans les yeux.

— C'est tout simple, Monsieur le Président, c'est moi qui les ai peintes.

71

Après une brève agitation sur les bancs – pas si grande que ça en réalité, tout le monde étant pétrifié –, le président reprit la situation en main.

— Maître, gronda-t-il à l'attention de Claudia, nous ne sommes pas ici pour faire du théâtre.

L'avocate se permit d'avancer vers la tribune – elle tournait maintenant le dos au public.

— Monsieur le Président, fit-elle d'une voix forte, Philippe Sobieski a décidé de faire des aveux, pas ceux que vous attendiez mais ceux qui vont définitivement l'innocenter des crimes dont on l'accuse.

— Pourquoi ne l'a-t-il pas fait avant ?

— Laissez-le parler, vous comprendrez.

Le président eut un geste d'humeur et de lassitude mêlées.

— Accusé, vous avez la parole.

Sobieski avait retrouvé son pouvoir. Les hautes fenêtres diffusaient sur lui la lumière d'été à la manière de projecteurs de spectacle. Il portait son costard immaculé, une chemise claire à fines rayures, une cravate de soie blanche. On lui avait sans doute interdit le chapeau (ou Claudia lui avait conseillé de l'oublier), mais on comprenait l'idée : Philippe Sobieski s'était déguisé en Frank Nitti, version *The Untouchables* de Brian De Palma.

— Monsieur le Président, commença-t-il d'une voix douce, on vient de le dire, j'ai découvert la peinture par les bouquins. J'ai commencé au crayon en copiant des dessins, puis j'ai obtenu des couleurs et j'ai reproduit des tableaux. C'était encore maladroit mais, compte tenu de mon inexpérience, c'était déjà pas mal...

— Allez au fait, fit le président, excédé.

Sobieski sourit et lança un regard à la salle, sourcils levés. Corso le retrouvait là, avec sa gueule de fouine, ses expressions de fausse humilité, ses ricanements en coin. L'année en prison ne l'avait pas brisé. Il y avait simplement attendu son heure.

— Mais Goya, c'était ma vraie passion.

— Le professeur Audissier nous a déjà expliqué ça.

— Non. Mon objectif était de devenir Goya.

Delage ne s'attarda pas à cette phrase qui ne voulait rien dire et accéléra la chronologie :

— À votre sortie de prison, vous avez donc continué à copier ce peintre ?

— Je faisais déjà beaucoup mieux, je peignais des nouveaux Goya. Je reproduisais son style, son époque, sa facture. Je gardais ces tableaux pour moi mais ils me satisfaisaient beaucoup plus que mes propres œuvres.

Le président demeurait impassible. Dans les plis figés de sa robe rouge, il ressemblait à un roi de carreau. Sobieski était le joker, malin, sournois, pouvant jouer le rôle de toutes les cartes.

— Je suis pas de mon époque, continua le voyou. Je chie sur l'art actuel, tous ces branleurs qui savent plus quoi inventer pour s'faire mousser et qui d'ailleurs n'inventent plus rien du tout. Même ma peinture, celle que j'signe de mon nom, je veux dire, est noyée dans c'torrent de merde.

— Votre travail n'est pas original ?

— J'ai mon truc, si. Mais rien d'incroyable ni d'historique. Une p'tite nuance dans un grand mouvement sans relief.

— Donc, vous préférez peindre à la manière de Goya ?

— *Je suis* Goya, fit-il, le visage penché sur le micro. Un peintre hors du temps, hors du monde.

Autour de lui, le silence était aussi serré que les moellons des murs. Le personnage qui se dévoilait était tout à coup plus intéressant que le tueur dont on cherchait à disséquer le profil depuis le début.

Pas plus que les autres, Corso ne devinait où tout ça allait les mener mais cette confession sonnait juste – et il devinait déjà que le nouveau Sobieski allait s'extraire sans difficulté de ce procès.

— De toutes les œuvres de Goya, celles qui m'obsédaient le plus étaient les *Pinturas negras*. Pas seulement par leur style mais par leur origine. Quand Goya les a peintes, il était déjà vieux, malade, sourd…

— Au fait, Sobieski.

Le maquereau continua comme s'il n'avait pas entendu :

— Goya n'a pas peint cette série sur des toiles mais sur les murs de sa maison. Des cauchemars, des visions, des délires qu'il avait dans la tête et qu'il a projetés sur la pierre. Il avait pas le choix : il était enfermé dans son silence. J'me suis identifié à lui et j'ai peint des scènes d'horreur dans son style. C'était ça qui me venait, du fond de mes souvenirs de cellule. Durant des années, moi aussi j'ai vécu dans la Maison du Sourd.

Delage parla plus fort comme si justement il s'adressait à un handicapé :

— Sobieski, qu'est-ce que tout ça nous apporte sur les meurtres de Sophie Sereys et d'Hélène Desmora ?

L'artiste leva la main pour l'interrompre : « patience ».

— Quand j'suis sorti de prison, j'suis pas devenu du jour au lendemain un peintre connu qui lâchait des interviews pour un oui ou pour un non. Comme tous les taulards, j'suis passé par la case « réinsertion ». Une association m'a déniché un job chez un restaurateur de tableaux anciens. C'est là-bas qu'j'ai tout appris. Vous pouvez vérifier, j'y ai bossé trois ans nuit et jour.

Le président regarda sa montre mais il n'interrompit pas l'accusé. Ce n'était pas tous les jours qu'un meurtrier se transformait en faussaire, que des corps se métamorphosaient en tableaux, et tout ça en quelques journées d'assises.

— Pour être capable de peindre mes propres *Pinturas negras*, ça m'a pris quatre ans. J'ai réussi à imiter parfaitement le style de Goya mais surtout, j'ai résolu les problèmes techniques.

— Quels problèmes techniques ?

La question avait échappé au président. Il semblait tiraillé entre sa curiosité et l'exaspération de voir son procès subir une aussi longue digression.

Sobieski s'éclaircit la gorge. Il rayonnait. Encore une fois, en empruntant un chemin des plus tortueux, il avait réussi son show. Un spectacle en forme de tour de magie grandiose.

— Quand on pense au travail du faussaire, on songe d'abord à la difficulté d'imiter un style. Mais c'est qu'un des problèmes, pas le plus important. Les vrais obstacles sont physiques : un tableau de maître découvert de nos jours est soumis à une batterie d'analyses qui visent à vérifier son authenticité. L'ennemi du faussaire aujourd'hui, c'est pas le style, c'est la chimie.

— On est ici pour juger des meurtres. Où voulez-vous en venir ?

— J'y arrive. Pour faire une contrefaçon, j'ai élaboré une série d'étapes rigoureuses, à base de toiles anciennes et de produits complexes. La nuit du meurtre de Sophie Sereys, j'achevais une de ces œuvres.

— Pouvez-vous le prouver ?

— Je ne travaillais pas seul.

— Avec qui ?

— Junon Fonteray.

Nouvelles rumeurs dans la salle. Corso revoyait la jeune fille poncer des sculptures médiocres dans la bambouseraie. Aider Sobieski à créer des nouveaux Goya, c'était autrement risqué, autrement excitant.

— Vous n'avez pas eu de rapports sexuels cette nuit-là ?

— Si. (Il rit.) Pendant que la toile séchait.

— Arrêtez de jouer avec nous, Sobieski, et expliquez-vous. Si vous n'avez rien d'autre que le même témoin à nous proposer, je ne vois pas en quoi nous avons avancé.

Sobieski exhala un nouveau soupir. Le théâtre, on l'a dans la peau ou on l'a pas.

— Vous n'avez qu'à checker le four.

— Quel four ?

— L'étape du séchage est capitale dans l'élaboration d'un faux tableau. J'ai mis au point une technique qui permet de faire sécher la toile très rapidement et aussi d'imiter le travail des années. À la sortie du four, mon faux est aussi dur que de la pierre, exactement comme une toile ancienne.

Corso se revoyait face au four gigantesque. À cet instant, Barbie et lui étaient certains d'avoir découvert un nouveau Landru.

— Et alors ? demanda le président.

— Et alors, cette cuisson se fait en plusieurs étapes. Je suis le seul à pouvoir régler les durées, évaluer les températures nécessaires. Durant des heures, j'ai cuit mon tableau, vérifié, cuit encore, vérifié…

— Et on doit vous croire sur parole ? Où est ce tableau ? Que représentait-il ?

Sobieski se recula dans sa cage vitrée.

— Jamais je ne vous en parlerai.

— Pourquoi ?

— Déontologie. L'œuvre de cette nuit-là est peut-être aujourd'hui dans un musée ou je l'ai brûlée. Ça m'regarde.

— Sobieski, vous êtes en train de jouer votre liberté !

Le faussaire revint vers le micro.

— Vérifiez la mémoire du four. Elle porte la trace de toutes les opérations effectuées à cette date. Appelez des experts. Personne ne peut bidouiller cette programmation. Ces horaires prouvent ma présence dans mon atelier au moment du meurtre.

Le président ouvrit les bras – mouvement de manches pourpres du plus bel effet.

— Tout ça, c'est du vent, répliqua-t-il avec familiarité. Comment croire que vous êtes un véritable faussaire si vous ne nous donnez pas les noms de vos « œuvres » ?

— Je vous ai donné les *Pinturas rojas* de Madrid. Analysez-les : vous verrez.

— Elles ne l'ont pas été au moment de l'achat ?

— Bien sûr que si, mais je connais mon boulot. J'ai peint sur une toile d'époque, traitée par mes soins. J'ai utilisé des pigments anciens, ceux de Goya au XVIIIe siècle…

— On ne peut donc déceler s'il s'agit d'un vrai ou d'un faux tableau ancien ?

Sobieski sourit. Dans son costard blanc, voûté sur son micro, il avait vraiment de la gueule. Une rockstar décavée, un fantôme de soie ayant tout traversé et portant sur son visage les stigmates de ses excès.

— Y a une faille dans mon boulot. Une faille que les experts espagnols ont pas décelée. Pour le blanc, j'ai choisi de la céruse comme les peintres de l'époque. Or ma précaution a pas été suffisante : la céruse moderne n'a pas la même composition isotopique ni le même nombre d'oligo-éléments que celle du XVIIIe siècle.

Le président grimaça :

— Ça devient un peu technique…

— Je vais résumer. La céruse que j'ai utilisée contient du plomb, qui lui-même contient de l'uranium qu'on peut aujourd'hui mesurer. Ces atomes disparaissent avec les siècles. Analysez mes *Pinturas rojas* de ce point de vue, vous découvrirez qu'elles sont encore chargées d'atomes, ce qui prouve qu'elles ont été peintes y a moins de dix ans.

— Ça devrait nous suffire pour vous innocenter ?

Sourire de Sobieski.

— Avec la mémoire du four, le témoignage de Junon, j'pense que ça commence à peser dans la balance, non ? Tant qu'j'y suis, radiographiez les *Pinturas*. Dessous, vous verrez des scènes de chasse représentant des chiens et des paons. C'étaient les motifs des toiles anciennes que j'ai achetées. J'peux vous les dessiner. Seul le faussaire qui a peint ces toiles peut connaître les sujets qui étaient dessous.

La salle d'audience était vraiment bouche bée. Le président tentait de retrouver ses esprits. Le procureur et l'avocate de la partie civile étaient collés à leur siège : non seulement ils y croyaient, mais ils n'avaient pas la queue d'une idée pour contredire ce témoignage.

Quant à Claudia Muller, elle avait du mal à contenir une expression de triomphe total.

Sobieski reprit la parole alors que personne ne l'y avait invité :

— Vous m'accusez de deux meurtres (ou trois, selon l'humeur), sans l'ombre d'un indice direct : pas de vidéos, pas de témoins, aucune trace sur les scènes d'infraction où on a retrouvé les corps. Seulement des indices que n'importe qui aurait pu placer dans mon atelier. Moi, je vous offre la preuve de ma présence dans mon atelier la nuit du meurtre de Sophie Sereys.

Corso fulminait. Sobieski allait s'en sortir. Et lui, il allait devoir digérer cette erreur judiciaire jusqu'à la fin de ses jours.

— Vous préférez donc faire de la prison pour faux plutôt que pour meurtres ? demanda le roi de carreau. Je vous comprends.

— C'est pas la question, Monsieur le Président. Je veux être jugé pour ce que j'ai fait, pas pour ce que je n'ai pas fait.

— Mais vous avez dissimulé votre véritable activité jusqu'ici.

— J'suis comme tout le monde, sourit Sobieski, j'espérais passer entre les gouttes.

— Au moins, vous avez l'air sincère.

— Je suis peintre. Je suis Goya. Foutez-moi en taule, donnez-moi des pinceaux et des couleurs, ma vie pourra continuer.

Corso découvrait la vraie folie de Sobieski, pas meurtrière mais artistique. Un étrange – et fascinant – cas de schizophrénie picturale. Il eut un coup d'œil vers les jurés. Non seulement ces abrutis y croyaient mais ils admiraient ce mélange d'artiste maudit, de fantôme réincarné et de voyou en puissance.

Comme d'habitude, le flic voyait la justice lui couler entre les doigts – plutôt un jet d'urine qu'un filet de sable.

— Suspension de la séance, clama le président. Reprise cet après-midi.

72

— Pourquoi n'avez-vous pas dit la vérité ?

— J'ai dit la vérité.

— Vous avez toujours affirmé que vous aviez eu des rapports intimes cette nuit-là avec Sobieski.

— J'ai dit aussi que je l'avais aidé dans son boulot.

— Vous n'avez pas précisé lequel.

— Personne ne me l'a demandé et j'ai pas donné de détails.

— Vous confirmez donc que vous avez assisté Philippe Sobieski dans la réalisation d'un faux tableau dans la nuit du 16 au 17 juin 2016 ?

— Oui.

— Quel est ce tableau ?

— Je ne sais pas.

— Comment ça, vous ne savez pas ?

— Je ne l'ai pas vu dans son ensemble. Je n'ai travaillé que sur des détails.

Junon Fonteray mentait, évidemment, mais elle respectait la réserve de son mentor : pas question de révéler la nature de la contrefaçon de cette nuit-là. Elle ne semblait ni effrayée ni contrite, plutôt en colère. Décoiffée, les yeux exorbités, les joues rouges, elle donnait l'impression d'avoir été traînée à la barre par les cheveux.

— Depuis combien de temps assistiez-vous Sobieski ?

— Un an environ.

— Reprenez par le début, s'il vous plaît.

Delage savourait de voir la petite insolente à terre. Tant de gens lui avaient tenu tête durant ce procès...

— Au début, je m'occupais de ses courses. J'achetais ses couleurs, ses châssis, ses toiles. Je tenais aussi les comptes. Philippe était très exigeant là-dessus. Il voulait une compta irréprochable.

— Rien ne vous semblait bizarre ?

— Si. Lui-même se procurait des trucs étranges.

— Comme quoi ?

— Des toiles anciennes, sans le moindre intérêt.

— À l'époque, où travailliez-vous ?

— Dans les bureaux de son atelier, je veux dire : l'officiel.

— Quand vous a-t-il emmenée dans l'autre, celui de la rue Adrien-Lesesne ?

— Je dirais... six mois plus tard. Il m'a expliqué qu'il y expérimentait des pigments, qu'il y faisait des recherches que personne ne devait voir.

— Vous l'avez cru ?

— Oui et non. Il avait l'air de fabriquer lui-même ses couleurs, de tester des produits chimiques. Y avait aussi ce four gigantesque... C'était bizarre.

— Vous aviez peur ?

— Pas du tout. On couchait ensemble depuis longtemps.

Delage soupira.

— Quand vous a-t-il appris la vérité ?

— Plus tard encore. Il m'a dit qu'il y avait deux peintres en lui. Celui que je connaissais et… Goya en personne.

— Qu'est-ce que vous avez pensé à ce moment-là ?

Junon eut un bref sourire. Ses signes d'échauffement s'estompaient, ses traits d'oiseau retrouvaient leur netteté. Avec son nez imposant et son regard translucide, l'étudiante semblait à la fois déterminée et rêveuse, coupable et innocente.

— Je me suis dit qu'il était génial.

Le président parut réprimer une réflexion personnelle – sans doute une injure – puis continua :

— Vous avez réalisé qu'il fabriquait des faux qu'il vendait ensuite ? Que ce commerce était un acte de pure escroquerie à des fins mercantiles ?

— Il ne présentait pas les choses comme ça.

— Je m'en doute.

— Il ne voulait pas seulement peindre dans le style de Goya mais produire des œuvres jaillies du passé. Il disait… (sa voix tremblait)… qu'il avait ouvert une faille dans l'espace-temps. (Elle lui lança un regard énamouré.) C'était fascinant.

— Surtout illégal.

Junon haussa les épaules et planta son regard de cristal dans les yeux du juge.

— Je suis étudiante aux Beaux-Arts depuis quatre ans. On m'a enseigné le dessin, la peinture, la sculpture. J'ai effectué des stages, des boulots d'assistante auprès de peintres reconnus. Je n'ai jamais autant appris sur l'art qu'en quelques mois avec Sobieski. Avec lui, j'ai eu accès à… l'essence même de la peinture.

Chacun écoutait religieusement. En changeant de nature, le crime avait aussi transformé son public : les curieux et les voyeurs piapiateurs étaient devenus des fidèles soumis et silencieux.

— Revenons à la nuit qui nous intéresse, reprit Delage, qu'avez-vous fait pour Sobieski durant ces quelques heures ?

— On s'est occupés de la cuisson du tableau. Grâce à cette technique, Philippe réussit à reproduire en quelques heures un séchage de plusieurs siècles. Mais il faut surveiller en permanence la toile, vérifier que la peinture ne se détériore pas… C'est ce qu'on a fait cette nuit-là.

— Vous avez conscience que ce témoignage va vous envoyer en prison ?

— Oui.

— Qu'avez-vous à dire de plus ?

Junon se redressa : elle était comme une Jeanne d'Arc, à la fois héroïque et sacrifiée, fière et vaincue.

— Je ne regrette rien, clama-t-elle avec emphase.

Corso attendait presque des applaudissements mais le président prit tout le monde de court en déclarant :

— Compte tenu des nouveaux éléments apparus, compte tenu de la révision nécessaire des faits énoncés, compte tenu des investigations et des expertises devant être engagées afin de vérifier les dires des témoins et de l'accusé du procès, la cour demande un supplément d'enquête et désigne l'Office central de lutte contre le trafic de biens culturels pour mener à bien cette mission. Les sessions reprendront le 22 novembre 2017.

Une violente cacophonie éclata dès les dernières paroles du maître de séance. Déjà, les magistrats se levaient sans un mot, les jurés se regardaient sans comprendre, les accusateurs semblaient avoir les jambes coupées.

Mais le meilleur se passait à droite : Claudia Muller avait plaqué sa main sur la vitre du box, alors que Sobieski y superposait la sienne. Le geste de tous les amoureux au parloir. Ces deux-là étaient donc ensemble.

Corso se laissa guider par la foule qui déferlait vers le couloir. Les journalistes étaient dans un état de surexcitation proche de la transe. Les cameramen tentaient de filmer un avocat ou un témoin. Les reporters radio tendaient leur micro à l'aveugle. Les chroniqueurs judiciaires téléphonaient, pliés en deux, comme s'ils venaient d'encaisser un uppercut au foie.

Le flic parvint à s'extraire enfin de la cohue et courut vers l'arrière du Palais de Justice. Il avait perdu à plate couture mais il voulait tout de même voir Claudia, assumant son échec et sa médiocrité.

— Corso…

Il tourna la tête : elle était là, près d'une colonne, à fumer calmement. Elle portait encore sa robe blanche et noire qui claquait au vent comme un drapeau de pirate.

— T'es un bon enquêteur, Corso, pas de doute là-dessus. Mais cette vérité-là, tu pouvais pas la capter. Sobieski est un génie et tu es… un simple flic.

73

Corso regagnait sa voiture quand on l'interpella de nouveau, près de la place Dauphine. Il se retourna et reconnut Rougemont, l'avocat général, en costume de toile claire.

— Venez avec moi.

Ce n'était pas une invitation mais un ordre. Un quart d'heure plus tard, ils pénétraient au Balzar, rue des Écoles, dans le quartier de la Sorbonne. Encore une brasserie. Encore une décoration dans les beiges et consorts. Encore cette atmosphère qui cherchait à flatter une nostalgie d'une époque révolue, mais quelle époque au juste ?

Rougemont le mena à une table en arrière-salle. Trois conspirateurs les attendaient. Le juge Thureige, monsieur « Elle va nous crucifier », lui sourit : *Mission accomplie, Miss Muller*... Pour les deux autres, il eut plus de mal à les reconnaître sans leur costume professionnel. L'avocate de la partie civile, maître Sophie Zlitan, en robe blanche d'été, ressemblait à une théière en porcelaine avec son couvercle doré. Un peu comme les objets animés de *L'Enfant et les Sortilèges* de Ravel. Au fond du box, Son Altesse en personne, le président de la cour : Michel Delage. Avec sa chemise rose à manches courtes, il avait maintenant l'air d'un directeur d'agence commerciale de province.

Tout ça pour ça, songea Corso. Retirez le marbre et l'hermine, vous obtiendrez une brochette de petits bonshommes claquant des dents pour leur réputation et leurs points de retraite.

— S'il vous plaît, ordonna Delage, éteignez vos portables et posez-les sur la table.

Corso faillit éclater de rire : on était en plein complot.

— Qu'est-ce qu'on fait ? demanda le président à la cantonade.

En tombant l'habit, il avait aussi renoncé à toute prétention.

— Vous l'avez dit vous-même à la fin de la séance, fit Thureige. Il faut rouvrir l'instruction pour un supplément d'informations, ordonner des expertises des *Pinturas rojas...*

— On ne fait pas le procès d'un faussaire, fit Rougemont.

— On fait le procès d'un assassin qui s'avère être un faussaire, coupa le juge. Vous devez avant tout vérifier ce fait.

Sophie Zlitan s'agita sur sa chaise. Des effluves de parfum circulèrent autour de la table comme des esprits invisibles.

— Va falloir bosser avec l'Espagne ?

Les procédures internationales étaient le cauchemar de tout juriste – de la paperasse au kilo, du temps dilaté comme dans un univers parallèle, des interlocuteurs

493

qui ne pouvaient pas déplacer une feuille sans la foutre en quarantaine à la douane.

— Pas forcément, répondit Thureige. Si l'OCBC parvient à convaincre la Fondation Chapi de prêter les tableaux, ils pourront mener toutes les analyses en France. Je n'y connais rien mais à mon avis, c'est l'affaire de quelques mois.

— Ils n'accepteront jamais, rétorqua Zlitan. A priori, ces toiles ont une valeur inestimable.

— Ils voudront justement savoir si elles sont si précieuses ou si elles sont fausses. Vous êtes obligés aussi de suivre les autres petits cailloux que Sobieski a semés, vérifier la programmation de son putain de four, refaire une perquisition rue Adrien-Lesesne sous ce nouvel angle. À mon avis, vous n'obtiendrez que des confirmations.

Corso les écoutait, incrédule : impossible que ces magistrats boivent un café ensemble, loin des regards des journalistes, loin de toute déontologie et même de la légalité – il ne manquait que Claudia Muller.

Zlitan reprit la parole. Ses cheveux blonds scintillaient dans un rayon de soleil égaré jusqu'à l'arrière-salle.

— Si c'est le cas, fit-elle, on est morts. Avec les témoignages de Diane Vastel, du coach sexuel et de l'autre Anglais, ajoutés à la détermination de la petite au chapeau et aux preuves de la présence de Sobieski dans son atelier clandestin la nuit du meurtre de Sophie Sereys, les jurés le libéreront dans l'heure.

Il y eut un silence. C'était leur propre condamnation qu'ils semblaient maintenant redouter.

— Les réglages du four ne prouvent pas la présence physique de Sobieski, tenta Rougemont.

— François, je t'en prie, répliqua Delage. Qui croira qu'il a laissé la cuisson de son faux tableau à une gamine à peine sortie des Beaux-Arts ?

— Alors on doit retrouver ce tableau.

— Peine perdue. Sobieski ne balancera rien sur ce sujet. Et rien ne l'y oblige. Il faut surtout vérifier que les programmations ne peuvent pas être truquées. Si c'est le cas, Sophie a raison : c'est plié.

Les magistrats essayaient de digérer qu'ils n'auraient pas la peau de Sobieski – et, accessoirement, qu'ils allaient passer pour des cons, ou tout au moins des incompétents.

Mais restait la dernière énigme : que foutait-il là, lui ? Pourquoi l'avaient-ils invité à cette réunion secrète ?

Il n'eut pas à poser la question : tous les regards se tournèrent vers lui.

— On a besoin d'un autre coupable, assena Delage.

— C'est-à-dire ?

— Vous connaissez le dossier par cœur. Pensez-vous qu'on puisse trouver un autre suspect avant la reprise du procès ?

Rougemont, Zlitan et Thureige semblaient suspendus à sa réponse. Sa gorge était sèche mais il n'avait pas touché au Perrier qu'il avait commandé.

— J'ai travaillé pendant des semaines sur ce dossier. On a creusé toutes les autres pistes. Jamais un suspect, même de loin, n'a pointé son nez.

— Sobieski a toujours crié au coup monté, intervint Thureige.

— Vous-même, vous avez fouillé de ce côté : ses ennemis en taule, etc. Personne n'aurait pu commettre des crimes pareils et se débrouiller pour lui faire porter le chapeau.

Thureige acquiesça de mauvaise grâce.

— On vous demande juste de trouver quelque chose, reprit Delage.

— Je ne suis plus à la Crime.

— Je n'ai pas saisi la Crime mais l'OCBC. Vous êtes bien rue des Trois-Fontanot, non ?

— Je suis à l'OCRTIS.

— On n'a qu'à vous transférer à l'OCBC. Vous seriez d'accord ?

Corso ne répondit pas tout de suite. Pour dire la vérité, il était prêt à mener cette enquête en douce, même si on ne lui avait pas demandé. Il avait misé sur la culpabilité de Sobieski, en son âme et conscience, depuis plus d'une année. Tout venait de voler en éclats et il serait resté comme ça, sans suspect, sans assassin, dans une telle histoire ? *Impossible*.

— Vous ne pourrez jamais me faire muter aussi vite mais je vais me mettre sur le coup de toute façon. Je travaillerai en sous-main avec les gars qui vont reprendre le flambeau.

Sa réponse parut satisfaire tout le monde.

Sophie Zlitan, qui s'agitait depuis un moment, finit par lâcher la question qui tue :

— Vous y croyez, vous ?

— À quoi ?

— À l'innocence de Sobieski dans l'affaire des meurtres.

Corso décida de jouer cartes sur table :

496

— Ça fait plus d'un an que je suis convaincu de sa culpabilité. Aujourd'hui, de nouveaux faits me forcent à faire machine arrière mais je ne peux pas oublier ma conviction en une heure. Je connais bien Sobieski et je peux vous assurer qu'il est coupable. De quoi au juste ? C'est ça, la vraie question. Mais j'exclus pas que tout ce bordel soit une boucle plus large dans son plan. Il a toujours envisagé de se faire choper et il a peut-être préparé un alibi d'une extrême sophistication.

Tous acquiescèrent, mais comme des plongeurs dont les réserves d'oxygène sont comptées. Ils n'aimaient pas descendre dans ces profondeurs. Trop de vices, trop de ténèbres, trop de duplicité. Corso n'était pas comme eux : il pouvait tout imaginer et avait l'habitude de voir le pire se confirmer.

Il sentit qu'il fallait leur laisser un os à ronger :

— Je vais faire le maximum, lança-t-il avant de sortir, comptez sur moi.

74

Bien sûr, le transfert de Corso n'arriva jamais.

Le jour où un avocat général et un président de tribunal pourront décider des mutations des flics n'est pas pour demain. Les mois passèrent et Corso resta à sa place, c'est-à-dire sur sa chaise de l'Office des Stups. Pour mener l'enquête, il dut travailler à l'italienne : poser sa veste sur le dossier de son siège et disparaître tous les après-midi.

Pour ce travail souterrain, il bénéficiait d'un avantage. En septembre, l'OCBC avait fait appel à la Crime pour rechercher de nouveaux suspects, alors qu'eux-mêmes se chargeaient de la partie « faussaire » du dossier. Or c'était Barbara Chaumette, alias Barbie, passée chef de groupe au printemps précédent, qui avait hérité du dossier.

Avec Barbie, ils avaient repris la longue liste des ennemis de Sobieski – tous ceux que « le Juge » avait humiliés, châtiés, mutilés à Fleury. Ils s'étaient aussi renseignés sur les éventuels criminels qu'il aurait balancés aux matons ou aux flics. Ils étaient parvenus aux mêmes conclusions que Thureige : aucun gaillard de cette liste ne pouvait avoir combiné tout ça.

Corso s'intéressa aussi au nouveau biotope de Sobieski : l'art contemporain. Pouvait-il avoir provoqué un collègue, un galeriste ou un collectionneur au point de susciter un tel désir de vengeance ? Bien sûr que non. Le marché de l'art n'était pas un univers d'enfants de chœur, mais de là à trouver des serial killers au détour de la FIAC ou de la foire de Bâle, il y avait un pas de géant que personne n'aurait franchi.

L'automne leur tomba dessus et, malgré son absence de résultats, Corso finit par se familiariser avec cette nouvelle thèse. On avait voulu compromettre Sobieski en tuant des pauvres filles et en disséminant des indices accusateurs. Ces éléments, directs ou indirects, découverts dans le sillage du peintre pouvaient être considérés comme les pointillés disposés par un assassin vengeur. L'utilisation des sous-vêtements (comme dans le meurtre des Hôpitaux-Neufs), les nœuds rappelant la technique du shibari (pratiquée par Sobieski depuis plus de vingt ans), le mode opératoire évoquant Goya, le modèle du peintre, et bien sûr les victimes elles-mêmes, maîtresses du suspect…

Corso apprivoisait ce scénario avec réticence – et même répulsion. Admettre s'être planté à ce point, pour un flic, ça la foutait mal. Parfois, il appelait au secours, en guise d'élément contradictoire, le meurtre de Marco Guarnieri. Mais finalement, pourquoi ne pas imaginer un tueur suivant Sobieski (comme Corso l'avait fait lui-même) et tuant dans son sillage un petit dealer selon le même mode opératoire ?

Quand il était fatigué de se ronger les neurones avec cette théorie, Corso passait au Sobieski faussaire. De ce côté, les preuves se multipliaient. Les gars de l'OCBC avaient retrouvé à Fleury des cahiers d'esquisses et même des toiles qui démontraient qu'il avait toujours cherché à imiter les anciens, en premier lieu son maître et modèle, Francisco Goya.

On avait ainsi déniché une *Gallina ciega* et une *Agustina de Aragón*, des toiles majeures du maître espagnol, parfaitement reproduites. Les flics avaient aussi découvert, dans un faux plafond du pavillon de la rue Adrien-Lesesne, des contrefaçons en pagaille : des tableaux qui synthétisaient des leitmotive de Goya dans des œuvres inédites. Sobieski avait bien réalisé son rêve, devenir le « peintre-diable » en personne.

Les OPJ s'étaient aussi penchés sur les années qui avaient suivi la libération de Sobieski. L'ex-taulard avait dit vrai : il avait passé trois années dans un atelier de restauration de la rue Cler, dans le VIIe arrondissement, où il s'était confronté aux problèmes chimiques liés à la restauration des couleurs anciennes. Selon le propriétaire de l'atelier, quand Sobieski l'avait quitté, il maîtrisait la plupart des difficultés techniques de la contrefaçon.

L'OCBC avait également décrypté la comptabilité du peintre. Ses revenus ne cadraient pas avec son train de vie. Même si sa cote était au plus haut, Sobieski ne pouvait rendre compte de ses dépenses (il avait payé cash la manufacture de Saint-Ouen). D'où venait tout ce fric ? De la vente de ses faux tableaux, bien sûr…

Sur ce terrain spécifique, l'OCBC s'était cassé les dents. Pas moyen de savoir, par exemple, combien la Fondation Chapi avait acheté les *Pinturas rojas*. De tels organismes étaient protégés par le secret et, en l'occurrence, les Espagnols ne souhaitaient pas ébruiter la fortune qu'ils avaient déboursée pour l'acquisition de faux réalisés par un ancien taulard.

On avait bossé sur la filière de Sobieski mais là non plus, pas le moindre résultat. Impossible de découvrir comment le peintre parvenait à refourguer ses faux ni à quel prix. Il avait sans doute des complices – des galeristes – et d'autres intermédiaires (en général, on prétendait que l'œuvre provenait d'une succession, d'une collection privée ou même du grenier d'un château… mais il était très difficile, voire impossible, de remonter ce genre de circuit).

Dans le cas de Sobieski, personne ne savait même combien de contrefaçons il avait réussi à vendre. Bien sûr, ses registres ne mentionnaient pas un seul chiffre concernant son petit commerce. Par ailleurs, un homme qui ne possédait pas de téléphone portable s'y entendait pour ne laisser aucune trace, quelle qu'elle soit.

Les flics n'insistèrent pas. Les *Pinturas rojas* suffisaient à démontrer que Sobieski était un faussaire majeur et indirectement qu'il avait passé la nuit du meurtre de Sophie Sereys dans son atelier (l'analyse de la mémoire de son four avait confirmé une activité constante à cette date).

Corso rongeait son frein. Toute cette histoire le rendait malade. La nuit, il rêvait de Goya traçant ses cauchemars sur les murs de la *Quinta del Sordo*. Puis les images se brouillaient et c'était Sobieski qui peignait ses *Pinturas rojas* sur les parois de sa cellule. Finalement, dans une sorte de fondu enchaîné propre aux univers oniriques, c'était lui, Corso, qui se retrouvait derrière les barreaux, cerné par les visages béants de

Sophie Sereys, Hélène Desmora, Marco Guarnieri... Les morts le suppliaient de les venger, de retrouver leur assassin, de leur offrir la paix. Mais Corso était enfermé, il s'écorchait les ongles contre les murs et hurlait pour essayer de couvrir les voix des fantômes qui le torturaient.

Il se réveillait en sursaut, laqué de sueur, l'estomac retourné... Dans ces moments-là, il songeait à Claudia Muller. Aucune nouvelle de l'avocate. Or, durant ces derniers mois, il n'avait cessé d'espérer un coup de fil. Lui-même avait été tenté mille fois de la contacter. Mais pour lui dire quoi ? Au fil de leurs brefs contacts, il avait cru...

Qu'est-ce qu'il avait cru au juste ?

75

Comme prévu, le rappel sonna le 22 novembre 2017.

On prend les mêmes et on recommence. Mêmes magistrats, mêmes avocats, mêmes jurés, même accusé… Pourtant, ce n'était plus le même procès. Dans la salle des assises, on avait accroché au-dessus des lambris les toiles retrouvées dans le pavillon de Sobieski. A priori, que des peintres espagnols, des XVIIe et XVIIIe siècles : Juan de Valdés Leal, Francisco Pacheco, Francisco de Zurbarán… et bien sûr Goya. Des grands portraits d'hommes barbus portant de larges fraises autour du cou, des saints aux traits tourmentés, des scènes de cour…

Le plus poignant dans ces œuvres était qu'il s'agissait sans doute de simples brouillons, ou encore de ratages que Sobieski conservait afin de réutiliser le support proprement dit. Or même un néophyte pouvait admirer leur maîtrise – pour un regard non expert, elles paraissaient parfaites, c'est-à-dire authentiques.

Dans son box, Sobieski renaissait de ses cendres : innocent des crimes odieux dont on l'accusait, coupable des tableaux magnifiques qui décoraient la salle et qu'on allait facilement lui pardonner. Pour l'occasion, il avait revêtu un de ses costards les plus flashy, confectionné dans un tissu blanc satiné qui semblait éclairer toute la salle. On l'avait aussi autorisé – tout un symbole – à porter un de ces borsalinos dont il raffolait. L'artiste était vraiment parfait : drapé de blanc, il ne semblait plus démodé mais au contraire tout droit sorti d'un clip de rap, tapageur et bling-bling. Voilà donc à quoi ressemblait le « Goya du XXIe siècle ».

La matinée fut celle des experts.

Après la flamboyance du décor, déception. Chacun s'attendait à un show et voilà que des chimistes venaient parler du rayonnement issu du radium 226 et des désintégrations successives de l'uranium 238 à travers le temps.

Personne ne comprit quoi que ce soit mais la conclusion des mesures était sans appel :

— Les *Pinturas rojas* sont des faux réalisés moins de douze ans avant notre analyse et attribués, par erreur, à Francisco Goya, conclut le chef des experts. C'est ce que démontre sans le moindre doute le rayonnement du plomb contenu dans la céruse utilisée dans ces tableaux.

En guise de confirmation, d'autres spécialistes déboulèrent et se lancèrent dans une analyse fine de la programmation du four de la rue Adrien-Lesesne. De nouveau, magistrats, jurés et public durent se farcir de longues explications incompréhensibles, mais la conclusion était claire :

504

— Les cuissons successives mémorisées par le four durant la nuit du 16 au 17 juin 2016 démontrent qu'elles ont respecté un processus accéléré de séchage d'une toile ancienne ayant été peinte récemment…

Aucun doute, c'était bien Philippe Sobieski, l'orfèvre, le virtuose, le faussaire génial, qui était aux fourneaux. On pouvait bien sûr imaginer que quelqu'un d'autre, cette nuit-là, avait réglé l'engin et traité l'œuvre mystérieuse, mais plus personne n'y croyait. On avait démasqué un alchimiste au travail, pas un assassin en flagrant délit. Philippe Sobieski était innocent du meurtre de Sophie Sereys.

Corso s'attendait à voir apparaître encore Junon Fonteray, mais le président de la cour appela un personnage inconnu du nom d'Alfonso Perez.

À ce moment-là, une surprise fit frémir le public : l'homme qui s'avançait était habillé exactement comme Sobieski, costume clair et chapeau crème à bandeau noir. Une sorte de double de l'accusé, dans une version chic et méditerranéenne – et beaucoup mieux conservée.

Alfonso Perez se planta devant la barre et s'appuya dessus, bras tendus, comme un homme qui s'apprête à commander un whisky derrière le zinc d'un bar.

— Vous jurez de dire toute la vérité, rien que la vérité, de parler sans haine et sans crainte, dites : « Je le jure. »

— Je le jure.

Ces quelques mots suffirent à révéler un accent de rocaille.

— Veuillez décliner votre identité, votre âge, votre métier.

— Alfonso Perez, 63 ans, industriel.

— Vous êtes aussi collectionneur ?

Corso, en quelques questions-réponses, comprit la situation. Contrairement à ce qu'on avait cru jusqu'alors, les trois *Pinturas rojas* n'étaient pas la propriété de la Fondation Chapi. Elles avaient été prêtées par Alfonso Perez, milliardaire madrilène, amateur d'art renommé. C'était lui, et lui seul, qui avait acheté les faux Goya.

— Je possède la plus importante collection privée de tableaux espagnols allant du XVIIe au XIXe siècle, expliqua Perez en bombant le torse.

— Cette collection s'articule autour de Francisco Goya, non ?

— Non. Goya est mon peintre préféré mais il y a peu de choses à acquérir sur le marché.

— Comment avez-vous fait la connaissance de Philippe Sobieski ?

— Je ne l'ai jamais rencontré. Il avait choisi comme intermédiaire un galeriste réputé de Madrid, Fernando Santa Cruz del Sur.

Le président leva le bras et fit une annonce à la cantonade :

— Je dois préciser que ce galeriste est décédé d'une crise cardiaque il y a deux ans. C'est pourquoi vous ne le verrez pas à la barre aujourd'hui.

Perez reprit la parole et se lança dans une histoire alambiquée de succession – celle qu'on lui avait racontée à l'époque – concernant une famille de la région de la *Quinta del Sordo* qui possédait ces trois toiles en ignorant leur auteur (les tableaux n'étaient pas signés).

L'accent de Perez était fascinant. Les accords rêches d'une guitare sombre, un flamenco sauvage qui vous tordait la gorge et vous tirait des larmes.

L'homme tenait toujours la barre d'une main et avait porté l'autre à la hanche, comme prêt à dégainer une épée à la manière d'un hidalgo. En l'observant, Corso réalisait deux vérités cruciales.

La première, c'était Perez, et non Sobieski, qu'il avait poursuivi à la Fondation Chapi. La deuxième, plus troublante, était que l'Espagnol aurait fait un coupable idéal. Non parce qu'il portait un chapeau et un costard blanc, mais parce qu'il avait un mobile : la vengeance. Il aurait pu vouloir détruire celui qui l'avait trompé et humilié. Ce n'était pas une affaire d'argent – Perez n'était pas à ça près – mais d'honneur : avec les toiles rouges de Sobieski, l'Espagnol avait perdu sa crédibilité de collectionneur.

Pour prendre sa revanche sur celui qui avait eu l'outrecuidance de lui vendre des faux Goya, Alfonso Perez avait tué de pauvres filles dans le seul but de faire accuser Sobieski et de l'envoyer au trou pour le restant de ses jours. Il avait choisi des maîtresses du peintre, les avait ligotées comme le faisait le taulard à l'époque de Fleury et il avait défiguré ses victimes à la Goya – toujours pour confondre Sobieski qui n'avait jamais caché sa passion pour le peintre-diable.

Mais cette machination fonctionnait à deux vitesses : Perez avait *aussi* opté pour ces mutilations afin de faire comprendre à l'escroc d'où venait la vengeance et pourquoi il allait tomber. Ces visages défigurés, claire allusion aux petites toiles rouges, étaient un message destiné non pas aux flics ni au public, mais à Sobieski lui-même…

À ce moment-là, les mots de Claudia Muller lui revinrent en tête : « … le vrai tueur… Il sera là, avec nous, au tribunal. Vous n'aurez qu'à le cueillir à la fin de la séance. »

Corso lança par réflexe un regard à l'avocate, qui elle-même contemplait Alfonso Perez avec gourmandise. Aucun doute, c'était le suspect qu'elle avait choisi de jeter en pâture aux juges et aux jurés. Sans doute allait-elle le rappeler le lendemain à la barre pour tenter de le confondre.

— À aucun moment, demandait le président Delage, vous ne vous êtes douté que ces tableaux étaient des faux ?

— Jamais !

Agrippé à la barre, Perez avait presque crié. Sous le chapeau, la colère et l'humiliation déformaient ses traits.

— Aviez-vous fait expertiser les toiles ?

— Évidemment ! Tous les tests de l'époque ont certifié leur authenticité.

Perez mentait par omission : après l'achat des Goya, pris d'un doute, il avait fait pratiquer de nouvelles analyses. Cette fois, la contrefaçon avait été démontrée. Et Perez avait compris qu'il s'était fait avoir…

Il n'avait rien dit pour sauver la face mais il avait mûri un projet de vengeance à l'encontre de celui qui avait osé le tromper.

Corso ne voulait pas aller plus loin dans ses suppositions : pas assez d'éléments, trop de roman. Il se recroquevilla et s'efforça d'écouter encore, se mettant dans une sorte d'apnée mentale jusqu'à la fin de la séance.

76

— Je te dérange ?

— Toujours.

— Je plaisante pas, j'ai besoin de ton aide.

— Je t'écoute.

Roulant vers son appartement, Corso résuma la situation à Barbie : un nouveau suspect, une sorte de clone de Sobieski, plus chic et plus riche, à la sauce tapas ; l'hypothèse d'une vengeance à deux vitesses ; une manipulation de grande ampleur qui allait sans doute exploser aux yeux de tous avant la fin du procès.

Barbie, en guise de commentaire, émit un sifflement incrédule.

— Tu peux me trouver des infos précises sur lui ?

— Je vais essayer.

— Ça urge. Muller va le rappeler à la barre – son soi-disant coupable, c'est lui. Je veux le choper avant elle, tu piges ?

Barbie demanda de sa voix sèche :

— Et si tu te plantes ?

— Trouve les infos. Je te jure qu'on va se le faire. N'oublie pas non plus d'appeler l'agent de liaison à

Madrid. Si j'ai bien compris, Alfonso Perez est une figure locale.

Il parlait avec précipitation. Après des mois de morne plaine, l'enquête trouvait soudain un nouveau souffle. Une accélération façon 0-100 km/h en quelques secondes...

Mais Barbie calma le jeu :

— Je comprends pas ton histoire. Selon toi, Perez visait à faire tomber Sobieski pour homicide. Or tout le truc s'est retourné contre lui : Sobieski va être innocenté des crimes, et le scandale des toiles rouges est révélé, ce qui fait passer Perez pour un con.

Corso y avait déjà pensé : la vengeance de Perez avait totalement raté et l'Espagnol ne pouvait pas ne pas avoir envisagé que Sobieski, pour sauver ses miches, avouerait son activité de faussaire. Mais le flic était certain que la volonté de détruire celui qui l'avait arnaqué était plus forte chez Perez que l'espoir – fragile – de sauver la face.

— J'ai pas la réponse à tout pour l'instant, se borna-t-il à dire. Mais je serais pas étonné qu'il ait un autre tour dans son sac.

— Je te rappelle quand j'ai les infos.

— N'oublie pas le plus important : je veux connaître son hôtel à Paris.

— Qu'est-ce que t'as encore en tête ?

— Seulement ne plus le lâcher dès ce soir.

Il raccrocha et se mit en devoir de régler un autre problème : Thaddée. Fini le temps où il pouvait se lancer dans des filatures impromptues ou planquer toute une nuit en passant un simple coup de fil à Émiliya. Désormais, durant « ses » semaines il devait être au taquet à 19 heures pour prendre le relais de la baby-sitter. Il l'appela pour savoir si elle serait d'accord pour une poignée d'heures sup' : *No way*. La jeune femme avait son cours de chinois aux Langues O à 20 heures.

Corso réfléchit. Pas question d'appeler Émiliya. Il choisit une option à peine meilleure, Miss Béret. La jeune femme, ces derniers mois, avait eu le temps de rencontrer Thaddée et de l'apprivoiser.

Stéphane répugnait à lui demander ce genre de service qui lui conférait une importance dans sa vie qu'il ne souhaitait pas lui accorder. Bien sûr, elle accepta et il se sentit rempli d'une soudaine gratitude pour cette partenaire à qui il donnait si peu et qui lui rendait tant.

Quand il raccrocha, il essaya d'imaginer un lien entre le monde infernal dans lequel il vivait – celui des Sobieski et des Perez, des femmes défigurées et des faux Goya – et le confort paisible dans lequel évoluaient son propre fils ou Miss Béret. Le seul lien entre ces deux univers sans le moindre rapport était lui-même, un vrai fusible en surchauffe, toujours à deux doigts de sauter pour de bon.

Son portable vibra dans sa main : Barbie, déjà.

Sans doute des nouvelles du loup de Madrid.

77

Le quartier de la rue de la Huchette ressemblait à un mauvais bilan de cholestérol. Des veines et des artères saturées de gras, où la populace avait bien du mal à circuler. Des ruelles dégoulinantes où des restaurants grecs et des stands de kebabs s'entassaient porte à porte. Cette petite zone surpeuplée avait réussi ce que deux mille ans d'histoire avaient échoué à réaliser : réconcilier les Grecs et les Turcs à force d'huile surchauffée et de menus touristiques.

Corso marchait au pas de course, zigzaguant parmi les passants emmitouflés, les oreilles agressées par les faux musiciens crétois, tous maghrébins, qui jouaient le sirtaki façon couscous. Il ne cessait de croiser de la flicaille en noir armée jusqu'aux dents et équipée de chiens, terrorisme oblige, ajoutant un petit air de parano à ce quartier déjà oppressant. Sans compter les décorations de Noël qui alourdissaient encore le tableau : guirlandes lumineuses, étoiles de néons, scintillements en tout genre…

Contre toute attente, Perez n'était pas descendu dans un palace parisien mais dans un modeste trois-étoiles de Saint-Michel : *discrétion, discrétion*… Dès qu'il avait reçu l'info, Corso s'était précipité afin de planquer non loin de l'hôtel Saint-Séverin, près de l'église du même nom. En observant la façade, il avait l'impression de guetter la grotte d'un prédateur qui léchait ses blessures. Perez se cachait : il portait encore cette plaie d'orgueil vive, cette humiliation sanglante que rien ni personne – pas même la vengeance – ne pourrait apaiser.

Sur le coup des 21 heures, frigorifié, Corso entra dans une crêperie dont la salle minuscule offrait une vue idéale sur l'hôtel. Un peu plus tard, il reçut des nouvelles de Barbie : une synthèse des renseignements qu'elle avait pu collecter sur le dénommé Alfonso Perez. Pas grand-chose en réalité, mais suffisamment pour confirmer son intuition.

Le milliardaire avait un profil très particulier : après avoir fait de la taule dans sa jeunesse pour violences et escroquerie, il avait réussi à accumuler une fortune dans le business du retraitement des déchets. En d'autres termes, le Frank Nitti de Madrid avait passé la majeure partie de son existence le nez dans les ordures et respirait seulement auprès de sa collection de tableaux.

Il avait eu plusieurs épouses, plusieurs enfants, mais avait toujours vécu en solitaire dans ses multiples maisons. Personne ne savait jamais où il se trouvait, et encore moins où il planquait ses œuvres d'art. De temps à autre, il en prêtait une à un musée, comme les *Pinturas rojas* à la Fondation Chapi, mais il gardait jalousement l'essentiel de sa collection.

Corso devinait que ces biens constituaient son seul sujet d'orgueil, sa seule passion, et qu'il était particulièrement fier de s'y connaître dans ce domaine. Or un escroc débauché et trivial avait ruiné sa seule raison de vivre.

À 22 heures, Perez sortit de son hôtel. Dans le genre discret, il pouvait mieux faire. Il portait un complet gris clair aux plis souples et impeccables et toujours ce galure qui lui donnait l'air d'un mafieux d'Amérique centrale. En plein hiver, c'est ce qui s'appelait de la fantaisie.

Perez remonta la rue Saint-Séverin à travers la foule. Facile de lui emboîter le pas : le seul homme vêtu de couleur claire dans cette fourmilière. Son chapeau ressemblait au petit drapeau que les guides exhibent pour ne pas perdre leur groupe.

Corso ne savait pas ce qu'il espérait. Perez n'était que de passage à Paris, aucune raison de penser qu'il allait se trahir ou faire quoi que ce soit de répréhensible. Toutefois, cette balade nocturne ressemblait à un match retour après la poursuite de Madrid. Cette fois, Stéphane ne le perdrait pas…

Perez vira à droite, rue de la Harpe, et accéléra le pas. Corso passa la seconde, tourna à son tour, mais découvrit une rue bondée dans laquelle il était impossible de voir à plus de cinq mètres devant soi. Les lampions tremblaient au-dessus de ces milliers de têtes, comme prêts à se décrocher et à électrocuter tout le monde.

Corso plongea dans la mêlée. Il était chez lui à Paris, il n'allait pas se faire semer comme une bleusaille. Soudain, il aperçut le borsalino : Perez venait de prendre encore à droite, rue de la Huchette. Pourquoi revenait-il sur ses pas ?

Le flic se mit à courir. D'un coup, il fut extrait de la foule et comme aspiré sur sa droite. Il se retrouva dans une ruelle déserte, non pas la plus étroite de Paris (celle du Chat-qui-Pêche), à quelques mètres de là, mais une pas mal non plus dans le genre serré et obscur, la rue Xavier-Privas.

Plaqué contre un mur poisseux, il découvrit face à lui la gueule tannée d'Alfonso Perez. Entre eux deux, en guise de premier contact, la lame d'un cran d'arrêt que l'Espagnol tenait comme un voyou du *barrio*. Le milliardaire n'avait jamais quitté la violence de la rue.

Durant un bref instant, Corso ne put qu'admirer sa figure racée : avec ses arcades sourcilières volontaires, son nez busqué et sa bouche arquée, il était bien plus qu'un Castillan, il était le guerrier des temps antiques, un soldat de l'*Iliade*…

— Qu'est-ce que tu veux ? gronda-t-il avec toute la colère de sa terre assoiffée dans la gorge, celle qui craque et qui tremble sous le soleil.

— Commandant Stéphane Corso, clama-t-il sans se déballonner. Je vous arrête pour les meurtres de Sophie Sereys et d'Hélène Desmora. À partir de cet instant, vous…

— ¡ *Hijo de puta !*

Corso n'eut que le temps de dévier la tête pour éviter le coup de lame. Perez de l'autre main lui serrait la gorge – une force hors nature, hors âge – pour le maintenir en place. Il armait encore son bras quand Corso réussit à lui échapper et à se plier en deux à la manière d'un boxeur esquivant un coup. La lame se

516

planta dans le gras de son épaule – il ne sentit rien sinon la chaleur de son sang qui giclait sur sa nuque. D'un geste réflexe, il tendit le bras et attrapa le poignet meurtrier. Dans la foulée, il décocha de son autre poing un crochet dans le ventre de l'agresseur. Aucune réaction. Ou du moins pas celle qu'il attendait. Perez lui assena aussitôt sur la nuque un coup de poing en forme de marteau qui le mit à genoux. D'où sortait-il cette force d'Hercule ?

Corso leva les yeux et vit la lame surgir de nouveau dans une courbure de lumière, comme volée aux guirlandes à trois pas de là. Instinctivement, il poussa sur ses jambes et frappa de la tête, en mode bélier, le torse de son agresseur. Le coup de couteau fut détourné et Corso gagna quelques secondes. Déjà, Perez contractait son corps pour une nouvelle attaque. Corso lui balança son avant-bras dans la gueule, ce qui eut pour effet de le repousser, mais pas pour longtemps. L'Espagnol revenait encore, enragé…

Le flic lui attrapa une nouvelle fois le poignet. Il l'enroula de son bras gauche, lui tourna le dos et, de sa main droite, s'apprêta à lui péter os et ligaments sur son genou.

À cet instant, Perez eut une convulsion et échappa à la prise. Comme activé par un ressort, son bras partit à toute force en direction de sa propre gorge. Tout se passa en une éclaboussure de temps, Corso ne comprit rien : il lâcha tout et se retrouva couvert de sang.

Tétanisé, il regarda s'écrouler l'Espagnol dont l'artère ouverte giclait en mode tuyau d'arrosage. Il eut la présence d'esprit de reculer pour échapper au jet qui aspergeait la ruelle. À terre, Perez s'éloignait, dans tous les sens du terme. L'incompréhension s'approfondissait dans ses pupilles. Sa main cherchait, à tâtons, le manche de la lame qu'il s'était enfoncée lui-même dans le cou. Enfin, il trouva l'instrument et l'arracha de la plaie. Le résultat fut une ultime gerbe, plus haute, plus puissante, plus décisive.

Corso attrapa le mort sous les aisselles et le cala sous un porche, à l'abri des regards, juste derrière une descente de gouttière.

Il palpa ses propres poches et trouva son portable. Il composa le numéro du salut – il souillait l'écran de ses doigts tachés d'hémoglobine.

— Allô ?

La voix familière de Barbie. Le retour au monde de la surface.

— T'es où ? Tu bosses ?

— À ton avis ? répondit Barbie avec son insolence réflexe.

Il ne l'avait jamais vue quitter le boulot avant 22 heures.

— Viens me chercher, dit-il dans un râle.

— Où ?

— Juste en face. Rue Xavier-Privas.

Elle éclata de rire.

— Ça, c'était avant.

— Avant quoi ?

— Avant qu'on déménage dans le XVIIe.

Dans sa panique, il avait complètement oublié que les brigades du 36 avaient migré à l'autre bout de Paris.

— Qu'est-ce qui se passe ? demanda-t-elle.

Corso considéra le cadavre à ses pieds.

— Un mort. Il faut que tu me sortes de cette merde.

— Je serai là dans vingt minutes. Débrouille-toi pour tenir.

78

Au cas où Miss Béret n'aurait pas compris que Corso exerçait un métier dangereux et terrifiant, son retour de cette nuit-là aurait eu valeur d'argument définitif. Croûté de sang, hébété, le flic lui balança trois mots avant de passer sous la douche. Une fois sa lucidité revenue, il ne lui en dit pas plus mais accepta qu'elle lui bricole un pansement – sa blessure dans le dos était sans gravité. Ensuite, Corso la remercia puis lui appela un taxi. Il se demandait souvent s'il ne se vengeait pas sur elle de la gent féminine en général et d'Émiliya en particulier.

Côté Saint-Michel, le plan était simple : pas question que la mort de Perez vienne ajourner encore une fois le procès. Barbie et lui avaient donc décidé de faire disparaître les papiers de la victime : son identification demanderait au moins plusieurs jours et les jurés d'ici là auraient pris leur décision. En tout état de cause, Philippe Sobieski allait être acquitté et il serait toujours temps de rouvrir une instruction pour le meurtre des strip-teaseuses autour de la personne d'Alfonso Perez.

Pour ce qui était de l'éventuelle connexion entre cette mort et la personne du commandant Stéphane

Corso, les deux flics avaient pris une décision encore plus limite : ne rien dire pour l'instant et attendre les premières constates. Si par malheur un lien était établi entre le milliardaire castillan et l'enquêteur numéro un dans l'affaire Sobieski, Barbie rédigerait un PV d'audition antidaté où Corso donnerait sa version des faits – de la pure légitime défense.

Corso alla embrasser Thaddée. La sérénité de son sommeil n'eut pas l'effet escompté. Le flic fondit en larmes et dut quitter la chambre précipitamment, de peur de réveiller le petit garçon. Il lui était de plus en plus difficile de se convaincre qu'il était du côté des bons et qu'il protégeait des êtres innocents comme Thaddée. Il avait plutôt l'impression d'imposer son monde de violence et de cruauté à la maison, de faire planer au-dessus de son fils un cauchemar permanent.

Il se prépara du café et reprit une douche. Quand il réalisa, la cafetière à la main, qu'il repartait pour un tour, il alla s'asseoir dans le salon et tenta de retrouver ses esprits. Pas moyen d'analyser la situation. C'était pourtant clair. Sobieski était innocent. Perez coupable. Corso avait tué le coupable. Simple, non ?

Son cerveau s'effilochait, un peu comme le corps de Marco Guarnieri dans les eaux noires de la mer d'Irlande. Il en était à sa dixième tasse de café, en vrac sur son canapé, quand on sonna à la porte. Il se prit à espérer des nouvelles positives : Catherine Bompart, sa bonne fée, venant lui annoncer que tout était sous contrôle (mais il ne l'avait pas encore appelée), ou encore Barbie lui confirmant que le corps était déjà à l'IML, sans identité…

C'était Claudia Muller qui se tenait sur son seuil.

— Tu vas me le payer, fils de pute.

Corso ne sut pas quoi répondre. À cet instant, Claudia n'était ni belle ni laide. Elle n'était qu'un bloc d'énergie négative.

— De quoi parlez-vous ?

— D'Alfonso Perez.

Il s'effaça pour la laisser entrer. Dans son sillage, il retrouva le parfum qui l'avait envoûté au café de la Sorbonne.

— Vous voulez boire quelque chose ? tenta-t-il.

— C'était mon coupable, bordel de merde. La seule issue possible au procès !

Corso comprit que, pour une raison inexplicable, Claudia était déjà au courant de tout. Il s'assit sur le canapé et ne chercha pas à jouer au plus fin.

— C'était lui ou moi, expliqua-t-il. Il a tenté de me trancher la gorge. Comment vous êtes au courant ?

Toujours debout, l'avocate fixait un point invisible devant elle, vers la fenêtre. Manteau noir matelassé, bottes brillantes, queue-de-cheval, petit cartable : une vraie combattante qui plaide pour la vie et n'a pas peur de la mort.

— On avait rendez-vous place Saint-Michel, dit-elle plus calmement. Quand j'ai vu les flics qui sécurisaient la rue de la Huchette, j'ai tout de suite compris. Y avait là-bas des OPJ que je connaissais, ils m'ont laissée m'approcher du corps.

— Vous leur avez dit qui c'était ?

Elle eut un sourire qui ressemblait à une cravache.

— C'est donc ça ? C'est toi qui lui as volé ses papiers ? Putain de con…

— Pourquoi vous me soupçonnez ?

Corso s'en tenait au vouvoiement. Pas de familiarité avec l'ennemi.

— Je ne connais qu'un seul flic capable de se battre au fond d'une ruelle avec un assassin sur le point d'être inculpé. Tu es plus dangereux pour la justice que pour les criminels.

— Le danger, c'était Perez.

Claudia secoua la tête, comme si elle avait les cheveux mouillés, mais ne répondit pas.

— Vous alliez lui annoncer vos soupçons ? relança-t-il.

— Je voulais le confronter à mon dossier. Lui expliquer que sa seule chance, c'était d'avouer.

— Dans un café ?

— C'était le plus sûr, une confrontation avec témoins.

Corso ne demanda pas à voir les pièces, il les aurait bien assez tôt sous les yeux.

— Vous auriez fini à la place de Perez, au fond d'une ruelle, la gorge tranchée, continua-t-il.

— Je sais me défendre.

Claudia Muller s'assit enfin. Comme en réaction, Corso se leva et se posta à son tour devant la fenêtre. Il n'y avait rien à voir, à l'exception du mur aveugle de l'hôpital Cochin. Depuis un an, il parlait de déménager…

Se retournant, il considéra cette femme qui ruminait au fond de son siège. Elle lui apparaissait maintenant comme une petite péteuse pour qui le monde du crime se résumait à un terrain fertile pour sa propre carrière. Elle n'en avait rien à foutre des victimes, du vrai coupable ni même de Sobieski – elle voulait simplement gagner, voir son nom dans les journaux, décrocher de nouveaux clients et se faire plus de fric encore.

— Il n'est pas trop tard, reprit-il, les mains dans les poches. Mort ou vivant, Alfonso Perez reste une bonne alternative à la culpabilité de Sobieski. Sa disparition ne vous empêchera pas de l'accuser.

Elle secoua encore la tête – il se rendit compte qu'elle avait *vraiment* les cheveux mouillés. Il devait pleuvoir mais la violence de la nuit l'avait coupé du monde extérieur pour un bon moment.

— Bougre de con, fit-elle entre ses dents, c'est à croire que t'as jamais fait de droit. Tu ne sais pas qu'on ne peut pas accuser un mort ? Les poursuites s'arrêtent avec les battements cardiaques.

— Votre but, c'est bien de faire acquitter Sobieski, non ?

— Je ne veux pas que Sobieski soit acquitté au bénéfice du doute. Je veux qu'il soit lavé de tout soupçon. Je veux que la vérité éclate au grand jour !

Peut-être que Claudia avait finalement une vocation plus profonde. Peut-être qu'elle vivait vraiment chacune de ses affaires comme une croisade. Ou plutôt – c'était ce qu'il pensait depuis le début – qu'elle était raide dingue d'un peintre édenté qui aimait se faire enfiler par-derrière.

— Je vais témoigner, dit-il en s'approchant. Je vais tout raconter. Son agression est la preuve de sa culpabilité.

— Tu ne comprends décidément rien. Les morts ne peuvent pas répondre des accusations et, de ce fait, ils ne sont jamais tout à fait coupables. L'affaire ne sera jamais résolue.

Cette idéaliste manquait finalement d'expérience : combien de dossiers non bouclés avait-il vus passer ? C'était la trame même de la justice. Pleine de trous, de compromis et de rafistolages.

Elle se leva d'un air mauvais et empoigna son sac.

— Je demande ton arrestation dès demain matin. Pour homicide volontaire et délit de fuite. Ton ADN doit être partout rue Xavier-Privas.

— Ne faites pas ça, dit-il en lui barrant la route. Je ne fuirai pas mes responsabilités mais je dois rester libre. J'ai un fils. Vous le savez. Je dois m'en occuper, je…

— T'es vraiment un loser. Le monde de la justice n'a rien à faire d'une merde comme toi.

Elle le contourna et marcha jusqu'à la porte.

— Crois pas que tu t'en sortiras comme ça. T'es un lâche et un flic pitoyable. Par ta médiocrité, tu as failli envoyer Sobieski au trou pour le restant de ses jours.

— Tout dans le dossier l'accusait, tu le sais comme moi.

Il était passé au tutoiement sans même y réfléchir : on était maintenant dans le dur. Plus la peine de prendre des pincettes.

— Le dossier, c'est toi qui l'as constitué, aveuglé par ta haine de Sobieski. Tu n'es pas allé voir plus loin que ta bite et ton calibre. Je te foutrai dans le box des accusés à la place de Sobieski et de Perez. Et cette fois, Bompart ne pourra pas sauver tes miches !

Dire qu'il s'était pris à imaginer une histoire d'amour avec cette gorgone... Ce n'était pas qu'il n'avait aucune chance, c'était que Claudia Muller ne carburait qu'à la haine. Ou à l'amour dépravé, tordu, comme celui qu'elle vouait à Sob la Tob.

— Tu crois que j'ai pas lu ta bio ? demanda-t-elle en ouvrant la porte. Que j'ai pas compris que Bompart t'a couvert dans une affaire qui...

Elle ne put finir sa phrase : Corso venait de lui attraper la gorge, comme on chope une poule dans une basse-cour.

— Écoute-moi bien, petite-bourgeoise de mes deux, murmura-t-il en la plaquant contre le chambranle de la porte, tu veux enquêter sur mon passé ? Te donne pas cette peine.

— Je...

Il réalisa qu'il était en train de l'étrangler et la lâcha aussitôt.

Elle se massa la gorge mais ne bougea pas. Elle attendait la suite.

— Quand j'avais 13-14 ans, attaqua-t-il, j'me suis retrouvé dans une famille d'accueil à Nanterre, à la cité Pablo-Picasso. Pas tout à fait ton genre.

— Je connais.

— Au Journal de 20 heures ? J'me suis mis à zoner, à me défoncer, à fréquenter des dealers. Parmi eux, y avait un type charismatique. Une pure ordure qu'on appelait Mama. Il m'avait à la bonne et me filait de la dope à l'œil. En réalité, il m'a très vite transformé en esclave sexuel. D'abord pour lui, puis pour ses potes. Son projet était de monter un petit commerce avec mon cul.

Claudia était revenue dans l'appartement. Son visage, dans l'ombre du vestibule, était d'une pâleur luminescente.

Corso tendit le bras, elle eut un recul, mais le flic referma simplement la porte : les voisins n'avaient pas à entendre ses confidences.

— Quand il a commencé les tournantes, j'ai essayé de me sauver. Il m'a alors enfermé dans une cave sans me donner un gramme. Après plusieurs jours, quand il est venu vérifier si j'avais compris la leçon, je lui ai crevé les yeux avec un tournevis et je l'ai poignardé dix-sept fois.

Le visage de Claudia paraissait carrément clignoter dans l'obscurité.

— À l'époque, Bompart dirigeait un des groupes des Stups. Elle surveillait le réseau auquel appartenait Mama. Elle m'a retrouvé au fond de la cave, presque vitrifié par le sang coagulé de l'autre salopard. Je n'avais pas bougé de là, j'étais resté près du cadavre pendant trois jours. Elle m'a sorti de ce trou, elle m'a obligé à passer mon bac et elle m'a foutu à l'école de police à coups de pompes dans le cul. Je suis devenu un des meilleurs flics du 36 mais dans le fond, je suis toujours un assassin.

Claudia avait perdu toute assurance. On pouvait voir qu'elle tremblait sous sa parka matelassée.

— Pour… pourquoi tu me racontes ça ?

— Tu voulais savoir ce qu'il y avait entre Bompart et moi. Cette nuit-là, on a enterré Mama dans une friche industrielle près de la Seine. Crois-moi, ça crée des liens.

— T'as pas peur que je m'en serve contre toi ?

Il rouvrit la porte en retrouvant le sourire, une espèce de sourire funeste de tête de mort.

— Y a prescription, ma belle. C'est pas à toi que je vais apprendre ça.

Elle eut un rictus lugubre à son tour.

— Dans cette affaire, t'es qu'un psychopathe parmi d'autres.

— Avec toi, ça fait deux de plus.

— T'as vraiment le cul bordé de nouilles.

8 heures du matin. Barbie avait pris son temps pour le rappeler.

— Explique-toi.

— D'abord, c'est mon groupe qui a hérité de la rue Xavier-Privas.

— T'étais de permanence, non ?

— Non. Je me suis débrouillée.

— Ensuite ?

— J'ai vu avec l'IJ. Il semblerait qu'il n'y ait qu'un seul sang sur la scène de crime. Celui de la victime.

Corso était en train de glisser les assiettes sales dans le lave-vaisselle, pendant que Thaddée se brossait les dents. Après le petit déjeuner, départ à l'école en catastrophe. Un matin ordinaire dans la famille Corso.

Il ne comprenait pas comment il pouvait enchaîner les gestes de la vie quotidienne après une nuit pareille. Il n'avait pas dormi, ou peut-être quelques bribes de néant entre des plages de lucidité qui ressemblaient à des crises de folie.

— L'IJ a aussi relevé les empreintes. Rien à signaler, mon général. J'avais fait le ménage.

— Tu veux dire…

— Qu'on la ferme pour de bon et qu'on attend l'identification du pépère.

Corso songea à Claudia Muller : allait-elle mettre ses menaces à exécution ? Il résuma la visite nocturne de l'avocate.

— T'as toujours plu aux femmes.

— Je sais pas quoi en penser.

— Oublie. Elle peut rien prouver et, si elle veut témoigner dans cette histoire, c'est moi qui prendrai sa déposition.

Thaddée enfilait ses chaussures dans le vestibule, ployant sous un sac à dos digne des forçats de Cayenne, période Papillon.

— T'as vu les news ce matin ? demanda Corso.

Il avait parcouru les titres des journaux avant le réveil de son fils. Il n'était question que du procès du faussaire et des multiples révélations qui avaient ponctué la première journée des débats.

— Ce procès nous a filé entre les doigts, répondit Barbie d'un ton amer. Mais on en a vu d'autres.

— Faut que j'y aille. On va être en retard à l'école.

Thaddée trépignait déjà sur le seuil de l'ascenseur. Il n'y a pas plus à cheval sur l'horaire qu'un petit garçon en route pour l'école.

— Va compter les points au tribunal, conclut Barbie, et appelle-moi pour le score.

80

Assis sur son banc, Corso se sentait rassuré : un quidam comme un autre, un anonyme parmi les anonymes. Blafard et nauséeux, pas du tout en état, mais enfin, assez correct pour passer inaperçu.

Selon toute vraisemblance, le président du tribunal allait laisser la parole à la partie civile puis au ministère public pour les réquisitoires. Maintenant que la preuve était faite que Philippe Sobieski était bien un faussaire et qu'il s'était échiné sur son four durant la nuit du meurtre de Sophie Sereys, le reste coulait de source. Il n'avait pas tué Nina Vice. Pas plus qu'il n'avait assassiné Hélène Desmora, alias Miss Velvet. Quant au meurtre de Marco Guarnieri, il n'était pas jugé ici mais plus personne ne pouvait penser – merci Jim « Little Snake » Delavey – que c'était l'œuvre de Sobieski.

« Fini du coup », aurait dit Catherine Bompart. Mais Corso voulait entendre les réquisitoires et surtout la plaidoirie de maître Muller, qui promettait d'être un morceau d'anthologie à propos de l'aveuglement de la police et de la médiocrité des juges d'instruction.

Le président allait donner la parole à maître Zlitan quand Rougemont leva le bras.

— Monsieur l'avocat général, lança le président qui visiblement avait hâte que cette séance finisse, vous connaissez la règle : vous devez attendre que maître Zlitan ait prononcé son réquisitoire pour présenter le vôtre.

— Nous n'avons pas fini de présenter toutes les pièces, Monsieur le Président.

Delage se raidit sur son fauteuil.

— Quelles pièces ?

— Les résultats des dernières analyses. L'OCBC les a versés au dossier hier.

D'un geste, Rougemont fit signe à son assistant de remettre des documents au président, à ses assesseurs, aux jurés et à Claudia Muller. De là où il était, Corso ne pouvait apercevoir qu'une liasse de feuilles agrafées portant des listes ou des tabulations.

Tout le monde était en arrêt, surtout Claudia Muller, qui ne s'attendait pas à un élément de dernière minute.

Le président, après avoir parcouru les pages, leva les yeux.

— Je ne comprends pas. On a procédé à d'autres tests sur les *Pinturas rojas* ?

— Pas sur les *Pinturas rojas*, Monsieur le Président, sur des toiles contemporaines de Sobieski. L'OCBC a réquisitionné les pièces n° 132, n° 133, n° 141, n° 154 et n° 172, qui correspondent à des œuvres placées sous scellés lors de la perquisition effectuée dans l'atelier officiel de M. Sobieski le 7 juillet 2016.

Michel Delage haussa les épaules.

— Pourquoi avoir ordonné ces analyses ?

— Les enquêteurs ont pensé qu'il serait intéressant d'étudier les pigments et autres composants utilisés par l'accusé pour ses tableaux modernes.

— Dans quel but ?

— Afin d'établir une corrélation supplémentaire entre Sobieski l'artiste contemporain et Sobieski le faussaire.

Le président ne paraissait pas convaincu.

— Admettons. Et alors ?

— Ils n'ont identifié dans ces œuvres aucun des composants utilisés dans les contrefaçons.

Le président leva les bras et les laissa lourdement retomber sur la surface de la tribune, manière de dire « Tout ça pour ça ! ». Il s'apprêtait déjà à conclure, quand Rougemont ajouta :

— Mais ils ont trouvé autre chose.

— Quoi ?

L'avocat général chaussa ses lunettes, feuilleta la liasse et s'arrêta sur un passage surligné, qu'il lut à voix haute :

— « Chacune de ces toiles contient des proportions infimes de fer, d'acide folique, de vitamine B12… »

— De quoi s'agit-il ? fit Delage avec impatience.

— De sang, Monsieur le Président. Du sang humain.

Il y eut un silence, puis une sorte d'effarement qui se transforma aussitôt en bruissement nerveux.

Le président réclama le silence mais sa voix manquait de fermeté. Corso lança un coup d'œil à Sobieski et à Muller qui se regardaient, stupéfaits.

Il sentait l'imminence d'un bouleversement. Quelque chose que personne n'attendait. Un souvenir lui traversa l'esprit : des rumeurs à propos du Caravage, peintre sulfureux de la Renaissance, accusé de meurtre et inventeur du clair-obscur. On racontait que l'artiste utilisait du sperme et du sang pour faire vivre plus intensément ses toiles. Sans doute une légende, mais Sobieski aimait se hisser à la hauteur des légendes…

Rougemont avait repris l'énoncé des résultats d'analyses, confirmant que, sur chaque toile réquisitionnée, des traces d'hémoglobine étaient perceptibles. Il lisait d'un ton monocorde, sans se presser ni manifester la moindre émotion.

— En résumé, conclut-il, nous pouvons affirmer que l'accusé incorpore du sang humain aux couleurs de ses tableaux.

Sobieski se dressa dans sa cage de verre.

— C'est faux ! hurla-t-il. C'est un coup monté !

Son visage était comme déchiré, exprimant un désarroi asymétrique, monstrueux, quelque chose d'aussi horrible que les visages mutilés de Sophie Sereys et Hélène Desmora.

— Et qui plus est, un sang différent sur chaque toile, continuait Rougemont, imperturbable.

Claudia Muller se leva d'un bond.

— Dans ces conditions, s'exclama-t-elle, nous demandons un ajournement. Ces nouveaux éléments dont nous n'avons pas eu connaissance nécessitent une contre-analyse et…

— Demande refusée, assena le président. Laissons d'abord finir l'avocat général. Son intervention nous semble riche d'enseignements.

Rougemont, encouragé par cette attitude, ôta ses lunettes et s'avança au centre de la cour, face aux juges et aux jurés. Du coin de l'œil, il paraissait tenir en joue Philippe Sobieski et Claudia Muller.

— Il y a quatre mois, dans cette même salle, le professeur Jean-Pierre Audissier, psychiatre consultant de la maison d'arrêt de Fleury-Mérogis, nous a décrit avec précision la pathologie particulière de Philippe Sobieski. L'accusé souffrait, à l'époque de sa détention, d'une hypersensibilité à la peinture. Il voyait vibrer les couleurs, s'animer les sujets des tableaux, jaillir les motifs et les contrastes. Selon le professeur, la pratique de la peinture avait apaisé Philippe Sobieski. Et on peut supposer aujourd'hui que ses contrefaçons de Goya étaient aussi une forme de thérapie…

— Au fait, Monsieur le procureur, au fait…

Rougemont fit quelques pas avant d'enchaîner :

— Les OPJ se sont dit que ce qui apaisait Sobieski, c'était peut-être ce qu'il avait glissé dans chacune des toiles.

— Expliquez-vous.

— Une signature écrite avec du sang.

— Une signature à son nom ?

Encore quelques pas. L'avocat général soignait ses effets.

— Le sang coagulé a la même couleur qu'un pigment ocre ou brun mais pas la même composition chimique. En d'autres termes, un motif peint avec de l'hémoglobine peut se fondre, visuellement, dans une surface rouge foncé, mais ce motif, chimiquement, est d'une autre nature…

— Et alors ?

Le procureur adressa un signe à deux flics en uniforme, qui apportèrent aussitôt quatre grandes toiles de Sobieski enveloppées d'un film plastique transparent et les disposèrent le long de la tribune des juges.

Une prostituée famélique, nue, alanguie sur un canapé.

Une strip-teaseuse vêtue seulement d'un boa de plumes rouges.

Un junk en plein shoot accroupi au fond d'un tunnel.

Un hardeur dépoilé ceinturé d'une étoffe de soie pourpre.

Il y eut dans la salle un mouvement de recul. Les sinistres personnages signés Sobieski semblaient fixer l'assistance du fond de leur monde dépravé.

— Si vous me permettez, Monsieur le Président, je voudrais qu'on tire les stores des fenêtres. J'ai besoin d'obscurité pour ma démonstration.

Sans hésitation, Delage fit un geste – il semblait impatient de voir où le procureur les emmenait. En quelques secondes, la salle fut plongée dans la pénombre et revêtit une inquiétante étrangeté, comme aurait dit Freud.

Les lambris parurent se fondre dans un bain de brou de noix, les robes des magistrats s'absorbèrent dans le clair-obscur. Corso lança un dernier coup d'œil à Sobieski et Claudia : ils avaient l'air perdus, condamnés. C'était comme s'ils se noyaient dans ces grands fonds sans pouvoir réagir.

Pour ces deux-là, la lumière ne reviendrait jamais.

81

Dès que l'obscurité fut complète, des techniciens de l'Identité judiciaire, vêtus de leurs habituelles combinaisons blanches, firent leur entrée. Du jamais-vu : la salle d'audience du TGI de Paris se transformait en scène de crime.

À l'aide de cutters, ils découpèrent précautionneusement les pellicules de plastique protégeant les toiles. Chacun de leurs gestes laissait une trace blafarde. Un ballet de fantômes dans une boîte à cigares géante, et tout ça à 10 heures du matin…

Libérés de leur gangue, les personnages peints par Sobieski acquirent soudain une présence supplémentaire, comme si l'obscurité était leur milieu naturel, là où ils pouvaient réellement s'épanouir.

Rougemont reprit la parole – dans le noir, son timbre paraissait s'élever de partout à la fois, à la manière d'une voix de démiurge :

— Bien qu'invisibles à l'œil nu, ces marques de sang sont réparties selon un ordre particulier. Comme si elles traçaient un « dessin dans le dessin ».

Les techniciens ouvrirent leurs mallettes de polypropylène noires et en sortirent un produit que

Corso reconnut aussitôt : un révélateur qui provoque une réaction lumineuse au contact des particules de fer contenues dans le sang.

Le procureur se fendit d'un bref exposé technique et en vint au principal :

— Grâce à cette solution spécifique, nous allons pouvoir découvrir quels dessins invisibles à l'œil nu forment les résidus de sang…

Dans un mouvement presque simultané (vraiment de la nage synchronisée), les techniciens se mirent à pulvériser lentement le réactif sur la surface des tableaux.

Un cri étouffé – tout à fait synchrone lui aussi – circula parmi le public. Le processus de chimioluminescence était engagé. Sur chaque toile, un prénom, tracé en majuscules tremblées, apparaissait.

Parmi les plis du canapé de la prostituée allongée, « SARAH ». Le long du boa de l'effeuilleuse, « MANON ». À la surface du caniveau du tunnel, « LÉA ». Quant à la soie rouge qui entourait la taille du hardeur, elle affichait distinctement « CHLOÉ ».

— Comme vous pouvez le voir, ce sont des prénoms féminins peints en lettres de sang. Dans la mesure où…

— C'EST UN COUP MONTÉ ! répéta Sobieski.

La voix du président s'éleva en retour :

— Maître Muller, dites à votre client de se taire, sinon je le fais évacuer !

L'agitation dans la salle était à son comble. Des gens se levaient, d'autres trahissaient leur serment en photographiant à coups de flash les tableaux, des flics en uniforme tentaient de les en empêcher…

Les techniciens en combinaison immaculée, un genou au sol, vaporisaient toujours les toiles de Sobieski, révélant de plus en plus nettement les prénoms…

— Les enquêteurs ont comparé ces traces avec les échantillons de sang relevés dans l'atelier de la rue Adrien-Lesesne : de nombreuses similitudes sont apparues. Les sangs sur ces toiles et sur l'établi de Sobieski correspondent aux mêmes victimes.

— Monsieur le Président, cria Claudia Muller, je proteste contre ces allégations !

Le président ne prit même pas la peine de répondre – pour l'occasion, il était descendu de sa tribune, suivi par ses assesseurs et les jurés. Tous contemplaient, fascinés, les personnages lugubres de Sobieski.

Ce fut Rougemont qui répliqua directement à Claudia Muller :

— Oublions mes « allégations », comme vous dites. Et revenons aux meurtres qui sont jugés ici.

Des flics aux mains gantées venaient d'apporter deux nouveaux tableaux. Aussitôt, les gars de l'IJ pulvérisèrent le réactif sur les silhouettes livides.

Deux prénoms luminescents apparurent entre les reliefs de peinture : SOPHIE et HÉLÈNE. Écriture tremblée, lignes obliques mal assurées, mais il n'y avait pas à discuter : les prénoms étaient distincts et brillaient sous l'effet du révélateur.

Tollé dans la salle d'audience : l'assassin avait signé ses crimes au sein même de ses œuvres. La surprise virait à la foire d'empoigne. Chacun se levait, essayait d'apercevoir les prénoms, brandissait son portable…

Corso, lui, ne bougeait pas. Il avait déjà compris ce que pensait Rougemont – ce que tout le monde pensait. Quand Sobieski contemplait ses œuvres, il voyait en réalité sa signature. Il exposait à la face du monde ses crimes sans qu'on puisse le soupçonner.

— Ces deux noms sont bien sûr écrits avec le sang des victimes. Nous pouvons donc supposer, n'en déplaise à la défense, que les autres tableaux portent les traces d'autres crimes.

L'avocat général hurlait presque alors que des flics évacuaient maintenant le public, tandis que d'autres ouvraient les stores des hautes fenêtres.

— Quant à supposer qu'il s'agit d'une machination, comme notre confrère de la défense voudrait le faire croire, je précise que les officiers de l'OCBC ont procédé à une analyse graphologique de ces inscriptions – elle est aussi versée au dossier. Aucun doute, elles sont bien de la main de l'accusé.

Le vacarme était à son comble, mais rien ni personne ne pouvait couvrir le bruit le plus strident, le plus déchirant de ce barouf : la voix de Philippe Sobieski qui hurlait qu'il ne voulait pas crever en taule.

82

Philippe Sobieski fut condamné à trente ans de prison, dont vingt-deux de sûreté incompressibles – autant dire que juges et jurés avaient décidé que le peintre-faussaire devait finir son existence derrière les barreaux.

En quelques minutes, on avait oublié toutes les preuves, tous les témoignages démontrant son innocence – en tant qu'assassin sinon en tant que faussaire. Les prénoms tracés à l'intérieur même des plis de couleur de ses toiles l'avaient condamné définitivement aux yeux de tous.

Le verdict était tombé le lendemain de la grande révélation, le vendredi 24 novembre (tout devait être réglé avant le week-end : le président de la cour avait refusé un quelconque ajournement qui aurait permis à Claudia Muller de se retourner). Au fond, graphologie ou pas, les inscriptions auraient pu être aussi ajoutées par quelqu'un d'autre, comme le sang laissé dans l'atelier, mais ces traces d'hémoglobine emportèrent le morceau.

Face aux réquisitoires de Rougemont et de Sophie Zlitan, Claudia Muller n'avait rien pu faire. Quoi qu'elle dise, les jurés conservaient au fond des pupilles les prénoms sanglants sur les tableaux. Elle avait répété les alibis de son client, essayé d'incriminer Corso et sa partialité, tenté de faire porter le chapeau à Alfonso Perez – dont le cadavre n'avait toujours pas été identifié –, mais tout était tombé à plat. C'était comme dans un casting : après une performance hors pair, les autres, quelles que soient leurs qualités, font pâle figure.

Les délibérations n'avaient duré que deux heures. Personne ne pouvait expliquer comment cet imposteur avait pu forger de tels alibis mais ce qui avait primé, c'était l'impression tenace qu'il dégageait : Sobieski avait une tête de meurtrier, il avait déjà tué et son atelier clandestin ressemblait bien au repaire d'un psychopathe passant ses nuits à torturer des filles.

Quant à ses toiles…

Les jurés, les juges, le public, les médias – la France tout entière – avaient ressenti la même répulsion, suivi le même chemin. Ce procès tordu, cette gueule malsaine, cet imposteur aux manières provocatrices, tout ça était remonté à la surface comme un cadavre en pleine putréfaction quand Rougemont avait fait l'obscurité dans la salle d'audience et révélé les prénoms des mystérieuses victimes – et c'était cette charogne que tous avaient jugée.

À l'annonce du verdict, Philippe Sobieski s'était jeté contre la vitre en hurlant, Claudia Muller s'était effondrée sur son siège. Corso en eut presque de la peine. Ces deux sinistres personnages, si sûrs d'eux, si arrogants, désormais brisés et vaincus, c'était pathétique.

Lui-même sortit éreinté du procès. Il n'entendait pas le brouhaha de la foule, ne voyait pas l'agitation des journalistes qui se pressaient autour des avocats et des juges. Il prit son chemin habituel, par le vestibule de Harlay. Il ne cherchait même pas Claudia Muller, il n'aurait pas su quoi lui dire. Le procès les avait fait passer par tellement de températures, de vérités différentes, d'univers distincts...

La justice avait une nouvelle fois démontré sa vanité, sa relativité. Sobieski coupable, vraiment ? Corso n'était pas dans sa voiture qu'il se reprenait à douter. Les signatures sanglantes semblaient avoir confondu l'accusé mais finalement, elles ne remettaient pas en cause les autres éléments. Les alibis de Sobieski, l'hypothèse d'un coup monté, la culpabilité probable d'Alfonso Perez, qui au passage avait tenté de le tuer...

Encore une affaire qui s'achevait, malgré les apparences, en eau de boudin, sans qu'aucune vérité convaincante s'impose. Il s'était tellement passionné pour cette histoire qu'il s'était pris à espérer, pour une fois, une issue claire et limpide. C'était sans compter avec le penchant naturel de tous les acteurs de ce petit théâtre – accusés, témoins, avocats, juges, jurés... – pour foutre en l'air la moindre évidence, couper le moindre cheveu en quatre, saborder le moindre fait objectif par des sous-entendus...

Il n'y a pas de vérité, il n'y a que des mensonges assumés...

Longeant l'hôpital Cochin, il balaya toute cette merde d'un haussement d'épaules et retrouva le vrai sens de sa vie : Thaddée, à la sortie de l'étude. D'une certaine façon, il fallait fêter ça.

Sans s'expliquer, il l'emmena dans sa pizzeria préférée et invita même, pour l'occasion, Miss Béret. Admirer son petit garçon qui s'en mettait jusque-là aux côtés de sa partenaire épisodique, avec ses gros seins et ses idées simples, voilà qui était plus que rassurant.

Pourtant, toute la soirée, il ne cessa de vérifier son portable. Pourquoi se mentir ? Il attendait un appel de Claudia Muller.

83

Paris sous le soleil, c'est pas mal, mais Paris sous la pluie, c'est carrément l'apothéose. Ses ruisseaux vivants, ses trottoirs laqués, son ciel noir qui transforme chaque immeuble en bloc pâle, presque fluorescent, avec ses ornements de façade en guise de lignes de vie. Si vous vous abritez dans un café, vous éprouvez alors le pur bonheur d'être entièrement revêtu par la ville, niché en son sein, derrière des vitres piquées de pluie. Dans ces moments-là, Corso avait l'impression de saisir l'essence même de sa ville, celle des amoureux et des crapules, des rendez-vous galants et des coupe-gorge, des complots ésotériques et des crimes passionnels.

En cette période de Noël, le spectacle perdait un peu en qualité parce que la cité croulait sous les décorations. Avec la pluie, les lumières se mettaient à dégouliner en rivières de réglisse colorées plutôt écœurantes. Mais bon, c'était tout de même Paris qui vous bruissait aux oreilles, serpentait partout et vous réchauffait le cœur…

En ce 6 décembre 2017, Corso avait pris son mercredi – *fuck les Stups* – pour emmener Thaddée voir les vitrines des grands magasins du boulevard Haussmann.

Il s'aperçut rapidement qu'il s'était planté parce que son fils, 10 ans et demi, était déjà trop grand pour s'émerveiller de ces décors. Il était plutôt branché mangas et dessins animés japonais incompréhensibles – des flingues, des monstres, des super-pouvoirs, et que le meilleur gagne. En réalité, le vrai spectacle aujourd'hui était pour Corso : il admirait ce visage innocent sur lequel circulaient les lumières de Noël comme d'infinies veinules de joie et de couleur.

Il avait toujours souffert de la ressemblance de Thaddée avec sa mère. Le petit garçon avait hérité de la beauté de la Bulgare, mais aussi d'une certaine manière de se tenir, de poser ses mots sur le bout de la langue. Ce reflet incessant de sa pire ennemie, au sein de l'être qu'il aimait le plus au monde, lui foutait les nerfs en pelote. Pourtant, depuis qu'il avait la garde alternée de son fils, il s'était détendu et commençait à accepter cette symbiose. Il y voyait même une sorte de sauvetage du misérable couple qu'il avait formé avec Émiliya. De leurs jeux sexuels, de leurs affrontements pervers, de leur haine viscérale, était sorti quelque chose de bon – et même de sublime : Thaddée.

Son portable interrompit ses rêveries : Bompart.

— Tu connais la nouvelle ?

— Quoi ?

— Sobieski s'est suicidé à l'infirmerie de Fleury.

Plus de pensées, pas de réaction.

Juste une question réflexe, une question de flic :

— Comment il a fait ?

— Il s'est volontairement blessé pour aller à l'infirmerie. Il a trouvé une rallonge et s'est pendu au plafonnier. Je suis sidérée qu'on puisse encore se flinguer aussi facilement dans une taule comme Fleury.

D'un geste machinal, Corso serra la main de Thaddée et se fraya un chemin à travers la foule.

— Viens me chercher, ordonna Bompart.

— Pourquoi ?

— On va à Fleury. Petite veillée funèbre.

— Je peux pas, je suis avec Thaddée.

— Démerde-toi. Faut qu'on soit les premiers sur le coup.

— Qu'est-ce qu'il y a de si urgent ?

— Mon petit, ce suicide, ça va remettre le feu aux médias. Autant profiter de notre temps d'avance pour concocter une version présentable. Dans quelques heures, tout le monde sera au courant. Et crois-moi, d'une manière ou d'une autre, cette mort va nous retomber sur la gueule.

84

La mère d'un des camarades d'école de Thaddée fut ravie de l'accueillir pour le déjeuner et l'après-midi : balade dans les jardins du Luxembourg et atelier crêpes pour le goûter.

Après l'avoir déposé, Corso fila au 36, rue du Bastion, dans le XVIIe arrondissement, la nouvelle adresse de la PJ. Il n'y avait encore jamais mis les pieds et quand il découvrit l'immense bâtiment bleu ciel, qui semblait construit en Lego, il songea bizarrement aux tours Aillaud de son adolescence. Il ne regrettait pas d'avoir quitté la BC et il était carrément heureux de ne pas avoir à aller tous les jours dans ce quartier qui n'était encore qu'un immense chantier.

Bompart monta dans sa voiture en vociférant à propos de « ces nouveaux bureaux de merde » et de la boue qui avait ruiné ses chaussures. Tout ça puait la diversion : ni l'un ni l'autre ne souhaitaient évoquer le suicide de Sobieski. En l'absence d'éléments précis, les flics apprennent à la fermer.

Alors qu'ils roulaient sur le boulevard périphérique, Bompart demanda :

— Tu sais qu'Ahmed Zaraoui a été libéré ?

— Qui ?

— Ahmed Zaraoui. Le caïd de la cité Picasso.

En un flash, il se revit, près d'un an et demi auparavant, ramper dans le conduit d'aération au-dessus de la mosquée puis dégringoler dans le parking avant d'ouvrir le feu sur Mehdi Zaraoui, le frère d'Ahmed. Travaillant à l'OCRTIS, il aurait dû être au courant de la libération d'un tel lascar.

— Et alors ? demanda-t-il simplement.

— Tu pourrais craindre des représailles.

— Pourquoi ?

— Joue pas au con, fit Bompart en fixant la route. J'me suis assise sur cette affaire, mais j'la sens toujours là où je pense.

Quand elle voulait, marraine Catherine était d'une élégance rare.

— J'en ai rien à foutre, fit-il pour rester dans la note.

— T'as tort. Y a pas plus revanchard que ces putains de bougnoules. Lambert chie dans son froc.

Le flic des Stups, complice de Corso dans la galère, pouvait en effet se ronger les sangs : c'était lui qui, officiellement, avait abattu le frangin du caïd.

L'autoroute offrait un paysage à pleurer – ou à vomir, selon son humeur. Il n'était plus question d'un Paris délicat et scintillant mais d'un décor de béton qui se fondait comme une marée grise dans l'horizon brouillé. Malgré ce tableau, Corso était heureux de se rendre à la maison d'arrêt avec Catherine Bompart. Une petite famille en route pour le cimetière, un jour de Toussaint.

Quand ils sortirent de la voiture, des trombes d'eau les assaillirent. Alors qu'ils marchaient au pas de course vers le premier poste de sécurité, Bompart se décida à livrer son opinion sur Sobieski :

— Ce suicide clôt le dossier. Y a plus de doute sur sa culpabilité.

— Ah bon ?

— T'as une autre idée ?

Ils se réfugièrent sous le portail et sonnèrent, comme le Chaperon rouge chez Mère-grand.

— Exactement le contraire, fit Corso. Il s'est peut-être suicidé parce qu'il ne pouvait pas accepter l'injustice dont il était victime.

— Il avait qu'à faire appel.

— Il a pas eu la force d'attendre, d'encaisser encore des années de taule.

— T'es sérieux ?

Corso ne répondit pas. La pluie, partout. Comme si la tristesse du monde s'était liguée contre eux et les avait coincés dans ce coin sombre pour les achever.

Les gardiens, enfin. Documents, fouille, calibres au vestiaire. Puis le labyrinthe des portes, des couloirs, des barreaux. Corso ne supportait pas les prisons. Il y étouffait, comme tout le monde, mais ce qui le différenciait des autres, c'est qu'il s'y sentait chez lui. Il avait toujours eu le sentiment d'appartenir à l'univers carcéral. Il aurait dû écoper d'au moins dix ans pour le meurtre de Mama si Bompart ne l'avait pas couvert. Et de bien plus s'il était resté du mauvais côté du calibre.

Fleury était une taule de la taille du musée du Louvre. Quoi qu'on fasse, où qu'on aille, il fallait marcher au moins une demi-heure en traversant les pires odeurs de la Terre, celles de l'homme emprisonné qui ne cesse de régurgiter son amertume et son acidité.

Ils parvinrent à l'infirmerie. En dépit du nombre de détenus – plus de 4 500 pour une capacité de 3 000 –, la prison ne possédait qu'une unité de soins digne d'une école primaire. Une pièce dans laquelle deux lits à armature de fer se partageaient l'espace, avec une paillasse carrelée de blanc dans un coin, un négatoscope fixé au mur, une télé hors d'âge, une petite bibliothèque médicale…

Le responsable portait une espèce de blouse de papier bleu sombre qui lui donnait l'air d'un curé – sa chemise laissait apparaître un col blanc. Surtout, il était d'une solennité excessive, comme si une personne d'une importance considérable venait de mourir dans son modeste repaire.

— Vous n'avez pas de pensionnaires aujourd'hui ? s'enquit Corso, qui connaissait bien les habitudes des taulards, toujours malades.

— Ils ont pas voulu rester. À cause du corps.

Corso se demanda comment le Sobieski de deuxième génération – peintre-faussaire, tueur de stripteaseuses – avait été accueilli à son retour au bercail.

— Suivez-moi, fit l'infirmier en s'inclinant à la japonaise.

Il y avait une autre pièce, celle de l'armoire à pharmacie et du « frigo ». C'était là que les choses sérieuses se déroulaient. Les médocs étaient sous clé. Quant au « frigo », il s'agissait d'un long compartiment réfrigéré sous un troisième lit aux allures de table d'examen. L'infirmier le fit coulisser sur ses rails.

552

Le cadavre était revêtu d'un drap dont les plis durs étaient figés comme du marbre, évoquant les tombeaux au fond des églises florentines.

Leur hôte dénuda le corps jusqu'à la taille : Sobieski paraissait avoir encore rétréci. Sa silhouette rappelait celle d'un adolescent. Malgré lui, Corso le revoyait de son vivant, sa gueule décharnée, son rire de travers, ses chicots agressifs. *Sob la Tob.*

— C'est terrible, commenta l'infirmier, les deux mains serrées à hauteur de l'entrejambe – vraiment un aumônier, ou un gamin qui a envie de pisser.

— Qu'est-ce qui est terrible ? demanda Corso, agacé.

— J'ai suivi de près l'affaire. Je le connaissais bien. Je suis un spécialiste de son histoire.

Il ne manquait plus que ça.

— Et alors ? rétorqua Corso, carrément agressif.

— Il n'aura pas eu le temps de démontrer toute la vérité.

La voix de l'infirmier résonnait dans les graves, comme le bourdon d'un clocher.

— Il a été condamné, non ?

L'homme eut un sourire consterné qui semblait tout particulièrement dirigé vers Corso.

— Allons, commandant, vous savez comme moi que cette affaire méritait plus qu'un verdict prononcé après deux heures de délibérations.

— En tout cas, bougonna Corso, il n'était pas innocent.

— Mais de quoi était-il coupable au juste ? interrogea l'autre en levant les yeux au ciel comme si Dieu en personne allait lui répondre.

— Il avait l'air déprimé ces derniers jours ? demanda Bompart.

— Il ne mangeait plus, il refusait de parler. Il s'enfonçait dans un isolement total et…

— Il a pas laissé un mot, coupa Corso, quelque chose ?

L'homme les regarda tour à tour, ménageant son effet, puis lâcha :

— Il a laissé mieux que ça.

Il s'orienta vers l'armoire à pharmacie qu'il déverrouilla avec plusieurs clés différentes. Le coffre-fort des soulagements, des sommeils chimiques, des délires artificiels…

Apparut une série de tiroirs de plastique gris, étiquetés ou portant parfois une inscription au marqueur. L'infirmier en ouvrit un et en sortit un sac à scellés.

Il revint et le posa sur le corps même, entre deux plis figés du drap.

— C'est quoi ? s'étonna Bompart.

— Le câble avec lequel il s'est pendu.

Corso avait déjà compris : à travers le papier transparent, s'enroulait un fil électrique gainé de plastique, s'achevant en une boucle tenue par une sorte de nœud coulant. Il reconnut aussitôt le nœud de prédilection du tueur du Squonk, un huit que l'assassin laissait ouvert pour exprimer « l'infini et au-delà ».

Mais cette fois, le huit était fermé.

Sobieski leur avait laissé un message : la série des morts s'achevait avec son suicide.

85

Une mauvaise idée, c'est comme un vice. Une fois qu'on l'a, impossible de passer à autre chose.

Le jour même, Corso essaya de joindre Claudia Muller sur son portable. Pas de réponse. Il ne savait pas pourquoi il voulait lui parler. Pour lui exprimer ses condoléances ? Il n'aurait pas été sincère. Lui soutirer quelques informations supplémentaires ? Vraiment pas le moment. En profiter pour se rapprocher d'elle ? Encore pire. Claudia considérait sans doute que son mentor était mort par sa faute à lui, et à lui seul, Stéphane Corso, flic buté et stupide.

Toujours est-il que le lendemain, le jeudi 7 décembre de bon matin, il décida de lui rendre visite. Il avait pris ses renseignements : Claudia Muller vivait maintenant rue de Miromesnil. Une fois n'est pas coutume, il prit le métro depuis Denfert-Rochereau et acheta les principaux journaux pour prendre la température des médias. Les points de vue étaient divisés en deux camps, à l'image de Corso et de Bompart : ceux qui pensaient que le suicide de Sobieski était un aveu de culpabilité et les autres qui estimaient au contraire que son acte était le geste désespéré d'un innocent condamné à tort.

Personne ne connaissait l'existence du nœud – pas divulguée dans la presse. Mais même ce détail était ambigu. L'évidence, c'est qu'en ayant recours au nœud du tueur, le peintre clamait qu'il était l'assassin. Mais quand on connaissait le bonhomme – comme Corso le connaissait –, ça pouvait être tout autant une ultime provocation. Façon de dire : « C'est ça que vous vouliez ? Eh bien, servez-vous. Je vous donne la preuve définitive, à votre insu, que vous êtes une sacrée bande de connards. »

En réalité, Corso ne se souciait plus de savoir qui avait tué, qui avait menti, qui était mort. Il avait décidé de tourner la page. La pendaison de Sobieski avait valeur de point final.

Mais impossible de renoncer à la belle.

La vérité était finalement très simple : il voulait profiter de la mort du peintre pour revoir Claudia Muller. *Quand une mauvaise idée vous tient...*

Son immeuble n'était pas un de ces monuments haussmanniens à la carrure solide et martiale du VIIIe arrondissement mais un bâtiment exigu, tout en briques, qui évoquait une tour haut perchée.

Pas besoin de code, des déménageurs avaient bloqué les portes ouvertes. Corso en déduisit qu'ils étaient là pour Claudia elle-même... Il grimpa un escalier en colimaçon – beaucoup plus XVIIIe que XIXe –, croisant des gaillards les bras chargés d'objets empaquetés et de cadres enveloppés. Corso se demanda si Sobieski avait donné une toile à Claudia. Il ravala aussitôt son sarcasme. Pas le moment de déconner. *Pas du tout.*

Il dépassa le deuxième étage et continuait à monter quand il aperçut, à mi-chemin du suivant, par la porte entrouverte d'un appartement, Claudia elle-même. Assise dans un salon sur un canapé encore protégé de couvertures de feutre, elle écrivait sur son téléphone portable. Dans la lumière éclatante du jour d'hiver, son profil se découpait sur le ciel bleu – pas encore de rideaux aux fenêtres – avec la précision et la violence des coups de rasoir dans une toile de Fontana.

Il resta là à l'admirer. Le front bombé de jeune fille butée, le nez droit qui semblait provenir de l'époque bénie des sculptures grecques, les lèvres au dessin parfait et les sourcils qui, à un trait près, auraient pu être trop marqués mais qui emportaient au contraire l'ensemble vers la plus haute élégance. Peut-être que Claudia possédait une personnalité fascinante, un passé troublant, un charme spontané, tout ce qu'on voudra, il n'en avait rien à foutre. C'était cette beauté physique qui l'ensorcelait.

Catherine Bompart, quand elle parlait d'amour – ce qui bizarrement lui arrivait très souvent –, disait : « Les hommes n'aiment que l'extérieur, les femmes ne sont intéressées que par l'intérieur. Nous aimons le fruit et sa saveur. Ils se contentent des épluchures. »

Il se décida à achever son ascension et se dit, les yeux rivés sur Claudia : *Va pour les épluchures.*

Quand elle l'aperçut entre les portes entrouvertes et les déménageurs qui allaient et venaient, elle lui sourit – c'était bien le dernier truc auquel il s'attendait.

Malgré lui, il s'arrêta sur le seuil et Claudia vint à sa rencontre. Elle avait ce regard perdu qu'il avait déjà repéré plusieurs fois lors du procès. L'avocate décidée, manipulatrice, infaillible, avait souvent les yeux étonnés de quelqu'un qui navigue à vue, oscillant entre surprise et incertitude.

Elle lui adressa quelques paroles de bienvenue puis le poussa dans le salon et disparut préparer du thé. De plus en plus étonnant.

La pièce était petite mais il devinait que l'appartement était très vaste, peut-être même en duplex. Beaucoup de hauteur, peu de largeur. Pour l'instant, des meubles patientaient là, dans un désordre provisoire. Un canapé, une commode, un secrétaire... Du style ancien qu'il n'identifiait pas.

— Assieds-toi, ordonna-t-elle en revenant avec un plateau chargé d'une théière et de deux tasses.

Toujours le tutoiement. Il y vit cette fois une marque d'amitié. Il choisit un fauteuil en bois doré au châssis tarabiscoté et l'observa servir le thé. Assise sur une méridienne de velours rouge, elle n'avait pas l'air bouleversée par la mort de Sobieski mais elle n'était pas du genre à extérioriser ses sentiments. Son sang autrichien la verrouillait de l'intérieur.

— Qu'est-ce que tu fous là ? demanda-t-elle avec bonhomie.

— Je voulais te présenter mes condoléances.

Elle s'arrêta dans son geste, bec de la théière en l'air.

— Ne joue pas à ça avec moi.

— Je ne joue pas.

— Si tu es venu me narguer jusque chez moi, je...

— Non. Sérieusement. Je n'ai pas souhaité ça et je voulais te le dire.

— Tu es plutôt revenu sur les lieux du crime.

— Quel crime ?

— À travers moi, tu as tué Sobieski.

Il fit mine de se lever. Elle lui prit la main et le força à se rasseoir. Il se laissa faire. Pour être honnête, le contact de sa peau lui avait coupé les jambes.

— Je n'ai rien à voir avec le suicide de Sobieski, grommela-t-il.

— Disons que tu as été à fond dans ton rôle. De mon côté, je n'ai pas réussi à déjouer la manipulation dont Sobieski a été la victime.

— Tu en es encore là ?

— Ne me dis pas que tu es toujours persuadé qu'il est le tueur, riposta-t-elle en lui tendant une tasse.

Pour gagner du temps, il promena encore son regard sur le décor : des objets anciens – vase antique, sculpture primitive, livres d'art… – étaient posés sur des meubles ou simplement par terre. Impossible de dire s'ils n'étaient pas encore rangés ou si au contraire chaque chose avait déjà trouvé sa place.

Claudia, tenant sa tasse d'une main, déroula son autre bras sur le dossier et plaça ses pieds nus sous ses fesses – elle portait un jean et un pull ras du cou, simple mais exquis. Une position indolente qui tranchait vivement avec l'avocate des assises, sèche et volontaire, mais qui se mariait bien avec les volutes du thé qui s'épanchaient dans l'air.

Toujours pour se donner une contenance, Corso porta la tasse à sa bouche – du thé vert, qui transformait instantanément l'amertume en quelque chose de doux et de mélancolique, et dont la saveur vous rendait accro, comme le sexe ou le crack.

— Alors, tu vas te décider ? demanda-t-elle.

Corso sursauta.

— À quoi ?

— À m'avouer que tu es fou de moi.

86

Sa question aurait pu paraître cruelle mais Corso ne l'entendit pas ainsi. Claudia Muller était tellement habituée aux affaires criminelles, aux hommes qui découpent leur femme en lanières, aux tarés qui violent leurs proies jusqu'à les tuer, aux monstres qui s'en prennent aux enfants, que les sentiments naturels, les passions amoureuses, les cœurs brisés, tout ça, pour elle, c'était de la rigolade – et sans doute ne pouvait-elle évoquer ces thèmes qu'avec une légère ironie.

Il adopta le même ton amusé teinté de cynisme :

— Je plaide coupable.

Elle se redressa, posa sa tasse et se pencha vers lui au-dessus de la table basse. Elle s'approcha au point de se tenir à quelques centimètres de son visage, prenant même appui sur l'un des accoudoirs du fauteuil où il était assis.

— Alors, je veux te dire que tu n'as aucune chance.

Toujours pas de cruauté, plutôt un ton neutre, froid, impartial. Du genre, « les charges retenues contre mon client ne tiennent pas ».

— Pourquoi ? demanda-t-il stupidement, en éprouvant plutôt une sorte de soulagement.

Elle se laissa aller de nouveau dans la méridienne.

— Mon cœur est déjà pris, comme on dit dans les romans à l'eau de rose.

« Les romans à l'eau de rose », l'expression était démodée mais Barbie l'utilisait souvent, et elle ajoutait : « rose comme un cul », arguant que cette littérature parlait de plus en plus de sexe.

— Sobieski ?

Claudia resta muette. Comme souvent, la première hypothèse était la bonne. L'avocate ne valait pas mieux que toutes ces paumées qui écrivent aux tueurs en série en prison pour leur offrir leur amour.

Stéphane laissa le silence se prolonger, la meilleure méthode, d'après son expérience, pour faire passer le suspect aux aveux.

— Je l'ai découvert par sa peinture, commença-t-elle en effet. J'appartiens au milieu que tu exècres, les bobos intellos qui ne savent vers qui tourner leur instinct de révolte tant ils représentent eux-mêmes le pouvoir en place, l'ordre établi contre lequel ils voudraient se rebeller. Sobieski était une aubaine. On voyait en lui un Jean Genet ou un Lucian Freud. J'aimais le peintre. Je ne connaissais pas l'homme. Finalement, je l'ai croisé en 2015 dans un think tank consacré aux conditions de détention des prisonniers en longue peine.

Sobieski devait être le petit roi de ce genre de soirées. Le mec qui avait tout vu, tout connu, et qui était capable de pérorer jusqu'à l'aube.

— Je n'ai jamais rencontré un être aussi déplaisant, enchaîna-t-elle avec une curieuse grimace. Et pourtant, au fond de cette carcasse de coyote mal embouché, farci du matin au soir, j'ai senti quelque chose. Un être perdu, fracassé, lancé à corps perdu dans la peinture, la drogue et le sexe, pour oublier le trou noir de ses dix-sept années derrière les barreaux.

— La gamine des Hôpitaux-Neufs avait perdu beaucoup plus, fit-il en bon flic de droite revanchard – chacun son rôle.

Claudia sourit et lui envoya une bourrade.

— Laisse tomber, camarade. On n'est pas là pour s'engueuler.

— Tu l'as revu ?

— Jamais. J'ai juste conservé cette impression mitigée. Puis il y a eu l'affaire du Squonk. J'ai pris mon petit cartable et je suis allée le voir en taule. Je savais que tous ses alliés d'hier lui tourneraient le dos et que son avocat ne ferait pas le poids.

— Il était juste à point pour toi, seul contre tous.

L'avocate haussa les épaules.

— En tout cas, tout le pays allait vouloir la peau du récidiviste.

Le discours de Claudia était fondé sur un cliché : « Chacun a droit à une nouvelle chance », et toute cette générosité baveuse comme une omelette – qui ne coûtait pas cher quand on vivait dans le quartier de l'Élysée.

— J'ai été très surprise car il se souvenait parfaitement de moi.

Corso aurait voulu lui expliquer que même Sobieski, qui ne voyait pas plus loin que sa bite, ne pouvait avoir oublié une beauté comme la sienne. Après tout, le peintre était aussi un esthète.

— Il m'a immédiatement fait confiance et nous avons préparé sa défense. Au fil des rendez-vous, j'ai découvert l'homme brisé que j'avais imaginé. Cette carapace agressive, mal foutue, de génie provocateur et lubrique ne rimait à rien. La vraie nature de Sobieski, c'était celle qu'on captait au premier coup d'œil dans son allure famélique et usée jusqu'à l'os. Dans sa peinture tragique, qui provenait de la mort et du ruisseau…

— Vraiment séduisant.

— Arrête de faire l'imbécile. Je te parle de sa fragilité intérieure qui…

— L'intérieur de Sobieski, ça me fait pas rêver.

— Une femme a besoin d'admirer un homme.

Elle semblait vouloir absolument enfiler les perles.

— Qu'est-ce que tu admirais au juste chez lui ? cingla-t-il. Sa vulgarité, son priapisme, son goût pour la défonce ou son passé de criminel ?

— Sa peinture, en premier lieu.

— La vraie ou la fausse ?

Il regretta aussitôt sa réflexion. On avait dit : pas de sarcasmes !

— Toujours est-il qu'au fil de cette année, je me suis vraiment attachée à lui.

— Vous auriez dû vous marier.

— Ne joue pas avec ma peine, Corso. Sobieski vient de mourir.

— Pourquoi tu me racontes tout ça ?

— Je ne veux te donner aucune illusion : il n'y a pas de place pour toi dans ma vie. En tout cas, pas celle que tu espères.

Face à cette franchise, il ne put que sourire.

564

— Ça a le mérite d'être clair.

— Je vais m'occuper de ses funérailles et je serai seule sur sa tombe.

Elle se tenait maintenant très droite, les mains glissées entre ses genoux serrés. Alors seulement, une petite lumière s'alluma au fond du crâne de Corso : tout ça était du théâtre. L'avocate voulait autre chose.

— Et si tu arrêtais ton numéro ? demanda-t-il brutalement.

— Quel numéro ?

— Ces histoires sentimentales, cette confession, tes airs de veuve éplorée… Je crois qu'on vaut mieux que ça.

Claudia se leva. Carrant ses mains dans ses poches-revolvers, paumes vers l'extérieur, elle se posta devant la fenêtre.

— Je veux qu'on reprenne l'enquête, toi et moi.

— Quelle enquête ?

Elle se tourna vers lui. Le soleil faisait ses armes sur sa peau blanche, l'irradiant littéralement d'une lumière aveuglante.

— Je veux qu'on se replonge dans le dossier d'instruction.

Il quitta à son tour son fauteuil et marcha vers elle.

— Tu déconnes ou quoi ?

Elle fit un pas en avant et il s'arrêta net : son attirance pour elle était si forte qu'elle ressemblait à s'y méprendre à une pure répulsion.

— J'ai beaucoup réfléchi. On s'est plantés, Corso. Le tueur n'était ni Sobieski ni Perez.

— Tiens donc.

— Quelque chose nous a échappé.

Il aurait pu voir là l'occasion de se rapprocher d'elle. Mais cela aurait été un malentendu : l'avocate voulait innocenter Sobieski afin de vivre heureuse avec son fantôme. Il ne leur donnerait pas cette opportunité.

— J'ai tourné la page, Claudia.

Elle se contenta de ricaner et pivota de nouveau vers la vitre. Cette fois, Corso avança franchement vers elle et se pencha au-dessus de son épaule.

— Sobieski est mort, lui murmura-t-il à l'oreille. Il s'est pendu en reproduisant le nœud du tueur. Tout est fini, Claudia.

— Je ne peux pas croire que tu gobes de telles évidences.

— Va te faire foutre.

Il tourna les talons et se dirigea vers la porte. Les déménageurs venaient de déposer sur le palier un guéridon en marbre. Il allait franchir le seuil quand elle le rattrapa.

— Aide-moi, Corso. L'enquête n'est pas finie !

— Tu ne sortirais pas d'un boudoir viennois avec des miettes de sucre autour de la bouche, tu saurais que rien ne finit jamais. Tu vas devoir apprendre à vivre avec cette affaire sur l'estomac, c'est tout.

Elle lui passa devant et lui bloqua le passage.

— Tu n'as jamais rien compris à cette affaire, Corso. Tu sais ce qui s'est passé sous la Manche, quand tu poursuivais Sobieski ?

Le flic avait presque oublié cette course-poursuite si mystérieuse.

— Il livrait sa toile. Celle qu'il avait achevée la nuit du meurtre de Sophie Sereys. L'échange s'est fait dans le tunnel. En terrain neutre.

En un flash, Corso revit la silhouette du peintre ce jour-là : son chapeau, son sac à dos surmonté d'un tapis de sol roulé. Quand il avait repéré Sobieski à Blackpool, le tapis avait disparu.

Comment un tel détail lui avait-il échappé ?

87

Chez Claudia, il contracta deux virus.

Le premier, celui de la déception amoureuse. Une blessure ouverte qui devait faire son temps. Corso l'acceptait avec stoïcisme, sentant même l'image de l'avocate s'éloigner à mesure qu'il trouvait des motifs raisonnables de l'oublier. Il devait se concentrer sur Thaddée et se contenter de Miss Béret.

L'autre virus, beaucoup plus grave, était le soupçon que le tueur du Squonk courait toujours...

Claudia n'avait jamais cru que Corso l'aiderait mais elle savait que, malgré ses grands discours sur la résignation, il suffisait d'un infime élément, parfois même d'un mot, pour que ses interrogations refassent surface.

Le coup du tunnel sous la Manche, ce n'était rien et, en même temps, cela s'ajoutait à la longue liste des faits sur lesquels il s'était complètement planté. Les jours suivants, l'idée s'imposa donc que l'assassin de Sophie et d'Hélène était passé à travers les mailles du filet.

Ni Sobieski, ni Perez, quelqu'un d'autre encore.

N'y tenant plus, il invita Barbie à boire un café au Soleil d'or, le troquet où les flics du 36 se retrouvaient jadis, histoire de l'interroger sur le dossier Sobieski.

Barbie parut sincèrement étonnée :

— L'affaire est classée.

— Ça veut pas dire que tout soit réglé. Dans cette histoire, rien n'est clair.

— Je suis d'accord mais à la BC, on a maintenant d'autres cadavres sur le feu.

Corso acquiesça, fixant à travers la vitre la circulation du pont Saint-Michel.

— T'as entendu parler de quelque chose ? relança-t-elle.

Il fit signe que non, sans la regarder, en se demandant si cela aurait valu le coup, comme l'avait suggéré Claudia, de se plonger à nouveau dans les archives de la procédure. Mais il connaissait par cœur cette paperasse…

— Et Perez ? interrogea-t-il sans lâcher des yeux les voitures.

— On n'a rien trouvé, évidemment, fit Barbie sur un ton ironique. Le juge va conclure à un crime crapuleux : après tout, on lui a volé son portefeuille.

Corso se dit, avec un cynisme assumé, que le crime parfait ne pouvait être commis que par un flic.

Son regard revint se poser sur Barbie. Le pouvoir lui avait fait du bien. Elle semblait moins nerveuse, ses ongles n'étaient plus rongés et son visage avait pris une expression plus posée. Le look en revanche laissait encore à désirer : sa robe paraissait taillée dans une couverture de l'armée et sa frange allait de travers.

— T'as pas l'air dans ton assiette, s'inquiéta-t-elle, ça va ?

— Ça va.

— Le boulot ?

— La routine. J'me suis trouvé une place au chaud.

— Et Thaddée ?

— Tout est OK. (Il regarda sa montre.) Je dois aller le chercher à l'école.

Barbie lut les sous-titres.

— C'est ce que tu voulais, non ?

— Tout va bien, je te dis.

Il avait répondu avec une nuance d'irritation qui signifiait précisément le contraire. Mais il préféra ne pas s'attarder sur cette question qui le taraudait depuis des mois : était-il fait pour vivre une existence plan-plan de père de famille ? Était-ce réellement son genre de s'asseoir sur une série d'homicides sans avoir identifié avec certitude leur auteur ?

— C'était sympa de te voir, fit-il en se levant. La prochaine fois, on déjeune.

Barbie ne prit pas la peine de répondre. Elle connaissait assez son Corso pour savoir que tout ça était du flan. Le flic ne digérait pas cette affaire, voilà tout, et il n'y avait qu'une seule façon de la faire passer : rouvrir la boîte de Pandore.

Durant une semaine, il s'interdit d'appeler Bompart pour accéder aux archives. Il parvint aussi à ne pas se plonger dans les notes et les documents qu'il avait conservés. Mais son obsession ne cessait de se développer comme une tumeur dans sa cervelle. Il ressassait tous les détails qui ne cadraient pas, les faits qui se contredisaient, les éléments qui ne s'expliquaient pas. *Ni Sobieski ni Perez...* La nuit, quand il s'endormait, il avait l'impression de s'allonger dans l'ombre du monstre – le vrai, celui qui avait su tromper toute la France et qui frapperait de nouveau un jour ou l'autre...

570

Dans la nuit du 14 au 15 décembre, un coup de téléphone le réveilla. Il n'avait pas décroché qu'il voyait déjà le nom sur l'écran scintillant : BARBIE.

— On a un corps, fit-elle à court de souffle. Même mode opératoire, mêmes mutilations : le tueur du Squonk est de retour.

— Une strip-teaseuse ?

Il y eut un bref silence. Il crut qu'elle pleurait – vraiment du pas courant.

— Claudia Muller.

88

Le corps avait été découvert au port de Tolbiac par une équipe de veilleurs de nuit aux environs de 3 heures du matin, près d'une unité de production de béton prêt à l'emploi – pas si loin de la décharge de la Poterne des Peupliers, où le premier cadavre avait été trouvé.

Corso avait roulé jusque là-bas en mode zombie. Miss Béret dormait chez lui et pouvait veiller sur Thaddée. Pour le reste, du pur état de choc.

Il n'avait jamais couru après la bonne proie, il n'avait pas su empêcher les meurtres, il en avait même provoqué d'autres. Et voilà que maintenant, d'une certaine façon, il avait contribué à l'assassinat de Claudia Muller.

Pourquoi elle ? Pour son implication dans l'affaire du Squonk ? Pour sa défense de Sobieski, le « faux tueur » ? Pour sa volonté de reprendre l'enquête – mais comment le meurtrier aurait-il pu être au courant ? Ou encore pour des péchés antérieurs dont Corso n'avait pas idée ? Ou bien, pourquoi pas, pour le provoquer, lui, le flic qui avait mené l'enquête ? Corso n'était pourtant pas bien menaçant : depuis le premier meurtre de juin 2016, il n'avait jamais cessé de marcher à côté de la plaque.

Quand il parvint aux abords du port de Tolbiac, son sentiment d'irréalité se renforça encore : un halo violet s'élevait des berges, comme si un monstrueux néon fluorescent était en train de griller des milliards de moustiques.

Il se gara, montra sa carte aux plantons et descendit la rampe de pierre qui menait à la berge proprement dite. Alors il comprit l'origine du halo. La fabrique de béton, monumentale, avait fait peau neuve, dominée par un immense conteneur bardé de leds qui illuminaient la Seine. Une sorte de monolithe de pure lumière, surnaturel, qui changeait de couleur à un rythme régulier.

Il repéra un groupe de flics en civil au pied de la structure cinglée par les éclats bleuâtres des gyrophares. À chaque fois que l'un d'eux touchait le silo, son rayon s'y éparpillait en mille étincelles comme des lucioles dans une aurore boréale.

Corso observait ce phénomène, fasciné et en même temps hagard, distant, incapable de la moindre analyse. Son monde intérieur avait été balayé. Quant à son environnement extérieur, il le contemplait avec étonnement, incompréhension.

— Tu veux voir le corps ?

Corso sursauta. Barbie se tenait devant lui, clope au bec, auréolée par la lueur du conteneur qui était passée au vert. Son visage paraissait plâtreux, blafard – *un sacré coup de vieux que vous avez pris là, madame la chef de groupe...*

— Vous êtes sûrs que c'est elle ? demanda Corso.

— Aucun doute. Mais c'est comme pour les autres : ni vêtements ni papiers.

La lumière vira au bleu. Ils marchèrent vers la zone d'infraction, au-delà du conteneur de sable et de cailloux, quittant la clarté céruléenne pour rejoindre la blancheur clinique des projecteurs de l'IJ. Une tente avait été dressée au-dessus de la scène de crime afin qu'on ne puisse pas l'apercevoir depuis le quai supérieur – malgré l'heure, il y avait déjà là-haut des badauds silencieux et des fêtards bourrés qui lançaient des vannes stupides.

— Virez-moi ces cons ! fit Corso avec humeur, avant de pénétrer sous la tente.

Barbie hocha la tête avec indulgence : Corso oubliait qu'il n'avait plus aucune autorité ici.

— On est en train de s'en occuper mais on peut pas bloquer tout le quai. T'es prêt pour ça ?

— Me prends pas pour un puceau.

Ils se glissèrent sous la toile tout en enfilant des gants de nitrile hypoallergéniques. Il remarqua – détail stupide, mais son cerveau décidait pour lui – que ces gants étaient assortis au halo du conteneur, qui irradiait toujours au loin et était revenu à sa couleur violette initiale.

À leur arrivée, les techniciens s'écartèrent et il constata – encore une réflexion absurde – que leurs silhouettes blanches étaient de toute beauté. La police scientifique avait transformé les scènes de crime en performances artistiques…

Quand il fut près du corps, il sut que l'image le suivrait jusque dans la tombe. Le visage de Claudia était distendu sur un cri obscène qui lui remontait jusqu'aux

574

oreilles. Les yeux n'étaient pas injectés de sang mais après tout, même le tueur ne pouvait contrôler chaque détail. Claudia, sur ce plan-là, lui avait échappé.

Pas sur les autres. Elle se tenait de profil, et même de trois quarts, légèrement tournée face contre sol, comme recroquevillée sur le bitume de la berge.

— La position du corps est différente parce qu'il l'a balancée du haut du silo, répéta Barbie.

— C'est une certitude ?

— On est montés. Malgré la pluie, le toit porte encore des traces de sang. Par ailleurs, la porte qui boucle l'escalier du silo a été forcée. Il a procédé au sacrifice là-haut puis il a jeté sa victime.

— Pourquoi ?

— Pourquoi on le pense ou pourquoi le tueur l'a fait ?

— Ne joue pas à ça.

Barbie souffla :

— Son projet devait être de l'exposer sur le toit du silo mais, pour une raison ou une autre, il l'a balancée. On peut imaginer aussi que le cadavre a glissé dans le vide : le toit est bombé. Ou bien elle était encore vivante et elle s'est débattue jusqu'à passer par-dessus bord. L'autopsie nous fournira peut-être des réponses.

— S'il y a du sang, il y a des traces, des empreintes.

— Justement non. C'est incroyable. Je ne sais pas comment il s'est démerdé mais pas la moindre trace dans la purée. On dirait qu'il a opéré en lévitation, sans toucher le toit. On a vraiment affaire…

Corso n'écoutait plus. Il scrutait le croissant de chairs déchirées et noires que lui offrait le rire de Claudia. Il aurait voulu se jeter à ses genoux et lui demander pardon. La dernière image d'elle vivante, nimbée de soleil dans son salon, ne cessait de se superposer à cette scène d'horreur, provoquant un vrai court-circuit dans sa tête.

— On ordonne la levée du corps, continuait Barbie. On a terminé les relevés mais il faudrait un coup de chance. Aucune raison de penser qu'il a fait cette fois une erreur. À part la chute du corps. Peut-être a-t-il été surpris et a-t-il laissé quelque chose… Mais je n'y crois pas beaucoup.

Corso observait toujours le cadavre, la colonne vertébrale saillante, les membres tordus par les sous-vêtements, la gorge broyée par la pierre. Il se fit une réflexion hors de propos : Claudia avait eu un beau corps – sec, pâle, hautain. Un corps qui lui allait bien.

Puis le flic revint au visage coupé en deux, ce rire qui semblait prêt à avaler la nuit mauve, les flicards impuissants, l'énergie livide qu'ils allaient déployer, sans doute en vain. Ce rire était un trou noir, si vaste, si puissant, que jamais personne ne pourrait en arracher le moindre rayonnement, la moindre parcelle de vérité.

— Vous avez commencé la gamme ? reprit-il.

— Pour l'instant, personne ne sait ce qu'elle a foutu dans la soirée. Son dernier contact a été avec sa secrétaire aux environs de 19 heures. Elle était restée chez elle pour terminer son installation dans son nouvel appartement.

La peinture fraîche sur les murs, les meubles encore enveloppés, les objets entreposés, attendant de se déployer dans chaque pièce. Claudia avait sans doute voulu changer de cadre pour prendre un nouveau départ après l'affaire Sobieski. Mais elle s'était rendu compte qu'elle ne pouvait pas le faire tant que la vérité ne serait pas dévoilée.

Les gars des pompes funèbres arrivaient avec leur housse mortuaire. Le porte-étiquette d'identification brillait sous les projecteurs, il n'y avait plus qu'à remplir. Corso ne voulait pas voir ça.

— C'est toi qui vas être saisie ? demanda-t-il en sortant de la tente.

— Sans doute, fit Barbie. On attend la substitute du proc. J'étais de permanence et mon background me désigne pour…

— Appelle-moi demain matin. Je veux être au courant du moindre élément.

Puis il tourna les talons et s'enfuit vers le monolithe bleuâtre qui évoquait un vaisseau spatial en suspens dans la nuit glacée.

En remontant la rampe de pierre, la première pensée rationnelle qui vint le surprendre n'était pas reluisante : lâchement, il se félicitait de n'être pas celui qui allait devoir annoncer la nouvelle aux parents de Claudia. La violence lui collait à la peau mais il avait rendu son tablier de croque-mort.

Dans sa voiture, il démarra brutalement et fonça sur les quais, grillant tous les feux qu'il croisait.

Parvenu à Notre-Dame, il pila, attrapa son téléphone, appela Catherine Bompart :

— T'es au courant ?

— Je suis désolée. Vraiment, je…

— Je veux être réintégré au 36.

— Quand ?

— Maintenant.

89

Bien sûr, le tour de magie ne fonctionna pas. Même Catherine Bompart ne possédait pas un tel pouvoir.

Corso dut se contenter de remplir une tonne de paperasse, de courir de bureau en bureau, d'expliquer ses motivations et d'attendre, comme tout le monde, qu'on prenne en considération sa candidature. Elle serait sans doute acceptée mais trop tard pour attraper le train de l'homicide de Claudia.

Il changea son fusil d'épaule, proposant d'aider Barbie en sous-main. La fliquette n'était pas chaude. Désormais chef de groupe, elle n'avait pas besoin d'un chaperon. Ensuite, la situation était sous haute tension. Malgré ses efforts, elle n'avait pu cacher aux médias ce nouveau meurtre – et son mode opératoire qui rappelait en tout point « le bourreau du Squonk », une affaire soi-disant réglée depuis le procès de novembre et le suicide du coupable…

Dans un tel contexte, Barbie pouvait se passer d'un boulet comme Corso : aucune objectivité par rapport à la victime, des casseroles au cul en veux-tu, en voilà (dont l'homicide d'Alfonso Perez), une perception des choses totalement biaisée par ses multiples erreurs…

Trop de tripes, plus assez de cerveau. Et bien sûr aucun droit d'intervenir à un quelconque niveau dans la procédure. Un mouton noir doublé d'un poids mort.

Même s'il avait réintégré la BC sur-le-champ, on ne lui aurait pas confié l'enquête de flagrance. Après tout, ce nouveau meurtre était la preuve même de son incompétence – il s'était planté sur toute la ligne.

— Je connais l'affaire mieux que personne, plaida-t-il pourtant.

— Un peu trop, même, rétorqua Barbie.

— Me la fais pas à l'envers, t'as besoin de moi sur ce coup. Putain, je suis ni à la retraite ni cinglé !

À contrecœur, elle accepta de lui transmettre les éléments de l'enquête en lui soutirant la promesse qu'il ne foutrait pas les pieds au 36, ni n'interviendrait en aucune manière. Il était un consultant officieux – et même occulte.

Corso obtempéra – pas d'autre choix – pour s'apercevoir au bout de deux jours qu'il n'y avait rien à analyser. L'enquête était repartie de zéro et y était restée. Il éprouvait une sinistre impression de déjà-vu et d'impuissance chronique.

Le 14 décembre, Claudia Muller avait quitté son cabinet aux environs de 16 heures pour finir d'aménager son nouvel appartement. Elle avait appelé son assistante à 19 h 10. Ensuite, plus de nouvelles. Comme Sophie Sereys ou Hélène Desmora, elle s'était volatilisée, pour réapparaître sur les berges du port de Tolbiac, nue, entravée et défigurée.

En réalité, l'enquête était pire qu'à l'arrêt – elle avait atteint un point désespéré où tout ce qui pouvait être tenté l'avait déjà été. Aucune piste, aucune voie d'investigation supplémentaire ne se dessinait, et le groupe de Barbie était simplement obligé de constater que chaque note de la gamme était un nouveau zéro ajouté à la série. Que dalle au carré.

L'autopsie avait démontré que Claudia n'était pas morte d'étouffement mais de sa chute. Le tueur n'avait pas eu le temps de provoquer son asphyxie par le garrot qu'il avait pratiqué. Tout portait à croire qu'elle s'était débattue et qu'elle avait chuté par-dessus bord, se rompant les vertèbres cervicales au contact du bitume – le silo faisait plus de vingt mètres de haut.

Côté tueur, rien. Pas d'empreintes ni de traces organiques. Pas de témoin ni de vidéosurveillance. Aucun élément dans le quotidien de Claudia qui aurait pu révéler une présence suspecte. L'avocate menait une existence monacale et son déménagement n'était qu'une nouvelle manière de voyager dans son monde intérieur, avec ses livres, ses films, ses tableaux. Pas de boyfriend à l'horizon. Des parents autrichiens habitant Vienne. Ni famille ni amis à Paris. Une solitaire qui avait choisi comme ligne de vie de défendre les pires criminels et les causes immondes.

Corso ne comprenait pas comment une telle femme, immergée jusqu'aux yeux dans l'affaire Sobieski, avait pu se laisser surprendre. Elle connaissait par cœur le *modus operandi* de l'assassin, le fait qu'il enlevait ses victimes – ou les attirait – sans laisser de traces. Comment avait-elle pu tomber dans le panneau ? *Impossible*. Claudia n'était pas née de la dernière pluie et elle était pour ainsi dire conditionnée par ce dossier qui l'avait obsédée pendant une année et l'obsédait encore. Au premier signe suspect, elle aurait réagi.

Corso en conclut qu'elle connaissait son agresseur et lui faisait confiance. Celui ou celle qui lui avait rendu visite cette nuit-là était absolument insoupçonnable…

Le soir du dimanche 17 décembre, Barbie l'appela pour lui annoncer que la dépouille de Claudia avait enfin été rendue à la famille, après plus de cinquante heures d'autopsie, d'examens et de triturations en tout genre. Les parents avaient décidé d'enterrer leur fille à Paris, au cimetière de Passy.

— C'est pour quand ?

— Demain matin, à 11 heures.

90

Le cimetière de Passy, c'est le carré VIP des morts.
Environ 2 600 tombes, incluant le plus fort taux de
people au mètre carré. Un parterre de célébrités enter-
rées au sommet d'une colline surplombant la place
du Trocadéro. Devant la porte gigantesque de style
Art déco, le flic hésitait encore. S'il était repéré par
la famille ou qui que ce soit lors de ces funérailles,
il finirait pendu à un des châtaigniers du sanctuaire.
Après tout, il était celui qui s'était trompé de tueur,
avait accablé le client de Claudia et, d'une manière
plus ou moins directe, avait donné à l'assassin l'idée
de sacrifier la jeune avocate. *Allez, Corso, t'en as vu
d'autres.*

Par une ironie pleine d'indifférence, le temps était
magnifique. Sous le soleil, les stèles et les croix brillaient à la manière de flots nacrés. Pas le moindre
souffle de vent pour cette matinée souveraine. Le ciel
bleu évoquait la pureté d'un précipité chimique et lui
rappelait sa dernière visite à Claudia.

Mains dans les poches, Corso cherchait le lieu de la
cérémonie. Il croisait des mausolées blancs aux allures
de temples, des pavillons à vitraux arborant des anges

ou des vierges qui semblaient avoir été volés dans une église, des chapelles extravagantes multipliant les ornements baroques…

Claudia n'aurait pas aimé ce décor. La pasionaria d'une justice égale pour tous n'aurait pas apprécié d'être renvoyée à ses origines bourgeoises.

Il repéra enfin le groupe en noir, comme crayonné au fusain sur une page blanche. S'approchant avec prudence, il comprit qu'il ne risquait rien : tous les membres présents étaient viennois. Claudia n'avait pas d'amis mais elle avait une famille. Des têtes solennelles aux traits nobles et à l'expression fermée. Des discours en allemand aux accents cadencés. Il ne manquait plus que le cadre doré à la feuille d'or pour immortaliser la réunion devant la fosse mortuaire.

Barbie lui avait promis qu'il n'y aurait pas un journaliste ni même un curieux. Elle avait dit vrai – elle avait volontairement laissé fuiter une info erronée : Claudia Muller étant d'origine autrichienne, ses parents avaient fait rapatrier le corps pour l'inhumer dans la banlieue de Vienne.

Ces Autrichiens ne croyaient pas en Dieu. Pas l'ombre d'un prêtre ni d'un ministre du culte. Aucun rituel liturgique autour de la bière sinon un profond recueillement qui valait bien des prières standard. Corso observait ces hommes et ces femmes et était frappé par leur similitude : mêmes vêtements noirs de coupe élégante, mêmes faciès taillés dans du marbre blanc. Une partie de la haute société viennoise avait fait le voyage – et semblait être sortie du même moule.

Le flic en était à se demander qui était la mère de Claudia quand une petite femme avança d'un pas. Elle ignora le pupitre dédié aux orateurs pour se poster au plus près de la fosse. Derrière elle, un colosse à l'air dur jouait les *bodyguards* : le père.

Malgré sa petite taille et sa silhouette ronde, Mme Muller partageait un air de famille avec la disparue – des traits purs, dessinés en un seul mouvement, qui semblaient déployer leur harmonie jusqu'aux tempes – elle avait comme Claudia des cheveux noirs tirés en arrière. Une beauté pâle, sèche, qui rappelait le goût amer et sacré de l'hostie.

Cette présence le glaça de la tête aux pieds. Il eut peur de croiser son regard mais la femme conservait les paupières baissées. Elle avait les mains nouées devant elle et ne portait ni sac ni manteau. Juste une robe noire qui, dans sa simplicité, évoquait les robes soufrées que portaient les condamnées au bûcher pour brûler plus vite.

Elle se mit à réciter de mémoire, yeux et voix à l'unisson, c'est-à-dire tournés vers l'intérieur :

> *Hasta te creo dueña del universo.*
> *Te traeré de las montañas flores alegres, copihues,*
> *avellanas oscuras, y cestas silvestres de besos.*
> *Quiero hacer contigo*
> *lo que la primavera hace con los cerezos.*

Corso ne s'attendait pas à entendre de l'espagnol mais il reconnut tout de suite l'extrait le plus célèbre des vingt poèmes d'amour (et de jeunesse) de Pablo Neruda. *Je veux faire de toi / ce que le printemps fait avec les cerisiers...*

584

Cette mère fracassée adressait donc un poème d'amour plein de sensualité à sa fille. Claudia avait sans doute tourné le dos à sa famille. C'était pour les oublier – et les provoquer – qu'elle s'était installée à Paris et était devenue la sainte patronne des criminels.

Soudain, Stéphane reconnut des visages. Finalement, il n'y avait pas que des Autrichiens dans ce cimetière et Barbie n'avait pu éviter que l'information se propage parmi des « amis » de Sobieski, c'est-à-dire des intellectuels, des politiques, des artistes qui s'étaient faits discrets quand la culpabilité du peintre avait éclaté mais qui ressortaient de leur trou maintenant que son innocence était patente.

Corso les voyait chuchoter entre eux. Ils l'avaient repéré, ils avaient reconnu leur ennemi historique. Le flic facho qui n'avait commis que des erreurs. Celui qui n'avait rien compris. Qui avait cru l'affaire réglée alors que le tueur courait encore…

Par bonheur, aucun de ces militants n'eut l'occasion de faire un discours – c'étaient des obsèques autrichiennes, et autrichiennes seulement. Sinon, on aurait eu droit aux indignations habituelles, Claudia, l'avocate valeureuse, sacrifiée par une police bornée et une justice aveugle ; Sobieski, le « suicidé de la société », etc.

Tout le monde défilait maintenant devant la fosse pour y jeter une rose blanche. Il préféra reculer parmi les tombes : il n'avait ni rose ni légitimité. Pas question non plus d'exprimer ses condoléances aux parents ni à qui que ce soit. Les « amis de Sobieski » commençaient à multiplier les regards menaçants…

Il tournait les talons quand il remarqua un visage qui ne cadrait pas dans le tableau. Mais alors pas du tout. Il se planqua derrière une stèle en attendant la dispersion. Il ne quitterait pas le cimetière avant d'avoir obtenu une explication à ce *miscasting*.

91

— Qu'est-ce que tu fous là ?

Corso avait jailli de sa planque alors que l'assemblée se dispersait. Il s'adressait à un petit bonhomme qui suivait le cortège à bonne distance. Il avait mis quelques secondes à le remettre mais maintenant, il en était sûr : l'homme était flic au 36. Et plus précisément à l'Identité judiciaire.

C'était le type à coupe Playmobil et face de citrouille qui lui avait montré les premières toiles réquisitionnées chez Sobieski, celles qui à l'époque devaient confondre le peintre et s'étaient avérées de simples copies des photos vendues par Ludo le Toulousain.

— Je…

— Rappelle-moi ton nom.

— Lieutenant Philippe Marquet.

— Qu'est-ce que tu fais ici ?

Marquet lançait des coups d'œil désespérés vers le cortège qui s'éloignait.

Il finit par lâcher d'un ton qui se voulait ferme :

— Claudia était une amie.

— Où tu l'as connue ?

— Dans le boulot.

— L'IJ n'a jamais de contacts avec les avocats.

— Claudia a eu une autorisation du juge pour récupérer certains échantillons. À l'IJ, je m'occupe des scellés organiques. Je les collecte, je les envoie pour analyses, je les réceptionne en retour et les archive.

Marquet avait vraiment la tête de ceux qui arrivent au 36 en tant que témoins et qui y restent en tant que principaux accusés.

— C'était quand ?

— Je dirais… deux ans.

— Dans le cadre de quelle affaire ?

— Je… je me rappelle plus.

Premier mensonge. Corso n'ajouta pas « on vérifiera » mais l'esprit y était. Il avait bien du mal à imaginer cet avorton dans la sphère des amis de Claudia. D'ailleurs, l'avocate n'avait pas d'amis.

— Quelle était la nature de vos relations ?

— Ça ne vous regarde pas.

Philippe Marquet se passa la manche de sa veste sur le front comme si cette réplique lui avait coûté un réel effort physique.

— Vous couchiez ensemble ? demanda Corso en manière de provocation.

Il s'était placé dos à la lumière, obligeant l'autre à affronter le soleil de face.

— Je… je n'ai pas à vous répondre.

Il était temps de passer aux méthodes coercitives : il l'empoigna par le colback en ayant peur que son costume à deux balles lui reste dans la main.

— Arrête de jouer au con. Claudia vient d'être enterrée. Assassinée de la pire des façons. Si ta relation avec elle, quelle qu'elle soit, est découverte, ça fera mauvais genre, crois-moi. Tu pourrais rapidement te retrouver sur la liste des suspects. Après tout, un gars de l'IJ, y a pas mieux pour tromper les autres flics. Ça expliquerait à quel point le tueur nous a roulés dans la farine…

Marquet serrait ses petites griffes sur les poignets de Corso – il avait la force d'un tuberculeux en rupture de sanatorium.

— Lâ… lâchez-moi !

— Quelles étaient vos relations, bordel de Dieu ?

Marquet ouvrit la bouche. Pas moyen de sortir un mot. Corso le relâcha enfin et s'essuya les mains sur son blouson – il les avait poisseuses comme s'il venait de piocher une poignée de frites avec ses doigts.

— On… on était ensemble…, finit par râler l'autre entre deux quintes de toux.

Ce fut au tour de Corso d'avoir le souffle coupé. Marquet n'avait aucune raison de mentir. Bien au contraire. Claudia Muller, la femme éblouissante qui triomphait de tous les procès, qui avait sans doute tous les avocats à ses pieds, et pas seulement eux, les juges, les procureurs, les accusés, les jurés…, cette femme inaccessible, qui en pinçait au passage pour un peintre-faussaire condamné pour un double meurtre, aurait jeté son dévolu sur ce technicien scientifique de mes deux ?

— J'en crois pas un mot.

— Croyez ce que vous voulez, se redressa l'autre, blessé dans son orgueil de mâle.

Corso fit un pas, obligeant Marquet à se plaquer contre une stèle.

— Vous ne viviez pas ensemble.

— Bien sûr que non !

— Alors quoi ?

Le petit flic semblait fondre au soleil comme une noix de beurre au fond d'une poêle.

— On s'voyait régulièrement. Je… je crois qu'elle m'aimait bien.

— Même ces derniers mois ?

Marquet eut un sourire cauteleux. Il venait enfin de comprendre l'agressivité de Corso : lui aussi était accro à la belle.

— Elle me parlait de vous…, cracha-t-il avec mépris.

— Qu'est-ce qu'elle disait ?

— Que vous étiez le mec qu'elle détestait le plus au monde.

Corso encaissa. Le soleil lui tapait dans le dos, alors que le vent glacé s'était réveillé et lui passait le visage au Kärcher.

— Pourquoi ? demanda-t-il d'une voix creuse.

Marquet haussa les épaules. Il avait capté sur le visage de Corso la trace d'une vraie souffrance, il ne voulait pas l'enfoncer. Claudia était enterrée à quelques pas, ce n'était ni le lieu ni le moment pour jouer aux duellistes.

— Parce que j'accusais Sobieski ?

Le flic de l'IJ le jaugea : il semblait évaluer l'aptitude de Corso à en encaisser davantage.

— Pas seulement. Vous représentiez à ses yeux l'image même du flic borné qui place sa conviction au-dessus des preuves et qui agit seulement par instinct.

Corso aurait bien aimé lui coller son poing sur la gueule mais pas ici, pas maintenant. Et puis, ce n'était

590

pas un scoop. Claudia avait déjà eu l'occasion de vider son sac face à lui.

— Casse-toi, ordonna-t-il.

Il regarda Marquet se carapater à toute vitesse, zig-zaguant dans l'allée. Quelque chose clochait : le flicard n'avait pas dit toute la vérité. Il décida de conserver dans un coin de sa tête cette erreur dans le tableau. Pour l'instant, se taire et observer. Garder un œil sur le petit gars tout en parant au plus pressé.

Corso se mit en route et gagna la sortie au pas de charge. Les funérailles de Claudia l'avaient revigoré. Il n'avait rien à foutre des PV de Barbie.

Il allait reprendre, lui, et lui seul, l'enquête de zéro.

92

Pour commencer, il décida de retourner voir Mathieu Veranne, le maître de la corde, armé des clichés de la nouvelle scène de crime. Peut-être que le nawashi remarquerait une différence entre les nœuds de Claudia et ceux des autres victimes. Ou bien noterait-il un nouveau détail qui pourrait l'emmener plus loin.

Paris croulait littéralement sous les décorations de Noël et on pouvait sentir dans l'air cette impatience mêlée de tristesse qui caractérise les fins d'année. Une fois encore, on allait bâfrer, picoler, s'offrir des cadeaux, mais c'était pour mieux oublier cet état de fait : une année de plus, une année de moins…

Corso avait prévenu de son arrivée et Veranne, qui ne semblait pas débordé, avait promis de l'attendre. Quand le flic retrouva la rue du Docteur-Blanche puis la cour de l'immeuble où se dressait toujours le poing serré en résine noire, il mesura l'éternité qui le séparait de sa dernière visite.

Mathieu Veranne, lui, n'avait pas changé. Toujours la même gueule étroite en forme de meurtrière. Des yeux si proéminents qu'ils semblaient plantés dans les tempes. Des mâchoires carnassières qui évoquaient l'armature d'un piège à loups. Veranne avait l'air de sortir d'une fable. Il était le loup des contes, l'ogre des châteaux.

Corso était fasciné par ce marquis de Sade toujours disponible. Un nomade aristocrate sur les routes du plaisir, un jouisseur qui n'avait qu'une seule ligne : creuser la psyché humaine dans ce qu'elle avait de plus tordu, de plus contradictoire.

— J'ai entendu à la radio qu'il y avait eu une autre victime.

— Exact.

Veranne l'invita à le suivre jusqu'au salon. Pas la moindre parole de compassion ni la moindre expression de peine. En un sens, cela lui faisait des vacances.

— Qu'est-ce que je peux faire pour vous ?

Corso sortit ses photos.

— La nouvelle victime. J'aimerais que vous regardiez ces images avec attention. Dites-moi si vous voyez des différences avec les nœuds des fois précédentes. J'ai apporté les photos des autres victimes pour vous rafraîchir la mémoire et...

— Pas la peine.

Veranne, assis sur son canapé rouge, avait déjà attrapé les clichés et les disposait sur la table basse, le regard avide. Corso se demanda s'il n'était pas en train de nourrir la curiosité malsaine de ce taré, voire de lui procurer un nouveau plaisir avec le spectacle de ce carnage.

Le nawashi observait les tirages comme un prédateur fixe sa proie. Ses yeux globuleux lui dévoraient la face et paraissaient lui transmettre des informations trop puissantes, trop violentes.

— Je connais cette femme.

— C'était l'avocate de Philippe Sobieski. Vous l'avez vue à son procès.

— Non, je la connaissais avant.

— Pardon ?

Il leva ses pupilles dilatées.

— Elle a été mon élève.

Corso commençait à voir le salon pencher dangereusement, les meubles vintage vibrer comme sous l'œil d'une caméra à l'épaule. Qu'est-ce que ce dingue racontait ?

— Elle fréquentait mon cours il y a deux ou trois ans, continua Veranne. Elle se faisait appeler Lorelei.

La légende allemande de la Lorelei : une nymphe qui attirait les navigateurs du Rhin par ses chants jusqu'à les égarer comme les sirènes de la mythologie grecque. La Lorelei était aussi une falaise abrupte le long du Rhin, marquant un passage du fleuve où des légions de bateaux s'étaient échoués. Symbole limpide : Claudia attirait et fourvoyait les hommes, les réduisant à l'état d'épaves – à commencer par lui.

— Elle n'est restée auprès de moi qu'une année. Elle était très douée. Ensuite, je l'ai croisée quelques fois dans les clubs d'entraînement ou dans des boîtes SM.

Corso ne savait quoi retenir des multiples implications de ce scoop. Claudia goûtant aux plaisirs pervers. Claudia experte dans l'art des cordes. Claudia liée à Sobieski sans doute bien avant la série de meurtres. Claudia pratiquant le shibari avec lui et, pourquoi pas, déjà sa maîtresse…

Veranne lui donna une nouvelle information qui surpassa toutes les autres :

— C'était une adepte de l'autosuspension.

— Qu'est-ce que c'est ?

— Une technique particulière qui permet de s'entraver soi-même. À la fin de la manœuvre, il suffit de libérer un nœud pour que tout le réseau de liens se resserre. D'un coup, vous vous retrouvez suspendu… Mais c'est vous-même qui avez fait tout le boulot.

Ses pensées se fracassèrent comme des pierres à feu contre les parois de son crâne. Il ne voulait pas comprendre les vérités qui découlaient de ce coup de théâtre.

Veranne se penchait déjà sur l'une des photos.

— Attendez… Oui… Aucun doute, ces nœuds relèvent de cette technique. Si vous les regardez bien, vous vous rendrez compte qu'ils sont tous tournés vers l'intérieur. C'est Lorelei qui s'est attachée elle-même.

Veranne laissa tomber le cliché sur la table basse. Pour la première fois, il semblait accuser le coup lui aussi. Son visage étréci parut se compresser encore – il ne restait plus que les yeux, ouvertures brillantes et fiévreuses.

— Vous pensez que… ? demanda-t-il.

Le maître SM n'acheva pas sa phrase et Corso ne lui répondit pas. Ils avaient tous les deux compris la vérité.

Claudia s'était donné la mort en imitant le mode opératoire du bourreau du Squonk.

Pour une seule raison : innocenter pour de bon Philippe Sobieski.

93

La pluie.

Des colonnes. Des voûtes. Des murailles. Toute une architecture mouvante, à la fois lourde et fluide, qui éclatait sur le bitume, le capot des voitures, les toits des immeubles. La pluie en blitzkrieg, l'attaque des eaux, la rage de décembre. Il était à peine 15 heures et il faisait déjà nuit.

Les bourrasques faisaient vaciller les décorations déployées au-dessus des avenues. L'averse accentuait le scintillement des guirlandes, des luminaires. Noël et ses étincelles se disloquaient dans le ruissellement général, telle une crue géante qui allait tout emporter sur son passage.

Corso roulait à fond en direction du port de Tolbiac – il avait mis son gyrophare, ajoutant sa propre touche de lumière aux jeux de miroirs des vitrines et de leurs reflets. Parvenu à Notre-Dame, le trafic s'arrêta sur les quais. Même avec son deux-tons, impossible de passer.

Allez, un coup de fil.

— Je te dérange ?

— Ça dépend pour quoi t'appelles.

— À ton avis ?

Coscas, le médecin légiste, soupira :

— Qu'est-ce que tu veux savoir ?

— T'as fait les analyses toxico de Claudia Muller ?

— Par pure conscience professionnelle. Il est évident qu'elle n'est pas morte par empoisonnement ni intoxication.

— T'as les résultats ?

Coscas marqua un temps. Bruits de touches sur un clavier.

— C'est drôle que tu m'appelles maintenant…

— Pourquoi ?

— Parce que je viens de les recevoir et qu'il y a quelque chose de bizarre.

— Quoi ?

— J'ai opéré des prélèvements sur différentes parties du corps. Ceux du visage ont donné un résultat singulier : ils contenaient un fort anesthésiant local.

— T'en as pas trouvé ailleurs ?

— Non. On lui a sans doute injecté ce produit juste avant de lui ouvrir les joues. L'anesthésiant n'a pas eu le temps de gagner le reste du système sanguin. Du reste, c'est une lidocaïne qu'on utilise justement pour les anesthésies locales. Comme si le meurtrier avait voulu limiter la souffrance de sa victime.

Tu m'étonnes. Les voitures repartaient. Corso, à travers les lézardes bleutées de son pare-brise, voyait se dessiner un projet fou, un plan stupéfiant, qui dépassait tout ce qu'il avait pu voir jusqu'alors à la BC.

— J'ai ressorti les gros plans du visage, continuait Coscas. On peut distinguer sur les tempes et les joues la trace des piqûres. Sur le moment, j'ai rien vu mais avec un tel carnage…

— Ça va, Coscas, te ronge pas la rate. Si on comptait les erreurs qu'on a faites sur cette affaire, on serait tous bons pour Pôle emploi.

— Qu'est-ce que t'en penses ?

Le légiste paraissait préoccupé par cette énigme. Dans son boulot, on voyait passer des torrents de folie mais jamais d'éléments contradictoires. La démence est un fil rouge, elle suit sa propre logique et ne s'en écarte jamais.

Ce que Corso ne pouvait pas dire à Coscas, c'est que cette fois deux folies étaient à l'œuvre. Celle du mentor et celle de la disciple. Celle du bourreau du Squonk et celle de Claudia, la Lorelei des assises.

— Tu vas filer ça à Barbie ?

— C'est la procédure, non ?

— Accorde-moi vingt-quatre heures.

Corso ne savait pas pourquoi il demandait ce délai mais le légiste accepta, avec la voix du mec à qui on coupe un bras. Stéphane raccrocha. Il venait de dépasser la Très Grande Bibliothèque, toujours à slalomer entre les bagnoles coincées dans leur lit de flotte.

Le port de Tolbiac, enfin.

Il braqua à gauche, forçant les voitures à piler pour s'engager sur la rampe qui menait à la berge. Parvenu à la fabrique de béton, il sortit de sa Polo et se prit le déluge sur la gueule.

Le site était encore entouré de rubalise jaune, seule touche de couleur dans la grande moire grise de l'averse. Submergée, la berge paraissait près de se détacher de la terre et de rejoindre la Seine gonflée de pluie. Le fleuve se soulevait comme sous l'effet d'une lente et puissante respiration.

Corso franchit le périmètre de sécurité et accéda à la porte de l'enclos que Claudia avait forcée. Il n'avait plus aucun doute sur ce qui s'était passé. Il voulait maintenant se livrer à une reconstitution précise et vérifier le moindre détail.

L'escalier extérieur, sous des structures de protection en métal, s'enroulait autour du silo de sable. Il attaqua son ascension, penché comme sur le pont d'un vaisseau de guerre en pleine tempête. Une fois là-haut, il n'éprouva aucun vertige – pour une raison simple : on ne voyait rien. La pluie était si serrée qu'elle tissait une gaine grise ajustée au conteneur montant jusqu'au ciel.

Corso s'assit en tailleur sur le toit bombé en position de méditation, comme les sadhus indiens aux sources du Gange, et se repassa le film.

Au cœur de la nuit, Claudia avait grimpé ici. Elle s'était injecté de la lidocaïne dans les tempes, dans les joues, sous les mâchoires, puis, le temps que l'anesthésique fasse son effet, elle s'était déshabillée et « autoligotée », se laissant une main libre pour finir le boulot. Enfin, au bord du toit, déjà en position cambrée et entravée par ses propres dessous, elle s'était ouvert avec un cutter les deux joues jusqu'aux oreilles et avait placé une pierre au fond de sa gorge, alors que le sang giclait de partout. Corso pouvait imaginer : la douleur qui avait surpassé l'effet de la lidocaïne, la transe qui lui voilait les yeux, la mort qui formait un cercle écarlate autour d'elle…

Elle s'était alors débarrassée de son matériel : cutter, seringues, vêtements… Où ? Corso avait déjà repéré la petite trappe dans le toit qui permettait d'observer l'intérieur du silo. Il l'actionna – elle n'était pas verrouillée –, il y plongea son regard, mais ne vit rien. Trop profond.

Ensuite, tout était allé très vite. Claudia ne devait déjà plus très bien savoir ce qu'elle faisait, la vie s'échappait de sa bouche béante et repeignait le toit de la citerne. Elle avait tout de même passé sa main libre dans son dos et glissé ses doigts dans le bracelet formé par une des bretelles de son soutien-gorge.

Alors, d'un seul geste, elle avait libéré toute la tension retenue par sa série de nœuds et s'était retrouvée entravée comme les autres victimes du bourreau du Squonk. S'étouffant déjà avec la pierre dans la gorge, suffoquée par le sang, elle s'était laissée glisser sur le toit jusqu'à basculer dans le vide.

Toujours assis en tailleur, Corso pleurait. C'était le suicide le plus abominable qu'on puisse imaginer. Pourquoi Claudia Muller s'était-elle infligé une telle mort ? Pourquoi un tel sacrifice ?

Il fallait maintenant fouiller l'intérieur du silo, recueillir le témoignage de Veranne – ou plutôt l'appeler encore en tant qu'expert –, revoir et analyser tous les fragments collectés sous l'angle du suicide… Pas étonnant que les gars de l'IJ n'aient pas trouvé la moindre trace du tueur, il n'était tout simplement pas là.

Il appellerait Barbie pour lui expliquer tout ça.

Pour l'instant, il avait beaucoup plus urgent à faire. Il devait comprendre les raisons de cette folie. L'amour de Claudia pour Sobieski, sa volonté de l'innocenter n'étaient pas des mobiles suffisants. Elle avait une autre raison d'agir.

Il ne voyait qu'une seule personne pour l'éclairer sur les derniers jours de l'avocate suicidaire. Ça lui faisait mal de l'admettre mais il s'agissait de Philippe Marquet, avec sa coupe au bol et sa tête d'emoji.

Où va se loger l'intimité des plus belles femmes…

Une fois dans sa voiture, Corso regarda sa montre : bientôt 16 heures. Avant de poursuivre, il lui fallait régler un problème majeur.

À contrecœur, il composa le numéro qu'il exécrait. Il était tellement trempé qu'il avait encore l'impression d'être assis dans un marigot.

— Émiliya ? C'est moi.

— Tu me déranges, là.

— J'ai besoin que tu me rendes un service.

— C'est non, bien sûr.

— Il s'agit de Thaddée.

— Qu'est-ce qui se passe ?

— Tu peux le récupérer ce soir après la nounou ? J'ai une galère au boulot.

Silence. Corso était épuisé par ces luttes, ces conflits, ces négociations qui passaient toujours par les mêmes stades. Il allait d'abord devoir implorer, elle allait le couvrir de merde, ils allaient s'affronter et s'insulter, tout ça pour parvenir au résultat qu'ils connaissaient tous les deux dès le départ : Émiliya garderait son enfant, bien sûr, non pas pour rendre service au père, mais parce que c'était à la fois un devoir et un plaisir.

Curieusement, pour une fois il n'eut pas à insister et put sauter quelques étapes. Leur relation était-elle en train d'évoluer ? Ces derniers temps, Corso avait insensiblement changé de point de vue sur Émiliya. Il lui reconnaissait certaines qualités, et peut-être même un certain discernement dans ses perversités : jamais, finalement, elle n'impliquerait Thaddée dans ses jeux sexuels.

— J'irai le chercher chez toi à 18 heures.
— Merci.

Il avait quartier libre pour sa descente aux enfers.

94

— On couchait ensemble mais y avait un deal entre nous.

— Lequel ?

— Claudia m'avait demandé quelque chose en échange de ses… faveurs.

Corso n'avait pas eu besoin de faire appel à la violence. Il s'était rendu au domicile de Marquet, boulevard Ornano, dans le XVIIIe arrondissement – le flic de l'IJ avait pris des jours de repos pour cuver son chagrin –, et il avait simplement sonné à la porte. L'homme l'attendait. Il savait bien qu'ils n'en avaient pas fini tous les deux.

Corso n'avait pas parlé du suicide de Claudia. Il venait pêcher des infos, pas en donner. Les deux hommes se tenaient debout dans le salon, plongés dans une semi-pénombre – une lampe sur une étagère jouait le rôle de veilleuse. Dehors, la pluie ne désemparait pas.

Corso attendait la suite mais Marquet ne disait plus un mot.

— Qu'est-ce qu'elle a exigé en échange ? relança Stéphane.

— Elle voulait…

Sa voix s'éteignit encore. Corso fit un pas vers lui.

— Tu vas me répondre, ouais ?

Marquet se laissa choir dans un fauteuil et disparut dans l'obscurité. Seule sa voix le rattachait au monde des vivants :

— Elle voulait que je remplace les échantillons de l'ADN des victimes, Sophie Sereys et Hélène Desmora.

Cette fois, Corso bondit et attrapa les accoudoirs du fauteuil de Marquet.

— Répète un peu ça !

— J'vous jure… J'ai dû changer les fragments organiques correspondant aux victimes ainsi que le sang prélevé sur leurs corps.

Corso se redressa et recula. Ce fut son tour de s'absorber dans les ténèbres. Il se terra dans un coin de la pièce pour essayer de réfléchir. Les nouvelles pièces du puzzle ne s'encastraient avec rien. Elles dessinaient une image radicalement différente de tout ce qu'il avait pu envisager, mais cette image elle-même était indéchiffrable.

— On n'a jamais travaillé sur les bons échantillons ? lança-t-il, incrédule.

— Jamais.

C'était plus qu'une information : le bouleversement total des fondements du dossier. Ils avaient tous été trompés sur les matériaux mêmes de l'enquête.

— Elle t'a demandé dès le départ d'échanger le sang de Sophie Sereys ?

— Dès le lendemain du meurtre, ouais. Le 17 juin 2016.

604

Pour l'instant, Corso préféra ne pas s'étendre sur le fait que Claudia était au courant du premier meurtre alors même que personne n'avait communiqué sur ce fait divers.

Concentre-toi.

Pourquoi cette manipulation ?

Voulait-elle déjà innocenter Sobieski ?

Non, le sang et l'ADN de la victime ne disaient rien sur l'identité du tueur.

— C'est pour ça qu'elle couchait avec toi ?

Ses yeux s'habituaient à l'ombre. Marquet se fendit d'un frêle sourire. Une fêlure dans un pot de chambre.

— C'était certainement pas pour mon charme naturel.

Si Corso ne comprenait pas l'objectif de Claudia, il saisissait sa stratégie. Marquet était le seul au 36 qui pouvait échanger les scellés. Le petit homme détenait un poste clé pour qui voulait déjouer les tests sanguins ou les analyses d'ADN de la BC.

— Quel était l'intérêt de la manœuvre ?

— Je lui ai posé la question, elle a refusé de répondre. C'était le deal. Soit j'obéissais en fermant ma gueule, soit j'oubliais notre contrat sexuel.

Marquet n'avait pas dû hésiter longtemps. Dans le vrai monde, un homme comme lui n'avait aucune chance d'approcher une Claudia.

— D'où venaient ces nouveaux échantillons ?

— C'est elle qui me les a procurés.

Soudain, il comprit une autre vérité :

— C'est toi qui as placé ce sang sur les toiles de Sobieski ?

— Pas moi, elle.

Il revit l'écriture tremblée peinte à l'intérieur même des plis de peinture des tableaux. SARAH. MANON. LÉA. CHLOÉ. Et bien sûr, SOPHIE et HÉLÈNE…

Non seulement Claudia Muller avait incorporé ce sang aux toiles, mais elle avait imité l'écriture de Philippe Sobieski. Les analyses graphologiques avaient confirmé que ces prénoms étaient bien de la main du peintre.

— Comment tu peux en être certain ? reprit-il avec un bruit de basse au fond du cerveau.

— Y a pas d'autre solution. Elle était la seule avec moi à posséder des échantillons des sangs que j'ai fait passer pour ceux de Sophie et d'Hélène. Si c'est pas moi qui ai fait le coup, c'est elle.

Une nouvelle pièce de puzzle, une nouvelle énigme. Si Claudia avait opéré ainsi, c'était pour faire tomber Sobieski. Elle avait donc agi avec une perversité absolue : faire semblant de défendre le peintre pour mieux l'enfoncer, faire mine de chercher l'acquittement pour obtenir perpète. Le meilleur poste pour faire condamner Sobieski, c'était d'être à la barre.

Corso fut pris d'un vertige en se repassant à l'envers (et en accéléré) les grandes lignes de l'affaire. C'était Claudia qui, depuis le départ, avait tout manigancé pour que Sobieski crève en taule. C'était elle qui avait fait substituer les fioles de sang afin d'être sûre de pouvoir déposer le même sang sur les toiles de Sobieski – et avant cela, dans son laboratoire clandestin.

Mais dans quel but ?

Il se demanda au passage d'où provenait le sang des autres prénoms inscrits sur les toiles – un mystère que personne n'avait jamais résolu.

Mais on n'en était plus là. Corso parvenait déjà à une autre déduction, pas une certitude, mais, disons, une solide possibilité. De cette machination organique, découlait un autre fait, encore plus cinglé : c'était peut-être Claudia qui avait tué les strip-teaseuses…

Mais encore une fois, pourquoi ?

Était-elle une meurtrière perverse qui avait trouvé en Sobieski un bouc émissaire ? Ou au contraire le peintre (et sa chute) était-il le but ultime de sa manœuvre ? Dans ce cas, elle aurait tué deux femmes de l'entourage de l'artiste pour simplement le faire accuser. Ensuite, elle aurait distillé des indices accusateurs jusqu'au bouquet final : les noms sanglants des deux femmes dissimulés dans les dernières toiles de Sobieski.

Corso était prêt à tout imaginer, à tout accepter, mais il lui manquait, encore et toujours, la pièce centrale : le mobile. Pourquoi Claudia aurait-elle organisé tout cela ? Pourquoi éprouvait-elle en secret une haine si féroce pour Sobieski ?

Et en admettant qu'elle ait été la meurtrière, pourquoi substituer le sang des victimes ? Elle aurait pu tout aussi bien en conserver quelques centilitres et les répandre dans l'atelier de Sobieski puis sur ses toiles. C'était même beaucoup plus simple. Pourquoi cette ultime manipulation qui n'accablait pas plus Sobieski et finalement ne servait à rien ?

Marquet avait l'air d'avoir suivi le cheminement mental de Corso.

— Moi aussi, je me suis posé ces questions, avoua-t-il. J'ai fait mes propres recherches.

— C'est-à-dire ?

— Je me suis dit que si Claudia m'avait demandé de changer les prélèvements sous scellés, c'était pour cacher quelque chose à propos de Sophie et d'Hélène. J'avais conservé des échantillons de leur sang et j'ai fait faire des analyses de mon côté.

Corso avait la gorge si sèche qu'on aurait pu y gratter une allumette.

— T'as trouvé quelque chose ?

Marquet se permit un nouveau sourire fantôme dans la pénombre striée par les rais de pluie qui collaient aux vitres.

— C'est tout simple. Sophie et Hélène étaient sœurs.

— Tu veux dire… au sens biologique ?

— Des demi-sœurs, en fait. Mais elles avaient le même père, aucun doute là-dessus.

95

Corso réussit à attraper le train de 18 h 23 pour Frasne, une ville dont il n'avait jamais entendu parler. Ensuite, il prit une correspondance pour Pontarlier. Trois heures de voyage dans la nuit d'hiver, en direction de la montagne et de la vérité, avec pour seul compagnon son ordinateur.

Direction le foyer de l'enfance de la Motte-Sassy, où Sophie Sereys et Hélène Desmora avaient grandi ensemble, de 1998 à 2004. Stéphane voulait rencontrer quelqu'un qui les avait connues et qui pourrait lui confirmer, de vive voix, le scoop du jour.

Les gamines étaient demi-sœurs – c'était moins surprenant qu'il n'y paraissait. Sophie était née sous X, abandonnée par sa mère qui avait accouché à Lyon en 1984. Hélène était née deux ans plus tard à Lons-le-Saunier, de parents incapables de prendre soin d'elle. Le père des deux petites filles était donc, a priori, Jean-Luc Desmora, serveur, videur, chômeur, et surtout violent et alcoolique.

On pouvait imaginer qu'il avait zoné deux ans auparavant dans la région de Lyon ou ailleurs, où il avait eu une brève liaison avec la mère de Sophie, qui pour une raison ou une autre avait rejeté l'enfant. Une banale histoire de détresse familiale.

Pas étonnant non plus que les deux gamines se soient connues (et, d'une certaine façon, reconnues) dans un foyer de cette région. À partir de ce moment, elles avaient grandi dans les mêmes centres et familles d'accueil. Elles étaient montées ensemble à Paris et avaient tenté leur chance dans le monde du strip-tease. Corso se souvenait aussi qu'elles avaient caché leur amitié, sans doute pour être plus fortes en cas de problème. Une sorte d'arme secrète.

Mais pourquoi Claudia Muller, meurtrière ou non, avait-elle voulu dissimuler ce lien de parenté ?

Il y avait bien d'autres questions mais Corso s'était juré de ne pas se les poser. Aucune chance que son cerveau épuisé (et ignorant) lui fournisse la moindre réponse. Ou bien alors à l'aveugle, ce qui était pire que tout.

Durant ces trois heures de train, il se contenta de consigner sur son ordinateur tout ce qu'il avait compris – et ce qu'il supposait. Pour le reste…

Un fait ne cessait de le tarauder. Claudia avait demandé à Marquet de falsifier les échantillons de sang dès le premier meurtre. Détail essentiel qui signifiait qu'elle savait, dès la mort de Sophie, que la prochaine de la liste serait Hélène…

Elle était donc la meurtrière. Ou bien elle connaissait le tueur et ses intentions.

Dans ce cas, pourquoi n'avoir pas prévenu Hélène ?

Pas de questions, Corso, pas de questions.

Il colla son front contre la vitre et essaya de discerner le paysage dans l'obscurité. Il ne voyait rien.

Il plongea regard et pensées dans ce néant avec l'espoir de s'y dissoudre. L'arrivée à Frasne le réveilla. Il dégringola sur le quai et découvrit un nouveau monde.

Tout était blanc. La gare était ensevelie sous la neige. Les réverbères se reflétaient sur les congères qui cernaient les rails du TGV dans une luminescence féerique. À d'autres endroits, la neige formait des reliefs plus doux, plus moelleux, qui évoquaient des décorations ouateuses. Il ne manquait plus que la crèche du petit Jésus. Corso se sentait totalement décalé. Il ne portait qu'un blouson, il n'avait pas de valise et il était seul sur le quai.

Seul à descendre à Frasne.

Seul à attendre la correspondance pour Pontarlier.

Il grelotta pendant une dizaine de minutes en ayant l'impression d'être prisonnier d'une boule à neige, le genre qu'on secoue pour admirer la tour Eiffel ou le Père Noël sous les flocons. Puis un petit train aux allures futuristes, bleu pétrole et gris mercure, arriva. Après la crèche et la boule à neige, le train électrique. Corso évoluait au pays des jouets. Il grimpa à l'intérieur, toujours seul. Un quart d'heure plus tard, il parvint à Pontarlier. Même topo qu'à Frasne avec peut-être encore un peu plus de neige et, si c'était possible, moins de monde. Même le personnel de la gare s'était fait la malle.

Il s'achemina vers la sortie en espérant qu'il trouverait tout de même des taxis.

Il y en avait un seul. Pare-brise noir, chauffeur invisible, tuyau d'échappement crachant des panaches de gaz sous un réverbère. Des images de Noël, on passait directement au film d'horreur : il n'avait plus qu'à monter à bord pour s'apercevoir qu'on l'emmenait dans un motel isolé où on pratiquait des sacrifices humains.

Quand il annonça sa destination, le chauffeur s'exclama, hilare :

— Heureusement qu'j'ai les pneus pour !

La voiture gravit une départementale en direction du Larmont et de la frontière suisse. La fenêtre offrait un tableau spectral, comme lustré par la lune. La neige conférait aux plaines et aux montagnes une présence fantomatique, un blêmissement qui semblait dématérialiser la Terre elle-même.

Parti comme c'était, Stéphane aurait bien vu le foyer de la Motte-Sassy se dresser à flanc de montagne, façon blockhaus aux fenêtres éteintes et aux fantômes vivaces. Bonne surprise : le centre était un long bâtiment peint en rose, bien éclairé, dont les balcons en avancée évoquaient l'architecture d'un hôtel de sports d'hiver.

— J'vous attends ou quoi ?

— Non merci, répondit Corso en réglant le chauffeur.

Il n'avait pas prévenu de son arrivée. Il n'avait pas la moindre idée de ce qui l'attendait dans cet édifice qui avait accueilli voilà près de vingt ans deux petites grandissant comme des sœurs et qui – sans que personne le sache – étaient en effet des sœurs.

Le flic eut droit à quelques pas de silence jusqu'au perron – de la neige, du feutré, du glissant – puis à la clochette à l'ancienne. Il attendit patiemment, grelottant toujours dans son blouson. La température avait encore baissé : de la crève en puissance.

Enfin, un petit gars en jogging, qui ressemblait autant à un éducateur qu'à un taulard, vint lui ouvrir. Corso se présenta, badge en main, et demanda à voir la personne qui dirigeait le foyer. Il était 22 h 30, autant dire qu'on aurait pu lui claquer la porte au nez. Mais l'autre ne moufta pas et, sans un mot, repartit d'où il était venu, comme sur des rails.

Stéphane patienta dans un réfectoire immense qu'un sapin richement décoré (avec boules et guirlandes faites maison) peinait à égayer. Il fit quelques pas dans le hall astiqué, reconnaissant les matériaux : grès cérame, murs peints, linoléum rouge sombre. Du facile à laver et à désinfecter. Dans ce genre de foyers, on était prompt à passer l'éponge derrière vous. Pas de traces, pas de souvenirs.

Il s'était préparé à cette visite et s'était blindé mentalement. Pas question de laisser ses propres souvenirs pointer leur sale gueule. Pourtant, en s'approchant du sapin, son cœur se serra. La vue des figurines en carton bouilli et des guirlandes tressées en papier coloré au feutre lui rappela pas mal de Noëls où, malgré les cadeaux, c'était chaque fois la même plaie ouverte qui remontait à la surface. Celle de n'avoir pas de parents ni d'amour bien à soi.

Le premier, il avait toujours défendu l'idée que grandir en foyer, il y avait pire dans la vie, et que l'absence d'origines n'était pas une catastrophe en soi. Pourtant, cette blessure béante n'avait jamais cicatrisé. Il avait grandi avec, cherchant chaque jour à la remplir de bribes d'amour glanées ici ou là – même quand ces fragments s'appelaient Mama et finissaient en tournantes.

— Commandant Corso ? Brigitte Caron, directrice de l'établissement.

Une femme d'une quarantaine d'années, portant elle aussi un survêtement, se tenait devant lui. Avec ses pantoufles, il ne l'avait pas entendue arriver. Cheveux paille, teint rouge brique, son visage mafflu évoquait une pomme d'amour luisante de sucre.

Corso se présenta à nouveau. En quelques mots, il expliqua l'objet de sa visite. Sophie Sereys. Hélène Desmora. Les années 1998-2004. Il se garda de dire pourquoi il cherchait ces renseignements.

— Et vous venez à cette heure-ci ? s'étonna-t-elle.

— Cette enquête est de la plus grande urgence.

Elle acquiesça d'un signe de tête. Affronter le froid et la neige, de nuit, pour simplement parler de deux petites filles que tout le monde avait oubliées. *Bel effort.*

— Je suis désolée, dit-elle. Je ne suis là que depuis cinq ans. Je ne peux rien faire pour vous.

— Il n'y a pas d'éducateurs qui travaillaient ici à l'époque ? des anciens qui pourraient m'aider ?

— Non. Notre personnel est régulièrement renouvelé pour qu'il n'y ait pas de relations privilégiées entre éducateurs et pupilles.

— Comme dans les banques.

— Pardon ?

Elle se tenait poings sur les hanches, ressemblant, dans son survêtement, à une petite lanceuse de poids venue de l'Est.

— Laissez tomber, fit-il en rempochant son téléphone.

— Attendez… Y a peut-être quelqu'un.

— Qui ?

— Une médecin de Pontarlier, Emmanuelle Cohen. Elle est là depuis un bail.

— Je pourrais avoir son adresse ?

Pour la première fois, Brigitte Caron esquissa un sourire, un coup de canif dans la pomme d'amour.

— Z'avez de la chance. Elle est justement ici. Un de nos gamins est malade.

Corso retint un cri de joie. Sa profonde conviction était qu'en prenant des risques – un voyage à blanc par exemple, vers une destination inconnue sans la moindre garantie de résultat –, vous obteniez toujours de bonnes surprises.

— Je vais vous la chercher.

96

Cheveux courts et gris, longue silhouette voûtée, presque cassée à hauteur de la nuque, la toubib apparut dans l'encadrement de la cage d'escalier cinq minutes plus tard.

Une vraie médecin de montagne. Avec cartable, bonnet et duffle-coat. Elle semblait avoir quarante ans de visites et d'accouchements en pente dans les jambes. Une grognarde des sommets et des sentiers de France.

Corso éprouva une sympathie immédiate pour le personnage. Sympathie qui remontait à loin – dans son enfance, ou même plus tard, quand il était accro à l'héroïne, il avait croisé des médecins de ce genre qui lui prescrivaient des médocs tout en lui accordant beaucoup plus précieux : chaleur, compassion, bienveillance. Du carburant pour les petits mômes ou les grands défoncés comme lui.

— Brigitte m'a dit que c'était important. Il s'agit de Sophie et d'Hélène, n'est-ce pas ?

Corso marqua son étonnement.

— Je lis les journaux, l'affranchit-elle. J'ai vu comment ces pauvres filles étaient mortes.

— Vous vous souvenez d'elles ?

— Bien sûr. Je les ai soignées durant plusieurs années.

— Pour quel genre de maladies ?

Elle se dirigea vers un banc du préau et y posa son cartable. Enfonçant les mains dans ses poches, elle continua à parler, toujours droite mais penchée dans ses hauteurs, comme un réverbère :

— Au coup par coup, des maladies bénignes. Mais sur le long terme, je jouais un peu à la psy. Ces jeunes filles n'allaient pas très bien.

— Vous pouvez être plus précise ?

— L'une vivait la rage au ventre, l'autre croyait aux fantômes.

Facile de les reconnaître : Sophie, qui haïssait tout le monde, y compris elle-même ; Hélène, qui couchait avec les morts.

Corso attaqua directement dans le gras :

— Notre enquête a démontré qu'elles étaient sœurs.

— C'était un secret de polichinelle.

Le flic comptait provoquer un effet de surprise : raté.

— Je vous parle de demi-sœurs biologiques, insista-t-il.

— J'avais bien compris.

— Comment le saviez-vous ?

— On n'avait aucune certitude mais elles se ressemblaient beaucoup.

— Physiquement ?

— Non, dans leur attitude, leur manière de parler… Certains de leurs gestes les unissaient d'une manière frappante.

— Ces similitudes pouvaient être l'effet de leur proximité.

La médecin eut un sourire qui aurait pu braver tous les vents, tous les obstacles.

— Il aurait fallu que vous les connaissiez. Elles provenaient de la même source. Aucun doute.

— Nos analyses prouvent qu'elles avaient le même père, Jean-Luc Desmora. Vous l'avez connu ?

Emmanuelle Cohen restait debout près du banc, les mains enfouies dans son duffle-coat. Malgré ses cheveux gris qui dépassaient de son bonnet, elle ressemblait à une étudiante attendant l'heure de son cours.

— Vous vous trompez. Jean-Luc Desmora n'était pas le père d'Hélène.

— Comment ça ?

— Un autre secret de polichinelle : Nathalie Desmora avait été violée dans la banlieue de Besançon.

Corso commença à avoir les oreilles qui bourdonnaient. Peut-être la rumeur de la vérité qui montait…

— Elle a porté plainte ?

— Non. Elle était déjà mariée à Desmora et elle menait une vie dissolue.

— L'enfant n'est peut-être pas née du viol…

Elle esquissa quelques pas – sa silhouette flottait dans son manteau, comme un clou dans un chiffon.

— Peut-être que non, en effet. Mais la mère n'a plus voulu qu'on la touche ensuite. Sa grossesse n'a été qu'un long calvaire, largement arrosé au picrate et à la bière.

— D'où tenez-vous ces certitudes ? demanda-t-il.

— Notre région n'est pas bien grande. Tout se sait. D'ailleurs, à l'époque, j'ai eu plusieurs fois l'occasion de soigner Nathalie. Elle et son mari vivaient dans des conditions… abominables. Misère, alcool, violence… C'était assez effrayant. Dès sa naissance, les services sociaux leur ont repris l'enfant.

Tout se sait. Corso se prit à espérer beaucoup plus.

— On a identifié le violeur ?

— Il y a eu des rumeurs. On a parlé d'un voyou errant, une sorte de bête sexuelle qui rôdait sur la frontière et qui avait déjà eu des ennuis avec la justice plus au sud. Les informations ne sont jamais précises dans ces cas-là. Les gendarmes parlent au café, leurs propos sont répétés, déformés, on aboutit à de véritables mythes…

Le bourdonnement au fond de ses tympans, de plus en plus fort.

— Si Sophie et Hélène étaient des demi-sœurs, ce violeur était aussi le père de Sophie…

— Absolument. Encore un truc que tout le monde savait.

Pour un flic, la province, avec ses commérages et ses chuchotements, était du pain bénit.

— Wow wow wow, fit-il pour ralentir la machine. Vous voulez dire que vous savez *aussi* qui était la mère de Sophie ?

Emmanuelle Cohen reprit ses pas silencieux. Sa longue silhouette semblait ne rien peser sur le lino.

— Un accouchement sous X au CHI de Pontarlier ? Tout le monde était au courant. Les infirmières ne savent pas tenir leur langue.

Corso songea à sa propre naissance et à cette idée sur laquelle il avait fondé toute sa vie : il était impossible de connaître l'identité de sa mère. Sa naissance avait valeur de secret absolu. *Tu parles*. Plutôt une manière de se protéger…

— Qui était la mère de Sophie ? demanda-t-il brutalement.

— Je ne me souviens plus de son nom. Une serveuse d'une vingtaine d'années. Elle travaillait dans un routier, sur la départementale qui mène à Morteau. Violée elle aussi. Elle a porté plainte, je crois. Y a eu une enquête, qui n'a rien donné.

— Mais selon vous, le violeur était le même que celui de Nathalie ?

— Sans doute. Je me souviens que la description cadrait. Un type malingre, à qui il manquait des dents. Les gendarmes s'étaient focalisés sur un homme qui sillonnait la région et qui correspondait au profil du voyou dont je vous ai parlé. Mais l'enquête a tourné court. Le type n'avait pas d'alibi mais les filles ne l'ont pas reconnu. Ou n'ont pas voulu le reconnaître.

Le bourdonnement était devenu la rumeur qui succède à une explosion. Corso avait l'impression d'être sourd. Le *blast*, disent les Anglais…

— Vous vous souvenez d'un détail ? parvint-il à demander. D'un indice qui aurait orienté l'enquête ?

— Oui. On parlait à l'époque des liens que le violeur avait faits. Un nœud spécial, un truc de scout, je sais pas quoi. Tout le monde fantasmait sur cette signature étrange… Mais, encore une fois, ce que je vous raconte, ce sont des bruits de comptoir, des ragots qui se répétaient dans les troquets de la frontière. Rien de très sérieux.

Corso n'entendait vraiment plus rien, comme si la pression avait fait éclater ses tympans. Explosés par la vérité qui se levait depuis un moment et qui venait de s'abattre sur sa conscience comme un monstrueux tsunami sur une ville portuaire.

Sophie Sereys et Hélène Desmora étaient les filles de Philippe Sobieski.

Cette révélation fut comme un centre de gravité très puissant qui attira tout le reste : le temps, l'espace, la pensée… Quand il revint à un état de conscience raisonnable, il se rendit compte qu'il était seul sous le préau avec le grand sapin qui lui faisait toujours de l'œil.

Emmanuelle Cohen était partie, sans doute depuis longtemps. Elle l'avait salué et il lui avait répondu par simple réflexe.

Soudain, des pas chuintants sur le lino rouge.

— Vous êtes encore là ?

Brigitte Caron, en survêtement et pantoufles.

Tout ce que Corso trouva à répondre, ce fut :

— Je peux dormir ici ?

97

Ni le sommeil ni la mort.

Quelque chose de noir, de moite, de profond.

Quand Corso se réveilla tout habillé, il ne savait plus où il était ni même qui il était. Il lui fallut plusieurs minutes pour remettre tout à l'endroit et se souvenir qu'il avait passé la nuit au foyer de l'enfance de la Motte-Sassy. On lui avait gentiment ouvert une chambre inutilisée, il avait dormi dans un lit superposé, *celui du haut, s'il vous plaît.*

Maintenant, le coup de théâtre de la veille lui revenait.

Hallucinant et incompréhensible. Les deux premières victimes du bourreau du Squonk étaient les filles de Philippe Sobieski, l'auteur présumé de ces meurtres, justement.

Corso chancela jusqu'au lavabo et se passa la tête sous l'eau froide. Peut-être espérait-il effacer tout ça ou à l'inverse trouver subitement un ordre naturel et logique à ces éléments incohérents.

Le visage trempé, il s'observa dans la glace : il ne se reconnut pas. Pas rasé, rongé par l'anxiété, l'œil vitreux. Il avait l'impression d'avoir traversé une espèce de voile invisible pour rejoindre une dimension surréaliste de l'existence – ou bien au contraire d'avoir évolué jusqu'ici complètement à côté de la vérité.

Reprenons. Claudia Muller avait tué Sophie Sereys et Hélène Desmora – et tant qu'on y était, Marco Guarnieri. Elle avait couché avec un pauvre mec de l'IJ afin que personne n'apprenne que les deux premières victimes étaient demi-sœurs. Ensuite, elle avait fait en sorte que Sobieski soit inculpé et condamné pour les meurtres de ses propres filles.

Pas mal d'infos, certes, mais auxquelles il manquait toujours le principal : le POURQUOI. C'était une vengeance, aucun doute, mais pas la queue d'un mobile en vue. Voulait-elle venger des mères violées ? leurs filles qui avaient grandi sans repères ? On ne venge pas une femme en l'assassinant. Sans compter l'ultime absurdité : en admettant que Claudia ait voulu châtier le peintre-faussaire, pourquoi s'être ensuite suicidée en imitant le mode opératoire du tueur et en innocentant du même coup Sobieski ? Pourquoi avoir voulu mourir en détruisant le piège accusateur qu'elle avait elle-même construit ?

Corso ne prit pas de petit déjeuner. Il ne salua pas Brigitte Caron non plus. Il se contenta d'appeler un taxi, sans s'être lavé ni changé, et partit comme un voleur, avec son Mac sous le bras. Froissé, crasseux, il se fit conduire à la gare de Pontarlier, toujours sous la neige, puis il se rendit en train à Genève et prit directement un taxi pour l'aéroport. Il suivait désormais une idée bien précise.

Un coup de fil à Émiliya d'abord – tout allait bien du côté de Thaddée – puis à Barbie, afin que quelqu'un sur Terre au moins sache où il était.

— Qu'est-ce que tu fous ? aboya la fliquette, en vraie chef de groupe, à la fois autoritaire et protectrice.

— Je suis en route pour Vienne. Je vais voir les parents de Claudia.

— C'est quoi ce nouveau délire ?

Elle ne lui laissa même pas le temps de répondre, déblatérant aussitôt son sermon. Ça aussi, c'était du pur « chef de groupe ».

— Faut que tu te sortes de cette histoire, Corso. Laisse-nous faire et passe à autre chose.

— Où vous en êtes ?

— Nulle part.

— Ça donne vachement envie de vous laisser vous débrouiller.

— Pourquoi ? fit-elle avec agressivité. T'as mieux à proposer ?

— Peut-être.

— Quoi ?

— Je te rappelle de là-bas.

— Non, attends.

— Quoi ?

— T'es au courant pour Lambert ?

— Non. Qu'est-ce qui se passe ?

— Il s'est fait flinguer hier soir dans sa voiture, à Saint-Denis. Trois balles à bout portant par deux motards.

Corso se souvint de l'avertissement de Catherine Bompart : « Tu sais qu'Ahmed Zaraoui a été libéré ? » Le dealer était passé aux représailles.

— On sait qui a fait le coup ?

— On a tout de suite pensé à Zaraoui mais il a un alibi.

— Il a pu foutre un contrat sur Lambert.

Barbie n'ajouta pas un mot. Ce silence signifiait : *un autre doit être sur ta tête*. Son ex-adjointe, comme Bompart, n'avait jamais été dupe de cette histoire : elle savait que Corso avait participé à la fusillade de Pablo-Picasso. Le tout était de savoir si Zaraoui le savait lui aussi.

Corso raccrocha avec indifférence. Il n'avait tout simplement plus la place dans sa cervelle pour prendre en charge une nouvelle menace. Seul le dossier du Squonk comptait.

Une fois à l'aéroport de Genève-Cointrin, il fonça en direction des départs et se trouva un vol pour Vienne sur EasyJet à 14 heures. Il patienta en errant parmi les boutiques, stoppant parfois au bar pour boire un café. Enfin, il embarqua, se coinça près d'un hublot et se ferma au monde extérieur. Problème, son monde intérieur n'était pas folichon non plus. Il ne pouvait se raccrocher qu'à une seule hypothèse : il s'était passé quelque chose dans l'existence de Claudia Muller qui l'avait transformée en bras vengeur. Et ce « quelque chose » était lié à Sobieski.

Quand il atterrit à Vienne aux alentours de 16 heures, la nuit tombait déjà. À Londres, l'année précédente, le décor, avec ses devantures dorées et ses bus vermillon, lui avait fait penser à un magasin de jouets. À Vienne, fin décembre, on était carrément au pays du Père Noël : scintillements précieux, tramways rouges et angelots cuivrés…

Vienne vendait d'ailleurs cette image. C'était la ville où les enfants chantent en chœur, où les hommes chevauchent des lipizzans blancs, où le destin des femmes se joue sur une mesure à trois temps, lors de l'*Opernball*…

Tassé au fond de son taxi, frigorifié, il contemplait distraitement les palais, les sculptures, les fontaines à naïades qui défilaient… Toute une architecture baroque, alambiquée comme un château de Walt Disney, clinquante comme une gourmette de mac russe. La neige n'était pas là, mais on l'attendait de pied ferme.

Corso connaissait la ville. Il l'avait visitée avec Émiliya, au temps où leur histoire n'était pas encore asphyxiée par leurs jeux SM. Ils y étaient allés en amoureux, bras d'ssus, bras d'ssous, s'étaient baladés en *Fiaker*, avaient compté les horloges, profité jusqu'à la nausée des musées, des concerts, des strudels…

— C'est encore loin ? demanda-t-il en allemand. (Émiliya lui en avait appris les rudiments.)

— On arrive.

Barbie avait fini par lui lâcher l'adresse des Muller, dans Himmelpfortgasse. Un colossal bâtiment de pierre blanche, agrémenté d'un immense portail prévu pour des fiacres à plusieurs étages.

Quand il s'engagea dans l'escalier, il repéra les détails – taille des marches, rampe de bois verni, butoirs de porte dorés – qui révélaient l'intimité réelle de la ville. Pour Corso, l'intérieur des immeubles, c'était comme le dessous des jupes des filles. Le moment de vérité, où on surprenait la vraie nature des choses.

Il monta sans bruit et sonna à une porte imposante, laquée beige. Il attendit au moins deux minutes, comme on attend en haut d'un plongeoir. Quand la porte s'ouvrit, il réalisa l'ampleur de son erreur. Le père de Claudia se tenait devant lui, visage verrouillé, en pull en V et pantalon de velours.

— Que venez-vous faire ici ?

Franz Muller s'exprimait dans un français impeccable, mais avec un léger accent supérieur, du style : « Je parle votre langue et vous ne parlez pas la mienne. Je possède vos codes mais vous ne comprendrez jamais les miens. »

— Je voulais vous poser quelques questions sur votre fille. L'enquête continue et…

— Cassez-vous.

L'Autrichien maniait suffisamment bien le français pour savoir quand et comment une petite sortie de route est la bienvenue. Corso s'inclina. Non seulement il n'obtiendrait pas la moindre réponse mais il pourrait bien aussi dévaler les marches sur le cul.

Au passage, il remarqua que le versant austère de la beauté de Claudia venait de son père. Front bombé, pommettes dures, pupilles en clair-obscur… La partie supérieure du visage était le siège des passions, l'inférieure celui des affaires courantes. Les Muller père et fille séduisaient par le regard, se faisaient obéir par la voix.

À cet instant, Martha Muller apparut derrière son mari. Elle était loin de l'élégance naturelle de Claudia mais sa figure ronde et régulière portait tout de même les prémices de cette beauté tout en pâleur d'ivoire.

Un bref instant, il se dit qu'il pouvait plaider sa cause, mais l'épouse était suspendue au bras de son

627

mari, comme une naufragée à un morceau de mât de navire. *Un voyage pour rien.*

Avant de lui claquer la porte au nez, Franz Muller résuma la situation pour que les choses soient bien claires :

— Vous avez tué notre fille.

98

Corso remonta la Himmelpfortgasse, tête baissée, épaules lourdes. La posture des vaincus, une ombre sans relief se glissant le long des vitrines. Il allait devoir rentrer à Paris avec ses questions, ses indices contradictoires, ses bribes de vérité pires encore que n'importe quel mensonge.

Vous avez tué notre fille : il aurait presque préféré. Dans ce cas, Claudia aurait été innocente. Ensuite, on aurait pu comprendre quelque chose à cette affaire.

— Monsieur Corso ?

Il ne reconnut pas tout de suite la femme qui s'avançait vers lui dans une doudoune noire aussi brillante qu'un sac-poubelle : Martha Muller en personne.

— Monsieur Corso, répéta-t-elle, essoufflée. (De la buée brouillait son visage.) Je voulais m'excuser. Franz, mon mari… Enfin, il est bouleversé.

Mains dans les poches, Corso s'inclina : révérence, salut, excuse, tout ce qu'on voudra. Ou simplement un réflexe pour mieux l'entendre : Martha Muller lui arrivait sous l'épaule.

— Je peux vous parler ? demanda-t-elle avec un léger accent suisse.

Corso chercha où se réfugier. Il repéra un café à cinquante mètres.

— Venez, ordonna-t-il.

C'était peut-être le coup de pouce qu'il espérait.

Il avait cru avoir choisi un *Kaffeehaus*, le traditionnel café viennois, mais c'était en réalité une pâtisserie qui faisait salon de thé. Aussitôt, les odeurs de strudel aux pommes l'assaillirent. En quelques inspirations, on avait l'impression de prendre un ou deux kilos.

Il installa la petite femme à une table comme on dispose une figurine d'ange sur une branche de sapin – elle en avait la chevelure (ses mèches étaient bouclées) et l'air poupin, mais c'était un ange sur les genoux, incapable de remonter au ciel.

— Qu'est-ce que vous voulez boire ? lui demanda-t-il.

— Café.

Corso commanda et posa les mains sur la table. Il voulait se prouver qu'il ne tremblait pas, qu'il était prêt à recueillir des infos, capitales ou non, avec sang-froid.

Quelques secondes passèrent ainsi dans le brouhaha cuivré de la pâtisserie. Les gâteaux voyageaient au-dessus de leurs têtes. Dehors, la neige tombait enfin.

Les cafés arrivèrent. Le signal pour Corso.

— Que vouliez-vous me dire ?

— Je possède une information qui pourrait vous être utile mais je ne sais pas comment.

— Dites toujours.

Corso discernait maintenant chez Martha des signes qui ne trompent pas : chair boursouflée, commissures des lèvres trop sèches, paupières lourdes. *Antidépresseurs, quand tu nous tiens...*

La petite femme conservait le silence. Ça avait du mal à sortir. Finalement, elle attaqua par une question :

— Vous en êtes où de votre enquête ?

— Je ne suis pas à proprement parler impliqué dans la procédure mais…

— Vous devez bien être au courant des progrès de vos collègues, non ?

— Aux dernières nouvelles, pas grand-chose de déterminant.

— Mais vous, quelle est votre idée ?

Corso la regarda par en dessous, comme un grimpeur lève les yeux et tire sur la corde qui l'assure. Non, il ne lui dirait pas la vérité. Pas assez solide. D'ailleurs, cette vérité, il ne la connaissait pas entièrement.

— Dites-moi ce qui pourrait m'aider, éluda-t-il. *S'il vous plaît.*

Elle se mit à fixer son café et à tourner sa petite cuillère dans la tasse. L'arôme du nectar avait du mal à se frayer un passage parmi les lourds effluves des pâtisseries. Elle touilla ainsi durant plusieurs secondes, comme si elle cherchait à s'hypnotiser elle-même.

— Claudia n'était pas la fille de Franz.

Attendez-vous au pire, vous serez toujours en dessous de la réalité. Corso avait déjà compris mais il attendait les circonstances exactes de l'histoire.

— J'ai fait mes études secondaires à l'institut des Ormes, raconta-t-elle. Une école de jeunes filles en Suisse, près d'Yverdon-les-Bains, au bord du lac de Neuchâtel.

Corso avait bien en tête la carte de la région : Yverdon-les-Bains n'était qu'à une quarantaine de kilomètres de Pontarlier. Soit la zone de chasse de Philippe Sobieski dans les années 80.

— Je n'étais pas très en avance. À 18 ans, je n'avais pas encore décroché ma « maturité », l'équivalent du bac en France. Je passais la plupart de mon temps à faire le mur, à picoler et à me défoncer. Une vraie jeune fille comme on les aime dans les pensionnats suisses.

Le flic n'avait pas la patience pour les détails :

— Vous avez été violée ?

— On peut dire ça comme ça, oui. Je l'ai rencontré dans un bar le long de la frontière. Pour être franche, je n'en garde aucun souvenir. Je revois une sorte de *bad boy*, grande gueule et plutôt mignon. Au départ, j'étais consentante mais ensuite, c'est devenu plus méchant. Encore une fois, je n'ai pas trop de souvenirs : j'étais ivre. Tout ça se déroulait dans l'arrière-cour du bar, entre les chiottes et la benne à ordures. Voilà comment a été conçue Claudia.

Martha se tut. Elle avait une curieuse façon de s'exprimer : son accent suisse trahissait une certaine indolence mais ses infos étaient on ne peut plus cash.

— Vous devinez la suite, reprit-elle enfin. Deux mois plus tard, je me suis aperçue que j'étais enceinte.

— Que s'est-il passé ?

— On a réglé ça à l'autrichienne.

— Mais vous êtes suisse.

— Mes parents étaient suisses, mais ils étaient installés à Vienne depuis longtemps. Mon père était le conseiller fiscal des familles les plus fortunées de la ville. Autant vous dire qu'il les tenait toutes par les couilles.

— Qu'est-ce que vous voulez dire ?

Sourire dans son visage rond et luminescent. On aurait dit l'illustration d'un astre dans un livre d'enfant.

— Il a secoué la petite communauté pour me trouver un mari en urgence. Un fils ou un contrôle fiscal, tel était le marché. Il n'y a pas eu de problèmes pour recevoir des propositions. Je vous accorde que ça ne fait pas très courrier du cœur : mon foyer est né d'une baise rapide et d'une menace de chantage. En attendant, Claudia est née la tête haute. Elle aurait pu n'être qu'une bâtarde, elle est seulement née prématurée dans la haute société viennoise.

Il observait cette face de lune aux yeux distraits. Fascinante d'indifférence, ou de désespoir. Dans tous les cas, elle avait largué les amarres depuis longtemps.

— Vous connaissiez l'identité de votre… amant d'une nuit ?

— Au départ, non. Mais ensuite, il y a eu des rumeurs puis l'affaire des Hôpitaux-Neufs. Au moment du procès, j'étais en Suisse. J'ai vu les nouvelles à la télé, j'ai lu les articles de journaux. J'ai reconnu le père de Claudia. Philippe Sobieski. Sa sale petite gueule de gouape, son assurance de marlou. Comment j'avais pu craquer pour une telle raclure ? Les femmes sont toujours perverses.

Les faits se glissaient finalement sans difficulté dans la chronologie. Durant les années 80, Sobieski avait sévi entre la France, la Suisse et l'Italie. Il avait séduit, couché, violé. Il avait distribué sa semence au fil d'une errance qui s'était achevée avec le meurtre de Christine Woog.

— À cette époque, votre mari était au courant de la situation ?

— Non. Seuls nos parents avaient agi en connaissance de cause. Franz n'était qu'un étudiant prétentieux et docile.

— Et Claudia ?

— On peut tromper un mari, sourit-elle. C'est même fait pour. Mais on ne peut pas tricher avec un enfant. Claudia a toujours senti que quelque chose clochait, qu'un mensonge planait. Elle n'a d'ailleurs jamais été une petite fille équilibrée. À 7 ans, elle a fait sa première dépression. La suite de son enfance n'a été qu'une longue suite de problèmes. Anorexie, automutilations, drogue, alcool...

Tout en l'écoutant, le flic se souvint qu'il avait trouvé une ressemblance entre Claudia et Franz. *Toujours autant de flair, Corso...*

— Finalement, quand elle a eu 20 ans, j'ai décidé de lui raconter toute l'histoire...

— Comment a-t-elle réagi ?

— D'une manière inattendue, ou au contraire très attendue, je ne sais pas. Elle a décidé de faire du droit et de défendre les pires causes des tribunaux. Elle a pris fait et cause pour le mal sous toutes ses formes. Peut-être qu'à travers ce combat, elle légitimait les actes de son père et aussi sa propre naissance.

Corso pensait tout le contraire. Claudia n'avait jamais été du côté de Sobieski. Elle avait au contraire décidé, dès qu'elle avait été affranchie, de le détruire à jamais – sa vengeance serait son unique raison de vivre.

Elle était devenue avocate, experte du crime et du mensonge, spécialiste de la loi et de la meilleure façon de la contourner. Pas pour défendre les criminels mais pour passer aux actes elle-même.

Elle voulait tuer son père biologique.

Elle voulait tuer sa progéniture.

Elle voulait se tuer elle-même.

Le degré de haine de Claudia était sidérant : il lui fallait éliminer le monstre mais aussi son sang, son sillage – ses enfants. Une opération d'extermination radicale.

— Elle a tenté de voir Sobieski en prison ?

— Non. Elle a simplement émigré en France pour faire des études de droit. Elle a décidé de s'occuper des assassins dans le pays de Sobieski. À croire qu'elle savait qu'un jour elle le défendrait…

Tu m'étonnes.

— Elle vous parlait de lui ?

— Rarement. Je n'ai jamais vraiment su ce qu'elle pensait de lui mais j'ai senti qu'elle était fière quand il est devenu un peintre célèbre.

— Pensez-vous qu'elle lui ait dit la vérité lors-qu'elle a accepté de le défendre ?

— Je ne pense pas, non. Mais il n'y a plus aucun moyen de le savoir.

Martha regarda sa montre. Elle avait lâché son scoop, elle avait fait une sorte de fugue hors de son monde policé. Maintenant, elle devait rentrer dans son appartement cossu, auprès de son mari autoritaire, soigner son chagrin et oublier ses vieux mensonges.

— Vous parlait-elle de Sophie Sereys ? d'Hélène Desmora ?

— Ce sont les noms des autres victimes, non ?
(Corso acquiesça d'un signe de tête.) Pas vraiment.
À l'époque du procès, elle ne trouvait même plus le
temps de nous appeler.

— Marco Guarnieri ?

— Jamais entendu ce nom. Pourquoi nous aurait-
elle parlé de ces gens-là ?

*Parce que vous appartenez tous à la même putain
de famille.*

Corso paya l'addition.

Un peu de lèche pour la route :

— Merci madame, c'est très courageux de votre
part de m'avoir parlé.

— Mais vous croyez que cela peut vous servir ?

— Cela me permet d'y voir plus clair en tout cas.

Soudain, Martha quitta sa morgue pâlichonne et
attrapa les deux côtés de la table.

— Je vous ai dit ce que je savais, fit-elle en se
penchant vers Corso. Maintenant, dites-moi où vous
en êtes, *vraiment*.

Corso la considéra quelques secondes et décida une
nouvelle fois qu'elle ne pourrait pas encaisser la vérité.
Le machiavélisme de sa fille. Le carnage auquel elle
s'était livrée. L'ampleur de sa vengeance... Personne
n'était prêt à entendre un truc pareil.

— Malheureusement, nous ne savons rien de plus.
Nous ignorons pourquoi le tueur a choisi ces filles en
2016 et pourquoi il s'en est pris à Claudia aujourd'hui.

— Mais Sobieski n'a jamais été impliqué dans
cette série de meurtres ?

— Jamais, non. Je me suis trompé sur toute la
ligne. Je crois que le véritable tueur est un être dévoré

636

par la haine et qu'il a voulu se venger de Sobieski en l'impliquant dans les meurtres qu'il avait lui-même perpétrés.

— Pourquoi dans ce cas s'en est-il pris à Claudia ?

— Parce que justement elle défendait Sobieski.

Martha recula sur sa chaise, comme renvoyée soudain à son deuil – à cette fatalité d'avoir eu toute son existence liée à un pur salopard qu'elle n'avait fait que croiser une nuit à 18 ans.

— Nous allons le trouver, Martha. Je vous le jure. Nous allons l'arrêter et le juger.

Sur ces mots solennels, il se leva et sortit de la pâtisserie. Il n'avait jamais menti aussi pleinement, aussi intensément, de toute sa vie. Parce qu'il savait qu'il ne révélerait jamais, même s'il la découvrait complètement, la vérité.

Il voulait achever de faire la lumière sur le cas Sobieski, mais c'était pour mieux l'enterrer et le renvoyer aux ténèbres éternelles.

99

En quelques heures, il avait recueilli des histoires, des rumeurs, des témoignages. Il voulait maintenant des faits scientifiques. La comparaison des ADN de Philippe Sobieski, Sophie Sereys, Hélène Desmora, Claudia Muller et Marco Guarnieri (il n'en doutait plus maintenant : « Narco » faisait partie de la famille) scellerait tous ces éléments. Bonne nouvelle, il savait qui appeler pour ce travail d'analyse en loucedé : Philippe Marquet, le complice malgré lui de Claudia la fratricide.

Sur les motivations de l'avocate, il faudrait se contenter d'hypothèses. Imaginer l'existence torturée de cette femme qui s'était toujours sentie illégitime. Le fruit d'un crime, un caillot de cellules né d'une pulsion malade. Claudia n'avait jamais été heureuse ni équilibrée. En lui révélant la vérité, sa mère lui avait offert enfin une cohérence, mais à rebours, quelque chose qui trouverait sa résolution dans la destruction et la mort.

Mains dans les poches, tête sous la neige, Corso se mit en quête d'un hôtel, petit, pas cher, invisible. Il s'enfouit dans une chambre comme un animal dans son terrier, puis il appela Philippe Marquet. Pas de réponse. Il lui laissa un message d'urgence et ouvrit son ordinateur. Il consacra une heure à tout écrire – ce qu'il avait compris, ce qu'il avait deviné, ce qu'il ressentait à l'intérieur de sa chair.

Claudia était cinglée mais pas si étrangère à lui-même. Il connaissait la douleur de n'être pas bien né et de ne posséder, en guise d'origines, qu'un trou noir. Il avait choisi de mettre une dalle sur ce gouffre. Elle avait opté pour la démarche inverse : soulever la pierre et regarder le fond de l'abîme.

23 heures. Nouveau message à Philippe Marquet puis retour au boulot. Corso tapait sur son clavier dans une sorte de transe. De temps à autre, il s'arrêtait pour contempler l'ampleur de l'horreur. Il imaginait Sobieski en train de coucher avec ses propres filles – il était certain que Claudia avait tout manigancé pour qu'il les rencontre. Il la voyait, elle, leur foutre la tête dans un étau, leur ouvrir les joues, leur enfoncer la pierre au plus profond de la gorge... Ou encore immergeant Marco Guarnieri au pied de la Black Lady. Puis il la revoyait se battre à la barre pour innocenter Sobieski alors qu'elle attendait dans le même temps que quelqu'un analyse le sang sur ses toiles, le sang qu'elle avait elle-même placé.

Ce qui le fascinait le plus, c'était la mise en scène inspirée par Goya. Claudia avait enquêté des années sur Sobieski. Elle connaissait ses talents de faussaire. Elle l'avait épié et elle avait deviné qu'il avait peint les trois *Pinturas rojas*. Alors elle avait choisi de les prendre pour modèles. Afin de confondre le peintre mais aussi pour crier sa propre rage. Ce cri abominable, c'était son cri à elle. Le cri d'une créature qui avait organisé la fin de son propre monde avec un machiavélisme unique.

Et dire qu'il trouvait Émiliya dangereuse…

Sur le coup de minuit, Corso reçut des nouvelles des flics de Blackpool. À sa demande, les gars avaient fouillé plus avant le passé de Marco Guarnieri. Sans surprise, il apprit que l'enfant n'avait jamais connu son père et que des rumeurs allaient bon train sur ses origines : quelque chose de violent et de non désiré… Marco était né à Aoste en 1983. Exactement l'époque où Sobieski rôdait dans les parages. On pouvait donc raisonnablement l'ajouter à la liste noire. Claudia avait dû écumer les archives de Franche-Comté, du Jura, de Neuchâtel, de la Vallée d'Aoste, interroger des milliers de personnes, sonder le passé de ces zones pour retrouver chacune des victimes de Sobieski – et le produit de chaque viol…

Corso dut se résoudre à arrêter. Il ne voyait plus rien, la fatigue lui cognait le front et il ne comprenait plus ce qu'il écrivait. Arc-bouté sur le minuscule comptoir qui essayait de se faire passer pour un bureau, il se tourna vers le lit qui lui tendait les bras. Dormir seulement quelques heures et attraper le lendemain le premier vol pour Paris…

À cette idée, il réalisa que Marquet n'avait toujours pas donné signe de vie. *Putain.* Il téléphona à nouveau et, cette fois, le gars de l'IJ répondit à la deuxième sonnerie.

— Jamais tu rappelles ?

— J'ai pas pu.

— J'ai besoin de toi demain matin.

— Je… Qu'est-ce que vous voulez ?

— Lancer une comparaison génétique entre tous nos échantillons.

— Lesquels ?

— Joue pas au con. Je sais que tu as gardé chaque fragment.

— Mais… mais vous voulez les comparer à quoi ?

Les noms de « Sobieski » et de « Claudia Muller » produisirent leur effet. Marquet avait l'air totalement dépassé. Corso espérait que ce demi-sel allait finir le boulot avant de lui claquer entre les doigts.

Mais il sentait autre chose – Marquet paraissait au trente-sixième dessous.

— Qu'est-ce qui se passe ? finit-il par demander.

— C'est le cimetière.

— Quoi, le cimetière ?

— Celui de Passy…

Il fallait vraiment lui arracher chaque mot.

— Eh bien quoi ?

L'autre grommela dans le combiné.

— Parle distinctement, merde ! hurla Corso.

— Je suis allé me recueillir sur la tombe de Claudia aujourd'hui.

— Et alors ?

— Et alors ? répéta-t-il soudain plus fort. Y avait plus de tombe !

100

— Il s'agit d'une exécution testamentaire.

— Qu'est-ce que vous voulez dire ?

— Mme Claudia Muller avait rédigé un testament olographe d'une grande précision, déposé chez maître Rogier, notaire boulevard Malesherbes.

Corso se trouvait au service de la conservation du cimetière de Passy, une petite pièce qui ressemblait à une station de chemin de fer, située près du monument aux morts de l'entrée. Une sorte de sanctuaire parmi d'autres mais à l'intérieur duquel on était encore bien vivant. Pas la grosse frénésie : deux bureaux placés l'un en face de l'autre, comme celui d'un juge et de sa greffière. Là, on comptait les morts et on consignait les dernières volontés de futurs pensionnaires.

Après la révélation de Marquet, Corso avait éteint la lumière, dormi comme après une biture, pris un avion au jugé et atterri à Paris sur le coup de midi. Il avait récupéré sa Polo puis filé directement au cimetière de Passy pour arracher une explication de ce nouveau coup de théâtre : la tombe de Claudia Muller s'était volatilisée.

Le responsable (à la vue du badge de Corso, il avait aussitôt sorti le dossier de Mme Muller) lui tendait maintenant les documents. Stéphane craignit de ne rien comprendre mais les consignes étaient claires. Les dernières volontés de Claudia stipulaient que son corps devait, dès le lendemain de l'inhumation prévue par ses parents, être transféré au cimetière parisien de Thiais.

— Pourquoi Thiais ? demanda Corso en relevant les yeux.

— Aucune idée. Mais le notaire nous a envoyé des directives explicites.

L'homme manipulait des documents, des cartes, des factures – on aurait dit un plan de bataille mais il ne s'agissait que de la dernière demeure de Claudia.

— Mme Muller y avait fait construire un mausolée.

Corso connaissait le cimetière de Thiais, situé dans le Val-de-Marne. Ouvert dans les années 30, ce site était connu pour proposer des concessions gratuites, qui accueillaient les cadavres des plus démunis. Thiais, c'était le cimetière des clodos, des oubliés, des sans un… Corso en savait quelque chose : il s'était occupé d'y faire inhumer les 57 victimes parisiennes de la canicule de 2003 dont les dépouilles n'avaient pas été réclamées.

— Je peux avoir le numéro de sa concession ?

— Bien sûr. (Ses mains papillonnaient toujours autour du sinistre dossier.) C'est près des 104e et 105e tranchées.

Ces numéros désignaient justement les rangées gratuites. Des tombes individuelles s'y alignaient sans la moindre fioriture. Pourquoi Claudia avait-elle voulu reposer là-bas ? Que signifiait encore cet épilogue ?

— Qui a organisé le transfert du corps ?

— Les pompes funèbres ont été payées sur l'héritage de Mme Muller. Tout est en règle.

Claudia avait absolument tout prémédité. Ses meurtres. Son procès. Son suicide. Son dernier repos.

— Tenez, fit le préposé en lui tendant une autre feuille, le plan du cimetière si vous voulez aller vous y recueillir.

Il avait tracé une croix sur la carte, exactement comme les concierges des hôtels quand ils vous indiquent un bon restaurant dans une ville que vous ne connaissez pas.

Corso prit le document et posa une dernière question :

— Y a-t-il quelqu'un d'autre inhumé dans ce caveau ?

L'homme feuilleta encore ses liasses.

— Je ne possède pas les noms mais, vu la superficie du mausolée, elle ne doit pas être seule à l'intérieur.

101

Corso récupéra sa voiture et fila sur les quais jusqu'au pont du Garigliano, où il attrapa le boulevard périphérique. Porte de Vanves, il enchaîna sur l'autoroute du Soleil en direction de Rungis. Pas de soleil à l'horizon mais une circulation fluide.

Tous ses espoirs convergeaient maintenant vers le cimetière – sans raison, il se disait que Claudia lui donnait rendez-vous là-bas. Elle se doutait qu'il découvrirait la vérité et que cette vérité le mènerait au cœur du carré des indigents.

Il sortit à la bretelle de Rungis. Alors que le morne paysage de banlieue défilait, il songeait à Sophie Sereys qui jouait à faire souffrir son corps, à Hélène Desmora qui couchait avec des morts, à Marco Guarnieri qui dealait à l'ombre des montagnes russes de Blackpool… Il était quasiment certain que Claudia Muller avait fait transférer leurs corps dans son sanctuaire.

Elle avait fait bâtir un caveau pour sa famille maudite – ce clan qu'elle avait décimé et qui, selon elle, n'avait pas le droit de vivre. Avait-elle aussi fait venir la dépouille de Philippe Sobieski ? Non, le peintre, dans l'univers infernal de Claudia, était l'ennemi, le monstre honni, le responsable de leur malheur.

Corso réalisa qu'il touchait au but – il était en train de longer les claustras de pierre qui enserrent le gigantesque cimetière de Thiais. Enfin, il parvint au dernier rond-point avant l'arc de triomphe, rectiligne et sobre, qui forme le portail central. Tout à coup bien réveillé, il cadra à la fois le mur à claire-voie sur sa gauche, le porche qui lui tendait les bras – et quelque chose qui n'allait pas. Un détail qui accrochait son inconscient et allumait une alarme réflexe.

Le signal se trouvait dans son rétroviseur extérieur gauche.

Cent mètres derrière lui, deux motards chevauchaient une cylindrée puissante noire. Il n'y connaissait rien en motos mais la ligne de l'engin, la position des deux hommes voûtés sur le réservoir lui rappelèrent la bécane d'un collègue de la BRI, une Ducati Monster Dark, un machin de frimeur qui portait bien son nom.

Une milliseconde plus tard, Corso remarqua que le passager tenait un objet facile à identifier, même à cette distance : un Uzi Pro, célèbre pistolet-mitrailleur israélien capable de tirer mille coups par minute.

Le temps de réaliser le danger, les agresseurs étaient parvenus à sa hauteur. Corso ouvrit sa portière à toute volée, frappant de plein fouet la moto. Le pilote perdit le contrôle et alla buter contre le rail central en béton, tandis que Corso partait en dérapage du côté opposé.

Sa voiture pivota sur elle-même alors qu'il tournait frénétiquement son volant pour tenter de la redresser. Un tour, deux, trois… Enfin, la Polo vint frapper la barrière de sécurité et s'arrêta net, dans un bruit de moteur éreinté.

Ahmed Zaraoui. Après Lambert, c'était son tour. S'il n'avait pas été prisonnier de son obsession, il aurait pris des mesures préventives, au lieu de ça, il n'y avait pas pensé une seule fois.

Un geste à sa ceinture lui suffit pour se souvenir qu'il avait changé de vie, qu'il ne portait plus de calibre depuis longtemps, qu'il appartenait désormais à la caste des gratte-papier, des quidams inoffensifs qu'il fallait protéger des méchants.

Dans son rétro, il vit que la Ducati était passée de l'autre côté de la glissière de sécurité. Renversée sur le sol, elle bloquait la circulation. Le pilote, sous le bolide, cherchait à se dégager, alors que son passager, combinaison zentaï et casque intégral noirs, s'avançait en boitant vers la barrière centrale. Avec difficulté, il l'enjamba et marcha vers la Polo. Tenant toujours son Uzi, il tendit le bras et déchargea une première rafale. La vitre arrière éclata.

Couché sur le siège passager, Corso redémarra, débraya et enclencha la marche arrière de la main gauche. Puis, il embraya et accéléra, jambes tendues à l'oblique, dans une position de contorsionniste. Il ne voyait rien et ne savait pas où était le tireur.

Un choc le renseigna. Le motard, percuté de plein fouet, vola au-dessus de la bagnole et retomba sur son toit avant de rouler sur le capot, tandis que la Polo continuait sa marche arrière, raclant son aile sur le béton du rail central. Corso venait de gagner quelques secondes de survie.

Couvert de débris de verre, il se redressa, débraya de nouveau et engagea la marche avant. Le tireur se relevait déjà, braquant la gueule noire du pistolet-mitrailleur. Il cracha une deuxième rafale avant d'être à nouveau percuté. Cette fois, il ne passa pas au-dessus du véhicule mais dessous, fauché aux jambes.

Corso accéléra, sentant le corps du tueur passer sous ses roues. Quelques mètres plus loin, il pila – il ne réfléchissait pas, ne respirait pas, seulement cramponné aux quelques manips qui pouvaient lui sauver la vie. Coup d'œil au rétro : dix mètres derrière, le tireur ne se relevait pas. Il réenclencha la marche arrière et fonça droit sur le corps allongé. Il le poussa jusqu'à la barrière puis, manœuvrant à la sauvage, lui roula sur la tête.

Bientôt, il se retrouva bloqué par la rampe, sa roue gauche arrière montée sur le parapet. Mains crispées sur le volant, visage taillladé, il essaya d'ouvrir sa portière. Impossible. La balustrade l'en empêchait. Il déverrouilla sa ceinture de sécurité et tenta de se déplacer vers la droite.

À cet instant, les vitres de gauche volèrent en éclats, l'habitacle se remplit encore de fragments de verre. Il n'eut que le temps d'ouvrir la portière passager et de rouler sur le sol. Le conducteur de la moto était parvenu à se dégager de son engin. L'un des deux était-il Zaraoui ? Probablement non. Des hommes de main. Des voyous qui, heureusement, tiraient comme des cloches.

Corso rampa jusqu'à l'arrière de la bagnole. Il n'avait toujours pas vu son adversaire mais il pouvait deviner (vaguement) sa position par rapport à l'angle du tir. Sans doute de l'autre côté de la glissière de sécurité. Il s'y plaqua lui-même et risqua un coup d'œil à découvert : le tireur était sur la voie opposée, braquant un calibre semi-automatique.

Corso pouvait tenter de fuir et plonger parmi les voitures arrêtées, mais le risque était trop grand : le salopard tirerait dans le tas et toucherait des automobilistes planqués derrière leur véhicule.

Il opta pour un scénario de film. Ouvrant son coffre, il attrapa un bidon d'essence qui traînait là depuis des mois. Il en dévissa le bouchon et le vida sous la bagnole. Il ne manquait plus que le briquet Zippo pour boucler la scène : il était justement dans sa poche. Stéphane jeta un nouveau coup d'œil en direction de la balustrade. L'assassin casqué avançait toujours, tirant à tort et à travers, connard en diable, trop heureux de tétaniser son public – les automobilistes derrière lui s'étaient carapatés hors de leur voiture et se terraient entre les pare-chocs en essayant d'appeler la police ou de voir ce qui se passait sur le boulevard de la mort. Corso fit ses comptes : le tueur serait à sa hauteur dans une trentaine de secondes, la flaque d'essence s'enflammerait et la voiture… n'exploserait pas – les bagnoles n'explosent jamais dans la vraie vie. En revanche, il y avait de bonnes chances pour qu'elle produise une épaisse fumée noirâtre. Tout ce qu'il lui fallait.

Il balança le briquet allumé sous la Polo, la flamme glissa sur le goudron et grésilla avant de claquer en un bruit sourd. Le feu prit aussitôt, d'abord bleu, puis orange, puis blanc… Une fumée sombre se mit à jaillir du sol, des portières ouvertes, du coffre. En quelques secondes, un véritable mur sépara les deux équipes, les voitures bloquées par la Polo de Corso d'un côté, celles stoppées par la Ducati couchée, de l'autre.

Corso ne voyait plus rien, mais celui d'en face non plus. Il bondit et piqua un sprint en direction du tireur qu'il avait écrasé. Dans le bouillonnement toxique, il ne vit pas le corps et trébucha dessus. Il s'étala, se releva sur un genou et se prit d'un coup la chaleur de la voiture en feu charriée par une bourrasque. Son visage cuisait mais son corps frissonnait. Il resta à quatre pattes, profitant de deux avantages : protégé par la glissière, il était plus près du sol.

Il tâtonna, en apnée, les yeux en larmes, sentant chaque seconde se dilater dans l'air comme si c'était la dernière. Le tueur allait surgir à travers le rideau noir et lui perforer la tête. Même un tireur nul ne le raterait pas à un mètre de distance. Il palpait toujours le sol, sentant dans son dos le souffle de feu de la Polo. Même s'il ne respirait pas, il devinait les miasmes qui saturaient les orifices de son visage, les pores de sa peau, chaque geste étant un nouveau pas vers l'évanouissement.

Putain de merde. Toujours à quatre pattes, il réalisa qu'il pataugeait dans le sang de l'autre – et aussi dans une sorte de jus de cervelle qui suintait par les fissures du casque broyé. Il allait vomir quand le tueur jaillit des voiles de fumée : le calibre, l'index ganté glissé dans le pontet, la visière du casque noir...

La suite était la mort mais l'homme ne tira pas.

Il n'en eut pas le temps.

Corso avait enfin trouvé ce qu'il cherchait : la main serrée sur l'Uzi Pro du mort, son bras s'était détendu et son doigt avait pressé la détente, balançant une rafale en direction de l'ennemi, le renvoyant au néant de la mort anonyme des racailles.

102

Le cimetière de Thiais offrait une vue dégagée, une plaine de dalles et de gravier qui évoquait le temps où les hommes pensaient que la Terre était plate avec l'infini au bout.

Dans l'air glacé, Corso avançait péniblement parmi les travées, couvert de sang et de suie, le visage agité de tics, le corps secoué de frissons et de courbatures. Il percevait au loin, très loin, les rumeurs des secours : les deux-tons des flics, les sirènes des pompiers et des ambulances. Dans ce coin d'Île-de-France générale-ment tranquille, Stéphane Corso était passé par là…

Le cimetière de Thiais faisait la taille d'une ville et, en général, ses visiteurs roulaient en voiture jusqu'à la tombe qu'ils cherchaient. Corso traversait maintenant la division 94, « le carré des anges », celle des deuils périnataux. À côté de l'enfer des indigents, il y avait donc les limbes des enfants morts avant d'être nés ou de ceux qui avaient disparu durant leurs tout pre-miers mois. Détails poignants : les plaques mortuaires étaient décorées de fleurs, de petites serres, de bocaux de verre contenant des doudous, des bracelets ou des bonnets de naissance…

Bientôt, le flic croisa la division 102, dédiée à ceux qui avaient donné leur corps à la science. Un lieu de mémoire, de recueillement, constitué de tombes vides, et pour cause, mais portant des noms, des dates…

Enfin, il atteignit les 104e et 105e travées, le no man's land des morts sans un rond, sans un proche, sans une fleur. C'était là que Claudia avait voulu reposer. Pas difficile finalement de deviner pourquoi : malgré sa richesse, son éducation bourgeoise, sa formation d'élite, l'avocate se considérait comme une des leurs. À ses yeux, elle n'avait jamais rien valu – et ce « rien » était devenu sa seule raison de vivre. Il avait fallu effacer toute trace de cette sale histoire – ce père assassin, ces enfants non désirés… – et finir ici, parmi les miséreux et les anonymes.

On ne pouvait pas rater le mausolée de Claudia.

L'édifice émergeait parmi un parterre de tombes horizontales. Le bâtiment n'affichait aucune caractéristique, pas le moindre style : un simple bloc de ciment, plus proche du blockhaus que du tombeau. Pas de noms ni de dates. Corso marcha jusqu'au seuil et actionna la poignée de la porte en fer : c'était ouvert.

À l'intérieur, le jour passait par des sortes de meurtrières qu'il n'avait pas remarquées dehors. Ces rais de lumière venaient se briser sur cinq cercueils posés sur des tréteaux. Corso se demanda si cette installation était le souhait de Claudia ou s'il s'agissait d'un arrangement momentané avant d'inhumer chaque cercueil sous une chape.

Il remarqua que chacun d'eux – du produit standard, en pin – portait une plaque vissée à hauteur des pieds.

Sans surprise, il lut : « Sophie Sereys », « Hélène Desmora », « Marco Guarnieri », « Claudia Muller »…

Corso se demandait par quel moyen elle avait réussi à exhumer ces cadavres et à les réunir ici. Mais ce n'était pas si extraordinaire. Après tout, elle était avocate, elle connaissait toutes les ficelles légales et ces morts n'avaient pas de famille.

Parvenu au cinquième cercueil, il se pencha pour lire la dernière plaque. Aussitôt, il eut un recul comme s'il venait de voir surgir un horrible reptile. C'était presque ça : son propre nom y était gravé. *C'est quoi ce délire ?*

Le cercueil n'était pas scellé. Il déplaça le couvercle et aperçut un rectangle blanc à l'intérieur : une enveloppe. Il l'ouvrit et en sortit plusieurs pages manuscrites. Il ne connaissait pas l'écriture de Claudia mais il sut que c'était la sienne. Elle lui avait laissé une lettre d'explication.

Elle l'avait choisi, lui, pour être le dépositaire de son secret.

Corso décida de lire la lettre là, à l'abri, alors qu'il percevait toujours au loin les mugissements des sirènes. Les flics n'allaient pas tarder à le débusquer et à l'arrêter. Pas grave, quand ils le choperaient, il connaîtrait la vérité et plus rien n'aurait d'importance.

103

Corso,

Si tu es en train de lire cette lettre, c'est que tu as fait un sacré bout de chemin et que tu connais désormais la véritable histoire.

Quand j'ai appris la vérité sur mes origines, mon existence s'est arrêtée. Nous ne sommes pas de l'être, Corso, mais du temps. Une simple durée sur Terre. Or mon temps ne signifiait plus rien. Il n'était plus légitime. Il n'était qu'une erreur née de la violence et de l'abjection.

Durant des années, j'ai mené mon enquête. J'ai suivi, pas à pas, les errances de mon père biologique, ses déplacements, ses méfaits, ses agressions... J'ai recherché le long de la frontière de l'est de la France les enfants issus de viols, les mômes nés sous X et tout ce que cette vague de violence avait pu rejeter sur le rivage.

Peu à peu, j'ai dressé le portrait de notre famille : Sophie, Hélène, Marco... Pendant ce temps, mon plan mûrissait : éliminer les fruits de la semence de Sobieski et utiliser leur mort pour abattre définitivement l'ordure.

« Inexorable », j'aime ce mot.

Ma vengeance serait inexorable...

Sans doute ne comprends-tu pas pourquoi j'ai tué les miens et pourquoi je les ai fait tant souffrir. Tu crois en Dieu, Corso ? Je suis sûre que oui. Derrière tes allures de voyou nomade, tu n'es qu'un petit-bourgeois craintif cramponné aux repères que tu n'as jamais eus. En bon catho, tu sais donc que la souffrance purifie, que le sacrifice rachète nos fautes, qu'à mesure que la chair est profanée, l'âme monte au ciel...

Il fallait passer par ces meurtres. Torturer mes victimes jusqu'aux limites de leur conscience. Les asphyxier dans une apothéose de douleur. C'était le seul moyen de les libérer, de les arracher à leur gangue misérable, ce corps grotesque né du mal.

Tu veux des détails ? En voilà. J'ai connu Sobieski bien avant de mettre mon plan à exécution. Bien sûr, il a aussitôt voulu me sauter mais j'ai réussi à détourner ses instincts dépravés en le plaçant sur le chemin du Squonk. Je lui ai présenté Sophie et Hélène. Il a pris goût à ses propres filles – elles partageaient avec lui les désirs les plus vicieux. Dommage qu'ils n'aient pas su qu'ils transgressaient ensemble le plus puissant des interdits, l'inceste.

Il n'a pas été difficile d'éliminer ces deux bécasses obsédées par les plaisirs morbides. En revanche, les choses ne se sont pas déroulées comme prévu à Blackpool. C'est moi qui ai convaincu le galeriste de Manchester d'inviter Sobieski. Après l'échange de son tableau sous la Manche (même moi, je n'ai jamais su de quelle œuvre il s'agissait), il fallait l'attirer vers

*le nord de l'Angleterre. Je savais qu'une fois là-bas,
il ne résisterait pas aux plaisirs déviants de Blackpool. J'espérais qu'il y achèterait un peu de défonce à
Marco mais la rencontre n'a pas eu lieu. Pas grave :
il suffisait que le suspect soit dans les parages du
meurtre.*

*J'ai tué cette nuit-là mon petit frère. J'ai largué
son corps au pied de la Black Lady en prenant soin
qu'un pêcheur m'aperçoive. J'aimais l'idée de placer
un cadavre au fond de la mer, dans une transparence
noire qui donnerait un nouveau relief au cri de Goya...*

*Du côté de l'enquête, les choses ont aussi parfois
déraillé. J'avais pris soin d'éliminer Sophie Sereys un
de tes jours de permanence mais tu as été appelé sur
une autre affaire et c'est Bornek qui a été saisi. Il faut
croire qu'un ordre supérieur était mon allié puisque
c'est toi finalement qui as hérité de l'enquête...*

*À partir de là, je n'avais plus qu'à déposer des
indices sur ta route : le cahier d'esquisses dans la
cave du Squonk, les traces de sang dans l'atelier de
Sobieski, les signatures sur ses toiles (j'ai acheté en
loucedé ces échantillons de sang à un labo de trans-
fusion)... L'intervention de Jacquemart a été un coup
de pouce, les tableaux de Sobieski d'après les scènes
de crime auraient pu tout faire rater, mais tu n'as
pas lâché ton suspect... Un autre problème a été
Mathieu Veranne : quand il est venu témoigner lors
du procès, j'ai craint qu'il ne te signale que nous nous
connaissions, qu'il m'avait appris lui-même l'autosuspension... Heureusement, ce détail a été passé sous
silence. Si tu avais compris que je pratiquais moi-
même le shibari, tu aurais soupçonné une connexion*

souterraine entre Sobieski et moi. Tu aurais eu tort : je ne me suis formée à cette technique que dans l'optique de ma vengeance.

Une fois Sobieski arrêté, j'avais devant moi une autoroute. J'ai pris sa défense pour mieux le faire tomber. Sobieski était un faussaire, et cette activité constituait le meilleur des alibis. L'allusion à Goya me permettait à la fois de l'accuser et de l'innocenter, avec Perez en coupable de secours. J'ai l'expérience des assises, je savais que tout ce qui avait été dit durant les séances serait balayé par les signatures de sang sur les toiles. Pour marquer les esprits, rien ne vaut un peu de théâtre...

Un détail que tout le monde ignore : les officiers de l'OCBC n'auraient jamais eu l'idée d'analyser la peinture des œuvres modernes de Sobieski. J'ai dû me fendre d'une petite lettre anonyme leur conseillant de s'orienter dans cette direction.

Contrairement à ce que tu peux imaginer, le suicide de Sobieski ne m'a pas comblée de bonheur. Je voulais qu'il crève à petit feu en taule mais bon, sa pendaison en utilisant le nœud de mon mode opératoire a été une conclusion inespérée. Sobieski avait une qualité : la cohérence dans sa stupidité. Jusqu'au bout, il est resté le provocateur qu'on a connu. Avec ce nœud, il a voulu tromper encore ses ennemis, les enfoncer dans leur erreur, au risque de s'accuser lui-même.

Il ne me restait plus qu'à mourir. Je devais m'infliger le même supplice qu'aux autres. Ce qui était bon pour eux l'était aussi pour moi. Mais alors, pourquoi l'anesthésie ? Les analyses toxico ont dû révéler ce détail. Non pas pour moins souffrir, je voulais juste

658

être sûre de finir le boulot. Or, sous la douleur, je n'étais pas certaine de conserver toute ma lucidité.

Ma mort allait plonger la flicaille dans un grand désarroi, mais ce que je voulais, c'était jouer avec toi. Tu allais être bouleversé par ma mort, tu en conclurais d'abord que le tueur était toujours vivant, puis tu découvrirais que je m'étais suicidée. Tu penserais naturellement que j'avais respecté le même mode opératoire afin d'innocenter Sobieski.

La vérité était encore ailleurs... Elle t'a mené ici, dans le caveau des « Sobieski ». Nous sommes une famille, Corso, et nous devons reposer tous ensemble dans cette éternité que nous n'aurions jamais dû quitter.

Mais pourquoi ce cinquième cercueil à ton nom ? Sur la frontière de l'Est, j'ai passé des années à écumer les archives des mairies, les plaintes, les dépositions, les mains courantes des gendarmeries. J'ai sondé la mémoire des hôpitaux situés dans la zone de chasse de Sobieski. J'ai traîné l'oreille dans les cafés, chez les commerçants, et même dans les maisons de retraite...

Cent fois, j'ai cru découvrir de nouvelles victimes du violeur puis, faute de preuves, j'ai dû abandonner ces cas. Je n'ai obtenu des certitudes que pour Sophie Sereys, Hélène Desmora, Marco Guarnieri – et moi-même. Les analyses ADN m'ont apporté les confirmations nécessaires.

Mais en sillonnant ces vallées, le diable m'a accordé un cadeau. Une sorte de bonus. Un autre viol. Une autre naissance sous X. Un autre enfant.

Sa mère, une étudiante de Grenoble de 17 ans, avait elle aussi porté plainte mais l'enquête n'a rien donné.

Elle a émigré à Nice le temps de sa grossesse et elle a accouché anonymement là-bas. Elle pensait effacer ainsi l'abominable épisode de sa mémoire mais le stratagème n'a pas fonctionné : en dépression, elle s'est suicidée quelques mois plus tard. Le gamin né de cette fracture a poussé de travers, sombrant dans la drogue, la délinquance, le meurtre, puis il s'est redressé, avec une flicarde en guise de Fée bleue. Alors il est devenu un des meilleurs flics du 36. Ça te rappelle quelqu'un ?

Il y a longtemps que j'ai fait faire ton test ADN : la moitié de ton patrimoine génétique appartient au démon. Tu es le premier fils de Philippe Sobieski. Mon rêve – que tu sois chargé de l'enquête et que toute cette histoire devienne une vraie affaire de famille – s'est réalisé.

Tu as cru mener une enquête, tenir le coupable – et sans doute trouver l'amour auprès de moi... Tout ça n'était qu'illusion. Tu jouais seulement ton propre rôle dans notre drame familial. Pour cela, je te suis reconnaissante, tu as été parfait. Ne t'avise pas maintenant de révéler la vérité à qui que ce soit : notre histoire s'achève dans ce caveau et ne concerne que nous.

Tu n'as plus qu'une seule chose à faire : en finir à ton tour.

Corso, je le sais, toute ta vie, tu t'es débattu comme tu as pu. Tu as été flic, tu t'es marié, tu as eu un enfant – mais rien n'a pu te sauver. Tu es un malfrat. Tu es un tueur. Tu es un pervers. Ton sang est pourri, toxique, corrompu. Plus tôt tu en finiras, mieux ça vaudra. Nous sommes une erreur génétique. Ni toi ni moi n'y pouvons rien : notre temps n'est que du temps vicié.

Tu n'es pas obligé d'agir tout de suite. Mûris ta décision. Pense à tes sœurs, strip-teaseuses abjectes et débauchées, à ton frère Marco, dealer défoncé qui ne valait pas le prix d'un fix. Pense à moi, qui n'ai trouvé de raison de vivre que dans le meurtre et la cruauté. Pense à ton père, pure créature négative qui n'aurait jamais dû exister.

Tel est ton clan, tel est ton sang.

Je ne te dis pas adieu mais à bientôt. Je sais que je peux compter sur toi. Tu as toujours vécu avec cette blessure, ce cancer que nous partageons. Notre place est ici, au cimetière de Thiais, nous qui provenons de la pire des misères. Personne ne voulait de nous, personne ne nous a jamais espérés. Nous sommes morts avant même d'être nés.

Un jour, peut-être, nous aurons une autre chance, nous naîtrons d'un vrai désir, nous serons souhaités, attendus, aimés… Mais aujourd'hui, la seule issue est la Terre des Morts : je t'y attends dans son silence comme le noyau dans son fruit.

Claudia

104

Quand il sortit du mausolée, la mer de tombes était secouée de remous. Des flics, arme au poing, circulaient entre les dalles et les buissons, comme si leur suspect était à trouver parmi les morts. C'était presque vrai puisque Corso quittait tout juste, moitié zombie, moitié maudit, une réunion de famille au fond d'un caveau.

Les sirènes mugissaient toujours, la fumée noire salissait le ciel, il régnait un climat de fin du monde. *Magnifique.* Stéphane chancelait dans le jour qui déclinait. Il connaissait enfin ses origines et il y avait de quoi rire : il venait précisément de l'ennemi, de la semence d'un assassin, du monde du crime. Depuis qu'il était flic, il n'avait jamais cessé de lutter contre ses propres origines – l'univers des tueurs, des violeurs, des hors-la-loi, ceux qui avaient été rejetés par le monde et le lui rendaient bien en semant la mort et la panique sur Terre.

Dès qu'un bleu le vit, il le braqua en l'interpellant, aussitôt imité par les autres. Ils avaient enfin trouvé leur proie, celui qui avait buté deux hommes en plein jour sur une avenue sans histoires. Corso l'assassin,

Corso le flicard, Corso l'enfant du mal, leva les bras comme n'importe quel voyou qui n'a plus le choix.

On le plaqua au sol, on le fouilla, on lui mit les pinces. On lui écrasa la gueule sur la tombe d'un anonyme. On lui lut ses droits et on lui promit une saison en enfer.

Corso souriait. Le présent ne l'intéressait pas. Le passé pas plus et l'avenir encore moins. Il possédait enfin la clé de l'enquête qui avait fait imploser son existence.

— Libérez-le, bande de cons.

Toujours au sol, Corso leva les yeux. Barbie se tenait devant lui. Mais il s'agissait maintenant du commandant Barbara Chaumette, drapée dans un imper qui dissimulait ses robes foireuses et ses collants fatigués.

On le remit debout, on lui ôta les menottes, on le défroissa.

— Cassez-vous, ordonna-t-elle aux flics qui repartirent sans se faire prier.

— Vous les avez identifiés ? demanda-t-il simplement.

— Ahmed Zaraoui en personne et son principal lieutenant, Mokhtar Kassoum. T'as eu droit au gratin.

— Ils tiraient comme des pieds.

— Plains-toi. (Elle lança un regard circulaire sur le cimetière.) Tu peux m'expliquer ce que tu fous ici ?

Il ne répondit pas tout de suite. Les mots de Claudia dansaient encore devant ses yeux. Cette quête de la destruction. Cette mission suicide fondée sur la haine de soi et le dégoût du passé. Cette rage qui avait tout emporté sur son passage. Et cette étrange invitation au suicide…

663

— Claudia Muller s'est finalement fait inhumer ici.

— Et alors ?

— Je voulais voir le lieu, me recueillir.

Barbie acquiesça sans y croire. Elle avait sans doute compris depuis un moment que quelque chose clochait dans le meurtre de Claudia Muller, mais elle ne savait pas quoi, et d'autres crimes se chargeraient de lui faire oublier tout ça.

— Tu dois venir au 36 pour ta déposition.

— Bien sûr, sourit Corso.

— Bompart veut te voir.

— Pourquoi ?

Ce fut au tour de Barbie de sourire.

— Ta demande de réintégration a été acceptée. Effet immédiat. Tu vas pouvoir découvrir le 36, rue du Bastion.

Cette adresse, on aurait dit une blague. Mais c'était l'ultime confirmation qu'il espérait. Oui, son existence avait un sens, il devait encore casser du criminel, poursuivre sa route obscure, gagner sa vie en sauvant celle des autres. Et surtout, élever Thaddée de tout son amour, même s'il fallait pour ça se colleter avec son ex, raboter ses heures de boulot et plonger les mains dans la tourbe de l'humanité.

Barbie repartait déjà vers le nuage noir qui planait au-dessus du monde des hommes, marbré par les éclairs bleus des gyrophares et des ambulances.

Il lui emboîta le pas en traînant la patte. Il laissait derrière lui la malédiction de Claudia, le gouffre qu'elle avait ouvert sous ses pas, les vérités atroces qu'elle lui avait révélées.

Il avait bien noté son rendez-vous.
Mais il avait un gamin, un boulot, un avenir.
La Terre des Morts pouvait encore attendre.

Du même auteur :

Aux Éditions Albin Michel

LE VOL DES CIGOGNES, 1994.
LES RIVIÈRES POURPRES, 1998.
LE CONCILE DE PIERRE, 2000.
L'EMPIRE DES LOUPS, 2003.
LA LIGNE NOIRE, 2004.
LE SERMENT DES LIMBES, 2007.
MISERERE, 2008.
LA FORÊT DES MÂNES, 2009.
LE PASSAGER, 2011.
KAÏKEN, 2012.
LONTANO, 2015.
CONGO REQUIEM, 2016.
LES LIGNÉES IMMORTELLES, 2016.
LA DERNIÈRE CHASSE, 2019.

Le Livre de Poche s'engage pour
l'environnement en réduisant
l'empreinte carbone de ses livres.
Celle de cet exemplaire est de :
600 g éq. CO$_2$
Rendez-vous sur
www.livredepoche-durable.fr

**PAPIER À BASE DE
FIBRES CERTIFIÉES**

Composition réalisée par NORD COMPO

Achevé d'imprimer mai 2019 en Italie par
Grafica Veneta
Dépôt légal 1re publication : juin 2019
Librairie Générale Française
21, rue du Montparnasse – 75298 Paris Cedex 06